毛姆

短篇小说全集

[英] 毛姆 著　姚锦清 刘勇军 译

第15册

三个圈经典文库

经典就读三个圈　导读解读样样全

江苏凤凰文艺出版社
JIANGSU PHOENIX LITERATURE AND ART PUBLISHING

目　录

大使阁下

当阿申顿被派到X市去执行任务时，他左思右想，只觉得自己的处境有些说不清道不明。X市是一个重要交战国的首都，只是这个国家出现了分裂，有一个势力庞大的政党反对战争，革命随时可能发生，虽说并非迫在眉睫。阿申顿接受的任务是去实地了解一下，在当前的局势下可能采取的最佳对策是什么，并且提出可行方案，如果他的方案获得派他去执行任务的那些要人的批准，他还要去付诸实施。他可动用的资金数额巨大。英美两国的大使都得到了指示，要尽一切可能为他提供便利，不过上头私下关照阿申顿要自己行动。他不能向这两个大国的官方代表透露任何可能不便让他们知道的消息，以免使他们陷入困境，而由于他或许有必要在暗中支持一个与执政党剑拔弩张的政党，而美英两国又同这个执政党关系极为密切，因此阿申顿还是不动声色地见机行事为好。派他执行任务的政要们不想让两国的大使发现当局派出了一名特工来做与他们背道而驰的工作，这会让他们难堪。从另一方面来说，在反对阵营中有一个代表也是有利的，万一形势突变，这个人有足够的资金可以动用，也可以赢得这个国家新上任的领导人的信任。

可是大使都是很讲究尊严的人，他们的嗅觉特别灵敏，能随时发现自己的权威受到侵犯的任何蛛丝马迹。阿申顿一到X市就立刻去拜见了英国大使赫伯特·惠瑟斯朋爵士，他受到了合乎常规礼仪的接待，但是那场面冷淡得足以让一头北极熊后脊背发凉。赫伯特爵士是个职业外交官，早已养成了一副令人肃然起敬的职业姿态。他对阿申顿要执行的任务只字未问，因为他知道问了也是白问，阿申顿一定会闪烁其词的，但是他刻意让阿申顿明白他是在执行一个愚蠢的任务。他用酸溜溜的、容忍的语气谈到了派阿申顿到X市来的那些要人。他告诉阿申顿，自己已接到指令要尽力帮助他完成任务，尽可能满足他提出的一切需求，还明确地说，如果阿申顿任何时候想要见他，只要说一声就可以。

“我已经收到了那个特殊要求，要我帮你用密码发电报，据我所知，那套密码已经给你了。另外，我收到发给你的密码电报后，也要转交给你。”

“我希望电报不会太多，大使阁下。”阿申顿答道，“我知道处理密码是特别烦人的事情。”

赫伯特爵士沉默了片刻。或许这不是他所期待的回答。他站起身来。

“麻烦你来一下领事处，我介绍你认识一下这里的参赞和秘书，你可以把电报拿给他们发。”

阿申顿跟着他走出了房间，大使把他交给参赞后，轻轻地跟阿申顿握了握手。

“希望很快能有幸再跟你见面。”他说完，微微点了点头，就走了。

这次会晤过程中，阿申顿始终保持镇定。他的职责要求他低调行事，他不想引起任何官方部门的人的注意。不过当天下午他给美国大使馆打去电话时，才发现了为什么赫伯特·惠瑟斯朋爵士会对他这么冷淡。美国大使是威尔伯·沙费尔先生，他来自堪萨斯城，还在很少有人想到战争即将爆发的时候，他就因服务政坛有功而获得了这个职位。他身材高大粗壮，满头白发，所以看上去不年轻了，但是身体保养得很好，精力充沛。他的脸方方正正的，面色红润，鼻头很短，下巴显得很坚毅。他脸上的表情很活泼，不停地做出各种逗人发笑的怪脸，看上去这张脸活像是用作热水瓶的红色橡胶捏出来似的。他热情地接待了阿申顿。看来他是个性格开朗的人。

“我想你已经见过赫伯特爵士了吧。看来你一定把他惹恼了。你想想，华盛顿和伦敦的人这么做是什么意思嘛，我们连内容都不知道就要求我们帮你发密码电报？你知道吗，他们根本没有权力这么做。”

“哦，大使阁下，我想这只是为了节省时间，减少麻烦而已。”阿申顿说。

“行吧，那你到底在执行什么任务呢？”

这个问题当然不是阿申顿准备好要回答的，但是他觉得如实说出来会并不明智，所以决定给他一个不会透露太多内情的含糊回答。从他对这位大使的观察中他已经看出，沙费尔先生无疑具有影响总统大选民意的才能，但他似乎并没有担当大使所需要的那种机敏，至少表面上还看不出来。他给人的印象是个喜欢鼓励的和善的人。如果跟他玩儿扑克，阿申顿或许会对他有所提防，可是就眼下面对的事情而言，他感到自己相当安全。他开始东拉西扯地谈起了世界大局，而且及时找机会询问大使对当下的局势有何见解。就像战马听到了出征的号角似的，沙费尔先生立刻发表了一通演讲，一口气说了二十五分钟，等他终于筋疲力尽地讲完后，阿申顿连连感谢他的热情接待，随即告辞。

他决定跟这两位大使都保持一定的距离，便埋头做起了自己的事，很快就谋划好了自己的行动方案。不过，一个偶然的机会使他可以帮赫伯特·惠瑟斯朋爵士一个忙，所以又跟他有了联系。他了解到沙费尔先生与其说是个外交家，倒不如说是个政客，他的见解之所以值得重视，原因在于他的职位而不在他的人格。他把自己荣登高位看作享受优越生活的机会，他处事过于热情，甚至达到了超越自己职权范围的地步。他对外交事务的无知使他在一切问题上都难以做出有价值的判断，不过他频频出席协约国大使的会议，常常开会到昏昏欲睡，根本无法做出任何判断。众所周知，他拜倒在一位瑞士美女的石榴裙下，不过从一个特工的眼光来看，这个女人的来历有些可疑。她同德国有些特殊的关系，她对协约国的支持就显得很可疑。沙费尔先生每天都跟她见面，当然受她的影响不小。最近有迹象表明，时不时地有非常机密的情报泄露出去，已经有人猜疑是不是沙费尔先生在每天同美女见面时不经意地说了什么，随即被传送到敌国的情报总部去了。谁都不会怀疑沙费尔先生的诚实和爱国，但是没有人能确信他的谨慎。这是一件不好处理的事，但无论是华盛顿还是伦敦和巴黎，都认为此事关系重大，所以阿申顿接到了指令去处理此事。当然，他被派到X市去执行这个任务并不是没有人协助的，他的助手中有一位精明强干、性格坚定的波兰加利西亚人，名叫赫伯图斯。他同此人联络后，发生了一件机缘巧合的事——这种巧事在特工部门偶尔发生：这位瑞士女人家里有个女仆生病了，这位女伯爵（她确有此身份）很幸运地从克拉科夫本地物色到了一位很受人尊敬的人来顶替这个女仆。事实上，此人在战前是给一位大名鼎鼎的科学家做秘书的，所以她去做一名女仆无疑游刃有余。

这个安排的结果是，阿申顿每隔两三天就会收到一份报告：详细记录这位迷人的贵妇家里发生的事情。虽然他并未了解到任何事实可以确认最近出现的那些猜疑，但他却了解到了其他一些也很重要的事情。从女伯爵与大使在她家里舒适地共进晚餐时的交谈中似乎可以知道，这位美国大使好像对他的英国同行颇为不满，他发牢骚说他只能跟赫伯特爵士刻意保持纯粹公事公办的关系。他甚至直言不讳地说他烦死了这个该死的英国佬装腔作势的德行。他是个堂堂的男人，一个纯粹的美国人，压根儿就用不着讲究繁文缛节。他们为什么不能像两个平常的伙伴一样交交心？毕竟血浓于水啊，他常说，要是他们能脱下正装，坐下来喝一瓶黑啤酒，把心里的想法都说出来，那要比整天一本正经地满嘴外交辞令更有助于赢得战争的胜利。两位大使之间关系不够和睦显然不是一件好事，所以阿申顿认为还是要问问赫伯特爵士能不能去拜见他。

他被领进了赫伯特爵士的书房。

“你好，阿申顿先生，有什么需要我做的吗？我希望你对一切都满意。据我所知，你发电报够忙的。”

阿申顿坐下时看了大使一眼。只见他瘦瘦的身上穿着一件裁剪十分合身的燕尾服，黑色丝绸领带上缀着一颗很漂亮的珍珠；灰色裤子上有一条笔挺的直线，裤子上的条纹素雅而又鲜明，一双锃亮的尖头皮鞋好像从来没有穿过似的。很难想象他会穿着衬衫坐下来喝威士忌。他身材瘦高，简直是现代服装的标准模特儿，他直挺挺地坐在椅子上，像是坐在那里让人画官方肖像似的。他尽管神情冷淡，看上去挺无趣的，但其实是个挺英俊的人。他的灰白头发很整齐，在一侧分开，白皙的脸刮得很干净，直挺挺的鼻梁，灰白的眉毛下面有一双灰色的眼睛，他年轻的时候嘴形应该很好看，甚至有些性感，不过现在这张嘴上挂着一副坚毅的嘲讽表情，嘴唇苍白。从这样的一张脸上可以看到传承了几个世纪的良好教养，但看不出情感的流露变化。你永远不要指望这张脸上会突然迸发大笑，顶多只会稍纵即逝地露出一丝嘲讽的微笑。

阿申顿感到格外紧张不安。

“我怕你会认为我是在多管闲事，阁下，我准备好了你会叫我管好自己的事。”

“先说来听听吧。”

阿申顿说了他心里的想法，大使专心听着。他那双冷冷的灰色眼睛一直盯着阿申顿的脸，阿申顿可以看出他明显感到尴尬了。

“这些事你是怎么知道的？”

“我有途径获得一些有时有用的情报。”

“我明白了。”

赫伯特爵士还是那样直勾勾地盯着他的脸，不过阿申顿惊奇地看到他那双刚毅的眼睛里突然流露出了一丝笑意。这张严峻而傲慢的脸瞬间变得非常迷人了。

“还有一件事或许要请你费心告诉我。一个人要怎么做才能同别人正常交往？”

“恐怕什么也做不了，阁下。”阿申顿答道，“我认为这是老天的恩赐。”

赫伯特爵士眼睛里的那道光消逝了，不过他的神态要比阿申顿刚进屋时显得略微客气了些。他起身，伸出手去。

“你来告诉我这些，做得很好，阿申顿先生。是我太疏忽了。冒犯那位毫无恶意的先生是我不可原谅的失误。不过我会尽力弥补我的过失。我今天下午就给美国使馆打电话。”

“不过也不必太着急，阁下，恕我斗胆提个建议。”

大使的眼睛眨了几下。阿申顿开始感觉到他似乎有了几分人味儿。

“我只会照章办事，认真处理公务，阿申顿先生。这是我性格中的一个弱点。”后来，在阿申顿要告辞时，他又说了句，“哦，顺便问一句，不知道你明晚能不能光临跟我一起吃饭。黑领带。八点一刻。”

他想当然地认为阿申顿一定会接受这个邀请，没有等他同意便对他点点头，送走了他，然后坐回到他那张巨大的写字台前。

阿申顿想到赫伯特·惠瑟斯朋爵士邀请他去赴宴，不禁有些忧虑。系黑领带说明赴宴的人数不会多，说不定只有大使的妻子安妮夫人（阿申顿尚未见过），再有一两名年轻秘书。可以想见，此次晚宴应该不会很热闹。有可能饭后会打桥牌，不过阿申顿知道，职业外交家一般牌技都不精：大致原因可能是，这样的大人物总是胸怀大志，他们不屑于浪费精力去玩这种琐碎的客厅游戏。从另一方面来讲，他又非常想见识一下这位大使在不那么正式的场合是什么风采。因为显而易见，赫伯特·惠瑟斯朋爵士绝非常人。他的外貌和气度无疑是他这个阶层的人所特有的，而有幸结识典型的名流总是妙趣横生。人们心中想象的大使就是他这样的人。他的品行要是稍有夸张，就会变得像漫画中的人物那样。他离可笑只差毫厘，你看着他时会不由得屏息凝神，仿佛在观赏一位走钢丝的演员在高空展示令人目眩的绝技。他肯定是一位有个性的人。他在外交界平步青云，虽说他的升迁无疑得益于他与名门望族的联姻关系，但主要还是凭着自己的本事。他总能适逢其时地知道必须坚定时就坚定，通融为宜时便能通融。他的仪表风度无可挑剔。他懂六七种语言，能说得流畅而准确；他头脑清晰，很有逻辑。他从不怕把什么事情都想得很透彻，但付诸行动时却又很善于审时度势，酌情权宜。他在五十三岁的年纪就早早登上了驻X国大使这个高位，而在战争及国内的党派之争所造成的极端困难局势下，他仍能应付自如，有手段、有自信，至少有一次还很有勇气。话说有一回发生了暴乱，一批革命党人闯进了英国大使馆，赫伯特爵士面对向他挥舞的手枪而临危不惧，站在楼梯口与他们舌战，成功劝说这些人都乖乖回家去了。显而易见，他会在巴黎走完仕途。他是一个你不得不佩服的人，但也是你不容易喜欢的。他属于维多利亚时代的外交家类型，往往堪当重任，而又自行其是，虽说有时不得不承认他有些高傲自负，但就办事成效而论，这也无可厚非。

当阿申顿驱车抵达大使馆的门前时，门顿时大开，有一位体格健壮、神情庄重的英国管家和三名男仆在门口迎接他。他被引到一道壮观的大楼梯上——前面刚说过的那件惊心动魄的事就发生在这道楼梯上，上了楼梯后，他又被领进一间巨大的客厅，厅内罩着的灯发出暗淡的光线，可他入门第一眼就看见了大厅里的家具都很气派，壁炉的上方悬挂着英王乔治四世身着加冕礼服的巨幅画像，壁炉内火光熊熊，他要拜访的主人坐在壁炉旁的大沙发上，听到管家通报了来客的姓名后，缓缓站了起来。赫伯特爵士朝他走来时，神态优雅极了，他穿着简便的晚宴外套，穿这种服装要显得气派庄重是极不容易的，但他照样气宇轩昂。

“我太太听音乐会去了，她一会儿就回来，她很想认识你。我没有请别人。我只想同你一人好好聊聊。”

阿申顿喃喃地说了几句客气话，心里却咯噔一沉。他不知道自己将如何度过这至少会历时两个钟头的单独会晤：他不得不承认，在这个人面前，他感到极不自在。

门又打开了，那位管家和一名男仆端着很沉的银餐盘进来。

“我总会在晚餐前喝一杯雪利酒。”大使说道，“不过倘若你已经养成了喝鸡尾酒的恶习，我也可以请你喝一杯似乎叫作干马蒂尼的饮料。”

尽管阿申顿此刻感到很不好意思，但他仍不甘心在这种事情上也表现得言听计从。

“我是与时俱进的。”他答道，“既然能喝上干马蒂尼，却还要选雪利酒，那就像能坐上东方快车，却还要去坐马车了。”

就这样寒暄了一阵后，两道大门又被推开了，中断了他们的谈话，只听一声通报：大使阁下的晚宴开始！他们便步入餐厅。餐厅极大，六十人在此用餐也不会拥挤，不过此刻只摆了一张不大的圆桌，所以赫伯特爵士和阿申顿当即入座。边上有一个巨大的红木餐柜，上面摆放着一大堆金银餐具，餐柜的上方，正对着阿申顿，挂着一幅卡纳尔[1]的精美画作。壁炉上方则挂着一幅维多利亚女王少女时代的四分之三画像，头戴一顶小小的金王冠。在晚餐桌上服务的还是那位胖管家和三名高个子男仆。阿申顿有一个印象，觉得这位大使喜欢让人感觉到他很有教养，故意不张扬自己的奢华生活。他们仿佛是在英国的某一栋乡间大宅里用餐，仆人礼仪周全，菜肴丰盛而不铺张，因为一切都做得符合惯例，倒也不至于让人感觉烦琐得可笑。但是，这一经历却给阿申顿带来一番别样的滋味，因为他此刻脑子里难以摆脱一个念头：就在这大使馆墙外，生活在动荡不安中的民众随时可能发动流血的革命，而在不到两百英里远的战壕里，士兵正躲在猫耳洞里躲避着刺骨的寒风和无情的炮火。

阿申顿根本无须担心他们的谈话会进行得不太顺利，而他原本以为这位赫伯特爵士可能会盘问他的秘密使命的顾虑也很快驱散了。大使阁下对他的态度不冷不热，好像他是一个拿了介绍信来求见的普通英国游客，他只想以礼相待而已。没有人会想到一场大战正在蔓

1　吉奥瓦尼·安东尼奥·卡纳尔（1697—1768），意大利画家，在英语国家通称为卡纳莱托。画作以描绘十八世纪的威尼斯风光知名。

延，因为他几乎没有提到这个话题，偶尔提及也只是为了表明他不是在故意回避这个令人心烦的话题。他大谈文学艺术，有意无意地证明自己读书勤奋，兴趣广泛，而当阿申顿谈到一些同他有个人交情而赫伯特爵士只是通过其作品才知道的作家时，他也会摆出一副纡尊降贵的友好姿态注意听他说，世上的所有大人物一般都是这样看待艺术家的。（不过，大人物偶尔也会画一幅画或写一本书，这时艺术家也就可以对他们以牙还牙。）他还顺便提到了阿申顿写的一部小说中的一个人物，故意不提坐在他眼前的这位客人就是那本书的作者。阿申顿钦佩他的礼貌涵养。阿申顿不喜欢有人同他讨论他的作品，因为作品一旦写成，他就真的没有多少兴趣再去谈论了，不论是当面夸奖他还是指责他，都一样会使他感到不安。赫伯特·惠瑟斯朋爵士恰如其分地表达了自己读过他的作品，以此满足他的自尊心，同时又只字不谈对自己读过的作品有何看法，免去了可能给他带来的不适。他还谈到了一些他在外交生涯中曾被派驻过的国家，以及在伦敦和别的地方他和阿申顿共同认识的人。他谈吐不俗，时不时穿插一些善意的讥嘲，算得上是风趣幽默了，也显得机智聪明。阿申顿觉得晚餐席间并不沉闷，但也不怎么有趣。要是这位大使不是那样无论谈到什么话题都只说一些正确的、明智的、不痛不痒的话，阿申顿肯定会更有兴趣。他感到老跟着这样一个严丝合缝的精致脑袋转，实在太费劲了，巴望能快点进入脱去上装随便聊聊的阶段，最好能把脚也跷到桌子上去！看来这根本指望不上了。不止一次，他发现自己在琢磨吃完饭后如何尽快体面告辞。他约了十一点在巴黎酒店同赫巴图斯见面。

晚餐结束了，咖啡端来了。赫伯特爵士很懂佳肴美酒，阿申顿不得不承认这顿饭吃得很好。上咖啡时也端来了利口酒，阿申顿喝了一杯白兰地。

“我有些多年陈的法国廊酒，你想尝尝吗？”

“不瞒您说，我认为只有白兰地值得一喝。”

“我也许同意你说的。不过这样的话，我得给你喝点儿更好的。”

他对管家吩咐了一句，不一会儿，管家拿来了一瓶还挂着蜘蛛网的酒和两只特大酒杯。

“我不是吹嘘，”大使一边看着管家把那金黄色的酒斟入阿申顿的酒杯，一边说道，“不过我敢斗胆说一句，既然你喜欢白兰地，你就一定会喜欢这个酒。这还是我在巴黎短期担任参赞时弄来的。”

“这么说来，我最近是在跟你的一位继任打交道啦。”

“贝尔灵？”

“是的。”

“你觉得这白兰地如何？”

“我觉得特棒。”

“那你觉得贝尔灵怎样？”

这问题接着上面的那个问题问得很怪，听起来有点儿滑稽。

“哦，我觉得他是个该死的傻瓜。”

赫伯特爵士靠到了椅子背上，用双手捧起那只巨大的酒杯，闻了闻酒香，然后缓缓地在这间庄重宽敞的客厅里环顾了一周。桌上多余的东西都已撤去，在阿申顿与大使之间摆了一瓶玫瑰。仆人走出去时顺手将电灯也关掉了，室内只有桌上的烛光和壁炉的火光。客厅虽然特别宽敞，但还是在肃穆中显得很舒适。此刻，大使的目光盯住了壁炉上方挂着的气度不凡的维多利亚女王画像。

“我说不上来。”他终于说了一句。

“看来他是要离开外交界了。”

“恐怕是吧。”

阿申顿用探询的目光快速瞟了他一眼。他应该是最不可能同情贝尔灵的人了。

“从目前的情形来看，”他接着说道，“我想他离开外交界是难以避免的了。我为他感到惋惜。他是个能干的人，会有人想念他的。我觉得他还很有前途。”

“是的，这样的话我也听到过。还有人跟我说过，外交部的人对他评价很高。”

“他有不少才能在这个枯燥乏味的行业中很有用武之地。”大使说道，还是露着那淡淡的微笑，神态冷淡而审慎，“他长得很英俊，是位儒雅绅士，彬彬有礼，法语说得很好，头脑也很灵活。他要是不走本来会干得很出色的。”

“很可惜，他浪费了这么好的机会。”

“据我所知，战争结束后他要去从事酿酒行业。说来也真巧，他要去的就是我买到这种白兰地的那家酿酒公司。”

赫伯特爵士把酒杯端到鼻尖，使劲吸了一下白兰地的浓香。然后他又抬眼看着阿申顿。每当他心里另有所思的时候，他看别人的样子就会显得很古怪，仿佛他眼睛里看到的是一些奇特而又令他厌恶的昆虫而已。

“你见过那个女人吗？”

“我同她和贝尔灵在拉鲁饭店吃过饭。”

“有意思。她长什么样？”

“很迷人。”

阿申顿想要给大使描述一番这个女人，但是他的另一半心思在同时回想着当初在饭店里贝尔灵介绍他认识这个女人时他产生的印象。他当时也很有兴趣结识一位闻名已久的女人。她自称名叫露西·奥本，而她的真实姓名却很少有人知晓。她刚到巴黎时是一个舞蹈团的成员，那个舞蹈团名叫“快乐女郎”，在红磨坊歌舞厅演出。她惊为天人的美貌很快引起了关注，一位富裕的法国制造商爱上了她，送给她一栋住宅，还送给她满身的珠宝首饰，可是没过多久便满足不了她与日俱增的物质欲求了。她走马灯似的换了一个又一个情人，迅速成了全法国最红的交际花。她的开销大得让人难以置信，她满不在乎地把她的仰慕者一个个弄得破产潦倒，还在心里讥笑他们。再富有的人最后也都应付不了她的穷奢极侈。战前阿申顿曾在蒙特卡洛赌场看到她一落座便输掉了十八万法郎，这在当时可是一笔天大的数目。只见她坐在那张大赌台前，身边围着一群好奇的看客，把一沓一沓的千元法郎掷了出去，神色镇定自若，要是她输的是自己的钱，这气派着实令人钦佩。

阿申顿结识她的时候，她已经过了十二三年这种放荡的生活，每晚彻夜狂舞豪赌，下午通常骑马散心，所以她其实已不很年轻，但却一点儿都看不出来：她的额头上没有一丝皱纹，那双水灵灵的圆眼睛周围几乎看不见一道鱼尾纹。最令人惊诧的是，尽管她日复一日地过着这种毫无节制的放浪生活，可她居然还保持着处女般的清纯气息。当然这是她精心保养的成果。她生就一副亭亭玉立的苗条身材，锦缎罗裙无数，每一条都裁剪得特别简单而合身。一头棕色秀发不加任何复杂装饰，加上她的鹅蛋脸、俊俏的小鼻子和蓝色的大眼睛，俨然就是安东尼·特罗洛普[1]小说里令人销魂的女主角。她就像珍藏版的纪念品一样，美得让人窒息。她肤若凝脂，白里透红，十分动人，她若涂脂抹粉，那也不是因为需要，而是为了肆意放纵。她身上散发着朝露般的纯真气息，既令人意想不到，又十分迷人。

阿申顿当然听说过，早在一年多前贝尔灵就成了她的情人。她早已名声在外，凡是跟她有染的男人都必会成为公众关注的焦点，不过这次的艳闻引起的议论比往常更多，因为贝尔灵没什么钱，而外界也从没听说过露

1　安东尼·特罗洛普（1815—1882），英国维多利亚时代最出色的小说家之一。代表作有《巴塞特郡纪事》等。

西·奥本会青睐任何一个不是腰缠万贯的人。难道是她对这个男人动了真情？这似乎难以置信，可是还能有别的什么解释吗？说起来，贝尔灵倒也是任何女人都可能会倾慕的那种年轻男子。他三十出头，身材高挑，相貌英俊，举止优雅，有一股独特的魅力；总之，他的外表十分出众，走在路上也会引来行人频频回头多看他几眼。不过，跟多数英俊男子不同的是，他对自己引起的注目竟浑然不觉。当人们得知他是这位交际花的amant de cœur[1]（这个词要比我们英语中的fancy man[2]好听得多）时，他成了众多女人倾慕的对象，同时也引来了很多男人的嫉妒。不久，谣言四起，说他要跟这个女人结婚，这使他的朋友们惊愕不已，也遭来了众人戏谑的嘲笑。后来又有消息传开，说贝尔灵的上级问过他传闻是否属实，他承认了。他很快遇到了压力，上头责令他打消这个不会有好下场的打算。有人向他指出，外交官的妻子肩负各种社会义务，而露西·奥本不能承担这样的义务。贝尔灵回答说，他早已做好随时离职的准备，一旦时机合适他就会提出辞呈。什么劝告他都不听，同他

---

1 法语，意为心上人。

2 意为情夫。

争辩他也不理；他已打定主意要结婚了。

阿申顿初次见到贝尔灵时，他对这个人没有多少好感，觉得他有些孤傲。但由于在工作中接触多了，他渐渐发现他的疏离态度只是性格羞涩所致，对他有了更多了解之后，他反倒被他天性中的一种不多见的温和所迷住。不过他们之间的交往仍局限于工作关系，所以当有一天贝尔灵请他一起吃饭，认识一下奥本小姐时，他感到有些出乎意料，不由得纳闷儿是不是周边的人都已经冷落他了。去了之后他才发现，原来这次邀请纯出于那个女人的好奇。在那天的晚餐席间，阿申顿还颇为吃惊地了解到这个女人竟然有闲工夫读过他写的两三本小说（似乎还挺赞赏），而当晚让他感到惊奇的还不止这一件事。由于他一直过着平静而勤奋的写作生活，他从来没有机会接触高级妓女的圈子，所有时下当红的交际花他也只是知道名字而已。同样让阿申顿感到吃惊的是，他发现露西·奥本在神情举止和气度上与伦敦梅菲尔区的那种时髦女子没有什么区别，而那类女人他多少有些了解，为了写书也同几个走得挺亲近。相比之下，她或许略显得更急于取悦别人（的确她的性情中有一个表现很讨人喜欢，那就是她无论同谁交谈，总会对对方表现出很大兴趣），但她不像那些女人那么做作，她的谈吐也颇显智慧。在她身上见不到社交界近来沾染上的粗俗。或许她只是本能地感到自己的口中不该随便吐出脏话；或许她只是内心深处还保留着一点儿固执。看得出来她与贝尔灵在热恋之中。他们彼此的真情流露的确很感人。阿申顿同他俩告别时同她握了握手（她握住了他的手没有马上松开，那双晶莹的蓝眼睛盯着他的双眼），她说：

“等我们在伦敦住下来后，请你来做客，你会来的吧？你知道吗，我们要结婚了。”

“衷心祝福你。”阿申顿说。

“还有他吧？”她笑道，那是天使般的笑容，有着黎明的清新和南方春天的柔情。

“你从来没有在镜子里看自己吗？”

赫伯特·惠瑟斯朋爵士聚精会神地听着阿申顿描述那天晚餐的经过（阿申顿觉得自己的描述不无幽默）。他的冷峻目光中没有一丝笑意。

“你觉得他们的婚姻会成功吗？”他突然问道。

“不会。”

“为什么不会？”

这个问题把阿申顿吓了一跳。

“一个男人结婚不仅只是娶了个妻子，同时还娶了她的朋友。你有没有想过往后贝尔灵不得不同什么样的人打交道？声名狼藉、涂脂抹粉的女人，在社会上落魄的男人，一些吃软饭的和冒险家？当然他们会很有钱，她的那些珠宝就得值十几万英镑，他们当然可以在伦敦的波希米亚区大出风头。你知道所谓的攀高枝儿吗？一个品行不良的女人一旦结婚，就可以在她的圈子里赢得钦羡，她巧施计谋攀上一个男人，为自己赢得了尊贵。可是她嫁的那个男人呢，只会落得被人嘲笑的下场。她身边的朋友，那些老丑妇和她们养的小白脸，那些靠给生意人牵线搭桥而抽取一成佣金勉强度日的下三烂，就连这种人都不会把他放在眼里。他成了冤大头。相信我，一个人如果在这种处境下还能从容应付，那就不是品行格外高尚，就是特别厚颜无耻。再说，你认为这样的关系能长久吗？一个过惯了烟花生涯的女人将来能安于居家生活吗？用不了多久她就会厌烦，变得不安分起来。爱情能持续多久？你想想，如果有一天贝尔灵不再爱她了，他不会为自己走错了这一步而感到懊悔苦恼吗？”

惠瑟斯朋又呷了一口他的陈年白兰地，然后抬头用好奇的眼神看着阿申顿。

“我说不清一个人如果一心只顾埋头去做他特别想

做的事，不去考虑什么后果，算不算是个明智的人。”

“如果能当上大使，那肯定也算称心如意了吧。”阿申顿应道。

赫伯特爵士淡淡一笑。

“贝尔灵让我想起了当年我在外交部做小职员时认识的一个朋友。我不想告诉你他的名字，因为他现在可以说赫赫有名了，也很受人尊敬。他的仕途非常成功，可是成功的路上也经常有些荒谬的经历。”

他的话让阿申顿微微抬起了眉毛，他没想到从赫伯特·惠瑟斯朋爵士的嘴里会说出这样的话，不过他什么也没说。

“他是我的同事，聪明绝顶，这一点我相信没有人会否认，谁都从一开始就断言他会有大好前途。我也敢说他具备做外交官的所有条件。他家世代都是军人和海员，虽不算特别显赫，但也是很有名望的。他很懂得在上流社会中如何行事，既不莽撞也不胆怯。他读书很多，对绘画感兴趣。我甚至认为他的表现多少有点儿可笑，他想要紧跟潮流，急于追赶现代时尚，那时高更和塞尚还不怎么出名，可他已对他们的画作如醉如痴。虽然他的态度中有些势利的意味，渴望惊世骇俗，可他内心对艺术的热爱是完全真诚的。他太喜欢巴黎了，一有机会就跑到那里去，在拉丁区找个小旅馆住下来，想要接触到画家和作家。按照当时这类文人雅士的习惯，他们也能稍稍放下架子跟他有所接触，因为他毕竟也不过是个外交官而已，另外也会时不时地笑话他，因为他显然总端着一副绅士架子。但是他们又喜欢他，因为他随时乐意聆听他们的高论，每当他赞颂他们的作品时，他们甚至愿意承认他虽说是凡夫俗子一个，但骨子里还是有些货真价实的天赋的。”

阿申顿听出了他言语中的嘲讽，对他揶揄自己的行业付之一笑。只是他不明白他这一大通描述究竟有什么目的。大使一直绕来绕去不说清楚，一半是因为他喜欢这么吊人胃口，同时也因为他不知为何总有些不太愿意进入正题。

“可我的这位同事很谦虚。他总是对一切都很满意，当那些年轻的新秀画家和不知名的蹩脚作家纷纷抨击声名显赫的艺术大家，兴致勃勃地谈论一些唐宁街头脑冷静而又有文化的秘书们从未听说过的人物时，他总是张大了嘴巴认真听着。他心里知道这些人不过是一批平庸的二流角色，所以每次返回伦敦工作时他并不感到遗憾，只是当成自己刚刚观看了一场荒唐的闹剧，现在大幕已经落下，他也就理应回家了。我还没告诉你，他其实也是雄心勃勃的。他知道他的亲友都指望他有大成就，他也不想让他们失望。他对自己的能力心里完全有数。他一心想要成就一番事业。可不幸的是，他没有什么钱财，每年也就几百镑的收入，而他父母已双亡，他既无兄弟也无姐妹。同时他深知，没有亲属羁绊的自由对他来说倒也是一笔财富。他有无限的机会可以结交各类对他有用的人。你这样听下来是否觉得这个年轻人挺叫人讨厌的？”

“没有。”阿申顿这样回答这个有些突兀的问题，“多数聪明的年轻人都知道自己聪明。他们在盘算自己的前途时通常也肯定会有一些世俗的考虑。年轻人当然应该有志向。”

“那我接着说吧，有一次去巴黎时，我的这位朋友结识了一位很有才气的爱尔兰画家，名叫欧麦利。他后来当上了宫廷画家，为一些王宫贵族和内阁大臣画像，报酬很高。不知道你是否见过他为我妻子画的一幅肖像，一两年前展出过。”

“我没有见过。但我知道他的名字。”

“我妻子很喜欢那幅画像。在我看来，他的画总是很精细，很好看。他能把他要画的人物身上的特殊气质在画布上淋漓尽致地表现出来。当他画一位高贵女子时，他画出来的肯定是个高贵女子，绝对不会画成浪荡女人。”

“这个才能的确精妙。”阿申顿说，“那他是不是画一个荡妇也能一样画得很传神呢？”

“他能的。只是现在他不太想画这种人了。那时候他住在谢尔什-米蒂大街上一间又小又脏的画室里，跟一个法国女人同居，就是你说的那种女人，他画过好几幅她的画像，画得像极了。”

阿申顿似乎感觉到赫伯特爵士马上要进入详尽的细节描述了，不禁暗自纳闷儿，他说了半天都没有说到点子上，会不会他说的这个所谓同事其实就是他自己呢？他开始听得更专注了。

“我的这位朋友很喜欢欧麦利。跟他交往很愉快，他是那种话很多但不会让人感觉啰唆的人。他有不折不扣的爱尔兰人天生健谈的才能。他聊起天来滔滔不绝，而我的这位朋友觉得很精彩。他很喜欢到他的画室去，坐在那儿看他画画，一边听他滔滔不绝地大谈自己的画技。欧麦利一直说要为他画一幅画像，这使他有些扬扬自得。欧麦利认为他与众不同，还说能展出一幅至少还有点儿绅士模样的人物画像，对他自己也有好处。”

“顺便问一句，这都是什么时候的事？”阿申顿问道。

“哦，那是三十年前的事了……他们俩常常谈论未来。听到欧麦利说，他要为我朋友画的那幅画像在国家画像馆展出的话一定会引来赞赏，我的朋友虽然嘴上说得很谦虚，但他心里毫不怀疑他的画像总有一天会在那里大放异彩。有一天晚上，我的朋友——我们就叫他布朗吧？——坐在他的画室里，欧麦利在紧赶慢赶地利用最后的日光要画完他为某个沙龙画的一幅他情人的画像——这幅画现在展出在泰特美术馆。欧麦利突然邀请他跟他们共进晚餐。他在等他情人的一个朋友过来，顺便说一下，他的情人名叫伊冯娜。他很想让布朗跟他们一起凑成四人一桌。伊冯娜的这位朋友是个杂技演员，欧麦利急于要请她为自己当裸体模特儿。据伊冯娜说，她的这个朋友身材特别好。她见过欧麦利的画作，很愿意做他的模特儿，安排这次晚宴就是为了把这事定下来。她那时正好没有演出，但很快又要在蒙帕纳斯剧场开演，趁这几天有空帮朋友一个忙，又能挣一点儿钱，何乐而不为。布朗对这个邀请很感兴趣，他从没见过杂技演员，便欣然接受了邀请。伊冯娜暗示说，这个女人也许会是他喜欢的类型，如果他真的喜欢，肯定不难说服她做他女朋友的。凭着布朗的轩昂气度和那一身英国装束，她准会把他看作英国大人物[1]的。我的朋友哈哈大笑。他没有把伊冯娜的暗示太当回事。‘谁知道呢？[2]’他说。伊冯娜用调皮的眼神看了他一眼。他坐了下来。时值复活节季节，天气很冷，但这间画室里却暖和舒适，虽然画室不大，屋内杂乱无章，窗台上还积着厚厚的灰尘，但整体气氛显得亲切又温馨。布朗在伦敦的韦弗顿街有一套很小的公寓，墙上挂了一些精美的版画，客厅里到处摆着些中国古代瓷器，但他暗自纳闷儿，为什么在自己那间雅致的客厅里完全感受不到他在这间乱糟糟的画室里所感受到的家的舒适和浪漫情趣呢？”

“不久门铃响了，伊冯娜把她的朋友迎了进来。她好像叫艾丽克丝，她进门后同布朗握了握手，刻板地客套了几句，像平时在烟草店里会遇到的某个胖女人那样故意摆出一副客客气气的模样。她披着一件长长的人造貂皮斗篷，头戴一顶巨大的猩红色帽子。她的这身打扮俗气得令人瞠目结舌，她长得也一点儿都不好看，一张宽大扁平的脸，嘴巴很大，鼻子上翘，一头浓密的金发，但一看就是

1　原文为法语。
2　原文为法语。

染的，一双天蓝色的大眼睛，浓妆艳抹。”

阿申顿越来越确定，惠瑟斯朋是在讲述他自己的经历，否则他不可能在三十年后还记得这么清楚那个女人穿的什么衣服，戴的什么帽子。他感到好笑的是这位大使太单纯了，以为蒙上这么一层薄薄的窗户纸就能掩盖事实真相。阿申顿忍不住在心里猜测这个故事会有什么结局，想到这么一个冷漠、尊贵而一丝不苟的人也会有风流艳遇，他按捺不住好奇。

“艾丽克丝打开话匣子同伊冯娜聊了起来。我的朋友注意到艾丽克丝有一个挺奇怪的特点，可他却觉得很吸引人：她说话嗓音低沉沙哑，听上去像是她刚得过重感冒似的，他莫名其妙地觉得这个嗓音特别悦耳动听。他问了欧麦利她是不是平时说话也这样，欧麦利说自打他认识她以来就是这样的。布朗称之为‘威士忌嗓音’。欧麦利告诉了她布朗说的话。她咧了咧她的大嘴冲布朗微微一笑，说这不是喝酒的缘故，而是因为她经常倒立造成的，也算是她的一个职业病吧。接着他们四人去了圣米歇尔街附近一家小得惊人的餐馆，我的朋友只花了两个半法郎就饱餐了一顿，酒水也包了，他觉得这顿饭要比他在萨沃伊酒店或克拉里奇酒店吃的大餐还美味。艾丽克丝是个很健谈的姑娘，她用那浑厚粗哑的嗓音东拉西扯，布朗听得津津有味，甚至惊叹不已。她说了很多俚语土话，虽然有一多半布朗都听不懂，但他还是对她说得绘声绘色的这些粗话感到饶有兴味。她说话的腔调让人联想到热腾腾的沥青路，廉价酒馆里的金属吧台，还有巴黎贫民区行色匆匆的熙攘人群。那些俏皮、生动的形象比喻有一股力量，如香槟酒似的刺激着他已有些晕眩的脑袋。她是个来自底层的低贱女人，是的，她就是这样的人！但是她身上有一股火焰般燃烧的活力使你感到温暖。他意识到伊冯娜已经跟她说过了他是个单身的英国人，很有钱。他分明看到了她两眼滴溜溜地在打量自己，他佯装什么也没看见，不过他已经从她的眼神里读出了一句话：他看上去还不错。[1]他隐隐感觉这个发现很有趣：他也认为自己挺不错的。当然啦，她们东拉西扯地谈到了很多事情。她也并没有怎么关注他，事实上她们到底在说什么他实在一无所知，只能尽量表现出心领神会、很有兴趣的样子。不过她也时不时地会看他一眼，伸出舌头快速舔舔嘴唇，他觉得这是在向他暗示，只要他说出来要她做什么，她就会答应的。他在心里暗暗耸了耸肩。这个女人看上去健康而又年

1　原文为法语。

轻，有一种撩拨人的活泼，但是除了那沙哑的嗓音，她身上实在没有什么特别迷人的地方了。不过想想要是能在巴黎经历一桩风流韵事，他心里也是高兴的，这也是生活嘛，再想到她是个歌舞厅的杂技艺人，这也有点儿意思：等他到了中年后回想往事时，还能记得自己曾经得到过一位杂技演员的爱慕，无疑也是挺有趣的。不记得是拉罗什富科[1]还是奥斯卡·王尔德[2]说过，一个人年轻时犯错，是为了老了以后可以有所追悔。晚饭后他们又坐在那里喝咖啡和白兰地，聊到很晚才告辞出门，走到街上时，伊冯娜提议让他送艾丽克丝回家。他表示非常乐意。艾丽克丝也说她住的地方不远，所以他们就步行过去了。她告诉他自己有一套公寓房间，虽然她平日大部分时间都在外面演出，但她喜欢有个自己的住处，你知道，一个女人没有自己的住处是会叫人瞧不起的。他们很快便走到一条乱糟糟的街上，来到一栋破旧的楼房前。她揿响了门铃，等着门房来开了门。她没有邀请他进去。他拿不定是不是她认为这是不需要说的事。他突然感到一阵胆怯，绞尽脑汁也想不出有什么话可说

1　拉罗什富科（1613—1680），法国箴言作家。

2　奥斯卡·王尔德（1854—1900），爱尔兰作家、诗人、剧作家，英国唯美主义艺术运动的倡导者。

的。于是两人陷入了沉默。气氛很尴尬。只听楼门嘎嗒一声开了。她用期待的眼神看着他，有点儿疑惑，他顿时羞得脑袋都晕了。她伸出手，感谢他送她回家，并跟他道了晚安。他紧张得心怦怦直跳。只要她请他进去，他会欣然接受。他要看到她做出一个想要请他进去的表示。他握了握她的手，也道了声晚安，抬了一下帽子，转身走了。他感到自己太傻了。他睡不着觉，在床上辗转反侧，反复想着她会把自己看作怎样的傻蛋，迫不及待地盼着天快点儿亮，他好赶快做些什么去挽回自己给她留下的丢人印象。他的自尊心严重受伤。为了抓紧时间，他上午十一点就去找她，想请她一起吃午饭，可是她出门了。他叫花店给她送去了一束花，晚些时间又去找了她一次。她已经回来过，但他去时又外出了。他便去了欧麦利家，希望能在那里碰上她，可她没在那里。欧麦利嬉皮笑脸地问他有何进展。为了保住脸面，他对欧麦利说，他没怎么把她当回事，所以很绅士地把人送到就离开了。但是他嘴上这么说，心里却很忐忑，生怕欧麦利已经看出了他在撒谎。他给她送去一封快信，邀请她第二天一起吃饭，但是没有回音。他百思不解。他问了自己旅店的门房十多次有没有给他的信件，可是什么也没有。最后他几乎陷入了绝望，就在晚饭前又去了她家。门房说她在家，他便上了楼。他心里很紧张，按捺不住想要发火，因为她竟然如此漠视他的邀请，可同时他又特别想要表现得轻松自在。他登上了四层楼梯，楼道里黑乎乎的，气味很难闻，他按门房告诉他的房间号走到门外，摁了一下门铃。一阵静默后，他听到屋里有了声响，他又摁了一下。不一会儿，她就开了门。他确信她一丁点儿都认不出他是谁了。他大吃一惊，虚荣心受到了打击，但仍装出一副欢快的笑脸。

“‘我是来问问你今晚是否愿意跟我一起吃饭。我给你送过一封快信。’

“这时她才认出了他。可是她依旧站在门口，没有请他进屋。

“‘哦，不行。我今晚不能同你吃饭。我头痛得要命，要睡觉。我没能回信，你的信我不知道放哪儿去了，我也忘记了你的名字。谢谢你一番好意给我送来的花。’

“‘那你明晚可以跟我吃饭吗？’

“‘真不巧，明晚我已经有约，对不起。’

“没有什么可说的了。他不敢再向她提出任何别的要求，于是道了声晚安就走了。他似乎觉得她倒并没有恼他，只是把他忘得一干二净了。这让他感到屈辱。他再也没有见她一面就回到了伦敦，不知为何总是对此耿耿于怀。他根本没有爱上她，只是对她很生气，却又实在无法忘掉她。他倒也很坦诚地意识到，他的苦恼只是因为虚荣心受到了伤害。

“那次在圣米歇尔街附近的小餐馆里吃晚饭时，她曾提到过她所在的杂技团春季会去伦敦演出，所以他在写给欧麦利的一封信中故意用随意的语气写插了一句，大意是，如果他的年轻朋友艾丽克丝碰巧到伦敦来的话，他（欧麦利）不妨告诉他一声，他好去看看她。他想听她亲口说说她对欧麦利为她画的那幅裸体画有什么看法。没过多久这位画家写信告诉他，一周后艾丽克丝会在埃奇韦尔路的大都会剧场演出，他顿时感到热血涌上心头。他去看了演出。要不是他特意提早去，事先看了节目单，他准会错过她的表演，因为她的节目排在头一个。上场的有两个男演员，一胖一瘦，都蓄着大黑胡须，还有艾丽克丝。三人都穿着很不合身的粉色紧身上衣和绿色绸缎灯笼裤。两个男演员在一对高空秋千上表演各种杂技，艾丽克丝则在台上跑来跑去，给他们递手巾擦手上的汗，时不时地翻个跟斗。当那胖子把瘦子举到他的肩上时，艾丽克丝便爬上去站到那瘦子的肩上，吻一下自己的手背向观众致意。他们接着表演了自行车杂技。这种杂技如果是高手表演，也会很有情趣，甚至很美，可是现在台上的表演却实在粗俗，我的这位朋友感到十分难堪，都看不下去了。眼看着成年男人当众耍弄自己是挺让人难为情的。而可怜的艾丽克丝，嘴上露着僵硬的假笑，穿着那身粉红色紧身上衣和绿色缎裤，那样子简直惨不忍睹，他不禁暗自诧异，这样的人怎么值得他因为去她家时没被认出来而生气？演出结束后，他以屈尊的神态耸了耸肩，走到后台，给了一个先令叫门房把他的名片递给艾丽克丝。几分钟后她出来了。好像见到他还很高兴似的。

“‘哦，能在这个死气沉沉的城市里见到一个熟人真是太好了，’她说，‘嘿，你在巴黎就要请我吃饭的，现在你可以带我去了。我都快饿死了。我演出前从不吃东西的。你想想看，他们怎么可以把我们节目排在这么糟糕的顺序。简直是侮辱人。不过我们明天会去找经纪人好好说说。要是他们认为可以这么欺负人，那他们可就错了。哼，这怎么行？不行，绝对不行的！[1]还有那些观众也真够呛！没有热情，没有掌声，什么都没有。’

1 原文为法语。

“我的朋友差点儿站不稳了。她是不是太把自己的表演当一回事了？他简直要笑出声来。但是她还用那沙哑的嗓音说着话，他听到这嗓音总会奇怪地感到紧张。此刻她穿着一身红衣服，还戴着他第一次见到她时戴的那顶红帽子。她看上去实在太招眼了，他根本不想带她去任何可能会被人看见的地方，所以提议去索胡餐厅。那时候还有双轮马车，这种马车要比当今的出租汽车更适合谈情说爱。我的朋友搂住艾丽克丝的腰亲吻了她。艾丽克丝平静地接受了，可是他却没有感到兴奋。后来在晚餐席间，他一直表现得很有风度，而艾丽克丝也对他和颜悦色。他们吃完饭起身出门时，布朗邀请艾丽克丝到他在沃弗顿街上的住处去坐坐，可她拒绝了，她说这次从巴黎过来有一个朋友同行，晚上十一点要跟他见面，因为她的朋友正好要去办一件生意上的事，她才抽空跟布朗一起吃饭的。布朗听了非常生气，但也不便当场发作。他们沿着沃多尔街走去（因为她说要去莫尼科咖啡厅），路过一家当铺时，她停下脚看着橱窗里的首饰，看到一副镶着蓝宝石和钻石的手镯欣喜若狂，而布朗觉得这手镯俗不可耐，但他还是问了问她是否喜欢。

“‘可它标价十五镑哪！’她说。

“他走进当铺，替她买下了。她高兴极了。快走到皮卡迪利广场时，她要跟他分手了。

“‘你听好了，我的小宝贝[1]，我不能在伦敦同你见面的，我那个朋友醋劲儿可大了，所以我觉得你不如现在走开为好。下星期我会在布洛涅演出，你要不要过去看看？在那儿我就是一个人了。我那朋友要回荷兰了，他家在那里。’

“‘好吧，我会去的。’布朗说。

“他果真去了布洛涅——他请了两天的假——他心里的念头是要去挽回他受了伤的自尊心。他这么耿耿于怀也是够奇怪的。依我看，这似乎有些莫名其妙。他无法忍受艾丽克丝把他看作傻瓜。他觉得只要能从她的头脑中消除这个看法，他就再也不跟她来往了。他也想起了欧麦利和伊冯娜。艾丽克丝肯定跟他们说了这些事。想到这些他内心瞧不起的人会在背后笑话他，他简直忍无可忍。你是不是觉得这个人太自作自受了？”

“老天，我觉得不是。”阿申顿说，“所有理智的人都知道，在给人带来心灵折磨的情感中，虚荣心是最有摧残力的，也最普遍，最难以根除，同时人往往否认虚荣心的威力，这本身就是虚荣心的表现。虚荣心要比

---

1 原文为法语。

爱情更能消耗人的精力。随着年岁的增长，谢天谢地，你可以对爱情带来的恐惧和束缚置之不理，但是年岁不能让你挣脱虚荣心的羁绊。岁月可以减轻爱情带来的痛苦，但只有死亡才能终止受伤的虚荣心。爱情是简单的，不需要寻求伪装，而虚荣心会以一百种假象来欺骗你。它有时会表现为某种美德：可以幻化成勇气的源泉和雄心壮志的力量；可以强化恋人之间的忠贞和苦行者的坚韧；可以为艺术家渴望成名的火焰添柴加火，同时又能支撑和补偿诚实之人的节操；甚至可以对圣人的谦卑不屑一顾。世人都难以逃脱虚荣心的侵袭，如果你费劲去抵御它，它就恰好会趁你费劲时把你绊倒。对于虚荣心的侵袭任何设防都是无用的，因为你永远不知道它会从哪个未设防的地方偷袭你。真诚并不能保护你不落入它的罗网，幽默也无法抵挡它的嘲弄。”

阿申顿停下了，倒不是因为他已经说完了他要说的话，而是因为他已经上气不接下气。他注意到了这位大使也想要说话，无心听他说个不停，只是出于礼貌才强忍着听他说下去。不过阿申顿的这番演讲倒也不是要开导大使，只是自己图个开心而已。

“到头来终究还是虚荣心可以使人不被倒霉的命运击倒。”

赫伯特爵士一时沉默无语。他直勾勾地盯着前方，仿佛他的思绪忧伤地游离到了遥远的记忆地平线上。

“我的朋友从布洛涅回来后，发现自己疯狂地爱上了艾丽克丝，所以他又约了两周后她去敦刻尔克演出时再同她见面。在这两周里他什么心思都没有了，到了动身前的那个晚上——这次他只有三十六个小时的假——他浑身火烧火燎，根本无法入睡。在那以后他又去巴黎同她过了一夜。再后来，她有一周放假，他便说服她到伦敦来幽会。他知道艾丽克丝并不爱他。他只不过是她一百来个情人当中的一个。她也并不隐瞒自己不只有他这一个情人。他为此妒火中烧，但又知道自己不能表露出来，否则只会招来她的嘲笑或怒骂。她甚至都算不上喜欢他，愿意同他交往也只是因为他是一位绅士，穿着也体面而已。她很愿意做他的情妇，只要他对她的要求别太惹她烦就行。但事情也就到这一步了。他没有足够的财力向她认真求婚，不过即使有这个财力，就她这放任自由的性格来看，她也会拒绝的。”

“可是那个荷兰人是怎么回事？”阿申顿问。

“荷兰人？那纯粹是瞎编的。不知出于什么原因，她那时不想同布朗扯不清，就随便编造了这么个荷兰人来搪塞他。撒个谎对她来说又算得了什么呢？也不要以为他没有挣扎过要打消自己的一时狂热。他知道这是瞎闹，知道他们俩要是长期交往下去只会使他遭殃。他对这个女人有清醒的认识：她平庸粗俗，毫无情趣。他感兴趣的话题她一句也说不上来，也根本不想去谈，她想当然地认为他应该对她说的事情感兴趣，所以没完没了地跟他絮叨她跟团里的其他演员吵架啦，同经理发生纠纷啦，又和旅馆老板大斗了一场什么的。她说的这些事把他烦得要死，可是她那沙哑的嗓音却总是让他听了心怦怦跳，有时他都觉得要窒息了。”

阿申顿坐的椅子很不舒服。这是一把看上去古色古香的高级椅子，可是很硬，椅背很直。他巴望着赫伯特爵士能够想得起来回到刚才的那个房间去，那里有一张舒适的沙发。现在已经显而易见，他在讲的全是他自己的事，阿申顿感到他在自己面前这样赤裸裸地袒露内心世界未免有些唐突。他并不希望自己被人强行引为知己。惠瑟斯朋同他毫无关系。借着昏暗的烛光，阿申顿看到他面色苍白得像个死人，两眼发光，这样的眼神出现在这个平日总是冷峻而镇定的人身上，令人感到格外不安。他给自己倒了杯水；他已经说得口干舌燥，但他还是不管不顾地继续讲下去。

“最后我的朋友终于振作了起来。他对自己当时的处心积虑感到恶心。这件事一点儿都不美好，只能让人感到羞耻；最终还是一场空。他的满腔热情不啻于庸俗的滥情，同那女人让他感受到的庸俗一样。正好艾丽克丝要随团去北非演出六个月，至少在这段时间里他不可能见到她。他打定主意必须抓住这个机会彻底了断。他苦涩地感到艾丽克丝根本不会在乎。不到一个月她就会把他忘得干干净净。

“接着他的经历有了一些新的变化。他结交了几个好友，其中有一对有权有势的夫妇，他们有一个独生女儿，我也说不清是什么原因，这个女儿爱上了他。她身上的一切都与艾丽克丝恰恰相反：她很漂亮，是纯正英国人的美貌，蓝眼睛，白里透红的脸颊，身材高挑轻盈，就像《笨拙》杂志上杜穆里埃[1]画的美人一样。她头脑聪明，博览群书，由于自幼生长在政界环境，她可以头头是道地谈论布朗感兴趣的那些话题。他有理由相信，只要他开口向她求婚，她就会接受。我已经跟你说过，他是个雄心勃勃的人。他知道自己能力出众，一心只想要有机会施展才能。这个女子与英国最显赫的家族有关系，他不可能傻到看不出这样的联姻会给他的仕途

1　乔治·杜穆里埃（1834—1896），法裔英国漫画家和作家。

带来多大的便利。这真是一个千载难逢的良机。想想自己从此可以把那段不光彩的插曲彻底抛到脑后，这是多么大的解脱啊！同时他又感到莫大的幸福，从此再也不用对艾丽克丝大献殷勤，却屡屡碰壁，只能换来她表面上欢快的冷漠和毫无感情的亲切！的确，想想自己在另一个人的眼里是真的有分量的，这是何等的幸福啊！每次他一进屋就看到她立刻面露喜色，他能不感到得意，不为之感动吗？他并不爱她，但他觉得她还是很有魅力，他想要忘掉艾丽克丝，忘掉自己被她拖进了庸俗的生活。最后他下了决心。他向她提出了求婚，她接受了。她的父母也很高兴。婚礼定于秋季举行，因为她父亲要去南美洲参加一个政治活动，母女俩会跟他同行，也就是说，他们整个夏季都不在。那时正好外交部要派我的朋友布朗去里斯本担任外交职务，立刻要去赴任。

“他送走了他的未婚妻。说来也巧，事情出了变化：他要去里斯本接替职位的那个人还要留任三个月，所以我的朋友在这段时间就无事可干了。就在他盘算着自己该做些什么的时候，他收到了艾丽克丝的一封信，信中说她即将回法国演出，行程已经定好；她把自己会去演出的地方列了一个长长的单子，接着用友善的语气像是随意地告诉他，如果他能抽出时间过来一两天的话，他们一定会玩得很开心的。他猛地产生了一个疯狂的罪恶念头。如果她在信里表达了她急切想要跟她见面，他也许会拒绝的，但就是她那装得一本正经的漠然语气刺激了他。他突然很想见到她。他不在乎她是否粗俗低贱，她已经钻进了他的骨子里，而这也是他的最后一个机会。他很快就要结婚。失去这个机会，永远就不会再有机会了。他到马赛去接她，看着她从船上走下来，她是坐船从突尼斯来的。她见到他时很开心，这让他心怦怦直跳。他知道自己还疯狂地爱着她。他告诉她自己三个月后就要结婚了，希望能同她一起度过他最后的自由时光。她不肯放弃她的演出计划。她要是突然离开，会让杂技团的其他演员陷入困境，她怎么可以这样做呢？他提出他会补偿他们的损失；可是她听不进去；他们不可能在这么措手不及的情况下找到人来替代她的，况且他们也不能随便毁约，丢掉这个不错的合约可能也会失去以后的其他合约。他们都是说话算话的诚实人，他们不仅要对杂技团的经理负责，也要对观众负责。他气急败坏，眼看着自己的全部幸福就要因为这该死的巡演而毁掉，他觉得太荒唐了。再想想三个月后会怎样呢？到那时她该怎么办呢？哦，不行，他的要求太不合情理了！他告诉她说，他太喜欢她了。直到现在他才知道自己是多么疯狂地爱她。既然这样，她说，那他何不跟他们的杂技团一路同行呢？有他陪在身边她会很高兴，他们可以一起度过这段开心的时光，三个月后，他就可以回去迎娶他的未婚妻，对谁都没有坏处。他犹豫了一会儿，可是既然已经见到了她，他受不了就这么匆匆地再次别离。所以他接受了。”

艾丽克丝又说：“‘可是你给我听好了，小家伙，你要知道，你可不能胡来。我要是太闹腾，我的经理会讨厌我的，我不能不为我的前途着想。要是我得罪了团里的老主顾，我会被炒鱿鱼的。虽然不会经常有这样的事，但你还是要明白，要是我偶尔跟某个喜欢我的人亲近一些，你可不许瞎闹。那不过是例行公事，没什么的。你还是我的心上人[1]。’

“他感到心里一阵撕心裂肺的绞痛，我想他那时一定面无血色，艾丽克丝都以为他要晕过去了。她用奇怪的眼神看着他。

“‘就这条件，’她说，‘你可以接受，也可以不接受。’

“他接受了。”

---

1 原文为法语。

说到这里，坐在椅子上的赫伯特·惠瑟斯朋爵士身体向前倾了一下，他脸色煞白，阿申顿觉得他也要晕过去了。他脸上的皮紧绷在头上，整张脸看上去就像个死人似的，只是额头上青筋毕露。他的沉稳神态荡然无存。阿申顿再次巴望他别再说下去了，看到他这样暴露自己的内心世界，他感到既害羞又紧张：没有人可以这样赤裸裸地向别人袒露自己。他忍不住想要大叫起来：

“别说啦，别说啦，我不想再听下去了。你会害臊死的。”

可是这个人已经丝毫没有羞耻心了。

“就这样，他们在一起度过了三个月，一路同行，逗留于一个又一个死气沉沉的小乡镇，在脏乱不堪的旅店房间里过夜。艾丽克丝不让他带她去住像样一些的旅馆，她说她没有合适的衣服去住好的旅馆，住在这种她平时住惯了的小旅店里她反倒更舒服；她不想让她团里的伙伴说三道四，觉得她是在显摆。他总是一连好几个钟头坐在简陋的小咖啡馆里。杂技团里的人都把他当作兄弟一样，平时都对他直呼其名，常跟他开些粗俗的玩笑，见面会跟他勾肩搭背。在他们忙不过来的时候他也替他们跑跑腿。他在经理的眼睛里看到了善意的蔑视，那些搭舞台的工人对他随便打趣，他也只好忍着不当一回事。他们一路都坐的是三等车厢，他会帮他们拿行李。他是个酷爱读书的人，但是在这三个月里他竟没有翻开过一本书，因为艾丽克丝很讨厌看书，还觉得读书的人都是装模作样。每天晚上他都去歌舞厅去观看她那下三烂的演出，还得佯装很喜欢，赞扬她的演出很有艺术性。如果演出顺利，他得祝贺她；如果某个惊险动作演砸了，他又得宽慰她。演出结束后，他就去咖啡馆等她，她要卸妆换衣服，有时她会匆匆跑来对他说：

"'今晚不用等我了，亲爱的[1]，我有事。'

"然后他就要忍受妒忌的煎熬。他感到揪心的难过，他不知道还有哪个男人受过这样的罪。她会在凌晨三四点钟回到旅店，惊讶地问他为什么还没睡。睡觉！他难过得心如刀割，怎么能睡得着呢？他答应过不干涉她的行动。可是他没能信守诺言。他好几次跟她大吵大闹，有时还动手打她。这时她就会失去耐心，劈头盖脸地直说她讨厌死他了，收拾东西就要走。于是他就苦苦哀求她不要离开，说他什么都答应，什么都服从，发誓一定忍气吞声。蒙受这样的屈辱太可怕了。他真可怜。可怜吗？不！他一生从没感到这么幸福过。他是在阴沟

1 原文为法语。

里打滚，可是他滚得很开心。他对自己过去的生活厌烦透了，现在的生活才让他感到浪漫，妙不可言。这才是现实生活。眼前这个嗓音沙哑、邋遢又丑陋的女人竟然那么活力四射，对生活有那么强烈的热情，她甚至也把他自己的生活变得充满活力。他好像真的看到了有一团宝石般的火焰在燃烧。现在还有人读佩特[1]吗？”

“我不知道。”阿申顿答道，“我不读。”

“只有三个月的好时光。啊，时间过得太快，转眼就过了几个星期！有时他竟胡思乱想，觉得不如干脆放弃一切，从此就跟这些杂耍艺人混下去算了。那些人渐渐地也很喜欢他了，他们还说他只要稍微练一练也可以跟他们一起登台献艺的。他知道他们只是开个玩笑而已，并不是认真的，不过这个想法让他听了心里痒痒的。不过这些都是不切实际的，不可能有任何结果。他的脑子里也压根儿没有想过三个月后他真的会不回到自己的生活中去履行他的义务。他是个头脑冷静、逻辑缜

1　沃尔特·佩特（1839—1894），英国著名文艺批评家、作家，1873年出版《文艺复兴史研究》，提出“为艺术而艺术”的美学主张，成为唯美主义运动的理论家和代表人物。佩特将审美感觉视为人生的唯一重要经验，认为人生的成功就是通过艺术审美摆脱庸俗的功利追求，让“宝石般的强烈火焰一直燃烧”。

密的聪明人，当然知道为了艾丽克丝这样一个女人去牺牲自己的一切，未免也太荒谬了；他有雄心壮志，仍渴望有权势；再说了，他也不能让那个爱他又信任他的姑娘心碎。她每周都给他写信，她只盼着能早些回来，她度日如年，而他呢，他心里暗暗巴望最好有什么变故使她不能如期回来。他只想能再多一点儿时间！或许只需要有六个月的时间，他就能摆脱自己的痴情。现在他已经对艾丽克丝有些讨厌了。

“终于到了最后一天。他们俩似乎彼此无话可说了。两人都挺伤心的；不过他知道，艾丽克丝只是不愿中断一个还不错的习惯而有所遗憾，二十四小时后她就会精神十足地跟她的那些流浪艺人伙伴一起开心如初了，就像从来没有遇见过他这个人似的。他心里只想着第二天他就要回巴黎去见他的未婚妻和她的家人了。在临别前的那个晚上，他们相拥而泣。如果那时她要求他不要离开她，他或许也会留下来的；可是她没有说，她也根本没有这个想法，她把他的离开看作是注定的事，她伤心落泪并非因为她如何爱他，只不过是因为他很不高兴。

“第二天早上，她还在熟睡，他不忍心叫醒她告别，便悄悄溜下床，拿上行李出门，乘火车去了巴黎。”

阿申顿转过头去，因为他看见了两滴泪珠从惠瑟斯朋的眼眶里滚落下来，他都没想要掩饰。阿申顿又点了一支雪茄。

“他回到巴黎后，那家人一见到他就惊呼起来。他们说他瘦得像个鬼了。他说他生了一场病，只是不想让他们担心而故意没有告诉他们。他们对他依旧盛情不减。一个月后他就结婚了。他如鱼得水，得到了不少可以让自己脱颖而出的机会，他也的确脱颖而出了。他的升迁令人瞩目。他如愿以偿平步青云，获得了他梦寐以求的地位权势，诸多荣誉加身。哦，他已称得上功成名就，成了众人羡慕的佼佼者。可是这些都只是过眼云烟。他只感到厌烦，厌烦得对什么都没有兴趣。他厌烦自己刚娶的这位高贵人家的美貌千金，他厌烦自己在这样的生活中不得不去应酬交往的那些人；他是在演一幕喜剧，有时他感到，这样无休无止地戴着一副面具活下去，实在令人忍无可忍，有时他觉得自己再也忍受不下去了，但他还是咬咬牙忍受了。有时他朝思暮想地渴望见到艾丽克丝，恨不得一枪打死自己，也要比忍受这相思之苦的煎熬好受些。从那以后他再也没有见过她。再没见过。他从欧麦利的来信中得知她嫁人了，离开了杂技团。想必她现在该是个胖老太婆了，这已无关紧要。

问题是他虚度了自己的一生。他甚至从没给自己娶的那个可怜千金小姐带来过片刻的幸福。他除了怜悯什么也不能给她，这种事又怎么可能长年累月地隐瞒下去呢？有一次他在痛苦煎熬中跟她说了艾丽克丝的事，此后她便妒火难消，整天折磨他。现在他明白了，他本来就不该娶这个女人。如果当初就明明白白告诉她，说他实在不愿意娶她，那么不出半年，她就不会再感到难过，到头来还是会高高兴兴地嫁给别人。对她来说，他做的牺牲是徒劳无益的。他太清醒地意识到，人只能活一生，想到自己的一生白白浪费了，他感到格外悲痛。这是他永远无法弥补的终生遗憾。听到别人说他是个坚强的人，他只觉得好笑，他知道自己像水一样虚弱，漂浮不定。所以我要告诉你，贝尔灵做得对，即便他们的恩爱只能维持五年，即便他毁掉了自己的前程，即便他的婚姻到头来或许就是一场灾难，但我还是认为是值得的。他不会留下遗憾。他会实现自己的价值。”

说到这里，房门开了，一位贵妇人走了进来。大使瞟了她一眼，他的脸上顿时掠过一道冷冰冰的憎恨，转瞬即逝。他随即站起身来，脸上恢复了镇定，又是一副彬彬有礼的神态了。他脸色憔悴地朝进来的人笑了笑。

“这是我夫人。这位是阿申顿先生。”

“我没想到你们会坐在这儿聊天。为什么不到你的书房去？我看阿申顿先生这么坐着一定难受极了。”

她身材高挑，约莫五十来岁，已人老珠黄，不过看得出曾经是有过几分姿色的。她显然家境不错，让人想到在温室里长大的异国花草，已经开始枯萎。她身着一袭黑裙。

“音乐会怎样？”赫伯特爵士问了一句。

“哦，挺好的。有勃拉姆斯的协奏曲和《女武神》[1]里的‘魔火音乐’，还有德沃夏克的几支匈牙利舞曲。我觉得他们演奏得有点儿太炫耀了。”她转向阿申顿说，“你一个人坐在这里跟我丈夫聊天，我希望你没有感到烦闷。你们都聊了些什么？文学艺术？”

“不是，我们聊的是作品的素材。”阿申顿答道。

说罢，他便告辞了。

---

1 德国作曲家瓦格纳的著名四部曲歌剧《尼伯龙根的指环》的第二部。

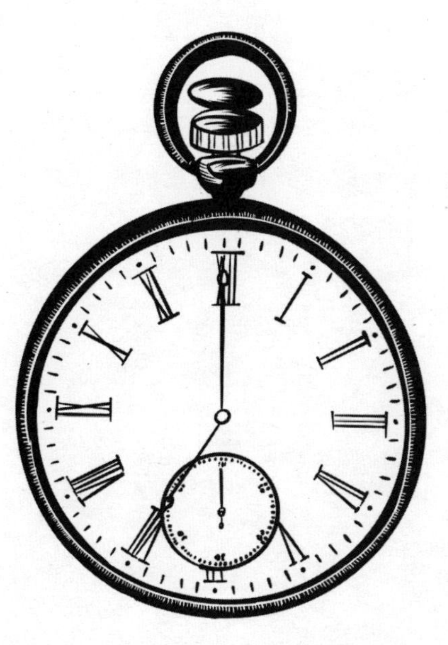

哈灵顿先生的送洗衣物（上）

阿申顿走到甲板上，看着眼前一道低平的海岸线和一座白色的小城，心中顿时涌起一阵欣喜。清晨，太阳刚刚升起，海水如镜，天空湛蓝；气温已经有些升高，谁都知道这又是酷热难耐的一天。船快到海参崴了。这个地方的确让人感觉像是世界的尽头。阿申顿这一程走得够远的：从纽约到旧金山，再坐一艘日本船横跨太平洋来到横滨，接着又从鹤见乘坐俄国人的船航行在日本海上——船上只有他一个英国人。到了海参崴后，他要再坐火车横穿西伯利亚大陆去彼得格勒。他从未承担过这么重要的任务，很喜欢这种重任在肩的感觉。外出办事没有人再发号施令了，而且资金充足（他贴身的腰带里就夹着巨额的汇票，想起来都会晕头晕脑），虽然他接受的这个任务是超越人类能力的，可他并不知道，还信心十足地准备好要去一试身手。他相信自己有随机应变的能力。他敬重并钦佩人类的情感，但他不太看得起人类的智力：要一个人学会背诵乘法口诀总是比要他牺牲自己的性命更难。

要一连坐十天俄罗斯火车，阿申顿并不怎么期待，而且在横滨他曾听到传言说，有几个地方的桥被炸毁了，铁轨也断了几处。他还听说，士兵都失控了，他们会把乘客的东西抢光，把人扔到草原上去让他们自生自灭。这听起来可真让人向往。不过那趟火车肯定会出发的，不管之后发生什么事（阿申顿始终有一种感觉：事情不会像预料的那么糟糕），他还是决意要坐上那趟火车。他目前的打算是一上岸就去找英国领事馆，问问他们替自己做了哪些安排。可是船快要靠岸的时候，他看清了前方是一个脏乱不堪的小镇子，心里顿感失落。他只会说寥寥几句俄语。船上会说英语的只有那个事务长，虽然他拍着胸脯答应过阿申顿，有什么事要帮忙可以尽管找他，但阿申顿总觉得这人不太可靠。好在船刚靠岸，就有一个年轻人上来问他是不是叫阿申顿，这让他如释重负。此人个子不高，有一头脏乎乎的蓬乱头发，明显是个犹太人。

“我叫本尼迪克特，是英国领事馆的译员。他们派我来照顾你。我们已经安排好你今晚可以坐上火车了。”

阿申顿又打起精神来。两人上了岸。小个子犹太人帮他拿好行李，在入境处查验了护照，然后一起钻进了来接他们的汽车，朝领事馆驶去。

“我接到了上面的指示，要我为你提供一切帮助。”英国领事说，“你需要什么告诉我就行。今晚的火车票我已经帮你安排好了，不过能不能到达彼得格勒，那就天晓得了。哦，对了，我还给你找了个旅伴，是个美国人，叫哈灵顿。他代表一家费城的公司到彼得格勒去和临时政府洽谈一笔交易。”

“他人怎么样？”阿申顿问。

“啊，人不错吧！我本想约他和美国领事一起过来共用午餐的，但他们去乡下郊游了。你得提前几个小时到火车站，这趟火车特别拥挤，不提前到那儿，你的座位会被人抢去的。”

火车要午夜出发。阿申顿和本尼迪克特到车站的餐厅去吃饭；在这个脏乱的小镇上，看来也只有在这个餐厅还能吃上一顿像样的晚餐。餐厅里挤满了人。服务慢得叫人难以忍受。吃完饭他们来到了站台上，虽然离开车还有两个小时，但站台上已经人流如潮。有的一家老小坐在成堆的行李上，似乎要在这里安营扎寨；有的在站台上匆匆奔来奔去，有的三三两两站在那里大声争吵；女人有的尖叫，有的默默流泪。不远处有两个男人在吵架，眼看要动手打起来了。如此混乱的场面令人难以置信。火车站上的灯光暗淡阴冷，灯光下一张张苍白的脸，耐心或焦躁，烦恼或痛悔，都像是在等待末日审判的死人的脸。火车马上就要开了，几乎每节车厢都已挤得水泄不通。当本尼迪克特终于找到了阿申顿的座位时，一个男人从位子上激动地跳了起来。

“赶快过来坐下。”他说，“我帮你占住这个座位真是太不容易了。刚刚有个家伙带着老婆和两个孩子拼命挤进来要坐这个位子。领事先生跟我一起来的，他带着那人去见站长了。”

“这位就是哈灵顿先生。”本尼迪克特说。

阿申顿好歹挤进了有两排长椅铺位的车厢。行李员帮他把行李放到铺位下面。阿申顿跟他的旅伴握了握手。

约翰·昆西·哈灵顿先生很瘦，不到中等身高。脸色发黄，颧骨很高，有一双浅蓝色的大眼睛。因刚才为了占座而担惊受怕，他的额头上都是汗，他摘下帽子擦汗时，露出了一个秃顶的大脑壳。脑袋上的骨头也很大，凸起的棱角格外醒目，看着令人不安。他头戴圆顶礼帽，身穿黑色外套和背心，条纹裤子；白衬衫的领子很高，整齐地系着一条素色领带。要坐十天火车穿越西伯利亚，旅途中该如何着装，阿申顿也说不准，但他还是觉得哈灵顿先生的这身打扮有些不伦不类。他说话音调很高，字斟句酌，阿申顿听出了这是新英格兰的口音。

没过一会儿站长就来了，身边跟着一个大胡子俄国人，看得出来他憋了一肚子的委屈，他的身后还跟着一个女人，手里抱着两个孩子。那个俄国人在跟站长说着什么，他满脸泪水，嘴唇不停颤抖；他的妻子抽抽搭搭地絮叨个不停，仿佛是要把她的一生遭遇讲给站长听。他们挤到车厢门口时，车厢里的吵闹声更凶了，本尼迪克特操着流利的俄语也加入了争吵。哈灵顿先生一句俄语也不会说，但显然他也按捺不住激动的情绪了，插话说了一大段英语，大意是这样的：他们的座位是英国和美国的领事分别预订的，虽然他并不认识英国的国王，但他可以直言不讳地告诉他们：美国总统绝不会容忍一位美国公民没少花一分钱买的火车上的座位被别人抢走。除非有人动武，否则他不会让步；可要是有人敢碰他一下，他就会立刻向领事正式提出抗议。他啰里啰唆地对站长说了一大通，站长当然完全听不懂他在说些什么，但他也冲着哈灵顿先生慷慨激昂地说了一番，用了很多强调的语气，还连说带比画。这就让哈灵顿先生怒火中烧，忍无可忍。他气得脸色煞白，伸出拳头对着站长的脸挥舞起来，声嘶力竭地大喊大叫：

“告诉这个人他说的话我一个字都听不懂，而且我也压根儿不想听懂。如果俄国人想要我们把他们看作一个文明民族的话，他们为什么不能用文明的语言说话？告诉他，我是约翰·昆西·哈灵顿先生，我奉费城的克鲁和亚当斯公司的指派到贵国公干，我身上带有一封专呈克伦斯基先生的介绍信，如果你们不让我安心地坐在这个座位上，克鲁先生一定会到华盛顿向政府交涉的。”

哈灵顿先生面目凶狠，气势汹汹地比比画画，吓得站长再也没有脾气，一声不吭，转身就气呼呼地走了。那个大胡子俄国人和他的妻子跟在他的身后，一路跟站长激烈申辩，那两个孩子也懵懵懂懂地跟着走了。哈灵顿先生一个跃步跳回到那个座位上。

“我没能给一位带着两个孩子的女士让座，心里也特别不好受。”他说，“我比谁都懂得应该如何尊重一位女士，一位母亲，但是我必须坐这趟火车及时赶到彼得格勒，才能不丢掉那份很重要的订单。再说我也不能为了照顾所有的俄国母亲而自己在火车过道里站十天吧。”

“这的确不能怪你。”阿申顿说。

“我自己也结婚了，也有两个孩子，我知道跟家人一起旅行很不容易，但我想不出为什么他们就不能在家里好好待着。”

不管跟谁同坐一列火车，在同一个车厢里闷上十天，你很难不对这个人的事情差不多无所不知。整整十天（细算起来有十一天），阿申顿同哈灵顿先生朝夕相处，一天二十四小时在一起。的确，他们每天三次同去餐车吃饭，但也总是相对而坐；的确，火车上午和下午各有一次会停一小时，让乘客可以到站台上散散步，他们俩依然并肩而行。阿申顿结识了几个同行的乘客，这些人有时也会到他的车厢来聊天，但凡他们只说法语或德语，哈灵顿先生就会冷眼瞪着他们，表示不满；要是他们说英文，他会让他们一个字都插不进。因为哈灵顿先生十分健谈。他说话滔滔不绝，仿佛言谈是跟呼吸和消化食物一样的人类本能，不需要用大脑思考；他说话不是因为他有什么意思要表达，而是因为他没法不说话。他说话带有鼻音，音调很高，没有高低起伏，始终是同一个僵硬的调门儿。他选词准确，词汇量大得惊人，每一个句子都是精心组织的，能用大词的时候绝对不用小词。他说话从不停顿，只是不停地说下去。那不是洪流，因为完全没有奔腾的气势，更像是一股岩浆从火山口流淌下来，没有惊天动地的轰鸣，却有源源不断的力量，能冲走挡在路上的一切障碍。

阿申顿觉得自己从来没有像了解哈灵顿先生这样对一个人几乎无所不知，他不但了解了这个人，了解了他的看法、个人习惯和生活状况，还了解了他的妻子和妻子的家庭，他的孩子和孩子的同学们，他的历任雇主，以及这些雇主祖祖辈辈与费城最显赫的家族结下的人脉渊源。哈灵顿先生自己的家族早在十八世纪初就是德文郡的名门望族，他还去过老家的村庄，在村里的教会墓地至今仍能见到他先人的坟墓。他为自己的英国血脉深感骄傲，同时也为自己出生于美国而自豪，只是在他眼里，美国只不过是大西洋沿岸的一小片土地，美国人只是为数不多的一些英格兰人或荷兰人的后裔，他们的血统始终没有被混杂的外族血统所玷污。他认为过去一百年来到美国的日耳曼人、瑞典人、爱尔兰人及中欧和东欧的居民，统统都是闯入别人家园的不速之客。他对这些人总是扭头不予理会，就像一个隐居在自己庄园里的老姑娘，见到自己的隐居之地耸立起了工厂的烟筒，也会转身不看一样。

阿申顿提到了一个很有钱的人，收藏了一些全美国最有价值的名画，哈灵顿先生立刻说道：

“这人我没见过。不过我的姑婆玛丽亚·佩恩·沃明顿一直说这人的祖母厨艺很好。我的玛丽亚姑婆出嫁时不得不离开她，心里可难受了。她说她从来不知道还有谁能做出那么好吃的苹果馅儿饼。”

哈灵顿先生很爱自己的妻子，他长篇大论地向阿申顿描述他的妻子是个多么有教养的女人，又是一个多么完美的母亲，讲得那么详尽无遗，简直难以置信。他的妻子身体不太好，做了无数次手术，每一个手术他都详细描述。他自己也做过两次手术，一次是扁桃体手术，一次是切除阑尾，他每天不厌其烦地给阿申顿讲述他的经历。他的所有朋友都做过手术，所以他对外科手术的知识简直像百科全书。他有两个儿子，都在上学。他一直在严肃地考虑是否应该给两个儿子也做做手术。说怪也怪，他的一个儿子扁桃体有点儿偏大，而另一个儿子的阑尾也让父亲不太放心。兄弟俩感情深得不行，他还从没见过感情这么深厚的兄弟。他有一个很要好的朋友，是费城最有名的外科医生，他主动提出可以给他们兄弟一起做手术，这样兄弟俩就可以不分开了。他给阿申顿看了两个儿子和他们母亲的相片。这次去俄国是哈灵顿先生平生第一次离开他们母子，他每天早上都要给妻子写一封长信，告诉她过去一天自己的所有经历，还写下很多他在那一天里说过的话。阿申顿看着他用清晰可辨的工整字体写满一页又一页的信纸。

哈灵顿先生读过所有关于会话的书，对于会话技巧他无所不知。他有个小本子，在那里面他记下了很多他听来的故事，他告诉阿申顿，他每次出门吃饭之前，总要查阅五六个故事熟悉一遍，免得席间找不到话说。这些故事他都做了标记，适合跟大伙儿说的，就标一个“G[1]”，适合男人听的粗俗一些的，就标一个“M[2]”。他最擅长一种特别的逸闻趣事，先要正经八百地讲上长长一段来龙去脉，堆上一个又一个细节，最后才抖出笑料。他从来不略过一个细节，阿申顿虽然早就猜出了最后的笑料是什么，却还要握紧双拳、双眉紧锁，拼命掩饰住自己的不耐烦，听到最后再勉为其难地咧嘴挤出一声空洞的干笑。要是故事讲到一半时有谁走进车厢来，哈灵顿先生会亲切相迎。

1 General，普通的、大众的。——编者注

2 Men，男人。——编者注

“快进来坐会儿。我正跟我的朋友讲故事呢，你也一定要听听，你一辈子都没听到过这么好笑的故事。”

然后他又会从头开始，一字不落地重讲一遍这个故事，每一个俏皮的词儿都没有变化，一直讲到最后的幽默结局。有一次，阿申顿建议在火车上再找两个人来打桥牌消磨时间，可是哈灵顿先生说他从来不碰纸牌，阿申顿无奈只好自己一个人玩起了接龙，这时哈灵顿先生又露出一副嘲讽的表情。

“我真不明白一个有头脑的人怎么可以浪费时间去玩儿纸牌，而在我所见过的所有不需要智力的兴趣当中，我觉得接龙是最没劲的。这种游戏让人聊不起来。人是社交动物，只有在参与社交活动时才能表现出最高贵的天性。”

“浪费时间多少也是一种优雅的行为。”阿申顿说，“浪费钱财是随便哪个笨蛋都会的，可要是浪费的是时间，那就等于是浪费无价的东西。再说了，”他没好气地加了一句，“你还可以接着聊你的。”

“可是你一门心思都在关注会不会有一张黑七来接上红八，你叫我怎么聊啊？聊天需要运用极强大的心智力量，如果跟你聊天的是一个认真研究过聊天的人，要你全神贯注听他说话不算过分吧。”

他说这话的语气并不尖刻，而是心平气和，非常有耐心，显然是在这件事上久经考验，练出来了。他只是陈述了一个事实，阿申顿可以接受，也可以当作耳旁风，就像一个艺术家希望自己的作品被人严肃看待一样。

哈灵顿先生常常读书，总是手握铅笔，读到引起他注意的段落就会在下面画线，还会在页边用他工整的字体写下阅读心得。他很喜欢讨论自己的心得，有时阿申顿自己也在看书，突然感觉到一手拿书、一手握笔的哈灵顿先生在用那双淡蓝色的大眼睛看着他，他便感到心里发慌。他不敢抬头，甚至不敢翻页，因为他知道哈灵顿先生会抓住他翻页的机会心安理得地挑起话头，又大聊起来。他只好目不转睛地死死盯住某一个单词上，活像一只小鸡把嘴尖对准了粉笔画出的线。直到他确信哈灵顿先生已经放弃努力，重新读起书来，他才敢松出一口气。

那时哈灵顿先生正在专心研读两卷本的《美国宪法史》，中间为了换换脑子，他也会随便翻阅一本据称囊括了古往今来所有伟大演说的皇皇巨著。因为哈灵顿先生经常会在晚餐后发表演说，他读过所有关于演讲技巧的好书。他太知道如何赢得听众的好感了，能准确把握好在哪里插进一两句可以打动听众的格言警句，怎样穿插几个轻松俏皮的小故事抓住大家的注意力，最后根据现场的气氛拿捏好雄辩的分寸，圆满结束自己的演说。

哈灵顿先生非常喜欢看书时读出声来。阿申顿留意到不少美国人都有这种烦人的癖好。他时常看到，在酒店套房的会客厅里，用过晚餐后，某位父亲坐在一个角落里，身边围坐着他的妻子、两个儿子、一个女儿，听他朗读。在穿越大西洋的客轮上，有时他会满怀敬畏地看着一位又高又瘦、无比威严的先生坐在十五位已不再年轻的女士中间，用雄浑洪亮的声音给她们读艺术史。在轮船的甲板上来回溜达的时候，他会时不时地经过正在度蜜月的小两口躺着的甲板椅，听见新娘在不紧不慢地给她的年轻丈夫一页一页读一本畅销小说。阿申顿一向觉得这种表达爱意的方式不免怪异。他有一些朋友经常主动提议要读书给他听，他也认识一些女士常说喜欢有人读书给她们听，但他总是礼貌拒绝此类邀请，也会铁下心对她们的言外之音置之不理。他既不喜欢看书时读出声来，也不喜欢别人读书给他听。他在内心深处认为，对这种娱乐形式的全民嗜好是完美的美国民族性格中的唯一瑕疵。但永生的诸神总爱以捉弄人为乐，现在他们把他送到了大祭司的刀下，而他身不由己，无处可遁。哈灵顿先生当仁不让地自诩精通朗读艺术，接着就给阿申顿详细讲解了这门艺术的理论和实践。阿申顿终于了解到朗读艺术分为两个流派：戏剧派和自然派。戏剧派要模仿书中人物的腔调（如果读的是小说），女主人公号啕，你也得号啕，如果她悲伤哽咽，你也得堵住嗓子眼儿说话；而自然派就要读得一点儿感情都没有，就像是在读芝加哥邮购公司的价目表一样。哈灵顿先生属于后一个流派。他结婚十七年来，一直在给妻子读书，等两个儿子到了懂事的年龄，他也给儿子读，读的是沃尔特·司各特爵士、简·奥斯丁、狄更斯、勃朗特姐妹、萨克雷、乔治·艾略特、纳撒尼尔·霍桑、威廉·迪恩·豪威尔斯等名家的小说。阿申顿由此得出了结论，大声读书已是哈灵顿先生的第二天性，要是不让他这样做，他会难受得像烟鬼断了烟一样。而且他会弄得你猝不及防。

“听听这段，”他会冷不防说，“你一定要听听这段。”他好像是突然被一句经典的格言或精彩的妙语深深打动了，“你就告诉我吧，这句是不是写得特棒。就三行。”

他大声读了起来，阿申顿本来也愿意专心听他读上一句两句的，但是他读完了那三行后，连一口气都没有换，就直接读了下去。他不停地读下去，声调还是那么高，没有轻重节奏，也没有情感起伏，只是一页接着一页往下读。阿申顿坐不住了，把腿跷起来又放下去，抽了好几支烟，还换了几种坐姿。哈灵顿先生继续不停地读着。火车慢悠悠地行驶在西伯利亚绵延不绝的原野上，经过了一个个村庄，越过了一条条河流。哈灵顿先生还在不停地读啊读啊。读完了埃德蒙·伯克的一篇精彩演说之后，他得意扬扬地把书放下。

“以我的见解，我刚读完的那篇是最精彩的英语演说。这当然也是我们共同拥有的一份遗产，我们可以真正为之感到自豪。”

“你不觉得这样说有点儿不祥吗，好像听埃德蒙·伯克这个演说的人全都死了？”阿申顿阴沉沉地问。

哈灵顿先生刚要回答说，这没有什么可奇怪的，因为这个演说是在十八世纪做的，可他愣了一下突然领悟到阿申顿是在开玩笑（任何一个没有偏见的人都不可能否认，阿申顿忍受苦难的耐心真的堪称不屈不挠了）。他拍了一下自己的腿，哈哈大笑。

“啊哈，这个玩笑太好了。”他说，“我要记到我的小本子里，我知道下次我在午餐俱乐部讲话时就可以用到的。”

哈灵顿先生以“高雅之士”自居，只不过这个称号常被普通百姓用来讥嘲别人，而他却像圣徒见到殉难的刑具一样，比方说圣劳伦斯的火刑架，或者圣凯瑟琳的荆棘轮，他欣然接受这个称号，还以为这是个赞誉，为此沾沾自喜。

“爱默生是‘高雅之士’，”他说，“朗费罗是‘高雅之士’。奥利弗·温德尔·霍姆斯是‘高雅之士’。詹姆斯·拉塞尔·洛威尔是‘高雅之士’。”

哈灵顿先生对美国文学的研究只到这几位作家为止，这些作家在他们的鼎盛时期的确声名卓著，却也实在没有那么惊天动地的成就。

哈灵顿先生实在烦人。阿申顿被他烦得火冒三丈，暴跳如雷，简直要被他逼疯了。但是阿申顿一点儿都不讨厌他。他的自我感觉好得没边儿，但又是很率真，让你憎恨不起来；他的自负表现得像孩童般天真，你只能报之以微笑。他是那么一片好心，那么细心周到，那么恭恭敬敬，又彬彬有礼，虽然阿申顿有时恨不得杀了他，却不得不承认，相处短短几日，他已对哈灵顿先生产生了某种好感，几乎可以说是喜爱了。他的行为举止也无可挑剔，中规中矩，或许略有一丝做作（这也没什么害处，礼仪本来就是人为的社交产物，所以男人戴个假头套或女人穿个花边裙，没有人会受不了），不过他的行为举止虽然是在良好的家教下自然养成的，但他发自内心地使这些个人习惯有了某种值得珍惜的意义。他随时乐意帮助别人，只要能为朋友效劳。没有什么事会让他觉得麻烦。他是典型的法语中的“serviable（热心肠）”，这个词也许很难贴切地翻译成英语，因为其中所蕴含的美好品质在我们这个看重实用的民族中并不常见。阿申顿在火车上病了两天，哈灵顿先生对他悉心照料，那样无微不至地嘘寒问暖，让阿申顿不免尴尬。他虽然病得浑身酸痛，但是看到哈灵顿先生那样像煞有介事地给他测体温，从一丝不乱的旅行箱里取出各种各样的药片，执意要他一一服下，他还是忍不住笑出声来；他还不辞辛劳地从餐车取来他觉得阿申顿可以吃的东西，让阿申顿不禁感动。无论什么他都替阿申顿做了，就是不肯停止说话。

哈灵顿先生只有在换衣服的时候不说话，因为那时他少女般的心思就只关心一个问题：怎样在阿申顿面前换衣服可以避免显得不雅。哈灵顿先生极为腼腆。他每天都换衬衣裤，总是麻利地从行李箱中取出干净的，又麻利地把换下的脏的衣裤整整齐齐放回行李箱中；可是在整个过程中，他的动作灵巧得不可思议，可以不露出一寸皮肤。火车上很不干净，每节车厢只有一个洗手间，过了一两天，阿申顿就放弃了努力，不再费劲儿让自己保持干净，很快就跟所有乘客一样邋遢了，但是哈灵顿先生拒绝向困难低头。他每天早晨都要在洗手间里精心洗漱，毫不理会外面有等不及的人在猛摇门把手，等他从洗手间出来时，他已洗得干干净净，容光焕发，身上散发着香皂味儿。等他穿好黑色上衣、条纹裤子和擦得锃亮的皮鞋后，他已打扮得很像是刚从他在费城居住的那栋整洁的红砖小屋走出来，准备坐上有轨电车去城里上班。火车行驶到某个地方时，听到广播说前方有人想要炸桥，下一个车站就在河边，那里会不太平，火车可能会被阻拦，乘客可能会被扔到河里，或者送进监牢。阿申顿生怕再也拿不到自己的行李，特意换上了最厚的衣服，万一要在西伯利亚过冬，也好少受些寒冻之苦。但是哈灵顿先生听不进道理，根本不为可能要面对的遭遇做任何准备，而阿申顿相信，即使把哈灵顿先生关在俄国的监狱里三个月，他也一定仍能保持他那光鲜的外表。一队哥萨克士兵登上了火车，荷枪实弹地站在每个车厢的门口。火车呼哧呼哧驶过了那座被炸坏的大桥，接近了广播中说有危险的那个车站，火车加速，直接开过了车站。哈灵顿先生看到阿申顿又换回轻便夏装的时候，冷言冷语地奚落了他几句。

哈灵顿先生有精明的生意头脑，一般对手显然很难斗得过他，阿申顿有把握相信他的雇主派他出这趟差是很明智的。哈灵顿先生一定会竭尽全力保护雇主的利益，要是他能成功和俄国人谈成一笔好生意，那一定是很不容易的。他对公司的忠诚要求他去完成这个使命。说到他公司的合伙人，他的语气中充满由衷的敬重。他对自己的老板敬爱有加，为他们感到骄傲，但他从不妒忌他们的巨额财富。他很满足于为一份薪水工作，而且觉得自己拿到的薪水已经够多；只要付得起孩子的学费，在自己离开人世时能给遗孀留下足够维持生活的财产，钱对他来说又算得了什么呢？他觉得追求钱财多少有些太粗俗；他认为文化比金钱更重要。他花钱特别谨慎，每顿饭吃完都会在他的小本子里分毫不差地记下花了多少钱。他的公司可以放心，他出差的花费一分钱都不会多报。不过，当他发现火车停靠的站头有穷人在乞讨，看到战争的确逼得穷人难以度日的时候，他会很用心地在每次停车前储备好足够的零钱，到时满脸羞愧地把口袋里的所有零钱都散发给乞讨的人，一边还自嘲怎又被这些假乞丐蒙骗了。

“我当然知道不该给他们钱。”他说，“我这样做不是为了他们，完全是为了我自己心里能过得去。要是想到真有个穷人没饭吃，而我却不肯给他一顿饭钱，我会特别难受的。”

哈灵顿先生是个莫名其妙的怪人，但是挺可爱的。很难想象有人会对他动粗，那会像打一个小孩子一样可怕。阿申顿虽然心里骂个不停，但表面上始终装得和和气气，温顺地承受着这位老兄和蔼而不由分说的好意陪伴，就像真正的基督徒承受磨难一样。从海参崴到彼得格勒要坐十一天火车，阿申顿觉得哪怕再多一天他也绝对承受不了了。如果是十二天的车程，他绝对会亲手杀了哈灵顿先生。

他们终于抵达了彼得格勒的市郊（这时阿申顿已经疲惫不堪，浑身脏得不行，而哈灵顿先生则一身整洁，精神抖擞，喋喋不休），他们站在车窗口看着这座城市里密密麻麻的房屋时，哈灵顿先生转身对阿申顿说：

“嘿，我没想到在火车上过十一天这么快啊。我们过得特别快乐吧。跟你交往我挺开心的，我知道你也喜欢跟我交往。我不想假装不知道自己是个聊天的高手。既然你我有这样的缘分，我们一定不要疏远了。趁我还在彼得格勒的这几天，我们要尽量多见面啊！”

“我有很多事要做。”阿申顿说，“恐怕我的时间不能完全由自己掌控。”

“我知道。”哈灵顿先生亲切地说，“估计我自己也会挺忙的，不过我们好歹可以一起吃早饭，晚上再碰头交流一下。要是我们从此各奔东西，那就太可惜啦！”

“是太可惜了。”阿申顿叹息道。

阿申顿终于独自一人待在酒店房间里了，他坐下，环顾四周。真像是过了一段漫长的岁月！他一时没有精力马上打开行李。战争爆发以来，他已经住过多少酒店房间？有的气派，有的简陋，不停地换地方，四处漂泊，今天在这个镇子，明天又到了另一片大陆！他似乎都记不清自己有多久都是这样提着旅行箱生活了。他已疲惫不堪。他问自己接下来该如何去完成上头指派的任务。俄罗斯这么大，他感觉自己迷失了，太孤单了。当他被选中去完成这个任务时，他推辞过，这个任务太大了，难以胜任，可是没人理睬他的意见。他被选中并不是因为上头认为他是特别合适的人选，而是因为找不到比他更合适的人。忽然有人敲门，阿申顿喜悦地用他刚学会的几个俄语词儿大声应门。门开了。他猛地站了起来。

“请进，请进。”他大声说道，“见到你们太高兴了。”

走进来三个男人，阿申顿认得出他们，因为从旧金山到横滨他们坐的是同一艘船，只是遵照上头的指令，阿申顿没有同他们交流。他们是捷克人，因从事革命活动而被流放，在美国生活了很长时间，这次他们奉命到俄罗斯来协助阿申顿完成任务，要帮助他与一位Z教授接上头，这位教授对侨居在俄罗斯的捷克人有绝对的权威。这三个人当中领头的是一位埃贡·奥斯博士，这人又高又瘦，有一个小脑袋，头发花白。他是美国中西部某个教堂的牧师，一位神学博士；不过他已放弃神职投身于祖国的解放事业。阿申顿觉得他是个很聪明的人，而且不太拘泥于考虑良心之类的事。一个牧师有自己的主见，就会比常人更有优势，他们无论做什么都可以说服自己相信是在奉行上帝的旨意。奥斯博士总是笑眼盈盈，带着含而不露的幽默感。

阿申顿在横滨跟他秘密接触过两次，了解到Z教授虽然渴望自己的国家尽快摆脱奥匈帝国的统治，但他明白要实现这一目标就必须推翻同盟国，全身心支持协约国，然而他又不无顾虑。他不愿做有违良心的事，一切行动都必须做得光明正大，所以有些必须做的事大家就只能背着他去做。他的影响力太大，他的意愿是不能忽视的，不过有时候大家还是觉得不要让他知道太多为好。

奥斯博士比阿申顿早一个星期到彼得格勒，此刻他向阿申顿介绍了他所了解到的当下局势。阿申顿觉得局势相当危急，如果要采取行动，就必须当机立断了。军队日益不满，有哗变的危险，软弱的克伦斯基掌控的政府摇摇欲坠，这个政府尚未倒台只是因为没有别的政客有勇气来接管。全国面临饥荒，而且德国人很可能会开进彼得格勒，令人担忧。阿申顿这次到来，英美两国的大使都已得到通知，不过他的任务甚至对他们都是保密的，阿申顿不能求助于他们是有特殊原因的。他要奥斯博士安排他跟Z教授见面，他要听听Z教授的想法，并且要当面告诉他，协约国预见到俄国可能会另签求和协定，他有资金来源可以资助任何可能阻止这个灾难性局面的行动。但是他必须与各个阶层有影响力的人物取得联系。

哈灵顿先生带着他的生意提案和写给几位政府部长的信，必然会有机会见到政府要员，他需要一个译员。奥斯博士俄语说得跟母语一样流利，阿申顿灵机一动，想到推荐他去做这个译员再合适不过了。他把情况给奥斯博士讲了一番，两人约定，在阿申顿和哈灵顿先生一起吃午饭的时候，奥斯博士会走进来，假装是同他不期而遇那样打招呼，然后阿申顿会介绍他认识哈灵顿先生，并且引起话头，找机会向哈灵顿先生暗示，他正缺奥斯博士这样一个译员，简直是老天爷让他心想事成。

不过阿申顿又想到了另一个人可能对他有用，这时他说道：

“你有没有听说过一位叫阿纳斯塔西娅·亚历山德罗芙娜·莱奥尼多夫的女人？她的父亲叫亚历山大·德尼谢夫。”

“她的父亲我当然很了解的。”

“我有理由相信她此时正在彼得格勒。你能不能查一下她住在哪里，最近在做什么？”

“当然可以。”

奥斯博士用捷克语对跟他同来的其中一人说了几句。那两人都一副干练的样子，一个高个子，皮肤很白，一个矮些，皮肤偏黑，但他们都比奥斯博士要年轻，阿申顿明白，他们是听奥斯博士发号施令的。那个人点点头，站起身，跟阿申顿握了握手，就出去了。

“今天下午你就可以听到调查结果。”

“就这样吧，眼下也没别的事可做了。”阿申顿说，“实不相瞒，我已经十一天没有洗澡了，现在要赶快去洗个澡。”

阿申顿从来都不太能说得准，到底是在火车上还是在浴缸里更能享受沉思默想的乐趣。就创造性的思考而言，他更倾向于在一列平稳行驶却开得不太快的火车上思考，他的许多最好的点子就是他坐在这样的火车上跨越法兰西平原时想到的；不过要回味这种思考过程的快乐，或者要像绣花一样把一个已在脑子里形成的主题一针一线绣出来，那么他确信无疑，泡在热水浴缸里是最佳选择。此刻，他美美地躺在满是肥皂泡的热水浴缸里，活像一头犀牛在泥水潭里打滚，心里回味着他与阿纳斯塔西娅·亚历山德罗芙娜·莱奥尼多夫之间让他感到五味杂陈的交往。

从这些往事中丝毫看不出阿申顿也偶尔有柔情——其实男女之情往往被人称作柔情也是挺荒谬的。在哲学家看来，两情相悦只不过是一时冲动而已，但是这方面的专家，也就是那些专门靠研究这种事为生的很有魅力的家伙，却言之凿凿地宣称，作家、画家和音乐家——简而言之就是一切跟艺术沾上边儿的人——在情场上往往无所建树。他们总是雷声大，雨点小。他们要么大唱赞歌，要么长吁短叹，时而编造美妙词语，时而渲染浪漫情调，到头来还是搞不清究竟是更爱艺术或自己（他们认为这是一回事）还是更爱自己的感情依恋对象，只是当这个对象出于女性特有的实际考虑提出实质性的要求时，他们往往只会给一些虚幻的东西。也许他们说的是事实，也许这就是为什么女人从灵魂深处对艺术深恶痛绝的原因（这个原因从来没有人提到过）。这些暂且不论，反正阿申顿在过去二十年里就因为一个又一个的尤物而屡屡怦然心动。他有过很多心花怒放的时光，也为此付出了太多惨痛的代价，但即使是在因情场失意而最苦不堪言的时候，他也总能对自己说——虽然满脸苦笑——没事的，只要有一分耕耘就会有一分收获。

（未完，接下册）

毛姆

短篇小说全集

[英] 毛姆 著　姚锦清 刘勇军 译

第14册

三个圈经典文库

经典就读三个圈　导读解读样样全

江苏凤凰文艺出版社
JIANGSU PHOENIX LITERATURE AND ART PUBLISHING

目 录

朱莉娅·拉扎里

阿申顿口口声声说，他从不会感到烦闷。按照他的观点，只有自己没本事的人，也就是只有傻瓜，才会不得不靠外界的因素解闷消愁。阿申顿对自己的前程不抱幻想，他目前在文学上取得的成就并没有冲昏他的头脑。一个作家写了一部成功的小说或一出叫座的戏剧，到底会因此一举成名还是会臭名远扬，他还是能分辨清楚的。他对此漠不关心，除非事关看得见摸得着的利益。他总是十分乐意利用自己的名气谋取一些便利，比如坐船时买的是普通舱的票，却坐进了豪华舱。要是哪个海关官员因为读过他的小说而不检查他的行李就放他过关，他便会沾沾自喜地承认，追求文学成就还是有好处的啊。如果有学戏剧的年轻学生想要跟他讨论戏剧技巧，他总会连连叹气；当一个个眉飞色舞的女士凑到他耳朵边激情澎湃地赞颂他的作品时，他恨不得自己死了。但是他自认是个聪明人，如果聪明人也会嫌别人烦，那就太荒谬了。事实上，有些人蠢得令人忍无可忍，朋友们一见到他们就像见了债主似的拔腿就逃，可他同这样的人也能聊得津津有味。也可能他只是出于几乎时时刻刻在他心中涌动着的职业本能而已——这些人都是他写作的素材，他不会对自己的素材厌烦，就像生物学家不会厌烦化石吧。现在，任何一个人合理追求的生活享受他都不缺了。他住过这里的豪华酒店里让人流连忘返的房间，而日内瓦又是欧洲最宜居的一个城市。他会租一条船在湖上泛舟，也会骑上租来的马悠然信步，因为在这井然有序的整洁城市里很难找到一大片草地可以策马扬鞭。他也会在镇里的老街上闲逛一圈，想要在那一栋栋宁静而庄严的灰色石头房子中间重新捕捉到往昔的辉煌。他重读了卢梭的《忏悔录》，而另一部卢梭的作品《新爱洛伊斯》他重读了两三遍也还是喜欢不起来。他埋头写作。他认识的人不多，因为他的职业要求他隐身幕后，不过他会跟几个住在同一家酒店的客人聊聊天，所以他并不孤独。他的生活够充实的，有很多不同的内容，如果实在没有别的事可做，他就愉快地陷入沉思，难以想象在这样的生活中怎么可能感到厌烦。然而，就像飘浮在天空中的一小朵孤云，他还是看到了烦闷的事可能很快就要发生。有一个故事说路易十四皇帝有一次召唤一个朝臣陪他去出席一个典礼，朝臣姗姗来迟，皇帝满脸威严冷冰冰地对朝臣说："J'ai failli attendre."这句话我只能勉强翻译成：我差一点儿就要等你了。阿申顿想起了这句话，心里暗自承认：我差一点儿就要觉得烦闷了。

可能吧，他暗自思忖，这时他在湖边骑着一匹浑身花斑的马，马的臀部很大，脖子很短，很像我们平时会在老画里看到的那种腾跃奔驰的大马，只是这匹马从不腾跃，哪怕要它小跑几步也需要用马靴狠狠抽它才行——可能吧，他暗自思忖，伦敦特工总部那些操纵着这台巨大机器的大头头们都过着充满刺激的生活；他们这儿挪一下，那儿动一动，就编织好了一张千丝万缕的大网（阿申顿太会用比喻了），他们把一块块拼图拼成一幅完整的图画；可是必须承认，像他这样的小特工过的日子可不像外界想象的那样惊险刺激。阿申顿执行任务时就像市政府的办公人员一样按部就班，单调乏味。他每隔一段时间会跟他手下的特工见面，付给他们酬劳；如果能物色到一个新人，他就聘用他，给他下达指示，然后把他派到德国去，他等着这个人送来情报，再把情报传递出去；他每周去一次法国跟他的同事商讨前线事务，接受来自伦敦的指令；每逢赶集的日子，他会去湖对面的集市从那个卖黄油的老农妇手里取情报；他睁大眼睛竖起耳朵；他写长篇大论的报告，心里很清楚没有一个人会去读这些东西，可是有一次他不经意地在自己写的报告里开了几句玩笑，很快他就收到回电，严厉斥责他的轻率。他在做的工作显然是有必要的，可是这些事情实在太单调了。有一阵子，他为了找些更好玩的事情做，他甚至考虑过跟冯·希金斯女男爵调调情。他确信这个女人是为奥地利政府做事的特工，他预见到两个人棋逢敌手，斗智斗勇，应该会很好玩，他期盼着享受这个快乐。他很清楚这个女人会给他设下圈套，要避免落入她的圈套，他就要动一番脑筋，这样他的脑子就不会生锈了。他发现女男爵也愿意玩玩这个游戏。他给她送花，她收到后会给他写热情洋溢的小纸条感谢他；他们一起到湖里划船，她将自己又白又长的手臂伸进水里，一边划水，一边谈论爱情，暗示有人曾为爱情心碎肠断；他们一起吃饭，一起去看法语版的话剧《罗密欧与朱丽叶》。阿申顿还没有决定要跟这个女人走到哪一步，却收到了他的上司R发来的电报，严厉质问他到底在玩什么鬼把戏：有情报“落到他的手里”，说阿申顿整天跟一个自称希金斯女男爵的人纠缠不清，此人是同盟国的女特工，上面决不允许他同这个女人有任何超出正常礼节的关系。阿申顿耸了耸肩。R并不认为阿申顿有多聪明，不像阿申顿自认为的那样聪明。但阿申顿觉得有趣的是，他发现了自己以前并不知道的事：他们在日内瓦的系统里有人的任务居然是监视他。显然有人奉命在这里监督他的行动，确保他不会玩忽职守，任意胡闹。阿申顿觉得这事太有意思了。R真是个精明狡诈的老狐狸！他从不冒险；他信不过任何人；他利用手下人为他干活，但无论如何都不会把他们当回事。阿申顿仔细琢磨了一番周围的人，想看看自己能不能找出这个向R通报他的动向的探子。他想知道会不会是酒店里的哪个服务生。他知道R特别相信酒店服务生。他们有机会见到各式各样的人和事，可以毫不费力地进入各种唾手可得情报的场所。他甚至想过给R通风报信的会不会就是女男爵本人。要是到头来发现她是被协约国雇用的特工，那就太不可思议了。阿申顿继续对女男爵客客气气的，但不再对她花心思了。

他掉转马头，悠然回到了日内瓦城内。有个马夫等在酒店门口，阿申顿下马走进了酒店。前台服务生递给他一封电报，电文如下：

麦吉姨妈病重。住巴黎洛蒂酒店。请尽快去看她。雷蒙德。

雷蒙德是R在战时用的一个化名，既然阿申顿没有那么幸运地有一位麦吉姨妈，他便断定这是叫他速去巴黎的命令。阿申顿一直觉得R花了太多时间读侦探小说，特别是在他心情好的时候，他总喜欢兴致勃勃地模仿廉价小说的风格。R心情好的时候，就意味着他快要耍什么手段了，因为一旦他得手了，他便情绪低落，会把怒气撒在下属身上。

阿申顿故意随意地把电报留在柜台上，问了一下开往巴黎的快车的发车时间。他扫了一眼挂钟，盘算了一下自己是否来得及在领事馆关门前去办好签证。他上楼去取护照，就在电梯门快要关上时前台服务生对他大声喊道：

“先生，你忘记拿走电报了。”

“我犯傻了。”阿申顿应道。

现在阿申顿知道，万一那位奥地利女男爵奇怪他为什么会这么突然去了巴黎，她会发现是因为他的一位姨妈病了。在动荡不安的战争时期，最好还是把什么事情都清清楚楚地放在台面上为好。法国领事馆的人认识他，所以他在那里很快就办好了签证。他出门前交代酒店前台帮他买一张火车票，办好签证后他便回酒店去洗澡，换衣服。这次意料之外的出差让他很兴奋。他喜欢这样的旅程。他在卧铺车厢睡得很好，哪怕途中火车猛地颠簸一下把他吵醒，他也没有生气；独自一人清静地躺在小小的车厢里抽支烟，自得其乐地遐想一番，也是挺美的事；车轮在铁轨上发出哐当哐当的声音简直是给自己的沉思配上了美妙的背景音乐，火车在沉沉夜色中奔驰在辽阔的大地上，让人感觉像是流星划过天际。这段旅途的终点有一系列的未知在等待着他。

阿申顿抵达巴黎时天气阴冷，下着小雨，他没有梳洗，很想洗个澡，换上干净的内衣，可是他兴致很高。他从车站给R打了个电话，问了问麦吉姨妈的情况。

“我很高兴知道你这么关心她，立刻就赶过来了。”R在电话另一头说，声音中隐约带着一丝笑意，“她情况很糟糕，不过她见到你就会好多了。”

阿申顿心想，同专业的幽默作家相比，外行经常会犯的一个错误，就是每次开玩笑总不免说个没完没了。人在讲玩笑的时候就应该像蜜蜂飞到花朵上采蜜一样，迅速且随意。玩笑讲完了就过去了。当然了，就像蜜蜂飞近花朵时也会嗡嗡盘旋一阵儿，有人在开玩笑的时候多说几句也是无伤大雅的，这无非也就等于是在向愚笨的人明着宣告他在开玩笑呢。不过阿申顿和那些非常专业的幽默作家不一样，他会很善良地包容外行的幽默感，于是他顺着R的话茬回答他。

“你觉得她想什么时候见我？”他问道，“替我问候她，好吗？”

这时，R明显笑出了声。阿申顿叹了口气。

“我估摸着她要打扮一番才肯见你的。你知道她的，不精心打扮打扮绝不见人。十点半怎样？你跟她聊完后我们就在附近找个地方吃午饭。”

“好的。”阿申顿说，“我十点半到洛蒂酒店。”

阿申顿梳洗干净，神清气爽地来到酒店时，一个他认识的勤务员在大厅里等候他，他带阿申顿去了R的房间，直接推开房门招呼他进去。R站着在向他的秘书口述指令，他背后壁炉里烧着柴火，火光熊熊。

“坐吧。”R随口说了一句，继续口述。

这是一间挺豪华的客厅，花瓶里插着一束玫瑰花，看上去像是女人的手。一张大桌子上乱糟糟地堆满了文件。R看上去比阿申顿上次见到他时显老了一些，那张发黄的瘦脸上多了不少皱纹，头发更白了。看得出他的工作繁重，他也干得很卖力，每天七点就起来，一直工作到深夜。他的制服很干净，可是穿在他身上显得邋邋遢遢的。

“这就行了。”他对秘书说，“赶快拿去打印。我出去吃午饭前签字。”接着转身对勤务员说，“不要让任何人来打扰我。”

秘书是个三十几岁的少尉，显然是个临时服役的非现役军人，他拿起一堆杂乱的文件走出去了。勤务员跟在他身后出门时，R说道：

“在门口等着。我有事会叫你。”

“是！长官。”

屋里只剩他们两人时，R转身以自认为亲切热情的态度对阿申顿说：

“路上顺利吧？”

“是的，长官。”

“你觉得这房间怎样？”他环顾四周说道，“挺不错的吧？我一直不明白我们为什么不可以想办法少受一些战争带来的苦难。”

R一边闲扯一边目不转睛地注视着阿申顿。他那对挨得太近的浅色眼珠子一动不动地盯着你，会让你感到他已经把你脑袋里的东西看得一清二楚了，而且对自己所看到的东西不屑一顾。

R毫不掩饰他把手下的人都看作傻子或坏蛋。这是他的职责所在，不得不去应对的一个障碍。总的说来，他宁愿他们都是坏蛋，这样，他起码能知道每个人都在玩儿什么把戏，也容易用相应的手段去对付他们。他是一名职业军人，他的职业生涯是在印度和一些英属殖民地度过的，战争爆发时，他驻扎在牙买加，陆军部一个跟他打过交道的人想起了他，把他调过来安排到情报部门任职。他精明过人，很快就担任了重要职务。他精力充沛，很有组织才能，做事无所顾忌，不乏计谋、勇气和决心。他或许只有一个弱点：他一生都不怎么与人交往，特别是女人，他所认识的女人就是他同僚的妻子、政府官员和商人的妻子，所以当他在战争爆发后不久来到伦敦，因工作关系而接触到了一些聪明、美丽又高贵的女人时，他完全眼花缭乱了。他在这些女人面前感到羞怯，可是他花了不少心思同她们交往，很快成了一个很有女人缘的男人，阿申顿对R的了解超过了R自己的想象，在阿申顿看来，那瓶玫瑰花背后就有故事。

阿申顿知道R找他来当然不是要跟他扯家常，他在纳闷什么时候他才会说到正题上去。他很快就知道了。

“你在日内瓦干得很不错啊！”他说。

“很感谢您这么想，长官。”阿申顿答道。

R的神色突然变得冷淡而严峻。他不再扯闲话。

“我要给你一个任务。”他说。

阿申顿没有回答，可是他心里暗暗感到一阵窃喜。

“你听说过昌德拉·拉尔这个人吗？”

“没有，长官。”

上校脸色一沉，不耐烦地皱了一下眉头。他指望他的下属应该如他所愿什么都知道。

“你这些年都住在什么地方？”

“梅费尔区切斯特菲尔德街三十六号。”阿申顿答道。

R那张发黄的脸上闪过一丝淡淡的讪笑。这个多少有些粗鲁无礼的反应出自他冷嘲热讽的本性。他走到那张大桌子旁边，打开放在桌上的一只公文包，从里面抽出一张照片递给了阿申顿。

“这就是他。”

阿申顿对东方人的脸不太熟悉，他觉得这个人跟他见过的一百来个印度人没什么两样。说不定这张照片上的人就是定期来英国的某一位印度酋长，他们的照片常常会登在报纸上。他看到的是一张胖胖的脸，肤色黝黑，嘴唇很厚，鼻子肉乎乎的，有一头直直的浓密黑发，一双很大的眼睛，在照片上都显得水汪汪的，像是牛眼睛。他穿的是欧洲西服，看上去有些不自在。

“这是他穿自己民族的衣服。”R说着，又递给了阿申顿一张照片。

这是一张全身照。而刚才那一张只照了他的脑袋和肩膀，而且看得出这张照片是几年前拍的。这张照片上他显得瘦了一些，那双巨大的眼睛很严肃，几乎要把他的脸吞没了。照片是在加尔各答由本地摄影师拍的，周围的布景非常怪异。昌德拉·拉尔站着，身后的布景上画的是海滩和一棵繁茂的棕榈树。他一只手搭在一张雕花桌上，旁边摆着一盆橡胶盆栽。不过，他戴着头巾，穿着长长的浅色上衣，看上去倒是挺威严的。

“你感觉这个人怎么样？”R问道。

“我看这个人有些个性。神色中透着一股威严。”

“他的资料都在这儿。你读一下，行吗？”

R给了阿申顿两三页打印的纸，阿申顿坐下了。R戴上眼镜开始读那些等着他签字的信件。阿申顿随便翻阅了一遍手里的报告，然后又仔细地读了第二遍。看来昌德拉·拉尔是个危险的煽动者。他的职业是律师，可是他参与了政治活动，对英国统治印度充满敌意，他支持武装暴乱，多次策动流血暴动事件。他曾被捕，被法庭判了两年监禁，可是战争爆发后他便获释，他抓住机会酝酿发起暴动。他作为核心人物策划了羞辱在印度的英国人的事件，阻止英国人调动部队到战场去，借助于德国特工部门给他的巨额资金，他制造了很多麻烦。他参与了两三次炸弹袭击事件，虽然没有造成多大伤亡，但炸死了几位在附近的无辜者。这些事件震撼了民众的神经，破坏了士气。他多次逃脱警察的追捕，他很活跃，四处出没，可是警察总是抓不住他，他们只是了解到他来到了某个城市，办完自己的事又离开了。最后当局高额悬赏要以谋杀罪逮捕他。可是他逃离英国，去了美国，又从那里转道去了瑞典，最后逃到了柏林。他在德国忙于策划各种计谋，鼓动已经派到欧洲战场的印度军队产生不满情绪。这些叙述的文字平平淡淡，没有评论也没有解释，不过单纯从这些一板一眼记述他屡遭险境而侥幸脱身的文字中，还是可以感受到一种惊险神秘的气息。报告最后是这样结尾的：

“C（昌德拉）在印度有妻子和两个孩子。据了解他从来不同其他女人来往。他不喝酒也不抽烟。别人都评价他是个诚实的人。经过他手的金钱数目不小，但他从来没有涉嫌任何用钱不当的问题。他确实勇气过人，工作勤奋。据说他以从不食言而自豪。”

阿申顿把文件还给了R。

“怎么样？”

“一个疯子！”阿申顿觉得这个人身上有一种挺有吸引力的浪漫色彩，可是他知道R不爱听他说出这种胡言乱语来，“看来这是个非常危险的人物。”

“他是印度国内外最危险的阴谋家。他的危害比其他所有人加起来还要大。你也知道，在柏林有一个印度帮，他就是这个帮的头儿。如果我能把这个人搞掉，其他人我都懒得理会了，只有他是有胆量的。我抓他都抓了一年了，我以为没有希望了，可是现在终于出现了一个机会，老天爷，我一定要抓住这个机会。”

“那你打算怎么做？”

R阴冷地笑了一声。

“崩了他，一枪崩了他，越快越好！”

阿申顿没有作答。R再次在客厅里来回踱了几步，然后又背着壁炉面对阿申顿站住。他薄薄的嘴唇上浮现出讥嘲的微笑。

“你有没有注意到我给你的这份报告结尾处说他从来不同女人交往？嗯，以前是的，不过现在不一样了。这个该死的傻瓜爱上了一个女人。”

R走到公文包前拿出了一个用浅蓝色丝带扎着的纸包。

“瞧瞧，这些都是他写的情书。你是个小说家，可能会有兴趣读这些情书。事实上，你也应该读的，它们可以帮助你熟悉情况。都拿走吧。”

R把这捆扎得很整洁的情书又抛回到了公文包里。

“像他这么一个干练的男人怎么会对一个女人痴迷，真叫人难以理解。这也是他最让我出乎意料的事。”

阿申顿的眼睛朝着摆在桌子上的那瓶漂亮的玫瑰花望过去，不过他什么也没说。R是不会漏过任何细节的，他看见了阿申顿的目光，他的脸色顿时阴沉下来。阿申顿知道他很想问问他到底在看什么。那时候R对这位下属不是很友好，不过他没有问。他回到了刚才那个话题。

“反正也不是什么了不起的大事。昌德拉疯狂地爱上了一个名叫朱莉娅·拉扎里的女人。他对她太痴迷了。”

“你知道他是怎么认识她的吗？”

“我当然知道。那女人是跳舞的，跳的是西班牙舞，可她是个意大利人。她有个舞台上的艺名，叫‘马拉圭尼亚舞者’。你一定知道那种舞跳起来是什么样的——西班牙通俗舞曲，舞者头披纱巾，盘起高高的发髻，插着梳子，手拿扇子。过去十年她跳遍了整个欧洲。”

“她为人怎样？”

“不好，是个烂人。她以前住在英格兰的乡下，后来在伦敦做过一些事。一星期顶多也就挣个十镑。昌德拉是在柏林的一个低级娱乐场所认识她的，那种地方你也知道，就是很廉价的音乐厅。依我看，她在欧洲大陆上把跳舞看作自己当上高级妓女的手段。”

“战争爆发后她是怎么来到柏林的？”

“她嫁给了一个西班牙人。我相信他们现在也没离婚，只是不住在一起了，她用西班牙护照到处旅行。昌德拉好像是死心塌地爱上了她。”R又拿起这个印度人的相片，若有所思地端详了一番，“谁也不会觉得他有什么迷人的地方。天哪，他发胖真够快的！事实上，这女人差不多也一样深爱他。我这里也有她写的一些情书，当然是复印的，原件在昌德拉手里，我估摸他会用粉红色的绸带把它们扎起来的。她爱这个男人简直是爱疯了。我不是个文人，但我认为我也能判断他们是不是真心相爱的。反正你会读到这些信的，到时候你跟我说说你是怎么想的。居然还有人说世上没有一见钟情的事。”

R露出一丝讥嘲的笑容。今天早上他显然心情很好。

“可你是怎么弄到这些信的？”

“我怎么弄到的？你猜我是怎么弄到的？因为朱莉娅·拉扎里的国籍是意大利，德国人就要把她驱逐出境。她在荷兰的边境被移交了。但是她在英国有一次跳舞演出的任务，所以她拿到了英国签证，然后，”——R在一沓文件里查到了日期——“在十月二十四日从鹿特丹坐船到了哈里奇。然后她一直在伦敦、伯明翰、朴茨茅斯等地跳舞。两个星期前她在赫尔被捕。”

“什么罪名？”

“间谍。她被转到了伦敦，我亲自去霍洛威见了她。”

阿申顿和R默默地对视了一会儿，谁也没说话，也许彼此都想要看出对方的心思。阿申顿想知道的是这件事有多少真实的成分，而R想知道的是他能从中得到多少有用的东西。

“你是怎么盯上她的？”

“我觉得很奇怪，德国人怎么会允许她在柏林安静地跳了几星期舞，然后没有任何特殊的原因就决定把她驱逐出境。安排她做间谍的可能性是不小的。像她这样一个不太注重品行的跳舞的女人或许有机会搞到很多柏林的某些人认为有价值的消息，值得付出较大的代价去利用她。我认为让她来英国也有可能就是要看看她能做什么。我盯过她，发现她每周会向荷兰的一个地址寄两三次信，也会收到两三次从荷兰寄来的信。她的信是用法语、德语和英语奇怪地混在一起写的。她会讲一些英语，而且法语说得很好。她收到的回信则完全是用英文写的，信上的英文写得很好，但不是英国人写的那种英文，措辞花哨，语句浮夸，我想知道是什么人写的。这些信看上去像是普通的情书，但是内容写得很火辣。看得出这些信来自德国，写信人既不是英国人和法国人，也不是德国人。那人为什么要用英语写呢？在所有欧洲语言中，东方人最熟悉的就是英语，不是土耳其人，也不是埃及人，他们会法语。日本人可以写英文，印度人也可以写。我得出了一个结论，朱莉娅的情人是柏林那帮给我们找麻烦的印度人当中的一个。我看到了这张照片后才知道原来这人就是昌德拉·拉尔。

“这照片你是怎么弄到的？”

“她随身带着。这事她干得很漂亮。她把这照片夹在很多喜剧演员、小丑和杂技演员的剧照里面，一起锁在她的行李箱里，很容易被人当作是哪一位音乐厅艺人穿着舞台服装的照片而漏过去。事实上，后来她被捕时，有人问她这照片上的人是谁，她说不知道，是一个印度魔术师送给她的，她也不知道这人叫什么名字。我派了一个非常机灵的年轻人去执行这个任务。他觉得这些照片中只有这一张是来自加尔各答的，未免有些不太合理；他还注意到照片的后面有一串号码，他记下了这个号码，把照片又放回了行李箱里。”

“顺便再问一句，我只是好奇而已，你派去的那个非常机灵的年轻人是怎么弄到这张照片的呢？”

R的眼睛眨了一下。

“这就不关你的事了。不过我不妨告诉你，那是个长相英俊的小伙子。不过这也不那么重要了。我们得到了照片后面那个号码后，发了一个电报到加尔各答，很快我就收到了回音，这个消息让我感到振奋：朱莉娅的爱恋对象就是那个廉洁的昌德拉·拉尔。接着我觉得需要加强对朱莉娅的监视。她似乎私下里喜欢接近一些海军军官。这倒也不怪她，那些军官是很有魅力。可是像她这样的轻浮女人，国籍不清不楚，在战争年代热衷于社交关系，并不是很明智的事。没过多久，我就掌握了一系列对她不利的证据。”

“她的情报是怎么传递出去的？”

“她没有传递情报。她都没想要传递什么情报。德国人是真的把她驱逐了，她不是为德国人做事的，她为昌德拉做事。等她完成了在英国的任务后，她打算回到荷兰去同他见面。她执行任务时并不那么聪明，她很紧张，可是她要完成的任务看上去很容易，没有人会留意她，然后事情变得越来越有意思，她毫无风险地获得了各种她感兴趣的消息。她在一封信中这样说：'我有太多的事情要告诉你，我亲爱的小宝贝[1]，你会对这些事情特别感兴趣的。'她在那些法文下面画了线。”

R停顿了一下，搓了搓双手。他疲倦的脸上露出一副诡异的阴森笑容，仿佛是魔鬼在欣赏自己的狡诈。

“这么做间谍倒是容易。当然啦，我对这个女人一点儿都不在乎，我要追踪的是那个男人。等我想从她身上得到的信息一到手，我就下令逮捕她。我有足够的证据可以将一批间谍送上法庭。”

R双手插进口袋里，苍白的嘴唇抽搐了一下，挤出一丝怪怪的微笑，像是做了一个鬼脸。

“你也知道，霍洛威不是一个好玩的地方。”

“我想没有哪个监狱是好玩的吧。”阿申顿回应道。

---

1 原文为法语。（若无特别说明，本篇用楷体字标识的均为法语，后文不再单独注释。）

“我没有马上去见她，一礼拜没理她，让她自个儿去琢磨。一个礼拜后她已经快要崩溃了。看守告诉我，她一天到晚歇斯底里地闹个不停。我只能说她看上去都不像个人了。”

“她长得好看吗？”

“你自己去看吧。她不是我喜欢的类型。我估摸她打扮一下会更好看的。我狠狠训了她一通，把她吓得魂儿都没了。我告诉她要坐十年牢。我觉得我真的把她吓坏了，我就是想要吓唬她。当然，她什么都不承认，可是证据摆着呢，我让她知道，她没有逃脱的机会。我同她聊了三个钟头，她彻底崩溃了，最后什么都坦白了。然后我告诉他，只要她把昌德拉叫到法国来，我们就会放过她。她一口拒绝，她说她宁可去死。她又歇斯底里地大闹起来，烦透了，可我任由她闹。我叫她好好想想，我说过一两天我会再去见她，到时候再同她聊。事实上我一个礼拜都没去见她。她显然花了不少时间认真想过了，因为我再去见她时，她马上非常平静地问我，究竟要她怎么做。那时她已经在牢房里被关了两个礼拜，我相信她已经受够了。我尽可能直白地给她讲了我们想要她做的事，她接受了。”

“我好像还是没明白。”阿申顿说。

“没明白？我以为脑子再慢的人也该一清二楚了。只要她能说服昌德拉从瑞士出境，进入法国，我们就会释放她，她可以自由去西班牙或南美，所有路费都不用她付。”

“她怎么能说服昌德拉这样做呢？”

“他爱她爱疯了。他渴望见到她。他信里写的话几乎已经失去理智了。朱莉娅写信告诉他，她无法获得去荷兰的签证（我告诉过你，她原定最后会在那里同他会合），但是可以获得去瑞士的签证。瑞士是中立国，她去那里是安全的。他迫不及待地抓住了这个机会。他们约好了在洛桑碰头。”

“明白了。”

“他到洛桑后会收到朱莉娅的信，告诉他法国当局不让她过境，所以她只好去托农，那是同洛桑隔湖相望的法国小镇，她会要求他到那里去见面。”

“你为什么认为他会去？”

R沉默了片刻。他面带喜色地看着阿申顿。

“如果她不想服十年刑的话，她就必须说服他。”

“我明白了。”

“她今天晚上就会从英格兰被押送过来，我要你坐夜里的火车把她送到托农去。”

“我？”阿申顿问。

“是的，我认为这是你能够出色完成的任务。我觉得你好像比大多数人更懂得人性。对你来说，去托农待上一两个礼拜，也可以散散心吧。我觉得那个小镇在战争爆发前是很漂亮的，也蛮时尚的。你或许可以在那里游游泳。”

“我把那女人送到托农后，你要我做什么？”

“你想做什么都行。我给你写了几句要交代的话，或许会对你有用。你要我说给你听吗？”

阿申顿仔细听了。R的计划简单明了。阿申顿不由得暗暗钦佩设计出这个计划的脑袋。

接着，R提议他们该吃午饭了，他要求阿申顿带他去一个可以见到聪明人的餐馆。让阿申顿感到有趣的是，R是一个如此精明、自信、警觉的人，走进餐馆时居然会羞羞答答的不知所措。他说话有点儿过于大声，那是为了显示他心里很安定而故意做出来的，只是表现得有些过分无拘无束了。从他的举止可以看出他曾经过的是平常小人物的寒碜生活，战争的爆发给了他机会，使他摇身一变，成了举足轻重的人物。他很高兴能在这家时髦的餐厅里坐在那些声名显赫的人身边，可是他感觉就像第一次戴上圆顶礼帽的中学生一样，躲避着餐厅领班尖利的目光，他的两眼快速地东张西望，发黄的脸上露出一种他自己都感到羞于示人的自满。阿申顿将他的注意力引到一位身穿黑色衣服、戴着一长串珍珠项链、身材丰满的丑女人身上。

“那位是布莱兹夫人。她是西奥多大公爵的情妇。她可能是全欧洲最有影响力的女人之一，无疑也是极聪明的。”

R精明的目光停留在那位夫人身上，他的脸红了。

“我的天，这才是生活啊！”

阿申顿好奇地看着他。对于那些从未享受过奢侈而又突然要去面对奢侈的诱惑的人来说，奢侈是很危险的。R是个精明狡诈、愤世嫉俗的人，现在他突然看到眼前这幅诱人的场景，他被深深地迷住了。就好比一个人有文化的好处就在于可以一本正经地胡说八道，养成了奢侈习惯的人也可以趾高气扬地滥用这些装腔作势的花架子。

他们吃完午饭在喝咖啡时，阿申顿看到R饱餐一顿后非常满足，也很享受周围的环境，所以又聊起了他心里想着的那个话题。

“那个印度人准是一个非比寻常的家伙。”他说。

“当然，他是有点头脑。”

“他一个人有勇气单枪匹马地对抗整个大英帝国在印度的势力，不得不令人刮目相看。”

“如果我是你，我不会对他有这么感性的认识。他就是个危险的罪犯。”

“我想他手里要是有几排大炮和几支部队可以指挥的话，他不会只搞炸弹袭击的。他是有什么能用的武器就用什么。这也怪不得他。不管怎么说，他做这一切的目的不是为了他自己，对吗？他是为了争取他的祖国的自由。这么看来，似乎他的所作所为也是有正当理由的。”

可是R没明白阿申顿到底想表达什么。

“这就太牵强了。”他说，“我们不必陷得太深。我们的任务是抓住他，抓住后就毙了。”

“当然，他已经宣战了，他也不会手下留情的。我会去执行您的指示，这是我来这里的目的，不过我没觉得承认他身上有一些令人钦佩和尊重的东西有什么害处。”

R又变得冷静而精明地判断起自己手下的人了。

“我还没有想清楚，去执行这种任务的最佳人选到底是对任务充满激情的人，还是始终保持头脑冷静的人。有的人对我们要抓捕的人充满仇恨，当我们逮住了这些人时，他们感到很欣慰，就像是为他们自己出了口恶气似的。当然他们都很看重自己的工作。你好像不太一样，是不是？你把要去完成的任务看作下棋一样，好像始终不会投入什么感情。我不太明白这是怎么做到的。当然有些任务只要能达到目的就行了。”

阿申顿没有作答。他付了账，同R一起走回旅馆。

火车八点开。阿申顿放好了行李后就沿着站台走去。他找到了朱莉娅·拉扎里乘坐的车厢，但她蜷缩在一个角落里，脸背着灯光，所以看不清她的面孔。她由两名警探押着，他们在布洛涅从英国警方手中将她接管过来。其中一名警探跟阿申顿在日内瓦湖的法国边境一带合作过，当阿申顿走过去时，他对阿申顿点了点头。

“我问过这位女士要不要去餐车吃饭，可她想在自己的车厢里吃，所以我就给她叫了饭菜。这样做可以吗？”

“完全可以。”阿申顿答道。

“我会和我的搭档轮流去吃饭，这样她身边就不会没人了。”

“你们考虑得很周全。开车后我会过来跟她聊聊。”

“她好像不太想开口。”警探说道。

“这不奇怪。”

他去售票处买了二等座的票，然后回到了自己的车厢。等他再回来找朱莉娅·拉扎里时，她刚吃完饭。他扫了一眼装食物的篮子，判断出她的胃口不差。在她身边看守的警探见到阿申顿出现在车厢门口，便打开了车厢门，阿申顿建议警探回避一下，警探便走出去了，车厢里只剩下他们两人。

朱莉娅·拉扎里阴沉沉地看了他一眼。

“我希望你晚饭吃得还算称心。”阿申顿说着，在她对面坐了下来。

她微微欠了欠身，没有说话。阿申顿打开了自己的烟盒。

“抽烟吗？”

她瞅了阿申顿一眼，有点儿犹豫，然后取了一支香烟，还是一言不发。阿申顿划着火柴，替她点烟，顺便看了她一眼。他有些吃惊，不知出于什么原因，他原本以为见到的应该是个白皮肤的金发女人，或许是因为东方人一般都喜欢白肤金发，可她肤色很黑。她的头发被一顶紧贴在头上的帽子遮住了，不过她的眼睛乌黑。她不年轻，大约三十五岁，脸上有皱纹，脸色暗淡。她那会儿没有化妆，看上去有些憔悴，除了那双炯炯有神的大眼睛外，她身上没有算得上漂亮的地方。她块头不小，阿申顿都疑惑这样的身材还能轻盈地翩翩起舞吗？或许穿上了西班牙舞服，她看着还能更奔放性感些。可是在这列车上，她穿得邋邋遢遢，完全看不出那个印度人为什么会对她如此痴迷。她用审视的目光凝视了阿申顿半天，显然是在琢磨他是个什么样的人。她从鼻孔里喷出一团烟雾，瞥了一眼，又收回目光来看阿申顿。阿申顿看得出来，她的一脸阴沉只不过是个面具，她心里紧张不安，慌乱得很。她说的是带有意大利口音的法语。

“你叫什么名字？”

“我的姓名对你没有意义，夫人。我要去托农。我已经在广场旅馆为你订了房间。现在只有这家旅馆还有空房。但我想你会住得很舒服的。”

“啊，原来你就是上校跟我说过的那位。你是我的看守。”

“只是形式上的。我不会给你添乱。”

“怎么说你都还是我的看守。”

“我希望不会拖很久。你的护照就在我的衣服口袋里，你去西班牙的一切手续都办妥了。”

她后仰靠到了车厢角落。在暗淡的灯光下，能看到她乌黑的大眼睛，她突然露出满脸的绝望。

“太无耻了。我恨不得把那个老上校给杀了，那样我死了也甘心。他心肠太坏了。我好难过。”

“恐怕你现在的不幸处境也是你自己找的。你不知道做间谍是很危险的吗？”

“我从没出卖过任何秘密。我没有造成危害。”

“那只是因为你没有机会。据我所知，你已经在详细的招供材料上签过字了。”

阿申顿像是对一个病人说话那样尽量说得和和气气，他的语气里没有一丝严厉。

“啊，是的，我自己做了傻事。上校逼着我写那封信，我写了。这还不够吗？如果他不回信，我又要倒什么霉了？他要是不想来，我也不能强迫他来啊。”

“他回信了。”阿申顿说，“信就在我这里。”

她抽了一口冷气，声音哽咽了。

“快给我看看。求求你让我看看。”

“我不反对给你看看。可你看完必须还给我。”

他从衣袋里掏出昌德拉的信，递给了她。她一把从他手里抢了过去，贪婪地瞪大眼睛看起来。这封信长达八页。看着看着，她的眼泪从脸颊上流了下来。她抽抽搭搭地呼唤着她的爱人，不停地用法语和意大利语呼唤着写信人的昵称。这封信是昌德拉收到她的信后写给她的回信——她的信是按R的指示写给他的，信中要求在瑞士跟他见面。能同她见面让他欣喜若狂。他在回信中用充满激情的话语告诉她，自从跟她分别后他度日如年，说他如何思念她，没想到这么快就可以再见到她，他简直是望眼欲穿。她看完了信，任凭手里的信掉落到地上。

“你也看得出他爱我，是吧？这是毫无疑问的。我知道的，相信我。”

“你真的爱他吗？”阿申顿问。

“从来没有一个男人像他那样真心对我好。歌舞厅里的日子并不好过，满欧洲奔波，没得休息，男人——都不是什么好东西，那些整天泡在歌舞厅里的男人。一开始，我还以为他也跟那些男人一样是一路货色。”

阿申顿从地上捡起信，放回到皮夹里。

“有一封电报以你的名义发到荷兰那个地址去了，说你将于十四日抵达洛桑的吉朋斯旅馆。”

“那就是明天了。”

“是的。”

她把头一扬，两眼冒出怒火。

“啊！你们这么逼我太不像话了。真是可耻！”

“没有人强迫你非这么做不可。”

“如果我不做会怎么样呢？”

"恐怕你得承担后果。"

"我不能进监狱。"她突然大叫起来，"不行，不行！我已经不年轻了。他说十年，我真的可能被判十年？"

"如果上校是这么说的，那就很可能是的。"

"哦，我太了解他啦。那张狠毒的脸。他毫无怜悯之心。十年后我都成什么模样了？不行，不行！"

就在这时，列车在一个车站停了下来。守候在过道上的那名警探在窗子上敲了几下。阿申顿打开车厢门，那人递给他一张彩色明信片。明信片的正面是一幅小小的照片，是蓬塔利耶小镇的沉闷景象。这里是法国和瑞士交界处的一个边境车站，照片上有一个灰蒙蒙的广场，广场中间有一座雕像和几棵梧桐树。阿申顿递给了她一支铅笔。

"你要把这张明信片写给你的情人。从蓬塔利耶寄出。地址写洛桑的那家旅馆。"

她瞟了阿申顿一眼，没有说话，拿过明信片，照他说的写。

"在背面这样写：'过境较慢，但一切顺利。在洛桑等我。'然后再随便写几句你想写的，情话也行。"

阿申顿从她手里接过明信片，读了一遍，确定她是照他的吩咐写的，然后伸手拿起了帽子。

“好了，现在没事了。希望你能睡个好觉。明天早上到托农后我会再过来。”

这时，那个轮流去吃饭的警探已经回来了，阿申顿走出车厢时，两名警探进了车厢。朱莉娅·拉扎里又蜷缩到角落里了。阿申顿把明信片交给了等在外面的一名特工，叫他拿到蓬塔利耶邮局寄走，然后从拥挤的乘客中间走回了自己的卧铺车厢。

第二日早上他们抵达目的地时，阳光明媚，不过气温很低。阿申顿把行李交给搬运工后，便从站台上朝朱莉娅·拉扎里和那两名警探站着的地方走去。阿申顿对两名警探点了点头。

“早上好。现在就不必劳驾你们等着了。”

两人抬帽致意，然后跟那女人说了声再见，便离去了。

“他们要去哪里？”

“交班了。之后你就再也不用被他们看着了。”

“那就是由你来接管我了？”

“谁也不接管你。我现在只是要把你带到你住的旅馆去，然后就离开你。你一定要好好休息一下。”

阿申顿的搬运工拿起了她的手提袋，她也给了搬运工取箱子的行李票。他们走出了车站。一辆出租车已等候在那里。阿申顿请她先上了车。去旅馆的路途不短。阿申顿感到她一路上没少用斜眼瞅他。她心里充满困惑。阿申顿坐在车里一言不发。他们到达旅馆后——这家旅馆不大，坐落在一条小小林荫道的街角，景色优美——店主马上带他们去了为拉扎里夫人备好的房间。阿申顿转身对他说：

“很好，我一会儿就下来。”

店主鞠躬退下。

“我会尽量把你安顿好，夫人。”阿申顿说，“你在这里绝对自由，随便想要什么都可以叫店主给你送来，你就像其他房客一样。你在这里是自由的。”

“自由出入吗？”她马上追问。

“当然。”

“一边一个警察跟着我？”

“完全不是。你住在这里就跟住在你自己家里一样。进进出出都随你意愿。我只要你向我保证，你不能瞒着我给人写信，不经我同意不能擅自离开托农。”

她直勾勾地看了阿申顿一阵。她完全不明白这是怎么回事。她看上去好像以为自己在做梦。

“我落到了这个境地，你要我保证什么我也只能照办了。我用人格向你保证，我要是写信一定会拿给你看，绝不擅自离开这里。”

“谢谢。我现在就告辞了。明天早上我会再过来拜访。”

阿申顿点头致意便走出了旅馆。他在警察局停留了五分钟，看看是否一切都已安排好，接着他乘上一辆出租马车去了城外一座小山上的一间幽静住处，他定期到这个城市执行任务总是住在这里。他洗了澡，刮了脸，换上了一双拖鞋，感到一身舒畅。他懒洋洋地不想做事，整个上午就看了一本小说。

夜幕降临后，警察局的一名特工才来找他，因为即便是远在法国的托农，还是尽量不引起任何人注意为好。这名特工名叫费利克斯，是个皮肤很黑的小个子法国人，目光敏锐，下巴上的胡子没有刮，穿一身邋遢的灰色外套，鞋子的后跟快要磨掉了，所以他看上去像是一名失业的律师文书。阿申顿递给他一杯酒，两人在炉旁坐下。

“您带来的这位女士一分钟都没耽误。”他开口说道，“她到旅馆还不到一刻钟就跑出去了，只带了一包衣服和一些小玩意儿，她把这些东西都卖给了集市旁的一个旧货店。下午的船靠岸后，她赶紧买了一张去依云镇的船票。”

这里需要解释一下，从这里坐船下一站就是法国境内的沿湖小镇依云镇，过了这个小镇就到瑞士边境了。

“当然啦，她没有护照，所以没有获准登船。”

“她是怎么解释自己为什么没有护照的？”

“她说她忘记带了。她说她约好了要到依云镇去见朋友，她左说右说想要说服负责的官员准许她上船。她试图给那人的手里塞一百法郎。”

“看来这个女人比我想的还要更蠢。”

但是第二天上午十一点左右阿申顿去见她的时候，他只字未提她企图逃跑的事。这时，她有时间把自己收拾了一番，头发精心梳过了，嘴上涂了口红，脸上抹了胭脂，看上去不像第一次见到她时那样憔悴了。

“我给你带来了几本书。”阿申顿说，“我怕你闷得慌，不好打发时间。”

“这关你什么事？”

“我只是希望让你尽量少受点儿罪，没必要受的罪就免了吧。反正我把书留在这儿，看不看就随你便了。”

“你要知道我心里有多恨你就好了。”

“我要是知道了一定会深感不安的。可是我不明白你为什么要恨我。我只是在奉命行事罢了。”

“你现在过来是要我干什么呢？我不相信你只是来问候我的吧。”

阿申顿忍不住笑了。

“我要你给你的情人写一封信，告诉他，由于你的护照有些纰漏，瑞士当局不准许你入境，所以你只能到这里来了，不过这个地方幽静美丽，安静得简直让人忘记了在打仗。你要在信里提议让昌德拉到这里来见你。”

“你认为他是个傻子吗？他会一口拒绝的。”

“那你就得想办法劝说他来。”

她注视了阿申顿好久才回答。阿申顿猜想她一定在心里盘算，是否答应写信，装得温顺听话些可以为她赢得一些时间。

“好吧，那你就口述，我照你说的写。”

“我希望你用自己的话写。”

“那你给我半个小时，让我把信写完。”

“我就在这里等着。”阿申顿说。

“为什么？”

“因为我想这样。”

她眼睛里射出愤怒的凶光，但她强忍住火气，一言未发。写信用的纸笔放在衣柜上。她坐在梳妆台前开始写信。她写完信后递给了阿申顿，阿申顿看到她虽然涂着胭脂，但脸色惨淡。这封信看一眼就知道是一个不善文字表达的人写的，不过也算可以了，写到末尾处她开始表达她是多么爱他时，她情不自禁地倾诉衷肠，字里行间确实流露出几分真情。

“再添一句：送信的是个瑞士人，你可以绝对信任他。我不想让检查信件的人看到此信。”

她迟疑了片刻，然后照他吩咐的写下去。

“‘绝对’这个词怎么拼？”

“你自己看着写吧。再在信封上写好地址，然后我就不在这里烦你了。”

他把信交给在一旁等着的特工，这名特工会把信送到湖对面去。

当晚阿申顿便给她带来了回信。她一把从阿申顿手里抢过信去，贴到自己的心口捂了一会儿。她读完信后如释重负地喊了一声。

“他不会来。”

回信是那个印度人用歪歪扭扭的花体英文写的，他在信中表达了他有多么痛苦和失望。他诉说了自己如何朝思暮想地想要见到她，恳求她务必想尽一切办法解决阻碍她过边境的困难。他说自己不可能过来见她，不可能！有人悬赏要他的脑袋，他怎么会拿自己的性命去冒险，这不是疯了吗？他还跟她开起了玩笑，她总不会想叫她的小胖子情人送命吧，对不对？

“他不会来。”她还念叨着这句话，“他不会来！”

“你必须再写信告诉他没有危险。你必须说如果有危险，你万万不会叫他来的。你必须说，他要是真心爱你就不会犹豫的。”

“我不写。我不写。”

“别犯傻。这事由不得你。”

她突然泪流满面，猛地扑到地上抱住阿申顿的膝盖，哀求他开恩。

“只要你放过我，你要我做什么都可以。”

“别胡搅蛮缠了！”阿申顿呵斥她，“难道你以为我要做你的情人不成？行啦，行啦！你给我正经点儿。你该知道不照我说的做会有什么后果。”

她站了起来，突然变得怒不可遏，冲着阿申顿劈头盖脸痛骂起来。

“这样就痛快多了嘛。”他说，“好了，现在你是答应写呢，还是要我叫警察？”

“他不会来的。写了也没用。”

“能把他弄来对你自己有利。”

“你这话是什么意思？难道你是说，哪怕我尽了全力也不能让他过来，就会……”

她瞪大眼睛看着阿申顿。

“是的，不是他就是你。”

她站不稳了。她一只手捂住胸口，一言不发，伸出另一只手去取纸笔。可是这次的信写得不合阿申顿的意思，他逼她重写。她写完后一头倒在床上，又一次痛哭起来。她的伤心是真的，只是表现得有些像演戏，总也没法让阿申顿真的为之感动。他感到自己此刻与她的关系就像一个医生面对他也无法缓解的病痛一样，没有任何个人因素。他终于明白了为什么R会把这个特殊任务交给他来完成：执行这个任务的人必须头脑冷静，善于控制情绪。

第二天他没有去见她。这次的回信直到晚饭后才有人送来，还是费利克斯送到他住的小屋来的。

“啊，你给我带来了什么消息？”

“我们的这位朋友快要急疯了。”这个法国人微笑着说，“今天下午她去了火车站，那时刚好有一趟去里昂的车快要开了。她站在那里东张西望，不知所措，我就走过去问她有没有事要我帮忙。我介绍说我是一名保安。如果目光可以杀死人的话，那我这会儿就不会站在你面前了。”

“坐下说，我的朋友。”阿申顿说。

“谢谢。后来她走开了，显然她也知道自己没办法登上火车的。不过我要告诉你更有趣的事：她找到一个船夫要给他一千法郎，叫船夫把她送到对岸的洛桑。”

“船夫怎么回答她的？”

“他说他不能冒这个险。”

“是吗？”

小个子特工微微耸了耸肩，笑了笑。

“她要船夫今晚十点到通往依云镇的路口跟她见面，他们可以再谈谈。她还对那人暗示，她不会对打情骂俏的事太反感。我叫那人自己见机行事，只要事后把重要的事告诉我就行。”

“你确定这个人可靠吗？”

“噢，没问题的。他当然什么也不知道，何况她在我们的监控中。你不需要担心这个人。他是个听话的小伙子，我对他知根知底。”

阿申顿读了昌德拉的回信。信写得情真意切，字里行间流露出他发自内心的苦苦渴求。这是爱吗？是的，只要阿申顿对此略知一二，真的爱是存在的。他在信中告诉她，他如何一连几个钟头徘徊在湖边，遥望着对面的法国海岸。他们之间仅有一水之隔，却不能相聚！他反复诉说他不能过来，央求她不要再为难他。为了她无论要他做什么都可以，可是他不敢冒这个险。然而，如果她非要这样坚持，他又怎能忍心拒绝？他一再央求她可怜可怜他。接着他又伤心欲绝地写了一大段，说他想到自己可能见不到她一面就要离去，真的太难过了。他问她有没有办法可以偷偷溜过去，他发誓说只要能把她抱在怀里，他就再也不会放她走了。信中写的词句生硬而又做作，但也丝毫没有让那几乎要将信纸燃烧的感情烈焰黯然失色。这简直就是一个疯子写的信。

“你什么时候可以知道她同那船夫交谈的结果？”阿申顿问。

“我跟他约了十一点和十二点之间到码头的栈桥上去见他。”

阿申顿看了一眼手表。

“我跟你一道去吧。”

他们下了小山，来到码头上，码头上寒风刺骨，他们走到海关楼的背后避风。过了一会儿，他们看到一个人朝码头走来，费利克斯从阴影中走出来。

“安托万！”

“费利克斯先生吗？我这里有封信要给你看。我答应了明早第一班船把信送到洛桑去。”

阿申顿瞥了这人一眼，没有问他同朱莉娅·拉扎里谈了些什么。他接过信来，借着费利克斯的手电筒读了一下。信是用不通顺的德文写的。

“无论如何不要来。别理会我的信。危险。我爱你，亲爱的。不要来。”

阿申顿把信放进衣袋里，给了船夫五十法郎，就回去睡觉了。可是第二天他去见朱莉娅·拉扎里时，发现她的房门锁上了。他敲了一会儿门，没有人应声。他大声喊起来。

“拉扎里夫人，快开门，我有话要跟你说。”

“我在睡觉。我病了。谁也不能见。”

“对不起，可你必须开门。如果你病了，我叫医生来。”

“不用，你走吧。我谁也不见。”

“如果你不开门，我就叫锁匠来撬门了。”

一阵沉默。接着他听到了钥匙在锁孔里转动的声音。他走进屋去。只见她穿着睡衣，头发蓬乱，显然刚从床上起来。

“我已经耗尽了力气。我什么也做不了了。你一眼就能看出我病了。我难受了一夜。”

“我不会占用你太多时间。叫医生来给你看看？”

“医生对我有什么用？”

他从口袋里掏出她交给船夫的那封信，递到她面前。

“这是什么意思？”

她看到这封信顿时倒抽了一口冷气，脸色发青了。

“你答应过我不会企图逃跑，也不会背着我写信。”

“你以为我会说到做到吗？”她大声说，语气中满是嘲讽。

“当然不会。跟你说句实话吧，让你舒适地住在这家旅馆里，而没有把你关进牢房，并不完全是为了照顾你的便利。可我要明明白白告诉你，虽说你在这里可以进出自由，可你根本没有机会逃出托农，跟你戴着脚镣锁在牢房里是一样的。你写的信根本送不出去，白费工夫，太蠢了。”

“浑蛋！”

她使出全身的力气骂了他一句。

“可你必须坐下来去写那封能送出去的信。”

“你做梦吧！我一个字也不会再写了。”

“你来这里的时候答应过了，你要配合做一些事的。”

“我不会再做了。我该做的已经都做完了。”

“你最好再想想吧。”

“想想！我早就想好了。你要怎样就怎样吧，我不在乎！”

“那好。我给你五分钟时间，你可以改变主意。”

阿申顿在凌乱的床边坐下，看着手表。

“啊，住在这个旅馆让我烦透了。你为什么不把我关到监狱去，为什么，为什么？不管我走到哪儿，总有特工跟着我。你逼我干的都是卑鄙的事。太卑鄙了！我犯什么罪了？你告诉我，我到底干了什么？我是个女人啊！你逼我干的事太卑鄙，太卑鄙了！”

她扯着嗓子大喊大叫，嚷嚷个没完。很快五分钟就到了。阿申顿没有说话。他站起身来。

“对，滚，滚吧！”她冲着他尖声叫道。

她又用脏话骂他。

“我马上回来。”阿申顿说。

他从房门锁孔里抽出钥匙，出门后转身把门反锁起来。他走到楼下，匆匆写了张字条，叫来一个便衣特工，派他马上送到警察局去。他转身回到楼上。这时朱莉娅·拉扎里瘫倒在床上，面朝墙壁，歇斯底里地抽泣着，身体抖个不停。她没有做出任何听见他进来了的表示。阿申顿坐到梳妆台前的椅子上，随意看着堆在梳妆台上的一堆乱七八糟的东西：全是些不值钱的低级梳洗用品，而且都很脏。不知用了多久的胭脂和面霜，黑乎乎的小瓶染眉膏和睫毛膏，还有油腻得可怕的发夹。屋里一片脏乱，空气中弥漫着低级香水味。阿申顿心想，这个女人一生都在四处流浪，从一个国家的小乡镇漂泊到另一个国家的小乡镇，她一定曾在几百个这样的下等旅馆房间里住过。他好奇地琢磨起了她的身世。她现在是个粗俗邋遢的女人，可她年轻的时候又是怎样的呢？在阿申顿看来，她不是那种适合从事这类职业的人，她不可能混出什么名堂来。他暗自心想：她会不会是出身于一个卖艺人的家庭（全世界哪儿都有这样的家庭，一家人世世代代都是跳舞、玩杂耍的，或滑稽歌手）？要不，她是不是因为爱上了一个从事这一行的人而偶然进入这一行，成了这个人的搭档？还有，这些年她都交往过什么样的男人呢？跟她一起表演的同行；行业经纪人和舞团的经理——这些人认为自己有点特权，可以借机占占她的便宜；还有她演出时到过一些不同的城镇，那里的有钱商人或年轻人可能会一时被她的迷人舞姿或性感的肉体所诱惑！对她来说，这些男人只是肯为她花钱的客人，她对他们一视同仁，把他们当作赚取外快的来源，因为她自己的收入实在太微薄了。但是对那些男人来说，她或许代表着一段风流艳遇。他们沉醉在花钱买来的搂抱中，得以一窥资本世界的纸醉金迷，领略到了更宽广的人生场景中的奇遇和光彩——哪怕是那么遥不可及和虚幻不实。

突然响起了敲门声，阿申顿立即大声应道：

“进来！”

朱莉娅·拉扎里猛地从床上坐了起来。

“是谁？”她大声问。

她随即认出了进来的就是把她从布洛涅押解到托农移交给阿申顿的那两名警探，顿时倒抽一口凉气。

“是你们！你们要干什么？”她尖声叫道。

“起来！跟我们走！”其中一个厉声说，他的语气斩钉截铁，不容分说。

“恐怕你必须起来了，拉扎里夫人。”阿申顿说，“我要把你再次移交给这两位先生。”

“我怎么能起得来！我病了，你知道的。我站不住。你是要我死吗？”

“你要是不肯自己穿衣服，就只好由我们来帮你穿了，不过我们恐怕会笨手笨脚的。行了，行了，耍赖也没用的。”

“你们要把我带到哪儿去？”

“他们要把你送回英国去。”

一名警探抓住了她的一只胳膊。

“别碰我，别靠近我！”她愤怒地尖叫起来。

“放开她吧。”阿申顿说，“我相信她会明白还是少找麻烦的好。”

“我自己穿。”

阿申顿看着她脱下睡袍，从头顶套上一条连衣裙，双脚挤进一双明显太小的鞋子。她又理了理头发。在这个过程中，她时不时地用阴沉的目光匆匆瞅一眼那两个警探。阿申顿心里嘀咕起来，不知道她是否有胆量挺得过去。R会骂他是个大傻瓜，可他还是在心里祈求她能挺过去。她朝梳妆台走去，阿申顿马上站起来让座。她匆匆涂了些面霜，又用一条脏乎乎的毛巾擦了擦脸，然后在脸上抹了些粉，又描了描眼睛。不过她的手在发抖。三个男人默默地看着她。她在脸颊上搽了些胭脂，在嘴上涂了口红，最后戴上一顶帽子。阿申顿朝领头的警探做了个手势，那人从裤兜里掏出一副手铐，朝她走去。

她一眼看到了手铐，猛地后退几步，挥着手。

“不，不，不，我不要。不要这个。不要！不要！”

“别闹！你可别犯傻！”警探粗暴地说。

她一把抱住了阿申顿，像是要寻求他的保护（这大大出乎他的意料）。

“不要让他们带走我，可怜可怜我！不行，我不要！”

阿申顿费了老大劲才挣脱开。

“我帮不了你了。”

那警探抓住她的手腕就要给她戴上手铐时，她突然大叫一声，瘫坐到地上。

“我答应照你们说的做。叫我干什么都行。”

阿申顿示意两名警探出去。他等了一会儿，让她冷静一下。她躺在地上，哭得很伤心。阿申顿把她拉起来，让她坐下。

“你要我干什么？”她抽噎着问道。

“我要你再给昌德拉写封信。”

“我脑袋一片混乱，一句话也写不了。你得给我时间。”

但是阿申顿觉得最好还是趁她现在惊魂未定就让她把信写好。他不想给她时间让她回过神来。

“我说你写。你只要把我说的一字不差写下来就行了。”

她无奈地叹了一口气，拿起了纸和笔，坐到梳妆台前准备写信。

“如果我写了这封信……你们成功了，我怎么知道你们会给我自由？”

“上校保证了你能获得自由。你要相信我一定会执行他的指令。”

“要是我出卖了朋友，结果还要去蹲十年牢房，那我真的太傻了。”

“我来告诉你为什么你可以相信我们会说到做到。要不是因为昌德拉，你对我们一丁点儿都不重要。你对我们没什么害处，我们何必费事花钱把你关进监狱去？”

她思索了片刻，很快就镇定下来了。仿佛她已发泄完了心头的情绪，突然变得头脑清醒、通情达理了。

“你说吧，要我写什么？”

阿申顿迟疑起来。他觉得这封信要写得多少像她自己写的那样，但他必须斟酌一番，措辞不能太流畅，也不能太文雅。他知道人在情绪激动的时候往往容易言辞夸张做作，不论在书里还是在舞台上，总会让人感觉虚假，所以作者必须着力让他笔下的人物说话更简单，不要动不动就强调，哪怕在实际生活中是这样的。这是个严肃的时刻，可是阿申顿却觉得仿佛置身喜剧中。

“我没想到我爱上了一个胆小鬼。”他开始口述，“如果你真心爱我，那么我要你过来你就不可能犹豫……在‘不可能’下面画上两道线。”他继续说下去，“我告诉你了，没有危险。如果你不爱我，你不来是对的。你不用来了，回柏林去吧，你在那里会很安全。我受够了。我孤零零一个人在这里，我等你等得都生病了，我每天都在念叨，他就要来了。你要是爱我就不会这么犹豫不定。我总算看清楚了，你并不爱我。我现在想起你就厌烦。我身上没有钱，住的旅馆糟透了。我没必要再待下去了，我可以在巴黎找个人订婚。我有个朋友在那儿，他认真向我求过婚。我在你身上浪费的时间够多了，可你看看我得到了什么。就这样结束吧，再见了。你再也找不到一个像我这样爱你的女人了。我无法拒绝我那个朋友的求婚，所以我已经给他发了电报，一收到他的回电我就马上去巴黎了。你不爱我，我不怪你，那不是你的错，可是你要明白，我要是再这么浪费生命，那我就是个傻子。谁也不能永远年轻的。再见，朱莉娅。”

阿申顿读了一遍她写好的信，他并不是十分满意。但是他只能做到这样了。好歹还有几分像是真的，这并非文字之功，而是因为她英文不好，是照着读音写的，拼写就更不成样子，字迹像是小孩子写的，有些字她画掉了重写，有些词句她写成了法语。还有好几处泪水落在纸上，模糊了墨迹。

“我不打搅你了。”阿申顿说，“或许下次再见到你时，我就能告诉你获得自由了，想去哪里就去哪里。请问你打算去哪里？”

“西班牙。”

“那好。我这就去把该准备的全替你准备好。”

她耸了耸肩。阿申顿离开了她。

现在阿申顿除了等待就没有什么事可做了。当天下午他便派人去洛桑送信了，第二天一早他又去码头接船。紧挨着售票处有一间候船室，他吩咐两名警探在这里待命。每当一条船到达时，乘客都要沿着码头排队，依次接受护照检查后才能获准登岸。如果昌德拉来了，出示了他的护照，他的护照很可能是某个中立国签发的假护照，这时他会被要求等一下，阿申顿会对他进行辨认，辨认无误后他就会被逮捕。阿申顿看着船靠岸后，船上的乘客都聚集在舷梯口时，他竟感到一阵激动。他仔细审视着每一名乘客，但他没有看到一个看上去像是印度人的乘客。昌德拉没有来。阿申顿不知如何是好。

他已经打出了他的最后一张王牌。在托农登岸的乘客也就六七个人，当这些人都接受过检查，各自上岸后，阿申顿在码头上慢慢溜达起来。

“得了，我们白忙了。”他对刚才在检查护照的费利克斯说，“我想要看到的这位先生没有露面。”

“我这里有一封信要给你。”

他递给阿申顿一封写着拉扎里夫人收的信，阿申顿一眼就认出了昌德拉·拉尔像蜘蛛网似的笔迹。就在这时，一艘从日内瓦出发开往洛桑终点站的轮船正渐渐驶入视线，这艘轮船每天早上在反方向的航班开出后二十分钟到达托农。阿申顿突发奇想。

“捎这封信来的人在哪儿？”

“他在售票处。”

“快去把这封信交给那人，让他去退给要他捎信的人。他要跟那人说，他把信送到那位女士手里了，可人家不收，又原封退回了。如果那个人还要他再捎一封信，他就说，再捎信没什么意义了，人家已经在装箱打包，要离开托农了。”

他看到信递给了那个人，给他的指示也都交代了，这才回到小山上他住的那所小屋去了。

昌德拉可能会坐下一班船来，那班船五点左右到达，阿申顿正好在那个时间与一名在德国活动的特工有一个重要约会，他便提前告诉费利克斯他有可能会晚到几分钟。不过，如果昌德拉来了要把他拖住一会儿也不难，反正他要坐的到巴黎去的那趟火车要八点过后才开。阿申顿处理好公务后，悠闲地漫步下山朝湖边走去。天还没黑，从小山顶上可以看到那条船已经离岸。时间有些紧急了，他本能地加快了脚步。忽然他看到有个人朝他跑来，他认出了就是那个捎信的人。

“快，快。”那人大声喊道，“他来了。”

阿申顿的心在他的胸口怦怦直跳。

“总算来了。”

他也跑了起来，两个人一齐跑的工夫，那人气喘吁吁地给他讲了事情的经过：他把那封未开启的信送了回去。当他把信递到印度人手里时，他一下子脸色煞白，看上去好可怕（“我从没想到过一个印度人也能脸色这么白的。”他这么说），然后他把手里的信翻来覆去地看，好像不明白他自己送出去的信怎么又回到了他的手里。他的眼泪夺眶而出，扑簌簌地流满了两颊。（“那副哭相很怪异，你也知道，他很胖。”）他说了一些话，可那人听不懂，他便用法语问那人，去托农的船什么时间开。那人登上甲板后四处张望了一圈，没有看到他。然后才发现他缩在一件大袍子里，帽檐压得低低的，一个人悄悄站在船头。船开后，他一直目不转睛地望着对岸的托农。

“现在他在哪儿？”阿申顿问。

“我先下船了，费利克斯先生要我马上来找您。”

“我估计他们把他扣在候船室了。”

他们跑到码头上时阿申顿已上气不接下气。他一头冲进了候船室。屋里有一群人扯着嗓子比比画画地嚷嚷着，他们围着躺在地上的一个男人。

“出什么事了？”他大声问道。

“看吧。”费利克斯先生说。

躺在地上的是昌德拉，他两眼圆睁，口中流出一道白沫，人已经死了，身体抽搐得变了形。

“他自杀了。我们已经派人去请医生了。可是他很快就没气了。”

阿申顿感到浑身一阵战栗。

事情经过是这样的：这个印度人上岸后，费利克斯根据资料描述认出了这就是他们要缉拿的人。船上只有四名乘客，他走在最后。费利克斯故意慢吞吞地检查前面三人的护照，最后才检查他的护照。那是一本西班牙护照，各项记录无误。费利克斯问了些例行公事的问题，并一一写在公文纸上。然后他抬头看着他，和颜悦色地对他说：

“请到候船室来一下，有一两个手续要办。”

“我的护照不合格吗？”印度人问道。

“完全合格。”

昌德拉迟疑了一下，但还是很快跟着警官走到了候船室门前。费利克斯打开门后，就站在了门边。

“请进吧。”

昌德拉进去后，那两名警探立即站起身来。他肯定马上看出来那是两名警官，因而明白自己落入圈套了。

“请坐，”费利克斯说，“我现在有几个问题要你回答。”

“这里太热了。”他说，事实上这屋里真的点了一个火炉，把屋里烤得跟蒸笼一般，“我得脱掉我的外套，如果你们允许的话。”

“没问题。”费利克斯客气地答道。

他脱掉了他的外套，显然费了好大劲儿才脱下来，然后转过身去，把外套搭到一把椅子上。接着，还没等大家看出发生了什么，他们就惊异地看到他踉跄了一下，便重重地栽到了地上。就在他脱外套的工夫，他已设法将一只瓶子里的东西吞了下去，这瓶子还紧攥在他的手里。阿申顿拿起瓶子嗅了嗅，他闻见了一股浓烈的杏仁味。

大家一直围着躺在地上的这个死人呆呆看着。费利克斯心怀歉疚。

“上级会很生气吗？”他紧张不安地问。

“我认为这不是你的错。”阿申顿说，“好歹他不能再作恶害人了。在我看来，他这么了结自己倒也不错。想到他会被处决我总有些不好受。”

过了几分钟，医生赶到了，宣布他已经死亡。

“是氰化钾。”他对阿申顿说。

阿申顿点点头。

“我现在就去见拉扎里夫人。”他说，“如果她想再住上一两天，我会同意。不过她要是今晚就想走，当然也可以。你是否可以去通知在警局值班的人放她走？”

“我自己也会在警局的。”费利克斯答道。

阿申顿再次登上小山。夜幕已经降临，空气寒冷，但天空无云，月光明亮，一弯细细的新月挂在空中，发出闪亮的白光，不觉三次伸手去摸放在衣袋里的钱。他走进旅馆时，立刻感到一阵反胃：四周冷冰冰的，了无生气，空气中散发着卷心菜和炖羊肉的气味。大厅的墙上贴满了铁路公司的彩色海报，为法国城市格勒诺布尔和卡尔卡松，还有诺曼底的海滨浴场做广告。上楼后，他在朱莉娅·拉扎里的房门上敲了一下便推门进去。只见她坐在梳妆台前怔怔地看着镜子里的自己，看上去灰心丧气，显然是在发呆。她在镜子里看见阿申顿走了进来，一看见他的脸，她顿时脸色大变，猛地跳了起来，把椅子都碰翻了。

“出什么事了？你为什么满脸煞白？”她喊叫道。

她转过身来，注视着阿申顿的脸，她的五官渐渐扭曲，变得惊恐万状。

“他被抓住了？”她气急败坏地问道。

“他死了。”阿申顿答道。

“死了！他是服毒药了。他还来得及做这事。他总算逃脱了你们的手掌心。”

“你这是什么意思？你怎么知道他服毒了？”

“他一直随身带着的。他说过，英国人永远别想活捉他。”

阿申顿思索了片刻。她很好地守住了这个秘密。他也能想象得到昌德拉有可能会是这个结局，但是没想到这么充满戏剧性。

“好吧，现在你自由了。你可以想去哪儿就去哪儿，没有人会阻拦你了。这是你的车票和护照，还有你被捕时身上带着的钱。你还想见一下昌德拉吗？”

她吃了一惊。

“不，不见了。”

“是没必要了。我以为你或许还放不下。”

她没有哭。阿申顿猜想她已心力交瘁。她忽然显得无动于衷。

“今晚会有电报发到西班牙边境，指示那里的负责人对你放行。如果你愿意听我一句，还是尽早离开法国吧。”

她没有说话。阿申顿也没有什么要说的了，便准备告辞。

“很抱歉我之前只能严厉对待你。现在我想你最难熬的时候总算过去了，让我略感欣慰。你朋友的死一定让你深感悲痛，希望时间可以缓解你的悲伤。”

阿申顿微微欠了欠身，转身朝门口走去。可是朱莉娅叫住了他。

“稍等一下，”她说，“还有一件事要麻烦你。我想你还是有点儿仁慈之心的吧。”

“如果有什么我可以为你做的，我愿意效劳。”

“他们准备怎么处置他的遗物？”

“我不知道。你为什么问这个？”

接着她说了一句话让阿申顿困惑又惊讶，这是他万万没有想到的。

“他那里有一只手表是我去年圣诞节送给他的，花了我十二镑。我能要回来吗？”

叛 徒

阿申顿奉命去负责几名在瑞士活动的间谍，刚到那里时，R希望他先看看要他去获取的情报是什么样的，便递给他一沓用打字机打印出来的文稿，那是一位在特工部门被称作古斯塔夫的人发来的电文。

“他是我们这里最好的特工。”R说，“他提供的情报总是很充实，也很及时。我要求你一定要重视他发送的报告。当然古斯塔夫是个很聪明的家伙，但是其他特工没有理由不能给我们提供一样好的情报，只是解释清楚我们想要什么的问题。”

古斯塔夫住在巴塞尔，为一家瑞士公司工作，这家公司在法兰克福、曼海姆和科隆设有分部，因为公司的业务，他可以安全进出德国。

他在莱茵河一带活动，收集有关军队动向、军工生产、国民心态（这是R特别强调的）以及协约国需要了解的其他方面的情报。他频繁写给妻子的信中隐藏着特殊的密码，他的妻子在巴塞尔收到这些信后立刻转给在日内瓦的阿申顿，阿申顿从信中解读出重要内容后再转发给相关部门。古斯塔夫每两个月回家一次，写出一份报告，用作这个特工部门其他间谍效仿的样板。

古斯塔夫的上司都对他很满意，他也有理由对他的上司感到满意。他的工作非常重要，所以他不仅拿的薪水比别人高，还时不时地可以因特殊贡献而领到数目不小的奖金。

这样的情形持续了一年多。然后有什么事引起了R的疑心；R是一个特别警觉的人，与其说是头脑机敏，倒不如说是天性如此，他突然感觉到有人在背后玩儿花招。他什么也没有对阿申顿明说（R不管有什么推测，总是选择不向任何人透露），只是派他去巴塞尔跟古斯塔夫的妻子谈谈——那时古斯塔夫正好在德国。谈话的内容他让阿申顿自己决定。

阿申顿奉命来到巴塞尔，因为他还不知道是不是要在这里住下来，就把随身行李寄存在了火车站，然后乘电车到古斯塔夫家所在的那条街的街角下了车，快速看了一眼有没有人跟踪，然后沿街走到了他要找的那栋楼房前。这是一座小公寓楼，给人的印象是虽然简陋但不失体面，阿申顿揣摩住在这里的应该是一些政府职员和小商人。刚进门他就见到一个鞋匠铺，他停下了脚步。

“请问格拉博先生住在这儿吗？”他用很不流利的德语向鞋匠打听道。

“是的，我几分钟前刚看见他上楼了。他应该在家的。”

阿申顿大吃一惊，因为就在一天前他刚收到过古斯塔夫的妻子转来的一封信，信是从曼海姆寄出的，古斯塔夫在这封信中用密码提供了刚跨过莱茵河的一些部队的番号。阿申顿想要问问鞋匠，但话到嘴边又觉得不太明智，所以只是对鞋匠说了声“谢谢”，便走上楼去了，他已经知道古斯塔夫住在三楼。他摁响了门铃，听到铃声在屋里响起了。过了一会儿，一个衣冠楚楚的小个子男人来开了门，此人有一个剃得光光的圆脑袋，戴着眼镜，脚上穿的是拖鞋。

“格拉博先生？”阿申顿问。

“有什么事吗？”古斯塔夫说。

“我可以进屋说吗？”

古斯塔夫背着光站在那里，阿申顿看不清他的表情。他感觉到对方有些迟疑，便说出了他接收古斯塔夫从德国寄来的密信时使用的化名。

“请进，请进，幸会。”

古斯塔夫把他领进了一间很闷的小屋子。屋里摆满了厚重的雕花橡木家具，一张大桌子上铺着绿色天鹅绒台布，桌上有一台打字机。古斯塔夫显然正在编写他那宝贵的情报。一个女人坐在开着的窗户边补袜子，听到古斯塔夫对她说了句什么，她便起身收起她的针线活儿走出去了。阿申顿惊扰了两口子恩爱居家的温馨时光。

“请坐。幸好我在巴塞尔！我早就想认识你了。我刚从德国回来。”他指了指打字机旁的几沓纸，“我想你听了我带来的消息会高兴的。我搞到了很宝贵的情报。能挣点儿奖金总是好的。”

他非常热情，可是阿申顿总觉得他的热情有些假惺惺的。古斯塔夫眼镜片后面的眼睛里含着笑意，他一直注视着阿申顿，他的眼睛里或许也流露着一丝紧张。

“你回来得好快啊，几个小时前，我在日内瓦刚收到你从德国寄来的一封信，你的妻子转给我的。”

“这没什么奇怪的。我可以告诉你一个内幕，德国人怀疑有人用商业信函传递情报，所以决定在边境扣留所有来往信件四十八小时。”

“我明白了。”阿申顿和气地说，“就因为这个原因你才特意在信上写了寄出四十八小时后的日期？”

“真的吗？那我真是犯傻了。我一定是记错日子了。”

阿申顿朝古斯塔夫微微一笑。这个理由根本站不住脚。古斯塔夫是个生意人，又是做特工的，他太知道日期准确有多重要了。从德国获取情报向来都是要大费周折的，快速送达消息不是一件容易的事，所以精确算好每一个环节的时间是马虎不得的。

“让我看一眼你的护照。”

“你要看我的护照干什么？”

“我要看看你是哪天到达德国，哪天出境的。”

“你以为我的护照上会有出入境记录？我用自己的办法过境的。”

这种事阿申顿了如指掌。他知道德国和瑞士的边境检查都很严格。

“是吗？那你为什么不用常规方式过境？派你执行任务是因为你在的瑞士公司跟德国有生意往来，必须供货到德国去，所以你来来往往不容易引起怀疑。我可以理解德国人的边防岗哨或许会故意睁一只眼闭一只眼放你过境，那瑞士呢？”

古斯塔夫面露愠色。

“你这话什么意思？你是暗示我在替德国人做事？我以人格担保……我不允许有人诋毁我的清白。”

“不会只有你一个人同时从两边拿钱而哪边都不提供有价值的情报。”

“你是说我的情报没有价值？那为什么你们给我的奖金比给别的特工都要多呢？上校不知多少次表达过对我的工作十分满意。”

现在轮到阿申顿表现热情了。

“别这样，别这样，老兄，别这么生气嘛。你不肯给我看护照，我也不强求你。你应该不会认为我们会不去查实就相信特工自己的陈述，或者我们会愚蠢到不去追踪他们的动向吧？再有趣的笑话也经不住没完没了的重复。我在和平时期是个职业幽默作家，我是自己吃过苦头才跟你说这个道理的。”这时阿申顿认为时机已到，可以使出自己的招数来吓唬他了；他很懂玩儿扑克牌的一些巧妙绝技，“我们了解到，你接受我们的任务后从来就没去过德国，你一直安坐在巴塞尔的家里，你的所有情报都是自己凭空想象出来的。”

古斯塔夫看着阿申顿，看到那张脸上只有宽忍而和气的表情。他的嘴角慢慢浮现出笑容，微微耸了耸肩。

“你以为我是个傻瓜，会为了每月五十镑去冒生命的危险？我很爱我的妻子。”

阿申顿大笑起来。

“恭喜你，你一点儿都不傻，竟然愚弄了我们的特工系统整整一年，这个本事可不是每个人都有的。”

“我有机会不那么费劲儿就挣到钱。我的公司从开战起就不再派我去德国了，可我能够从其他出入德国的人那里了解情况。我在餐馆和酒馆搜集消息，我读德国的报纸。我喜欢给你们发送报告和密信，我觉得特别好玩。”

“我不觉得奇怪。”阿申顿说。

“你们打算怎么做？”

“什么也不做。我们又能做什么呢？你难道还指望我们会继续付给你薪水吗？”

“不，我不指望。”

“顺便问一句，如果不算很唐突的话，你是不是跟德国人也在玩儿同样的把戏？”

“没有！”古斯塔夫气急败坏地大叫起来，“你们怎么会这么想？我绝对支持协约国。我跟你们是完全一条心的。”

“啊，为什么不这样做呢？”阿申顿问，“德国人有的是钱，你没有理由不可以从他们那里挣一点儿外快。我们可以时不时地给你一些德国人很愿意花钱买的情报。”

古斯塔夫用手指敲了几下桌面，从现在已经完全没用的那些报告中拿起了一页。

“跟德国人玩儿是很危险的。”

“你是个很聪明的人。不管怎么说，即使你的薪水停发了，只要你给我们带来的消息是有用的，你照样可以赚到奖金。不过你提供的消息必须得到证实，今后我们会按结果付给你钱。”

“我考虑一下吧。”

接下去的几分钟，阿申顿就任由古斯塔夫去沉思了。他点了一支香烟，看着自己吐出来的烟雾渐渐消散在空气中。他也在思考。

“你们有什么特别想要知道的消息吗？”古斯塔夫突然问道。

阿申顿微微一笑。

“你要是能告诉我德国人同他们的一名特工在琉森做些什么，我可以给你几千瑞士法郎。这名特工是个英国人，名叫格兰特里·凯普尔。”

“我听说过这个名字。”古斯塔夫说。他停顿了一会儿，问道："你会在这儿待多久？"

"需要待多久就待多久。我可以去旅馆开个房间，然后把房间号告诉你。如果你有什么要跟我说的，每天早上九点和晚上七点，你一定可以在我的房间里找到我。"

"我不想冒险去旅馆找你。但我可以写信。"

"好的。"

阿申顿起身告辞，古斯塔夫送他到门口。

"你们现在不会对我产生了什么反感吧？"他问。

"当然不会。你写的报告仍然会存在我们的档案里，用作别人学习的样板。"

阿申顿在巴塞尔逗留了两三天。没有什么让他觉得有意思的事。他大多时间泡在书店里随便看书，如果人的一生有一千年那么长，这些书或许还值得读一读。有一次他在街上看到了古斯塔夫。到了第四天早上，旅馆服务生给他送咖啡时带来了一封信。信封上印着一家他没听说过的商业公司的名字，里面有一页用打字机打出来的信。信上没有地址，也没有署名。阿申顿不由得纳闷儿，难道古斯塔夫认为打字机也会像笔迹一样暴露他的身份？他仔细读了两遍，又把信举到亮光下察看信笺上的水印（他这样做没有什么特别的原因，只是觉得侦探小说里的侦探总是这么做），然后划着火柴，看着信烧了起来，他把烧成碎片的纸揉作一团。

他起床了，他利用看信的时间在床上吃了早饭。他收拾好行李，坐下一趟火车去伯尔尼了。他从那里给R发了一封密码电报。两天后他接到了给他的指示，是由一个人在某个不太可能被人看见的时间，从旅馆过道上走过来，潜入他住的旅馆房间里来口头传达的。接到指示后不到二十四小时，他几经辗转抵达了琉森。

阿申顿找到指示他去住的那家旅店，订好了房间后，就出去了。那是八月初的一天，天气很好，碧空无云，阳光明媚。他自从小时候来过琉森后，就再也没来过，脑子里只是模糊记得有一座廊桥，一尊大石狮子，还有一个教堂，他曾无聊而又敬畏地坐在那教堂里，听着耳边回荡着的管风琴声。现在他漫步在一个浓荫掩映的湖边码头上（湖水蓝得很不真实，就像彩色明信片上的湖水那样艳丽），没怎么费劲儿就寻访到了那些几乎早已遗忘的旧景，找回了当年的记忆：那个很久以前经常在这里徜徉的羞涩少年，对生活充满了急切的渴望（他渴望的不是他在青少年时代经历的生活，而是他成年后的那种生活）。可是他发现记忆中最清晰的并不是他自己的往事，而是拥挤的人群；他似乎还记得那时的太阳和炎热的天气，还有络绎不绝的游人；火车上挤满了人，旅馆里也是如此，湖上的汽船里也塞得满满当当的，无论是在码头上还是在街上，你总得在成群的度假游客中间挤来挤去。他们净是些胖子，又老又丑，奇形怪状，满身汗臭。眼下正是战争时期，琉森也变得一片萧条，仿佛回到了世人发现瑞士是欧洲的游览胜地之前。大多数旅馆都歇业了，街上空荡荡的，出租的划艇都在湖边缓缓晃悠，根本没有人租；湖畔的林荫道上唯一可见的是几位神情严肃的瑞士人，像牵着一条腊肠犬在散步似的展示着他们的中立姿态。这四周的一片沉寂使阿申顿感到喜不自胜，他在一张面朝湖水的长椅上坐下，有意让自己尽情陶醉一番。的确，湖边的景色显得不伦不类，湖水太蓝了，山上的积雪太厚了，扑面而来的美丽风光不但不能引人入胜，反倒令人愤慨。但是不管怎么说，这幅景象之中还是蕴含着某种令人欣慰的东西，一种毫无修饰的坦诚，犹如门德尔松谱写的《无词歌》，阿申顿露出满意的微笑。琉森让他想到了玻璃柜里的蜡花、布谷鸟钟和柏林刺绣。无论如何，只要天气继续这样晴朗，他就会好好在这里享受一番。他看不出为什么自己不能尽量做到两全其美，既自得其乐又报效国家。他这次出来执行任务，口袋里揣着一本全新的护照，用的是假名，仿佛自己从此变成了一个新人。他时常对自己感到厌烦，现在能摇身一变，暂时成了R随便发明创造出来的产物，何乐而不为呢？他很享受这样的安排，不由得胡思乱想起来。说实在的，R根本看不出这件事有多好玩；他有的那点儿幽默感只是用来嘲弄别人的，如果是他自己做的事引起了笑话，他就没有气度付之一笑了。要做到那样，一个人要能置身事外来看待自己，也就是要能在人间喜剧中同时做好观众和演员。R是个战士，他对自我反省嗤之以鼻，认为那是不健康，甚至不爱国的行为，不是英国人的风格。

阿申顿站起身，慢悠悠地走回了旅店。这是一家德式的二流小旅馆，整洁得几乎一尘不染，从他的房间望出去景色很美。屋里都是上了油漆的松木家具，如果遇上阴冷潮湿的天气，也许会显得有些暗淡压抑，但是在这样一个阳光灿烂的温暖日子里，却是充满喜气，赏心悦目。旅馆大厅里摆着一些桌椅，他在一张桌旁坐下，要了一瓶啤酒。女店主很好奇，想知道他为什么会在这样的淡季住到这里来，他欣然满足了她的好奇心。他告诉她说，他刚患过伤寒，正在好起来，特意到琉森来疗养的。他在稽查局做事，正好可以利用这个机会练练他已经生疏了的德语。他问她能不能给他介绍一名德语教师。女店主是个瑞士人，满头金发，穿着有些邋遢，不过态度和蔼，很健谈，所以阿申顿确信她准会把他告诉她的情况向有关部门汇报的。现在轮到他问几个问题了。说起战争这个话题，她便滔滔不绝起来，这家旅馆往年在这个月份总是宾客盈门，不得不为来投宿的人到附近去另找住处，可是因为战争，现在几乎没有人来住宿了。只有几个交了餐食费的人到这里来吃饭，长住的房客只有两拨。有一对爱尔兰老夫妇，平时住在沃韦，每年夏天到琉森来度假；还有一对夫妇，男的是英国人，妻子是个德国人，也就是因为这个原因，他们不得不避居在一个中立国家。阿申顿刻意表现出对他们的情况并不怎么好奇——他已经从女店主的描述中听出了那个英国人就是格兰特里·凯普尔——不过那女店主自己主动告诉了他，这对夫妇每天大多数时间都在山里逛来逛去。凯普尔先生喜欢研究植物，对山间的花草树木很感兴趣。他的妻子人不错，对丈夫也挺好的。不过，这都没什么啦，战争不会永远没完吧。女店主说着，风风火火地走开了，阿申顿也上了楼。

晚餐七点开始，他想要第一个到餐厅，这样他就可以在其他房客进来用餐时打量他们一番，因此用餐的铃声一响，他便下楼去了餐厅。餐厅朴实无华，墙壁粉刷过，也是亮闪闪的松木桌椅，跟他房间里的家具一样，墙上挂着几幅瑞士湖景的石版油画。每一张小餐桌上都摆着一束鲜花。看上去一切都整洁干净，预示着晚餐不会好吃。阿申顿本想点上一瓶这家旅店最好的莱茵葡萄酒聊以补偿，但终于还是打消了这个念头，不敢太张扬而引人注意（他看见了两三张餐桌上放着的半空酒瓶，由此推断出这里的房客喝酒都很节省），所以只好委屈自己，只点了一品脱啤酒。不一会儿，就陆陆续续有两三个人走进了餐厅，看着像是在琉森工作的单身汉，显然是瑞士人，他们各自找到了自己常坐的小餐桌坐下，随手把午饭后叠好的餐巾摊开。他们把报纸支到水杯上，一边看报，一边咕噜咕噜地喝起了汤。接着走进来一位驼背的白发苍苍的高个子老人，下垂的山羊胡须也是白色的，身旁有一位身穿黑衣的白发瘦小的老太太搀扶着他。这显然就是女店主说过的那对爱尔兰上校夫妇了。他们坐下后，上校给他妻子倒了一小杯酒，也给自己倒了一小杯，然后静静等待那位体态丰满的热情女侍者给他们端来饭菜。

最后，阿申顿等待的人终于登场了。那一刻，他在硬着头皮读一本德文书，在他们进门时，他克制住自己，只略微抬了抬眼皮，他瞥见的是一个约莫四十五岁的男人，中等身材，但是很胖，短短的黑发有些微卷，宽大的脸蛋刮得干干净净，脸色红润。他穿一身灰色外衣，衬衫的领子很宽，脖子处的纽扣没有扣上。走在他后面的是他的德国妻子，阿申顿对这个德国女人产生的第一印象是有些矜持，灰头土脸的。格兰特里·凯普尔刚坐下就开始大声跟女侍者说他们走了很多路。他们到山里去了，他说的那座山的名字阿申顿从没听说过，可是女侍者听到后却露出了惊诧的表情，显得兴趣盎然。接着，凯普尔用明显带有英国口音的流利德语继续说，他们回来太晚了，都没来得及上楼去梳洗，只是用外面的水龙头冲了冲手就来吃饭了。此人嗓音洪亮，语气明快。

“快给我上点吃的，我们都饿坏了。拿啤酒来，拿三瓶！我的老天[1]，我渴死了！”

看得出他是个精力特别充沛的人。他给这个过于干净却死气沉沉的餐厅带来了一股生气，餐厅里的每一个人顿时都显得更活跃了些。这时，他用英语同妻子谈了起来，他说的话所有人都能听到。只见他说了没几句，他的妻子便低声对他说了一句什么。凯普尔立刻打住了

1　原文为法语。

话头，阿申顿感到他的目光朝向自己的方向扫了过来。显然是凯普尔太太留意到餐厅里来了一个陌生人，马上提醒她丈夫注意。阿申顿翻了一页他假装在读的书，但他能感觉到凯普尔的眼睛一直盯着自己。当他再和妻子说话时，他的声音压得很低，阿申顿都听不出他说的是哪一种语言。女侍者给他们端来汤的时候，凯普尔还是那样低声地问了她一个问题。显然他是在向她打听阿申顿是谁。那女人的回答他只听见了一个德语词：外地。

这时有一两个人吃完了饭，起身走出了餐厅，边走边用牙签剔着牙。那位爱尔兰老上校和他妻子也从桌边站了起来，他挪开了一步让妻子过去。他们吃饭时始终没有交谈过一句话。老太太慢吞吞地朝门口走去，而上校却停下来同一个瑞士人说了几句话，这个人可能是当地的一名律师。老太太走到门口时站住了，欠了欠身，露出绵羊一般的神情，耐心地等着她的丈夫过来替她开门。阿申顿看出了她应该从来没自己开过门。她都不会开门。过了一会儿，上校迈着衰老的步子走到门口，打开了门，等他妻子出去后，他跟随而去。从这个小小的插曲大致可以看出他们的一生，阿申顿开始根据这个插曲想象起他们的过往经历、生活环境和性格特征。但是他马上回过神来，他不能允许自己忘乎所以地沉溺于创作的乐趣中。他赶紧吃完了饭。

阿申顿走进大厅时看见一条牛头㹴猎犬拴在桌腿上，他走过去时漫不经心地顺手摸了摸那狗又长又软的大耳朵。这时女店主正站在楼梯口。

“这条可爱的狗是谁的？”阿申顿问道。

“是凯普尔先生的。它叫弗利兹。凯普尔先生说它的家谱比英国王室的家谱还要长。”

弗利兹在阿申顿的裤腿上蹭了几下，伸着鼻子去嗅他的手掌。阿申顿上楼去取了帽子，再下楼时他看到凯普尔站在旅店的门口跟女店主说话。他走过去时两人突然不说话了，而且举止显得生硬，阿申顿由此猜测凯普尔刚才是在向女店主打听自己的情况。他从两人中间走过，出门上了大街，用眼角瞅见了凯普尔在用狐疑的目光盯着他看。那一刻，这个人坦诚、笑呵呵红扑扑的脸上露出了一丝狡猾奸诈的神情。

阿申顿一路溜达过去，走到了一家酒馆前，他可以坐在室外喝一杯咖啡，另外，由于他在晚饭桌上因职责在身而强迫自己只喝了一瓶啤酒，现在他要补偿一下，点了这家酒馆最好的白兰地。他很高兴总算可以面对面见到这个他久闻其名的人了，希望在一两天后就能与他熟悉起来。与一个养狗的人相熟从来都不是难事。不过他不想操之过急，还是让事情顺其自然发展吧：既然已经找到目标，仓促行事并非上策。

阿申顿理了一下头绪。格兰特里·凯普尔是英国人，他护照上填的出生地是伯明翰市，现年四十二岁；他的妻子出生于德国，父母都是德国人，他们结婚十一年了。这些都是公开资料。一份未公开的文件中记录着他的早年经历。根据那份文件，他最早是在伯明翰的一家律师事务所工作，此后进入新闻行业，在两家英文报社做过记者，一家在埃及开罗，另一家在中国上海。其间他曾因侵吞公款被抓，判了短期徒刑。获释后有两年时间他音讯全无，之后出现在马赛的一家航运公司，后来又从马赛去了汉堡，继续在航运业工作，他在汉堡结了婚，然后去了伦敦。在伦敦，他自己办了一家出口公司，但没过多久便破产倒闭了。此后他又回到新闻行业。战争爆发后，他又做起了航运生意，自一九一四年八月起同他的德国妻子安居在南安普敦。第二年年初他向雇主提出调动申请，理由是因他妻子的国籍关系，他的处境过于艰难。公司发现他并无个人过失，同时也认同他的个人处境的确有些尴尬，便同意将他调往热那亚。他在那里一直生活到意大利宣布参战，然后提出辞呈，携带完备的个人证件过境来到瑞士。

从这些资料可以看出，此人并不那么诚实可靠，性格多变，没有家世背景，也没有经济实力。不过这些事实本来对谁都不重要，直到后来有人发现，凯普尔肯定从战争刚爆发时，或许还更早一些，就开始为德国谍报部门做事，月薪四十英镑。如果他只是满足于传递一些他在瑞士获得的情报，虽说也是有些危险，但当局本来也没打算采取措施来对付他。他在那儿也不能造成什么严重的危害，或许还可以利用他给敌方传递一些假情报。他并不知道自己的一切动向都已经被掌握了，他的来往信件很多，但每一封都受到严格的审查，信中使用的密码最终也都被密码专家破译，没有惊动他的原因是当局觉得迟早有可能通过他把德国在英国境内活跃的组织一网打尽。但是他后来做的事引起了R的注意。要是他知道了，即使被吓个半死也不足为怪——R是个不好对付的人，惹怒了他是要吃不了兜着走的。凯普尔在苏黎世认识了一个西班牙年轻人，名叫戈麦斯，此人前不久加入了英国特工，由于凯普尔也是英国人，很快就赢得了戈麦斯的信任，竟从他的嘴里套出了戈麦斯是个间谍。或许这个西班牙人本来也只是出于常人的虚荣心想要故弄玄虚而已，可是因凯普尔的告密，他一进入德国就被盯梢，有一天他在寄信时被捕，信中的密码最后被破译了，他受到审判被定罪，随后被枪决了。失去一名能干又没有私心的特工已经够糟糕了，这件事还导致原来那套安全而又简单的密码系统也必须更换。R为此大为恼火。但是R不是那种为了泄愤而误大事的人，他想到了一个念头，既然凯普尔只是为了金钱就背叛了他的国家，那么给他更多的钱也有可能让他背叛他现在的雇主。他已成功地将协约国的一名特工送到德国人的手里，这应该可以让德国人相信他的忠诚可靠。他或许可以利用。可是R并不知道凯普尔是个什么样的人，他一直过着行踪诡秘的落魄生活，从不抛头露面，唯一能够见到的他的照片只有护照上的那一张。阿申顿接到的任务就是去接近他，看看他是否可有诚意为英国效力；如果阿申顿认为有这种可能，他就可以进一步试探他，假如他乐意接受阿申顿的提议，那就要磋商具体条件了。完成这个任务需要计谋和识人的能力。另一方面，如果阿申顿得出的结论是凯普尔没有可能被收买，他就要监视并汇报他的行踪。阿申顿从古斯塔夫那里得到的情报含混不清，但也是重要的；其中仅有一点很有意思，那就是德国情报部门在伯尔尼的头子已经对凯普尔的无所作为日益感到不满。凯普尔在要求加薪时，而冯·P少校告诉他，他要加薪就得自己去挣。意思可能是要敦促他去英国活动。如果阿申顿能说服他过境，他的任务就完成了。

“你到底要我拿什么去说服他把脑袋钻进圈套里来呢？”

“不是什么圈套，是行刑队。”R说。

“可凯普尔是个聪明人。”

“那你就要比他更聪明，浑蛋！”

阿申顿已经拿定主意，他不准备采取任何措施去结识凯普尔，而要等着对方迈出第一步。如果凯普尔急于要有些结果的话，那他一定会想到不如去找个在稽查部门工作的英国人聊一聊倒是值得的。阿申顿已经准备好了一些对同盟国没有一点儿价值的情报。他有假姓名和假护照，他根本不必担心凯普尔会猜出他是个英国特工。

阿申顿没有等多久。第二天他刚大吃了一顿午饭后昏昏欲睡地坐在旅馆门廊喝咖啡，只见凯普尔夫妇从餐厅里走了出来。凯普尔太太上楼去了，凯普尔松开了他牵着的狗。那狗跑了过来，友好地朝阿申顿扑来。

“回来，弗利兹！”凯普尔喊道，接着对阿申顿说，“真对不起。不过它挺温和的。”

“哦，没事，它不会伤着我的。”

凯普尔在门口停了下来。

“这是条小猎犬，在欧洲大陆不常见的。”他边说边偷偷打量着阿申顿。接着他对女侍者大声说，“来一杯咖啡，小姐[1]。这位先生，您是刚来的吧？”

“是的，我昨天才来。”

“真的吗？昨晚在餐厅我没见到你啊。你要在这里住些日子？”

“还说不准。我病了，是到这里来养病的。”

女侍者端来了咖啡，看到凯普尔正跟阿申顿说话，就把托盘放到了阿申顿的桌上。凯普尔略显尴尬地笑了一声。

“不是我有意打扰你。不知道她为什么把咖啡放到了你的桌上。”

“请坐下吧。”阿申顿说。

“多谢你的好意。我在欧洲大陆待得太久了，总是忘记我本国同胞的习俗，他们把主动跟人搭腔看作不知自重。顺便问一句，你是英国人还是美国人？”

“英国人。”阿申顿说。

阿申顿是个天性腼腆的人，他早就想改掉这个与他的年纪很不相称的毛病，却一直改不掉，不过有时他也

1 原文为德语。

会巧妙地利用好自己的这个特点。此刻他满脸羞怯、结结巴巴地把昨天对女店主说过的那些话又跟凯普尔说了一遍，他确信女店主一定已经把这些话转述给凯普尔了。

“你来琉森是最好的选择了。这里是战争年代的和平绿洲。到了这里，几乎都想不起来世上竟然还会有战争。我就是因为这个原因才到这里来的。我的职业是记者。”

“原来你是个记者，我不胜钦佩。”阿申顿面露殷切而羞怯的笑容说。

很明显，“战争年代的和平绿洲”这种表达不是他在航运公司学到的。

“你知道吗，我的妻子是德国人。”凯普尔郑重其事地说。

“哦，真的？”

“我认为没有人比我更爱国了。我是个彻头彻尾的英国人，我不妨跟你直说，依我之见，大不列颠帝国是当今世界上最强大的国家机器。但是我既然娶了一个德国人为妻，也就自然会经常从反面去看问题。你不必告诉我德国人有很多问题，可我实话实说，我并不愿意承认他们是魔鬼的化身。战争刚爆发的时候，我妻子在英国的日子实在不好过，如果她对此很不高兴，至少我不会怪她。人人都觉得她是个间谍。如果你了解她，你会感到好笑的。她就是个典型的德国家庭主妇，心里只有她的房子和丈夫，还有我们唯一的孩子弗利兹。”凯普尔随手抚摩了一下他的狗，轻轻笑了一声，“对吧，你是我们的孩子，是不是？可是这让我的处境很为难。我跟一些很重要的报社有工作关系，我的编辑对此感到不舒服。我就长话短说吧，我觉得最不失尊严的做法是辞去工作，移居到一个中立国家，直到风暴过去。我们夫妻平时从不谈论战争，可我不得不说，我们这样做主要是出于我这方面的考虑，跟她没太大关系。她比我更能忍耐，她更愿意从我的角度来看待当下的可怕局势，我却很少为她考虑。”

“这有些奇怪。”阿申顿说，“一般说来，女人总要比男人偏执得多。”

“我妻子是个很出色的女人。我应该介绍你认识她。顺便问一句，我不清楚你是否知道我的名字，我叫格兰特里·凯普尔。”

“我叫索莫维尔。”阿申顿说。

接着，阿申顿跟他说起了自己在稽查局的工作，他觉得凯普尔的眼睛里顿时闪现出某种强烈的兴致。他很快就提到了自己想找个德语会话老师，把他生疏了的德语再捡回来。刚说到这里，他好像脑子里突然闪过了一个念头，便抬头看了一眼凯普尔，他分明看到了对方的脑子里也闪过了同样的念头。他们两人在那一瞬间不约而同地想到一块去了：让凯普尔太太做阿申顿的德语老师不失为良策。

“我问过女店主能不能帮我找到这样的人，她说她应该能找到。我得再问问她。就找个人每天来跟我说上一个钟头的德语，应该不难的。”

“我可不相信女店主介绍的人。”凯普尔马上说，“毕竟你要找的是能说地道北方德语的，而她只会说瑞士德语。我可以问问我妻子有没有认识的人。我妻子受过高等教育，她介绍的人是信得过的。”

“那就有劳你了。”

阿申顿从容不迫地观察着凯普尔。他注意到了此人一双灰绿色的小眼睛（昨晚在餐厅里他没能看清楚）同那张看上去开朗坦诚的红脸颊是多么不协调。这双眼睛滴溜溜地转得很快，飘忽不定，但是只要脑袋里闪现出什么突发奇想的念头时，这双眼睛就会突然静止不动，给人一种奇异的感觉，好像能看得出这人的大脑正在运转。这样的眼睛难以赢得别人的信任。凯普尔是用别的东西来获取信任的，也就是他那乐呵呵的和善笑容，那饱经风霜的脸庞，那大腹便便的肥胖身躯，还有那洪亮深沉、洋溢着快乐的嗓音。此刻他正在竭力做出讨人喜欢的样子。阿申顿继续跟他说话，神态仍有些羞怯，不过因对方的态度和蔼可亲，足以让任何人放下心来，所以他也慢慢自在起来，他突然想起了这个人只是个普通的间谍，他感到好奇。这个人在交谈中表现出的过度热情让人想到，此人会为了每月四十英镑而不惜随时出卖自己的国家。阿申顿认识他出卖的那个西班牙年轻人戈麦斯。那是一个性情活泼的青年，喜爱冒险，他接受那个危险的任务并不是为了冒险赚那笔钱，而是出于浪漫猎奇的心理。他觉得跟那些愚钝的德国人斗智斗勇很好玩，他荒谬地沉迷于扮演廉价侦探小说中的角色。现在想到戈麦斯曾被关在六英尺深的地牢里，还是让人感到很难受。他还年轻，举止也彬彬有礼。阿申顿很想知道，凯普尔将他置于死地时是否曾有过良心上的不安。

“我想你会一点德文吧？”凯普尔问道，他对这陌生人很有兴趣。

“哦，是的，我曾经在德国念书，过去能讲得很流利，可那是很久以前的事了，现在都快忘光了。不过现在我看德文书还是没问题。”

“是啊，昨晚我还见到你在看一本德文书。”

蠢货！他几分钟前刚跟阿申顿说过昨天吃晚饭时没有见到他。他不知道凯普尔是否觉察到自己说漏了嘴。要做到从不出纰漏多难啊！阿申顿必须保持警惕；最让他担心的是，如果有人叫他的假名索莫维尔时，他会不会马上答应。当然也有可能凯普尔是故意说漏嘴的，来试探一下阿申顿有没有觉察到。凯普尔站起身来。

“那是我妻子。我们每天下午都会去山上走走。我可以告诉你一些风景优美的小路。这个季节鲜花正盛开呢。”

“恐怕要等我身体再好一些才行。”阿申顿说着，轻轻叹息一声。

他天生脸色比较苍白，看上去总显得身体真的不那么健壮。这时凯普尔太太下楼来了，她丈夫迎了过去，他们一起上了街，弗利兹在他们身边窜来窜去。阿申顿看到凯普尔立刻滔滔不绝地同他妻子说了起来，显然是在告诉她刚刚与阿申顿交谈的内容。阿申顿看到明媚的阳光照耀在湖面上，轻风吹动翠绿的树叶，景色很美，一切都在吸引人出去走走。他站起身回到了房间里，倒在床上美美地睡了个午觉。

那天他去餐厅吃晚饭时，凯普尔夫妇已经吃完了。他刚才心情郁闷地在琉森四处转了转，希望能找个地方喝上一杯鸡尾酒，好让自己能吃得下在晚餐桌上必将面对的土豆色拉。他们夫妇走出餐厅时碰上了他，凯普尔停下来问他要不要饭后跟他们一起喝咖啡。阿申顿吃完饭就到大厅去找他们了，凯普尔起身把他介绍给妻子。阿申顿客气地向她问好，她只是僵硬地欠了欠身，连个笑容都没有给他。不难看出她的态度是有敌意的。这倒使阿申顿感到自如一些。这是个相貌平平的女人，约莫四十岁，肤色灰暗，五官不突出，头发没有什么光泽，梳成一条长辫盘在头顶，有点儿像拿破仑的普鲁士王后；她的身材四四方方的，丰满而不肥胖，很结实。不过她看上去并不笨，反倒显得很有个性。阿申顿在德国生活的时间不短，可以一眼看出她是个什么类型的女人：他相信这种女人能干家务，会做饭，也能爬山，同时还知识渊博。她身穿白衬衫黑裙子，露着晒黑了的脖颈，脚蹬一双厚重的登山靴。凯普尔兴冲冲地用英语对他妻子介绍了阿申顿跟他说过的情况，好像她还不知道似的。她一脸严肃地听着。

“你好像跟我说过你会德文？”凯普尔说，他红彤彤的大脸上挤出了礼貌的笑容，但那双小眼睛却在滴溜溜地转动。

“是的，我在海德堡上过一段时间的学。”

"真的？"凯普尔太太用英语说道，她的脸上露出了一丝淡淡的兴趣，驱走了她阴沉的表情，"我对海德堡很熟悉，我也在那里上过一年学。"

她说的英语没有错误，但腔调过于咬文嚼字，叫人听着不太舒服。阿申顿大赞了一通这座古老的大学城和周边的优美环境。她带着条顿人的优越感，耐着性子听着他讲，没有流露出多少热情。

"谁都知道内卡河谷是全世界最美的一个地方。"她说。

"我还没跟你说过，亲爱的，"凯普尔接过她的话头说，"这位索莫维尔先生想要在这儿找一个人教他德语会话。我跟他说也许你能推荐一个老师。"

"不，我想不出有谁是我可以放心推荐的。"她答道，"瑞士口音实在难听死了。让索莫维尔先生去跟一个瑞士人练德语会话只会害了他。"

"如果是我的话，索莫维尔先生，我会想办法说服我妻子来给你上课。我可以直说，她受过很好的教育，文化修养也很高。"

"不行啊，格兰特里，我没时间，我有自己的事要做。"

阿申顿看到他有机会了。陷阱已经布好，就等着他往里跳了。他便转身以羞怯、谦恭的口吻对凯普尔太太说：

“你要是肯教我，那当然太好啦！我真的感到荣幸之至。我肯定不想干扰你的工作，我来这里只是为了养病，也没什么事可做。时间上完全看你方便就好。”

他能感觉到夫妇俩互相递了一个满意的眼神，似乎还看到凯普尔太太那双蓝眼睛里闪过一道黑亮的光。

“当然还是要当生意来谈才好。”凯普尔说，“我太太能挣点儿零用钱也没什么不好的。你看一小时十法郎多吗？”

“不多。”阿申顿马上接口说，“这个价钱能请到一位一流的教师，实在太幸运了。”

“你说呢，亲爱的？你每天抽出一个小时应该没问题的，就算是帮这位先生的忙吧。也可以让他看到，德国人也不都是英国人想象中的魔鬼。”

凯普尔太太的眉头皱了起来，阿申顿想到从此就要跟这个女人每天上一小时会话课，不禁忧心忡忡。天晓得他得怎样绞尽脑汁去找话题来同这个粗壮而沉闷的女人交谈啊！此刻，明显看得出她也下了很大的决心。

“那我就答应给索莫维尔先生上课吧。”

“恭喜你，索莫维尔先生。”凯普尔大声嚷道，

“你遇上好事了。你们什么时候开始呢，明天十一点？”

“我没问题，就看凯普尔太太是否合适。”

“可以。什么时间都一样。”

阿申顿告辞了，留下他们夫妇去享受他们的外交成果。第二天上午十一点，他准时听到了敲门声（他们约好了凯普尔太太来他的房间上课），他去开门时却不由得有些战战兢兢。要去面对一个足够聪明而又冲劲十足的德国女人，他不得不表现得坦率，不那么慎重，而又要提防几分。凯普尔太太脸色阴沉沉的。显然她很不喜欢跟他打交道。他们坐下后，她开始上课了，态度多少有几分蛮横，她问了他几个关于德国文学的问题。她准确地纠正他说错的地方，对他提出的一些难懂的德文结构，她也解释得既清楚又准确。看得出来，她虽然不喜欢给他上课，但还是教得很认真。看来她不仅擅长而且也热爱教学，一小时课时慢慢过去，她越讲越认真了。她要使劲提醒自己才能不忘记对方是个野蛮的英国人。阿申顿留意到了她的内心挣扎，感到非常有趣。所以那天午后凯普尔问起他对上课的感觉如何时，他说的还真的是实情：他说他满意极了；凯普尔太太是一位出色的老师，也是个特别有趣的人。

“我跟你说过啊，她是我知道的最了不起的女人。”

阿申顿觉得，凯普尔发自内心笑呵呵地说出这句话时，他头一次说的完全是真心话。

过了一两天，阿申顿猜想凯普尔太太给他上课只是为了使她丈夫可以同他走得更亲近些，因为她上课时严格把话题局限于文学、音乐和绘画领域。阿申顿试探过一次，故意把话题引到战争上去，她立刻挡住了他的话头。

“我想这个话题我们还是少谈为妙，索莫维尔先生。”

她继续给他上课，讲得详尽透彻，他的学费花得值了，只是她每天来上课时总是摆出一副阴沉的脸色。出于教书的职责她才把讨厌他的本能情绪暂时抛诸脑后。阿申顿一一使出他的所有招数：讨好、天真、谦卑、感激、奉承、单纯、胆怯，但是徒劳无功。她始终摆出一副冷冷的敌视态度。她的内心是狂热的。她的爱国情绪咄咄逼人，却又不是出于个人私利的。她偏执地认为，德国人的一切都是优越的，因而对英国怀有深仇大恨，因为她觉得英国是传扬德国精神的主要障碍。她的理想是建立一个德意志世界，在这个世界里，所有国家都统一服从一个比古罗马帝国更伟大的政权体系，受惠于德国科学、德国艺术、德国文化的滋润。这个宏伟的观念中暴露出肆无忌惮的异想天开，只能让阿申顿感到滑稽好笑。她并不愚蠢。她读书不少，而且读过好几种语言写的书，对读过的书也能说出些独到的见地。她关于近代绘画和音乐的知识相当丰富，使阿申顿颇为钦佩。令人感到有趣的是，有一天午饭前她弹奏了德彪西的一首轻快的小曲。她是以蔑视的态度弹奏的，因为这是法国曲子，而且太云淡风轻了。但是她又不得不怀着怨气赞叹曲子的优雅和欢快。当阿申顿夸奖她的弹奏时，她只是耸了耸肩。

“一个颓废民族的颓废音乐而已。”她说道，随即用她有力的双手弹起了一支贝多芬奏鸣曲的雄浑的开篇和弦，可是很快停下了，“我弹不下去了，很久没练了，你们英国人，你们懂音乐吗？从珀塞尔之后，你们就再没出现过一名作曲家。”

“你觉得她说得对吗？”阿申顿问站在旁边的凯普尔。

“我承认这话不假。我的音乐知识都是我太太教给我的。你要是能听听她练琴时弹的曲子就好了。”说着，他伸出一只肥胖的手搭在妻子的肩上，那手指头又粗又短，“她可以把曲子弹得那么纯美，扣人心弦。”

“你这傻瓜。[1]”她轻声说了句，接着又用英语说了一遍，“傻瓜！”阿申顿看到她的嘴唇颤抖了一下，但她马上恢复了平静，“你们英国人，你们不懂绘画，不会雕塑，也不会作曲。”

“可我们还是有几个人有时能写出几句好诗的。”阿申顿和声细语地说，因为他的任务不是要跟人怄气。不知为什么，有两行诗句突然涌到了他的嘴边，他脱口吟诵起来：

“你要去何方，哦壮丽的海船！你白帆鼓荡，依偎在急切奔向西方的大海胸膛。[2]”

“是的。”凯普尔太太说着，做了一个奇怪的手势，“你们能写诗。我也不懂为什么。”

让阿申顿大为吃惊的是，她居然用她僵硬的英语把这首诗的后面两行背了出来。

“走吧，格兰特里，该吃午饭[3]了，我们去餐厅吧。”

他们留下了阿申顿独自陷入沉思。

---

1 原文为德语。

2 英国十九世纪诗人罗伯特·布里吉斯的诗作《过客》的开头两行。

3 原文为德语。

阿申顿欣赏善行却并不疾恶。有时他在别人眼里有些冷酷无情，因为他对别人往往只是感兴趣而已，很少会跟他们亲近，而即使是少数几个跟他算是有些亲近的人，他们的优点和缺点也都一样逃不过他的眼睛。当他对人产生好感时，那也不是因为他看不到这些人的缺陷，而只是不在乎罢了，他通常会宽容地耸耸肩就不当一回事了，或者因为他把一些他们并不具备的长处加到了他们身上。也正因为他很公正坦率地看待他的朋友，所以他的朋友也不会让他失望，他也很少会失去朋友。他从不对别人提出过分的要求。他能够不带偏见也不掺杂任何个人情感地去研究凯普尔夫妇。他觉得凯普尔太太更表里如一，因而也是这两口子中更容易看透的一个。她显然很讨厌他，虽然面子上不得不做到不失礼貌，但还是因过于反感而免不了时不时地表现出粗鲁的态度；如果她能不冒任何危险地杀死他，她必然会毫不犹豫地这么做。不过，从凯普尔那只胖手按住他妻子的肩膀，以及她嘴唇的微微颤抖中，阿申顿看出了这个其貌不扬的女人同那个肥胖恶劣的男人之间倒是因真心相爱而结合的。这还挺感人的。阿申顿把他最近这几天观察到的事情串起来想了想，一些他曾留意到但并未从中看出什么意义的细节重新浮现在他的脑海中。在他看来，凯普尔太太之所以爱她的丈夫，是因为她的性格比丈夫更坚强，因为她感受到了她丈夫对她的依赖；她也因为丈夫对她的崇拜而爱他——不难想见，在遇上他之前，这个其貌不扬的矮胖女人，虽然头脑不错，却生性呆板，毫无幽默感，不可能得到过男人的崇拜。她欣赏这个男人嘻嘻哈哈的性格，他开的吵吵闹闹的玩笑，他的兴致高昂搅动了她呆滞的血液；他则是个活蹦乱跳讨人喜欢的大孩子，不可能再变了，她感觉自己在他面前就像一个母亲一样；她一手将他打造成现在这个样子，他是她的男人，而她是他的女人。她爱他，哪怕他有弱点（凭着她清醒的头脑，她肯定一直都心知肚明的），她爱他，哦，老天，就像伊索尔德爱特里斯坦[1]。可是这里又牵扯到间谍的问题啊。尽管阿申顿总能容忍人性的各种弱点，他也只能认为，为了金钱而不惜出卖自己的国家绝非光彩的行为。她当然是知道内幕的，说不定还就是通过她才有人招纳了凯普尔；没有她的怂恿，他绝不会同意干这样的事。她爱他，而她又是个诚实正直的女

1　源出十二世纪在欧洲流传的一个浪漫爱情悲剧，讲述爱尔兰公主伊索尔德与敌对国的康沃尔郡骑士特里斯坦之间曲折的爱情故事。德国作曲家瓦格纳于1865年根据这个故事创作的著名歌剧《特里斯坦与伊索尔德》被誉为现代音乐的开山之作。

人。她究竟是用了什么七拐八绕的手段才说服了自己去逼迫丈夫干起了如此为人不耻的卑劣营生呢？阿申顿试图揣测这个女人的心理活动，可他陷入了思绪的迷宫。

格兰特里·凯普尔则又要另当别论了。此人毫无值得欣赏之处，不过眼下阿申顿也并不是要找欣赏的对象。但是这个粗鄙庸俗的人身上却也有不少独特的东西，不少令人意想不到的东西。阿申顿想起了这个间谍如何故作斯文地引诱自己入套的情景，不禁感到有趣。那是在他上完第一次德语课的一两天后，刚吃过晚饭，凯普尔太太上楼了，凯普尔走过来一屁股坐到了阿申顿身旁的椅子上。他的忠实猎犬弗利兹扑到他身前，用它戴着长长口套的黑鼻子嗅着他的膝头。

“它没脑子。”凯普尔说，“可是有一颗金子般的心。看看那双粉红的小眼睛。你见过还有什么比它更蠢的吗？长得多丑啊，可又这么可爱！”

“你养了好久了吧？”阿申顿问。

“是在一九一四年战争爆发前不久开始养的。顺便问一下，你对今天报上的新闻有什么看法？当然我跟我妻子从不谈论战争的事。你可能想不到，能有一个本国同胞可以说说心里话，我有多欣慰啊！”

他递给阿申顿一支廉价的瑞士雪茄，因职责在身，他只好勉为其难地接受了。

“他们当然没有机会的，那些德国人。”凯普尔说，“一丁点儿机会都没有。我知道，只要我们的部队打过来，他们马上就败了。”

他的神态认真而诚恳，仿佛是在推心置腹。阿申顿不痛不痒地回应了几句。

“由于我妻子的国籍，我不能上战场去尽一份力，这简直是我生平最大的痛苦了。战争爆发的当天我就要应征入伍，可是他们不收我，说我超龄了。可我不瞒你说，如果这战争一直打下去，那就不管老婆不老婆的，我一定要去做点儿什么。就凭我会几国语言，我应该能在稽查局效劳的。你就是在那里工作的，对吧？”

原来这就是他瞄准的靶子，为了应对他精心谋划好的问题，阿申顿向他透露了一些提前准备好的信息。凯普尔把他的椅子往阿申顿身边挪近了些，声音也低了下来。

“我相信你也不会告诉我不能让别人知道的事，毕竟这些个瑞士人都是绝对亲德的，所以我们说的话不能让任何人有偷听到的机会。”

接着他话头一转，告诉了阿申顿几件有点儿秘密的事情。

“这些事我不会告诉任何人的，你知道吗，我有几个朋友身居要职，他们都很信任我。”

阿申顿受到了鼓励，也就故意多说了几句，所以他们分手时，两人都感到满意。阿申顿不难猜到，第二天早上凯普尔的打字机准会忙个不停，而在伯尔尼的那位精力过人的少校很快会收到一份很有意思的报告。

一天晚上，阿申顿吃过晚饭上了楼，他走过一间开着门的浴室，一眼看见了凯普尔夫妇。

“进来吧。”凯普尔还是那样亲切地说，“我们在给弗利兹洗澡。”

这条小猎犬经常把自己弄得很脏，而凯普尔最得意的就是看到它一身雪白，干干净净的。阿申顿走进了浴室。只见凯普尔太太卷起袖子，系着一条白色的大围裙，站在澡盆的一边，而凯普尔身穿长裤和背心，露着满是斑点的胖膀子，在给那倒霉的狗打着肥皂。

“我们只能晚上给它洗澡，”他说，“因为菲茨杰拉德夫妇也用这个澡盆。如果知道我们在这里给狗洗澡，他们会发火的。我们等他们睡下后才来的。过来，弗利兹，让这位先生看看我给你刷脸时你有多乖。”

这可怜的畜生，愁容满面，却还在轻轻摇着尾巴，好像是在说，不管它遭受的是多么恶劣的大刑，它也不会记恨这位给它施刑的主人。它站在只有六寸深的洗澡水里，浑身打满了肥皂，而凯普尔一边说着话，一边在用他肥胖的双手给它洗头。

“啊，等我把它洗得一身雪白后，它该多漂亮啊！它的主人带上它出去溜达时简直就太威风啦！所有的小雌狗见了它都会惊呼：天哪，这帅气潇洒的贵族是谁啊？瞧它那大摇大摆的派头，就像整个瑞士都是它的！现在站好别动，我要给你洗洗耳朵。你耳朵这么脏，简直像个淘气的瑞士小学生，这样怎么可以上街呢？得有个贵族样儿！[1]再洗一下你的黑鼻子。别闹，要是肥皂水进了你粉红的小眼睛里，会很疼的。”

凯普尔太太听着他的胡言乱语，她平平无奇的宽脸庞上露出呆滞的和蔼笑容。很快，她神情严肃地拿起了一条毛巾。

“现在它要翻跟头了。来吧。”

凯普尔抓住它的前腿，把它往水盆里滚了一圈，又滚了一圈。它挣扎了几下，一个劲地扑腾，溅起了很多水花。凯普尔把它抱出了浴盆。

“上你妈那儿去吧，她会把你擦干的。”

1　原文为法语。

凯普尔太太坐下，用她强壮的双腿夹住狗使劲把它擦干，直到她的额头上冒出了汗珠。弗利兹呢，瑟瑟颤抖着，气都快喘不上来了，不过庆幸总算受刑完毕，它站了起来，浑身白净闪亮，那张傻乎乎的脸上有了几分可爱。

“这就是血统啊。”凯普尔兴奋地欢声嚷道，“它心里至少知道六十四代祖先的名字，都是名门出身。”

阿申顿听了心里不是滋味，他接着走上楼去，浑身打着冷战。

几天后的一个周日，凯普尔对他说，他们夫妇准备出去郊游，午饭就在山上的一家小饭馆吃，邀请阿申顿一起去，费用均摊。阿申顿觉得自己已在琉森休养了三周，应该有力气出去游玩了。他们一早就出发了。凯普尔太太一身登山装束，脚穿登山靴，头戴窄檐呢帽，手提登山杖；凯普尔则穿着长筒袜和加长马裤，典型的英国人打扮。这两口子的模样让阿申顿看了忍俊不禁，他预感这一天应该挺好玩的，不过他也提醒自己要睁大眼睛小心行事，他们夫妇也不是没有可能已经发现了他的真实身份，自己千万不能走到悬崖边上去，凯普尔太太会毫不犹豫地推他一把，而凯普尔，尽管平时嘻嘻哈哈，却也恐非善类。但是从表面上看，没有任何事情可以影响阿申顿享受这阳光灿烂的早晨的美好心情。空气芬芳。凯普尔一路说个不停。他讲了不少好笑的故事。他兴高采烈。汗水从他那红润的胖脸上滚落下来，他也自嘲太胖了。让阿申顿吃惊的是，他熟知山上的各种野花。有一次他看到远处有一株花，跑了一段路过去摘了回来，献给他妻子。他温柔地看着这株花。

“这花多美啊！”他叫道，他那双平时闪烁不定的灰绿色眼睛一时间竟显得像一个孩童一样天真无邪，“简直就像沃尔特·萨维奇·兰多[1]写的诗一样。”

“植物学是我丈夫最爱的学科。”凯普尔太太说道，“有时我也笑话他。他就喜欢花。很多时候我们连买菜的钱都快没了，可他还是把口袋里的钱都掏出来给我买回来一束玫瑰。”

“谁让家漂亮也能让心美好。[2]”格兰特里·凯普尔说。

阿申顿有几次看到凯普尔从外面散步回来时，会送给菲茨杰拉德太太一束山花，他像一头大象似的彬彬有礼献花的样子倒也不完全让人反感，而他现在看到的情

---

1 沃尔特·萨维奇·兰多（1775—1864），英国诗人，以热爱大自然著称。

2 原文为法语。

景也给凯普尔献花的行为增添了一些意义。这说明他爱花是真心的，他送花给那位爱尔兰老太太时，的确是在送他自己所珍爱的东西。这个行为表现出了他内心真诚的善良。阿申顿一向认为植物学是一门乏味的学科，而在他们一路走着时，凯普尔兴致勃勃地谈论着植物学，他能给植物学赋予生命和生趣。他肯定是下过一番功夫认真研究过的。

“我从没写过书。”他说，“出版的书已经太多了，我想要写点儿东西的欲望可以通过别的方式满足：给哪家日报写一篇让人看过就忘的短篇文章，来钱更快。不过我要是在这里长久住下去，我倒是有心写一本书讲讲瑞士漫山遍野的花。嘿，你要是早点儿来这里就好啦！这里的花太美了。不过也许只有诗人才能赞美花，可我只是个给报纸写写稿子的人。”

看着他竟能用这样的真情实感来表达虚假的事实，实在耐人寻味。

他们来到了山上的那家小饭馆，从这里可以望到群山和湖水，景色很美。阿申顿看到他咕咚咕咚灌下了一瓶冰镇啤酒后如此心满意足的模样，他也为之欣慰。对于一个能从简单的事情中获得这么大乐趣的人，恐怕也只能给予同情了。他们吃了一顿美味的午餐，有炒鸡蛋和山鳟鱼。这家小饭馆坐落在一个景色宜人的乡村，犹如十九世纪初期的游记插图上常见的瑞士小木屋，就连凯普尔太太也被这里的优美环境打动了，她竟也异乎寻常地表现出一副温婉的神情，对阿申顿少了些平常的敌意。他们刚走进饭馆时，她不禁脱口用德语大声称赞这里太美了，此刻她或许是因为酒足饭饱了，人也变得温柔了，目不转睛地盯着眼前的美景，热泪盈眶。她伸出了一只手。

“想想真的令人害怕，我感到羞愧，现在是惨无人道的战争时期，可此时此刻我的内心居然只能感受到幸福和感激。”

凯普尔抓住她的手握在自己手里，一边用德语——他平时极少说德语——对她柔声细语，叫着她的各种昵称。很滑稽，但也很动人。阿申顿走开了，留他们尽情互诉衷肠，他穿过花园，坐到了供游客休息的长椅上。这里的景色自然是很美的，动人心魄，仿佛是一支华而不实的乐曲，可眼下听到，竟能动摇你的自制力。

就在阿申顿悠闲坐在花园长椅上的这会儿工夫，他反复琢磨了一番格兰特里·凯普尔要弄的诡计有何不可思议的地方。如果说他对行径怪异的人不乏兴趣的话，那么他现在见到的是一个怪异得难以置信的人。只有傻子才会否认他性情温和。他的快乐也不是装出来的，他就是个开心快活的人，不需要做作，他确有善良的天性。他随时乐意为别人做好事。阿申顿经常看到他同那对爱尔兰老上校夫妇在一起，那老两口是旅馆里除了他们之外仅有的住客；他会和颜悦色地倾听那老头讲述乏味的埃及战争故事，对那老太太也总是笑容可掬。现在阿申顿已经跟他有些熟悉，他竟然发现自己对此人并不那么反感，反倒多了几分好奇。他已不再认为他当间谍只是为了金钱；他对生活本来就没有很高的要求，何况有这么一位持家有方的太太，他在航运公司挣的收入肯定足以度日了；再说，自从宣战以来，过了参军年龄的男人要找一份收入不错的工作，机会是很多的。他走上这条路或许另有原因，很可能他属于这样一种人，不喜欢走直道，偏要绕几个圈儿，以故弄玄虚地愚弄身边的人而暗自得意；他成为间谍，很可能既不是因为他的国家曾把他投入监狱而怀恨在心，甚至也不是出于对其妻子的爱，而是想要捉弄一下那些有头有脸的人物，尽管这些人根本就不知道他的存在。也可能他只是虚荣心作祟，感到自己的才华没有得到应有的承认，或者仅仅只是出于一种调皮捣蛋的恶作剧心理。他无疑是个骗子。诚然，他有两次因欺骗行为而被抓个正着，但可想而知，既有过两次，也完全有可能他曾多次作奸犯科，只是没有被抓住罢了。凯普尔太太对此有何想法呢？这两口子如此恩爱，她不可能毫不知情。既然她的正直不容置疑，那么她是否为此感到羞愧呢？或者她知道自己所爱的这个男人本性如此而予以默认了？她尽其所能阻止过他这样做呢，还是她无可奈何而对此睁一只眼闭一只眼呢？

如果世界上的人都是非黑即白，那该多好啊！生活会容易得多，跟人相处也会简单得多！凯普尔究竟是一个作恶的好人，还是一个行善的坏人？如此水火不容的品质怎么可能相安无事地并存在同一个人的心灵之中？有一点是肯定的：凯普尔从不会感到良心不安，他饶有兴致地做着令人不齿的卑鄙勾当。他在自己的叛变行为中享受到了快乐。虽然阿申顿一生都在认真地研究人性，但现在看来，已到中年的他对人性的了解并不比他小时候知道的多到哪儿去。当然了，R准会对他说：你干吗要浪费时间去想这些无谓的事？这人是个危险的间谍，你要做的就是把他送入大牢。

这话当然很对。阿申顿已经断定，在凯普尔身上耗费再多心思也是徒劳无益的。虽然这个人无疑不会对出卖自己的雇主感到一丝歉疚，但至少他肯定是不可信任的。他的妻子对他影响太大了。再说了，不管他嘴上对阿申顿怎么说，他心里还是深信同盟国会在战争中获胜，而他一心想要站到胜者一边。这么说来，凯普尔必须得下大牢，可是如何能做到呢，阿申顿没什么头绪。就在这时，他突然听到了说话声。

“你在这儿啊，我们还在纳闷儿，不知道你躲到哪儿去了。”

他扭头看去，只见凯普尔夫妇正朝他走来。两人手拉着手。

“原来你是在默默欣赏这里的风光啊。”凯普尔望着周围的景色说道，“好美啊！”

凯普尔太太攥紧了双手。

“天哪，太美了[1]！”她惊呼，“太美啦！[2]一看到这蓝蓝的湖水和山上的白雪，我禁不住要，就像歌德笔下的浮士德那样，只想对瞬息不停的时光大喊一声：停一下吧！”

“要比在英国好吧？那里硝烟四起，处处警报，不是吗？”凯普尔说道。

---

1 原文为德语。

2 原文为德语。

"好多了。"阿申顿应道。

"顺便问一句，你从英国出来时遇到过什么麻烦吗？"

"没有，一丁点儿都没有。"

"我听说现在过境会遇到很多麻烦。"

"我过境时没有遇到任何麻烦。我觉得他们都不太检查英国人的。我看他们检查护照也是敷衍了事。"

凯普尔和他妻子迅速互递了个眼色。阿申顿不明白他们的眼神是什么意思。如果就在阿申顿正在思考有无可能让凯普尔回英国的这当儿，凯普尔的脑子里正好也在琢磨这件事，那可真的是无巧不成书了。过了会儿，凯普尔太太提议该回去了。他们便一起沿着树荫下的山间小径下山了。

阿申顿很警觉，可是眼下他什么都做不了（这样无可作为的感觉使他很恼火），他只好等待时机出现时能及时抓住。两三天后发生了一件事，使他确信自己的猜疑不是空穴来风。那天上午凯普尔太太在上课时突然说道：

"我丈夫今天去日内瓦了，他在那儿有些事要办。"

"是吗，要去好多天吗？"阿申顿问。

"不，只去两天。"

撒谎这种事不是每个人都擅长的。不知道为什么，阿申顿能感觉到凯普尔太太此时在说谎。如果她只是提到了一件跟阿申顿没啥关系的事，她的神态应该显得更无动于衷。阿申顿心里闪过一个念头：凯普尔该不是被召到伯尔尼去见他那位心狠手辣的德国情报头子了吧？随后他找了个机会随口对女侍者说了一句：

“你这些日子可以少干点活儿了吧，小姐[1]，我听说凯普尔先生去伯尔尼了。”

“是的。可他明天就回来了。”

这证明不了什么，但多少也算一条可以顺藤摸瓜的线索。阿申顿在琉森认识一个瑞士人，乐意帮别人临时跑个腿办点急事，他便找到了此人，托他捎一封信到伯尔尼去。说不定那里的眼线可以盯上凯普尔，看看他到底在干什么。第二天凯普尔又同他的妻子在晚餐桌上露面了，但他见了阿申顿连个招呼都没打，两口子吃完饭就直接上楼了。他们看上去心事重重。平时精神十足的凯普尔，此时却耷拉着双肩，头也不抬，目不斜视。第二天阿申顿收到了伯尔尼送来的回信：凯普尔是去见了冯·P少校。至于少校对凯普尔说了些什么，应该是不难猜测的。阿申顿太

1　原文为德语。

知道他是个多么难对付的人了：这家伙蛮横凶残，脑子聪明，不择手段，说话从不留情。他们可能再也不能容忍凯普尔整天在琉森游山玩水，什么正事都不干了。他该回英国去了。纯属猜测吗？当然是猜测，可是干这一行不就是这样吗？给你一块动物的颚骨，你就得推断出是什么动物。阿申顿从古斯塔夫的话里听出来了，德国人想要派一个人到英国去活动。他深深吸了口气；如果是凯普尔去，那他现在就要开始忙活起来了。

凯普尔太太又来给他上课时，显得无精打采，心神不宁。她一脸倦容，双唇紧闭，说不出话来。阿申顿立刻想到，这两口子大概整夜都在说话。他巴不得知道他们都谈了些什么。她是催促他去呢，还是劝说他不要去？吃午饭时阿申顿又观察了他们一番。事情确有蹊跷。他们几乎没怎么交谈，而平时他们彼此总有说不完的话。他们早早吃完就离开了，等阿申顿吃完走进大厅时，他发现凯普尔独自一人坐在那里。

"你好。"他乐呵呵地招呼阿申顿，但他明显是故作热情，"你挺好的吧？我去了趟日内瓦。"

"我听说了。"阿申顿应道。

"过来跟我一块儿喝杯咖啡吧。我太太头疼。我叫她去躺会儿。"这时他那闪烁不定的绿眼睛里出现了一种神情，阿申顿不解其意，“她其实是有些担忧。可怜的女人，我想要回英国去了。”

阿申顿的心猛地怦怦直跳，但他脸上仍不动声色。

“噢，要去很长时间吗？我们会想你的。”

“不瞒你说，我这样无所事事的，实在有些受不了啦。战争看来还要持续几年，我不能一直闲在这里没事干。再说，我也闲不起啊，我得挣钱养活自己。不错，我是娶了个德国老婆，可我终究还是个英国人嘛，去他的，我要尽我的一份力。如果我泡在这里苟且偷生，等到战争结束也没有为自己的国家出一份力，以后我怎么回去面对我的朋友？当然我太太是站在德国人的立场看问题的，我不妨跟你直说，她有些心烦意乱。你也知道女人都是怎样的。”

阿申顿这下终于知道他刚才在凯普尔的眼神里看到的是什么了：是恐惧。他面临灾难了。凯普尔不想去英国，他只想安然待在瑞士。同时，阿申顿也知道了凯普尔去伯尔尼见到少校时，少校都对他说了什么。他必须去，否则他就拿不到薪水了。当他告诉了妻子事情的经过时，他妻子说了什么？他希望妻子能再三要求他别去，但显而易见，她没有那么做；或许他也不敢告诉妻子他心里有多害怕，因为在她眼里，她的丈夫总是开开心心的，有魄力，敢于冒险，天不怕地不怕，只是这个被自己的谎言束缚住手脚的男人，眼下却没有勇气承认自己其实只是个卑劣猥琐的懦夫而已。

“你会带妻子一起走吗？”

“不，她还留在这里。”

看来一切都已安排妥当了。凯普尔太太会留下来接收他的密信，再把信中的情报转发给伯尔尼。

“我离开英国太久了，都不知道该如何参与到战争的工作中去了。如果是你，你会怎么做呢？”

“我也不知道。你想做什么样的工作？”

“嗯，我是这么想的，或许我也能干你这一行。不知你是否可以帮我给稽查局的什么人写一封介绍信。”

阿申顿几乎要惊叫出声，做出慌张的动作，就差那么一丁点儿才没有露馅儿，这只能说是个奇迹！不过，他大吃一惊并非因为凯普尔的请求，而是因为他自己在这一瞬间突然领悟到的一件事。他真是太蠢了！他一直都在苦恼，认为自己是在琉森浪费时间，无所作为，现在眼看就要大功告成，凯普尔终于要去英国了，可事实上这又绝不是因为他的什么聪明才智。对于这样的结果他是无功可邀的。此刻他才恍然大悟，为什么他会被派到琉森来，按上头吩咐的介绍自己的背景，适当提供一些情报，到头来该发生的自然会发生。德国情报部门能在稽查局安插一名特工是多么美妙的事，而格兰特里·凯普尔，派这人去做卧底再合适不过了，天赐良机，他又认识了一个在稽查局工作的人。真是太幸运了！冯·P少校是个有文化修养的人，他一定会搓着双手，念念有词地说：Atultum facit fortuna quem bult perdere. [1]这是阴险的R设下的一个圈套，而在伯尔尼的那位冷酷的少校落入了圈套。阿申顿只是坐在那里什么也没做却大功告成。他想到R竟把他当傻瓜要弄，差点儿要笑出声来。

“我跟我部门的头儿关系挺好的，如果你需要的话，我可以帮你写一张便条给他。”

“这正是我想要的。”

“不过我只能照实情写。我必须说我是在这里认识你的，只认识你两个星期。”

“当然。不过你会替我美言几句的吧？”

“没问题。”

“我还不知道我能不能得到签证。据说还挺麻烦的。”

---

1 拉丁语，古希腊名言，意为命运欲灭之，必先令其发狂。

“我不明白为什么。如果有一天我要回国，他们不给我签证，我可会大怒的。”

“我该去看看我太太怎么样了。”凯普尔突然站了起来，“我什么时候能拿到你的介绍信？”

“随你方便吧。你马上要走吗？”

“越快越好。”

凯普尔上楼去了。阿申顿故意又在大厅里继续坐了一刻钟，以便让自己显得从容自在，然后上楼去写了两封密信。一封写给R，通知他凯普尔即将去英国，另一封是要伯尔尼那边做出安排，在凯普尔去办理签证时立即签发给他，不要多问。这两封密信他立即发出了。晚上他下楼去吃晚饭时，交给了凯普尔一封言辞恳切的介绍信。

隔了一天，凯普尔离开了琉森。

阿申顿耐心等待。他继续每天上一小时德语课，由于凯普尔太太教得很认真，他现在德语说得相当流畅了。他们经常谈论歌德和温克尔曼，谈论艺术、人生和旅行。弗利兹静静地蹲在她的椅子边。

“这狗想它的主人了。”她说着，扯了一下它的耳朵，“它只跟他亲，它还能忍受我，也只是因为我是他的人。”

每天上完课，他都会去库克旅行社看看有没有寄给他的信——所有发给他的信件都是寄到这里的。在接到新的指示之前他不能擅自行动，不过他相信R肯定不会让他闲在这里没事干的；眼下暂时只能耐心等待。很快他收到了驻日内瓦领事的来信，信中说凯普尔已在那里办了签证，并已动身去法国了。看完这封信后，阿申顿便到湖边去溜达了一圈，在回来的路上碰巧看见凯普尔太太从库克旅行社出来。他猜想她的信件也都寄到这里。他走上前去。

“收到凯普尔先生的信了？”

“没有。”她说，“我想还不会这么快就能来信吧。”

他走在她旁边。她显得有些失望，但还不算焦虑；她知道战争时期邮件总是不太准时的。可是第二天上课时他明显看出她心不在焉，一心只想早点下课。邮件是中午十二点送到，差五分钟时她看了看手表，又看了他一眼。虽然阿申顿知道她根本不会收到信，但他还是不忍心让她的心老这么悬着。

“要不今天就上到这里吧，我知道你要去库克。”阿申顿说。

“谢谢。你真好心。”

过了会儿阿申顿也去了库克旅行社，他看到凯普尔太太站在旅行社的办公室中央，满脸愁容。她一见到阿申顿就气急败坏地嚷了起来。

“我丈夫答应过一到巴黎就给我写信。我可以肯定有寄给我的信，可那些愚蠢的家伙竟说没有。他们办事太马虎了，真不像话！”

阿申顿一时不知该说什么好。当办事员在一大捆邮件中查看有没有寄给阿申顿的信时，她再次走到了柜台前。

“请问下一批从法国来的邮件什么时间到？”

“通常五点左右会有信送来。”

“那我到时候再来。”

说罢，她转身急匆匆地出去了。弗利兹夹着尾巴跟在她身后。毫无疑问，她已经预感到出事了，心里害怕极了。第二天上午她脸色特别难看，应该一夜都没合眼。课上到一半时，她猛地站了起来。

“务必请你原谅，索莫维尔先生，我今天不能给你上课了。我不舒服。”

没等阿申顿说话，她已经慌慌张张地跑出房间去了。当天晚上他收到了她写的一张便条，说她很抱歉无法继续给他上课了。她没有说原因。此后他就没怎么见到她。她也不再去餐厅吃饭了；除了中午和下午去库克旅行社之外，显然她一整天都待在房间里。阿申顿可以想象到她是怎样一连好几个小时坐在房间里，满心焦灼带着惊恐。谁能不对她产生恻隐之心呢？他自己也有大把的时间不好打发。他看了不少书，也写了一点儿东西。他还租了个独木舟，到湖上去悠闲荡桨。终于，在一天上午，库克旅行社的办事员递给了他一封信。信是R寄来的。表面上就是一封普通的商业信函，但是他从字里行间读出了很多内容。

信是这么开始的：

尊敬的先生。您自琉森发出的物品及所附来信均已送达。您迅速地执行了我们的指示，不胜感激。

信的后面大致都是这样的内容。R的语气中透着狂喜。阿申顿由此猜想，凯普尔已经被捕，因其所犯的罪而受到了惩罚。他不禁打了个冷战。他脑海中浮现出一幅令人惊恐的画面：清晨。一个阴冷昏暗的清晨，细雨绵绵，一个蒙着眼睛的男子靠墙站着，一个脸色苍白的军官一声令下，一阵排射，射击队中有个士兵转过身去，用枪柄撑住身子，使劲呕吐起来。那名军官脸色更苍白了，而阿申顿吓得快要晕过去了。凯普尔该会多害怕啊！泪水从他的脸上流下来的模样真是惨不忍睹。阿申顿哆嗦了一下。他按信中的指令去售票处买了一张去日内瓦的车票。

在他等着找零钱的时候，凯普尔太太走了进来。阿申顿看到她的模样大吃一惊。她浑身邋遢，头发蓬乱，眼圈红肿，面如死灰。她摇摇晃晃地走到柜台前，问有没有她的信。办事员摇了摇头。

“对不起，女士，还是没有。”

“可你再找找，再找找，你肯定没有吗？请你再找一找。”

她的说话声悲哀得让人心碎。办事员耸了耸肩，把所有的信件全取出来，又翻检了一遍。

“没有，真的没有，女士。”

她嗓音沙哑地发出一声绝望的喊叫，她的脸痛苦得扭成了一团。

“哦，老天爷，哦，老天爷！”她呜咽道。

她转过身来，泪水从她布满血丝的眼睛里夺眶而出，在那一刻，她突然像个盲人一样站在那里摸索着，不知道该往哪儿走。就在这时，一件惊人的事发生了。

那条小猎犬弗利兹突然蹲到地上，昂起头，发出了一声很长、很长的哀号。凯普尔太太惊恐地瞪着它，她的眼珠子看上去就像真的要蹦出来了似的。这几天的可怕悬念，一直在揪着她的心的疑惑，此刻已不再是疑惑了。她瞬间明白出了什么事。她像个瞎子似的跌跌撞撞走到了街上。

毛姆

短篇小说全集

[英] 毛姆 著　姚锦清 刘勇军 译

第13册

三个圈经典文库

经典就读三个圈　导读解读样样全

江苏凤凰文艺出版社
JIANGSU PHOENIX LITERATURE AND ART PUBLISHING

目　录

前　言

在我这部短篇小说集的第三卷中，我采用了与其他几卷有所不同的编排方式。另几卷收入了我以马来亚为背景写的小说，那些小说都很长，我觉得将那些较长的小说与我写的另一些以其他地方为背景的较短的小说穿插编排，或许可以使读者读起来不会太累，所以我将篇幅长短不同的小说穿插编排在各卷中。不过，我还写过另外一组短篇小说，描述一位英国情报部的特工在第一次世界大战期间的经历。我给这位特工起名为阿申顿，由于这组故事都跟我虚构的这个人物有关，所以尽管篇幅很长，我还是觉得把它们单独编成一卷比较合适。这些故事是根据我自己在一战中的经历写的，但我必须告诉读者，它们并不是法语里所说的报告文学，而是虚构的小说。就像我在这些小说最初出版的单行本序言中所说，这些故事发生了，但“事实”本身并不是一个高明的故事叙述者。真实的故事往往是偶然发生的，发生之前有很多铺垫，接着是漫无目的的絮絮叨叨，最后草草结尾，留下一堆没有结论的乱麻。情报部门特工的工作总体上是单调乏味的，很多甚至是特别无用的，能为小说提供的素材往往零散杂乱，没有意义，需要作者自己将它们组织成连贯的情节，写出富有戏剧性而又真实可信的故事。这就是我在本卷系列小说中着力所做的事。

金小姐

战争爆发后，职业作家阿申顿就去了国外，直到九月初才好不容易回到英国。回到英国后不久，他有机会参加一个聚会，有人在聚会上介绍他与一位中年上校认识，可他没有听清这位上校叫什么名字。他们聊了几句。在他离开时，这位上校走过来对他说：

“我说啊，不知道你是否愿意哪天来见见我。我挺想和你聊聊的。”

“当然。”阿申顿说，“哪天都行。”

“明天十一点怎样？”

“没问题。”

“我给你写个地址吧。你有名片吗？”

阿申顿递给他一张名片，上校用铅笔在名片上潦草地写了一个街名和一个门牌号。

第二天上午，阿申顿前来赴约，他发现这里曾经是伦敦比较繁华的一个地区，可如今风光不再，街上到处是简陋的红砖房，到这里来买房子的人都只是看好这个地段而已。阿申顿按上校写的地址找到了那所房子，只见门前立牌上写着“房屋出售”，所有窗户都关着，看不出有人居住的迹象。他摁响了门铃，马上就有一个身穿便服的军官来开了门，阿申顿没想到这么快，颇为吃惊。这个人没有问他有什么事，而是直接把他领进了里面一间狭长的房间里。这里显然曾经是个餐厅，屋里花里胡哨的装潢和不多的几件办公家具显得很不协调。这间屋子给阿申顿的感觉是仿佛刚遭遇过盗贼的洗劫。阿申顿后来了解到，这位上校服务于军队的情报部，代号R。此刻，他看见阿申顿进屋便站起身来同他握手。他身材中等偏高，瘦削，脸色发黄，皱纹很深，头发花白稀疏，留着牙刷似的唇须。他最明显的特征是两只蓝眼珠挨得特别近，几乎是斗鸡眼，不过这双眼睛多少有些凶狠，而且非常警觉，所以总让人感觉这个人看上去有些狡黠诡诈。这是个谁也不会一见就喜欢或信任的人。不过他的举止倒是亲切热情的。

他问了阿申顿很多问题，问完后便不再多说话，只是顺口提到了阿申顿有做特工的独特才能。阿申顿懂好几种欧洲语言；他的作家职业也可以很好地掩护他的身份，打着写书的幌子，他可以去任何一个中立国家而不引人注意。他们谈到这一点时，R这样说：

“知道吗，这项工作可以给你提供很有用的写作素材。”

“这个我倒并不在乎。”阿申顿答道。

“我来告诉你一件几天前刚发生的事，保证是真人真事。当时我就觉得这件事可以写成一篇特精彩的小说。有一位法国部长患了感冒，去尼斯疗养，他的公文包里放了几份非常重要的文件。这些文件真的特别重要。在到达尼斯一两天后，他在一家餐馆——或者别的什么地方——跳舞时认识了一位黄头发的女士，对她大献殷勤。长话短说，他把这个女人带回了他住的酒店——不用说，他这么做太不谨慎啦——第二天早上他醒来就发现那个女人和他的公文包都不见了。他们只在房间里喝过一两杯酒，照他后来推测，一定是在他转身时那个女人偷偷在他的酒杯里放了迷药。

R讲完了，用他那双斗鸡眼看着阿申顿，露出期待的眼神。

“挺精彩的，是不是？”他问。

“你是说这是几天前刚发生的？”

“差不多一周前吧。”

“不可能。”阿申顿大声说，“这个故事在戏台上已经演了六十年了，至少在一千部小说里写过。你是想说我们的生活到现在才刚刚追上小说？”

R略显得有些不安。

“我没瞎编，如果有必要，我可以告诉你当事人的名字和事情发生的具体日期。相信我，因为那个公文包里丢失的文件，协约国一直在没完没了地制造麻烦。”

“这么说吧，长官，做特工的人也许会觉得这很精彩。”阿申顿叹息一声，“可是对于一个写小说的作家来说，这恐怕毫无价值。我们真的没法用这个故事写出一部好小说来。”

他们没有花多少时间就把要谈的事谈妥了，阿申顿起身告辞时，已经仔细记下了R的指示。他第二天就要动身去日内瓦。R最后对他说的话特别随意，但他却印象深刻，R说：

“在你接受这个任务之前，我想只有一件事你应该了解。不要忘记，如果你干得好，没有人会感谢你，要是你惹出了麻烦，也没有人会来帮你。你觉得有问题吗？”

“没问题。”

“那我就要跟你说再见了。”

阿申顿上路回日内瓦去了。夜里下起了暴雨，刮起了阵阵寒风，可是他乘坐的那艘结实的小轮船在浪涛起伏的湖面上顽强地行进。暴雨袭来，很快变成了冻雨，呼啦啦地滚落到甲板上，就像一个收不住话匣子的女人在唠叨个不停。阿申顿先到法国写了一份报告，用电报发出。一两天前，大约下午五点，他的一个印度助手到酒店房间来找他，凑巧他正好在房间里。本来他没有约见这个助手，因为他给助手下过指示，只有遇到特别紧急的大事才能到酒店来找他。助手告诉阿申顿，有一位在德国特工部门做事的孟加拉人最近到了柏林，他随身携带的一只黑色藤箱里有几份英国政府感兴趣的文件。当时同盟国正费尽心机要在印度挑起事端，迫使英国不能撤走在印度的驻军，或许还会从法国再派一些部队过来。英国方面编了一个罪名在伯尔尼逮捕了这个孟加拉人，以便暂时控制住他，可那只黑色藤箱却不见了。阿申顿的助手是个很勇敢又很机灵的特工，他同自己本国的反英人士混得很熟。他刚了解到，那个孟加拉人在去伯尔尼之前，为了安全起见，把藤箱寄存在苏黎世火车站了。现在他被关在监狱里等候审判，暂时不能发出消息让他的同伙去取走箱子。事情非常紧迫，德国情报部门必须立刻获得箱子里的文件，由于他们不可能动用常规的官方手段获得文件，他们已决定今晚潜入车站盗取。这个方案很大胆，也很有创意，阿申顿听了不禁有些兴奋（因为他平时的任务大都乏味极了）。他认了认这位在伯尔尼的德国特工的头像，记住了他那精干而粗鲁的神情。盗取行动安排在第二天凌晨两点执行，一分钟都不能耽误了。用电报或电话同驻在伯尔尼的英国官员联络都可能靠不住，而这位印度特工又不能去（他到酒店来找阿申顿已经是冒了生命危险，如果他被发现不在自己的房间里，很可能哪一天就会有人发现他的尸体漂浮在湖里，背上扎着一把刀）。没有别的办法，只能他自己去。

有一趟去伯尔尼的火车他可能还赶得上，他赶紧戴上帽子，穿上外套，匆匆奔下楼，跳上了一辆出租车。四个小时后，他摁响了情报部总部大楼的门铃。这里只有一个人知道阿申顿的名字，所以他告诉门卫要找这个人。一个他以前没有见过面的高个子男人走了出来，满面倦容，一句话没说就把他领进了一间办公室。阿申顿跟他说明了来意，高个子男人看了看手表。

“我们已经来不及做什么了。我们没法及时赶到苏黎世的。”

他沉思起来。

“我们请瑞士当局帮忙吧。他们可以打电话安排，我可以肯定，等德国特工赶到那里想要实施盗窃行动时，他们一定会看到车站已经警备森严。不管怎么说，你得赶紧回到日内瓦去。”

他跟阿申顿握了握手，把他送出大门。阿申顿心里非常清楚，接下去发生的事他永远都不会知道。作为一台庞大复杂的机器里的一颗小小螺丝钉，他从来没有机会看到完整的行动。跟他有关的只是开头或结尾部分，或者中间的某一个环节，至于他自己做的事后来怎样发展，他也很少有机会知道。这多少令人有些失望，就像读那些现代小说，读者只能读到一些彼此不相干的情节片段，要自己在脑袋里把它们拼凑起来，才能解读出一个连贯的完整故事。

尽管穿着皮毛大衣，戴着围脖，阿申顿还是感到寒冷刺骨。船舱里暖和，灯光也亮，可以在那里看看书，可是他觉得还是不要坐到那里去，以免哪个常客认出他来，奇怪他为什么会这么频繁地来往于瑞士的日内瓦与法国的托农莱班之间。为了避人耳目，他只好在黑漆漆的甲板上打发无聊的时间。他朝日内瓦的方向望了望，看不到灯光，天空中降下的雨水已经变成飘舞的雪花，挡住了他的视线，让他看不到地标。天气晴朗时，莱芒湖是那样漂亮，就像法国花园里的一个人工湖，而在这风雪交加的天气中，这个湖就像大海一样神秘莫测，险象环生。他打定了主意，一回到酒店他就要马上叫人点燃客厅里的壁炉，洗一个热水澡，穿上睡衣，舒舒服服地坐在壁炉边享用晚餐。想到自己很快可以独自度过一个夜晚，抽着烟斗，看看书，实在太美妙了，竟感到在这湖上经历的凄苦也是值得的。两个船员跺着脚从他身边走过，他们低着头，躲避着刮在他们脸上的雨水，其中一个向他大声喊道："我们到了！[1]"他们走到船舷，抽出一根铁杆，打开了通向舷梯的通道。阿申顿又望了一眼，透过风雨呼啸的夜色隐约看到了码头上的灯光。心里一块石头终于落了地。过了一两分钟，轮船停稳了，阿申顿拉起围脖遮住了脸，站到了那一小群等着登岸的乘客中间。虽然他经常坐这趟船——他每周都要渡过莱芒湖去法国递交报告，接受指示——但他每次站在舷梯边的人群中等待着上岸时仍会感到一丝惊惶不安。

1 原文为法语。（若无特别说明，本篇用楷体字标识的均为法语，后文不再单独注释。）

他的护照上没有任何去过法国的记录；这趟轮船绕湖走，只会在两处碰到法国国土，但都是从瑞士到瑞士，也就是说，他的旅程记录可能是到过沃韦或洛桑；但是他完全不能肯定秘密警察是否已经注意到他，如果他们跟踪他，看见他踏上过法国的土地，却发现他的护照上没有盖章，这件事就不好解释了。当然了，他早已编好了自己的故事，可他心里也没有把握这个故事是不是有足够的说服力。虽然瑞士当局不太可能查证他的旅程有什么不正常的，但他还是会在监狱里被关上两三天，这就不舒服了。然后还会被押送出境，那就更让人丢脸了。瑞士人很清楚他们的国家在上演着各种阴谋剧：秘密特工、间谍、革命者还有煽动分子遍布各大城镇的酒店里，这些人担心瑞士人会转变他们的中立态度，一心要防止一切可能会使他们与任何交战国有牵连的活动。

跟平时一样，码头上有两名警官在注视着上岸的乘客，阿申顿尽量装得若无其事地从他们身旁走过，安全入境后他终于松了口气。夜色吞没了他，他脚步轻快地朝酒店走去。恶劣的天气在原本十分整洁的滨河大道上肆虐。商店都关了门，阿申顿走了半天才见到一个路过的行人，这人侧身而行，身体蜷作一团，仿佛是从混沌未开的蛮荒世界逃出来的。在这样一个凄风苦雨的黑夜里，谁都会感到人类文明羞于自己的矫揉造作，在怒吼的原始大自然面前退缩了。现在打在阿申顿脸上的已经是冰雹，人行道上又湿又滑，他必须每一步都走得很小心。酒店面对着湖面。他终于走到了酒店门口，一个侍应生给他开了门，他快步走进大厅，带进了一阵大风，刮得前台的纸张飘到了半空中。大厅里的灯光晃得阿申顿睁不开眼。他停下脚步问前台有没有他的信件。一封信也没有。他刚要走进电梯时，前台服务生告诉他，有两位先生在他的房间里等着要见他。阿申顿在日内瓦并没有朋友。

“哦？”他非常惊讶地应道，“是什么人？”

他一直很注意同前台服务生保持友好关系，每次为了一点点微不足道的服务就会给不少小费。服务生别有意味地冲他一笑。

“我不妨告诉你。我看他们好像是警察。”

“警察找我干什么？”阿申顿问。

“他们没说。他们问我你在哪里，我告诉他们你出去散步了。他们说要等你回来。”

“他们来了多长时间了？”

“一个小时。”

阿申顿的心一沉，可是他竭力不让自己脸上露出担忧的神情。

“我这就上去见他们。”他说。开电梯的人闪到一边让他进去，可是阿申顿摇了摇头，“好冷啊！”他说，“我还是走上去吧。”

他想要给自己一点儿时间想一想，可是在他走上三级楼梯时，他的双腿像灌了铅一样沉重。这两位警察为什么这么急于见他，这没有什么好怀疑的。他突然感到筋疲力尽。他感到自己没有力气应付一连串的盘问。如果他以特工的罪名被捕，至少今晚他要在牢房里度过了。他从来没有像现在这样渴望洗一个热水澡，坐在壁炉边好好享用一顿晚餐。他很想转身溜出酒店，什么都不管了。他的护照就放在衣兜里，开往边境的火车时刻表他熟记在心：没等瑞士当局想好下一步怎么做，他就能安然脱险。可是他继续拖着沉重的脚步往楼上走。他不愿意轻易放弃自己的工作，因为他接受任务到日内瓦来时是知道会有风险的，他觉得还是要完成任务才好。当然，在瑞士蹲上两年监狱肯定不是什么好事，可是就像身为国王总要面对刺客的刺杀一样，蹲监狱也是他从事的这个职业难以避免的风险。他走到了三楼，一步步朝自己的房间走去。看来阿申顿果真有些鲁莽轻率（他也因此而屡遭批评），他在房门外站了片刻，突然觉得自己的困境不免有些滑稽。他打起了精神，决定硬着头皮去面对眼下的局面。他面带真诚的微笑扭动了门把手，推门进屋，去面对他的访客。

“晚上好，两位先生。”他说。

房间里很亮，所有的灯都打开了，壁炉里燃着柴火，空气中弥漫着灰蒙蒙的烟雾，因为这两位来客等得太久，他们在屋里不停地抽劣质雪茄。他们仍穿着大衣、头戴礼帽坐在那里，就好像他们是这会儿刚进门似的。不过只要瞧一眼桌子上的烟灰缸就可以看出，他们已经在屋里坐了半天，对房间里的一切都很熟悉了。这两个人高大魁梧，体格强壮，留着黑胡须，他们让阿申顿想到了《莱茵河的黄金》里的巨人兄弟法弗勒和法佐尔特[1]。看看他们的粗笨皮靴、坐在椅子里的庞大身躯和凝重警觉的表情，一目了然，这两位是警探。阿申顿是个机灵的人，他在自己的房间里扫了一眼，立刻看出他的东西虽然一点儿都不乱，但已经被动过了。他猜想有人检查过他的所有物品了。他并不着急，因为他在房间里没有放任何会暴露他身份的文件。他发电报的密码早

---

1 《莱茵河的黄金》是德国作曲家瓦格纳著名四部曲神话歌剧《尼伯龙根的指环》的第一部。巨人法弗勒和法佐尔特是剧中为争夺黄金而自相残杀的兄弟。

在离开英国之前就已熟记在心，他收到的来自德国的情报都是经由第三方的手转交给他，一刻不耽误就送到合适的地方去了。他完全不怕搜查，但是他的这一观察印证了他的怀疑：有人向瑞士当局举报了他是个特工。

“两位先生找我有何贵干？”他笑呵呵地问道，“屋里挺暖和的，两位为何不脱掉大衣和帽子呢？”

看到他们竟然戴着帽子坐在那里，他多少有些不舒服。

“我们待一小会儿就走。”其中一个接话了，“我们过来的时候服务生说你马上回来的，所以我们觉得不妨等你吧。”

他没有摘下帽子。阿申顿解下围巾，脱掉了厚厚的大衣。

“抽支雪茄吧？”他说着把雪茄烟盒轮流递给两人。

“那就抽一支吧。”其中一个——应该是法弗勒——从烟盒里取了一支，另一个——那就是法佐尔特了——随即也大大咧咧地取了一支，连声谢谢都没说。

看来烟盒上的名字可能对他们产生了特殊的影响，两人都摘下了帽子。

“这么糟糕的天气还出去散步，多不容易啊！”法弗勒说着，一口咬掉了半英寸雪茄，呸的一声吐到了壁炉里。

阿申顿处事一向有一个原则（这个原则无论对他的生活还是对他在情报部的工作都很有好处），他总会在条件允许的情况下尽可能讲实话。所以他是这么回答的：

“你们觉得我能干吗去？我要是能不出去，我也不想在这种天气出门啊。我必须今天去沃韦看一个生病的朋友。我是坐船回来的。在湖上可遭罪啦！”

“我们是警察。”法弗勒漫不经心地说了句。

阿申顿心想，他们要是认为他连这都猜不到，那一定是把他看作白痴了，不过对这个信息他要是再打哈哈就不够谨慎了。

“啊，真的？”他说。

“你的护照在身上吗？”

“在啊。在这样的战争年代，一个外国人总要随身带着护照才好吧。”

“很明智。”

阿申顿把自己的新护照递给此人，护照上有关他的动向的信息只有他三个月前从伦敦来，此后再未出过边境。

这位警探仔细看了看护照，又递给了他的同事。

“护照看不出任何问题。”他说。

阿申顿站在壁炉前取暖，嘴上叼着香烟，没有回答。他警觉地注视着这两个警探，但是故意显出一副满不在乎的神情，他觉得自己的表现毫无破绽。法佐尔特把护照递给法弗勒，法弗勒若有所思地用很粗的食指在护照上弹了几下。

“警察局长叫我们过来问你几个问题。”他说，这时阿申顿留意到他们两人同时看向他了。

阿申顿知道，当你找不到最恰当的说辞时，那还不如闭口不言的好。如果一个人说了什么话，心里想要对方做出回答，那他往往会觉得对方的沉默是多少有些让人不安的。阿申顿等着警探往下说，他不是很确定，但感觉出警探有些犹豫了。

“我们最近接到很多抱怨，说有人深更半夜从赌场出来时大声喧哗。我们想了解一下你本人有没有被此事困扰。看来你的房间正好对着湖面，那些狂欢者经过你的窗户时，如果他们大声喧闹，你肯定不会听不到的。”

阿申顿一时呆若木鸡。这位警探怎么会跟他说这种乱七八糟的话（笃、笃、笃，他听到了这个巨人在屋里走动的沉重脚步声），可是警察局长究竟为什么要派他们来调查是否有喧闹的赌徒惊扰了他的美梦呢？看来这是个圈套。不过，非要对一件表面看上去平淡无奇的事做出什么深刻的解释，是愚蠢透顶的，很多单纯的评论家都一头栽进过这个陷阱里。阿申顿深信人类这种动物动不动就会做傻事，他在自己的人生历程中时常得益于这个认识。他脑袋里顿时闪过一个念头：这位警探问了这么一个问题，说明他丝毫没有证据可以证实他参与了任何非法行为。显然是有人举报了他，但是举报人也没能给出任何证据，而他们搜查他的房间也没有任何收获。可是他们用这样一个借口就上门来调查他，未免也太愚蠢了，也足见这些警探毫无创意！阿申顿立刻想到了可能促使这两位警探想要同他面谈的三个理由，他真的好希望自己同他们很熟悉，那样就可以给他们提一些建议。他们做出这么愚蠢的事真的是对情报人员的侮辱。这些人比他想象的还要愚蠢，不过阿申顿对愚蠢的人本来就有些同情，此刻他就更是以宽容之心去看待他们了。他真想温情地伸手去拍拍他们的肩膀，不过他还是严肃地回答了这个问题。

“跟你说实话吧，我是个睡眠很沉的人（毫无疑问是由于心思单纯，没做亏心事的缘故），我可什么声音也没听到。”

阿申顿看看他们，想着他们听到他说的话一定会露出淡淡的笑容，可是他们的表情还是那么冷漠。阿申顿不光是个幽默作家，他还是英国政府的特工，他刚要叹息一声，但立刻忍住了，他摆出一副略显威严的神气，说话语气也更严肃了些。

“不过，即使我被这些人吵醒了，我也绝不会想到要去投诉的。目前这个世界上已经有这么多的麻烦、苦难和不幸了，如果有人能找个乐子自娱自乐，而我们却不让他们乐，我只能认为这样做是错误的。”

“确实如此。”这位警探说，“可事实还是那样，有人被打扰了，警察局长要求调查一下。”

他的同事一直保持着沉默，他的神态很像埃及金字塔前的狮身人面像。此刻他开口说话了。

“我注意到你的护照上写着你是个作家，先生。”他说。

一直忧心忡忡的阿申顿顿时反应过来，他感到一阵欣喜，立刻和颜悦色地答道：

“正是。干这一行没少吃苦头，不过时不时地也能有所补偿。”

“挺有名的吧。”法弗勒很有礼貌地说。

“不如说臭名远扬吧。”阿申顿调侃道。

“你来日内瓦做什么？”

这个问题问得非常随意，但阿申顿感到自己务必要谨慎了。在聪明人眼里，一个和和气气的警察要比一个咄咄逼人的警察更危险。

“我在写一个剧本。”

他抬手指了指桌上的那堆纸。四只眼睛立刻顺着他的手势转了过去。他一眼就看出这两个警探早已检查过他的这些手稿了。

“你为什么不在自己国家写剧本，要跑到这里来写？”

阿申顿给了他们一个更和善的笑脸，因为针对这个问题他早已做过充分准备，现在终于有机会回答，他感到如释重负。他很好奇他的回答会引起怎样的反应。

“可是先生们，目前正在打仗，我的国家战火纷飞，根本不可能安安静静坐在那里写剧本。”

“你写的是喜剧还是悲剧？”

“哦，是喜剧，轻喜剧。”阿申顿说，“艺术家需要安宁和平静。如果一个艺术家不能做到心静如水，怎么可能指望他能保持创作所需要的独立精神呢？幸好有瑞士这个中立国，我觉得我在日内瓦可以找到我想要的写作环境。”

法弗勒朝法佐尔特微微点了点头，阿申顿无法知道他这样做究竟是表示他认为阿申顿是个白痴呢，还是表示他同情阿申顿，认为他只是想要在这个动荡的世界中找到一个可以安全写作的地方而已。不管怎么说，这位警探显然已经得出结论，再跟阿申顿聊下去也了解不到什么有用的信息，他又敷衍地说了几句，几分钟后他们便起身告辞。

阿申顿跟他们热情地握手道别，随手关上了房门，终于大大松了口气。他拧开水龙头往澡盆里放水，把水温调热到自己可以承受的最大限度。他一边脱衣服一边心情舒畅地回想着自己的成功脱险。

一天前发生了一件事引起了他的警觉。他的手下有一个瑞士人，在情报部里大家都叫他伯纳德，他最近刚从德国过来，阿申顿急于见到他，便指示他在某个时间到某家咖啡馆接头。因为他以前没有见过这个人，就事先通过线人告诉了此人，接头时他会问什么问题，对方要怎么回答，这一步应该没有出错。他选择在午饭时间同他见面，因为在这个时间咖啡馆里应该不会有很多人。结果他一走进咖啡馆就见到里面只有一个人独自坐在那里，看上去同他所了解的伯纳德年龄相仿，阿申顿便走上前去不经意地问了事先约好的问题，对方说了约定的回答，阿申顿便在他身旁坐下，给自己点了一杯杜本内葡萄酒。这位间谍身材矮胖，穿戴很邋遢，脑袋的形状像一颗子弹，头发很短，脸色发黄，一双蓝眼睛总是躲躲闪闪的。他看上去不是个值得信赖的人，要不是阿申顿凭经验已经知道要找到肯去德国执行任务的特工有多难，他一定会奇怪他的前任为什么会雇用这么个人。他是个德裔瑞士人，说法语有很重的口音，他马上向阿申顿要自己的酬金，阿申顿把装着酬金的信封递给了他。是瑞士法郎。他大致说了一下他在德国的情况，然后回答了阿申顿的细致盘问。他的职业是餐馆侍应生，他在莱茵河大桥边的一家餐馆找了份工作，这份工作使他有很好的机会获取他所需要的情报。他到瑞士来待几天的理由非常合理，所以回去时入境应该不会有任何问题。阿申顿对他的表现表示满意，给他下达了新的指示，准备结束这次会面。

“好的。”伯纳德说，“不过我回德国之前要两千法郎。”

“要这么多？”

“是的，而且现在就要，你离开咖啡馆之前就得给我。这是我要付的一笔开销，我必须拿到。”

“恐怕我不能给你。”

这个人蹙紧了额头，他的脸色比先前更难看了。

“你必须给我。”

“你为什么这么想？”

这位间谍凑过身来，突然之间怒气冲冲，但是他没有提高嗓门儿，他说的话只有阿申顿能听见：“你以为我会为了你给我的那一点儿打发叫花子的钱就去干这种随时会丢掉性命的事？不到十天前就有一个人在美因茨被人抓住，一枪崩了。是你们的人吧？”

“我们没有人在美因茨活动。”阿申顿漫不经心地说，据他所知，这件事是真的。他之前还在纳闷为什么没有收到从这个地方发来的情报，伯纳德提供的消息或许是个解释，“你接受任务时就很清楚自己能拿到多少酬劳，如果你不满意，当初就没必要答应。我没有权利多给你一分钱。”

“你看到这是什么了吗？”伯纳德说。

他掏出一把小小的左轮手枪，用手指郑重其事地抚摸着。

“你把这个拿出来要干吗？当掉吗？”

伯纳德生气地耸了耸肩，把手枪放回到自己的口袋里。阿申顿暗自心想，伯纳德要是懂一点儿戏剧表演的技巧，他就该明白装腔作势是毫无用处的。

“这钱你不肯给？”

“那是自然。”

这个间谍一开始的态度还是低三下四的，现在变得气势汹汹了，不过他的脑子还没气糊涂，他一刻都没有抬高声音说话。阿申顿看得出，这个伯纳德不管有多么无赖，倒是一个可靠的特工。他拿定了主意要向R提议给他加薪水。咖啡厅里的情景分散了他的注意力。他们近旁有两个蓄着黑胡须的肥胖日内瓦人在玩多米诺骨牌，他们对面有一个戴眼镜的年轻人在特别快速地一页接着一页写一封特别长的信。有一家瑞士人（也许姓罗宾逊，谁知道呢），父母和四个孩子围桌而坐，共享着两小杯咖啡。柜台后面的收银员，一个棕色头发的胖女人，在读本地的报纸，黑色丝裙裹着她庞大的身躯。这里的场景太有戏剧性效果了，阿申顿置身其中感到实在荒诞。他觉得自己正在写的剧本倒要真实得多。

伯纳德微微一笑。他的笑容很苦涩。

“你知不知道，我只要去警察局举报你，你马上就会被捕？你知道瑞士的监狱是怎么样的吗？”

“不知道啊，最近我倒是常常在想这个。你知道吗？”

“我知道，你不会喜欢的。”

只有一件事让阿申顿烦恼，那就是他可能来不及写完剧本就会被捕。他不喜欢自己的作品写了一半就搁下，接下去还不知道什么时候才有机会接着写完。他不知道自己会被当作政治犯还是普通罪犯，他心里很想问问伯纳德，要是他被当作普通罪犯（伯纳德也只可能对这种情况略知一二），监狱会不会准许给他写作用的纸笔。他担心伯纳德会认为他这样问的用意是要嘲笑他。不过他还是感到比较安心，仍能冷静应对伯纳德的威胁。

“你当然可以让我蹲上两年监狱。”

“至少。”

“不，这是最多的了，我懂的，而且我认为两年也够我受的了。我不想瞒你，这会让我特别难受，不过不会像你认为的那么难受。”

“你能做什么呢？”

“哦，我们总有办法抓住你的，毕竟，这场战争也不会永远持续下去。你是个餐馆侍应生，你需要行动自由吧。我可以保证，如果我遇到什么麻烦，你这辈子就别想获准进入同盟国的任何一个国家了。我相信这会让你寸步难行。”

伯纳德没有回答，而是气呼呼地低头看着大理石的桌面。阿申顿觉得该付账走人了。

“好好想想吧，伯纳德。”他说，“如果你想要回去继续干，我已经给了你指示，你该拿的薪水还是会继续通过往常的途径付给你的。”

伯纳德耸耸肩，阿申顿虽然不知道他们的谈话究竟会有什么结果，但他还是感到自己必须很有尊严地走出去。他就这样做了。

此刻，阿申顿小心翼翼地将一只脚放进澡盆，试探水温是否可以忍受。他在心里问自己，伯纳德最后到底做了什么决定。水温不太烫，他慢慢地全身泡进了水里。总的说来，他觉得伯纳德还是不想要节外生枝找麻烦的，举报他的应当另有其人。说不定就在酒店里。阿申顿躺到澡盆里，他的身体已经适应了水温，他满意地松了口气。

“事实上，”他思忖道，“生活有的时候由着自己的性子死不买账还是值得的。”

阿申顿只能认为自己运气不坏，侥幸从那天下午掉进的坑里逃了出来。要是他被捕，随后被判刑，R只会耸耸肩，骂他一句蠢蛋，然后去找人来接替他的位置。阿申顿对这位上司已经足够了解，他说过要是自己惹出了麻烦不会有人来帮他，这话绝对不是说着玩的。

此刻，阿申顿舒服地泡在澡盆里，心里不无欣慰，无论如何自己还是很可能可以安安静静地写完那个剧本的。警察没能抓住他的把柄，虽说从现在起他们会对他严加监视，但是至少在他大致写完第三幕之前他们不太可能采取下一步行动。他必须行事审慎一些了（就在两周前他的一个同事在洛桑被判刑了），不过惊慌失措也是很蠢的：他在日内瓦的前任就因为总以为自己很重要，感觉自己从早到晚被人盯梢，弄得神经过度紧张，最后不得不被撤换。阿申顿每周要去集市两次，同一个来自法国萨瓦的卖鸡蛋和黄油的老农妇接头，从她那里接受上头的指示。她总是跟其他农妇一起过来，边境的检查也是敷衍了事的。天刚蒙蒙亮她们就过境了，边防人员都巴不得赶紧把这些叽叽喳喳吵个不停的女人打发走，好快点回到屋里去烤火抽烟。的确，这个老太婆看上去是那么温和、单纯，肥胖的身躯，红红的胖脸，嘴角露着和蔼的笑容，只有遇到特别精明的警探才有可能会想象到她是特工。但其实只要肯费神伸手检查一下，就会发现她饱满的胸脯中间夹着一张小纸条，凭着这张纸条便可以将这位憨厚老实的老太婆（她甘冒这个险是为了她的儿子可以不去前线的战壕打仗）连同一位已近中年的英国作家双双送上被告席。阿申顿一般都在九点左右去集市，这时大多数日内瓦的家庭主妇都已买好菜，他会走到一只篮子前停下，篮子旁边就坐着那位顽强的老农妇，一年四季，风雨无阻。他会从老农妇那里买半磅黄油，他用十法郎付钱，她会在找给他零钱时把那张纸条塞到他手里，然后他便转身溜达着走开了。他口袋里揣着那张纸条走回酒店的路上，是唯一有点儿风险的。经历了刚刚这一场虚惊后，他决定尽量缩短这段时间，以免在路上被人发现他身上的纸条。

阿申顿叹了口气，澡盆里的水不够热了，他伸手够不着水龙头，用脚趾又拧不开（每一个可调节的水龙头总是要拧的），要是坐起身来加热水，那还不如干脆起来不泡算了。再说，他没法用脚趾拔出塞子，把水放空，好逼着自己从澡盆里出来，同时又没有坚强的意志力像个男子汉那样勇敢地走出澡盆。他平时常听人夸他是个有性格的人，此刻他不由得感叹，人们之所以对生活中的事物总是容易匆匆下结论，是因为他们判断的证据不足，比如从来没有人见过他泡热水澡时，应对热水渐渐变凉的样子。不过，他的思绪又回到了他在写的那个剧本中，他思索着浮现在脑海里的一个个笑话和一段段机巧对答，凭着自己多年的失败经验，他知道把这些东西写在纸上就不会那么生动，搬到舞台上说出来也不会像当初听到时那样惟妙惟肖了。他这样东想西想，故意不去理会澡盆里的水已经快要冷却，就在这时他听到了敲门声。因为这个时候他不想让任何人进来，所以他沉住气没有应声。可是敲门声又响了。

“谁？”他不耐烦地大喊一声。

“有您的信。”

“那进来吧，等一下。”

阿申顿听到他的卧室门被推开了，赶紧从澡盆里一跃而起，抓了条浴巾裹在身上，走出了浴室。一个听差拿着一张纸条在门边等候。这是个只需要口头回话的便条，是一位住在这家酒店里的女士写的，邀请他晚餐后一起打桥牌，签名是欧洲大陆风格：希金斯女男爵。阿申顿本想在自己的房间里悠闲地一边享用一顿晚餐，一边在台灯下看书，所以想要回绝这个邀请。不过他突然想到，在现在的情形下，他当晚到餐厅里露一露面或许是个明智的做法。他再傻也不会认为警察来找过他的消息还没有在酒店里传开，所以在同住酒店的客人面前证明一下他并未惊慌失措也是好事。他的脑子里顿时闪过了一个念头，没准举报他的人就住在这家酒店里，而这位饶有兴致的女男爵的名字也的确引起了他的注意。如果告发他的正是这位女男爵，那么同她一桌打牌肯定会很有趣。他叫听差去回话说他愿意去，然后不慌不忙地穿上了晚礼服。

冯·希金斯女男爵是奥地利人，开战后的第一个冬季她移居到了日内瓦，之后她发现让自己的名字看上去尽量像个法国人会更方便。她英语和法语讲得同样流畅。她原本的姓氏一点儿也不像日耳曼人，是继承自她的祖父。她祖父早年是约克郡的一个马倌，在十九世纪初被一位布兰肯斯坦亲王带到了奥地利，后来竟走了桃花运，从此官运亨通。原来此人相貌堂堂，备受某位女大公的青睐，而他很好地利用了各种机会，最后受封男爵，并当上了奥地利驻意大利宫廷的特命全权公使。至于这位女男爵，是他唯一的后代，她有过一段不幸的婚姻，其中的种种细节她特别乐意讲给熟人听。离婚后，她又恢复了她未嫁时的本姓。她可没少跟人大讲她的祖父曾当过大使，只是从来不提他早年是个马倌。这些来历阿申顿都是从维也纳打听到的，因为他与这个女人越来越熟，他便认为有必要对她的过去有所了解。他还了解到一个情况：她的个人进项并不足以支撑她在日内瓦所过的多少有些讲排场的生活。由于她身上有着这么多适合谍报工作的优势，猜想她已被某个无孔不入的特工部门征用也不算过分，所以阿申顿想当然地认为她是在执行同他自己相似的任务。他这么认为还真的多少增进了他们之间的交情。

他走进餐厅时那里已经坐满了客人。他在自己的桌边坐下，因经历了刚刚的一场虚惊后他感到一身轻松，就为自己点了一瓶香槟（花的是英国政府的钱）。席间，女男爵给了他一个粲然的笑。她四十多岁了，但仍非常漂亮，称得上光彩照人。她面色红润，一头金发富有金属般的光泽，确实很好看，但也没有那么迷人，阿申顿第一眼见到时便暗自心想，谁也不会希望在汤里看见这样的头发。她五官端正，蓝眼睛，挺直的鼻梁，肤色白里透红，只是皮肤包在骨头上显得略微太紧了。她穿着低胸装，雪白丰满的胸脯有着大理石般的质地。从她的外貌上丝毫看不出那种会让有眼光的人为之迷恋的温柔、忍让的品性。她的着装可谓富丽堂皇，但她没有佩戴什么珠宝首饰，阿申顿（他对这种事略知一二）由此断定，她的上司给了她选择服装的自由权利，却不认为有必要为她提供戒指或珍珠项链，免得过于招摇。尽管如此，她还是显得非常惹眼，要不是R讲过那位法国部长的事，阿申顿一定会认为，假如这个女人想要对谁施展手段，那个人只需看她一眼就会知道要小心为妙。

在等着上菜的工夫，阿申顿扫了一眼周围的食客，大多数在吃饭的人看上去都像老朋友似的。那时日内瓦是各种阴谋诡计的温床，而大本营就是阿申顿住的这家酒店。他看到了法国人、意大利人、俄罗斯人、土耳其人、罗马尼亚人、希腊人，还有埃及人。有的是从自己的国家逃出来的，有的却无疑在代表着自己的国家。其中有一个保加利亚人，是阿申顿手下的一名特工，出于安全考虑，他在日内瓦期间从未同他说过一句话；那天晚上同他共进晚餐的是两位他的本国同胞，过一两天后，如果他还没有被杀死的话，他准会有更有趣的事要交流。阿申顿还看到了一位身材小巧的德国妓女，她有一双瓷娃娃似的蓝眼睛和一张娃娃脸，此人经常乘船去伯尔尼，她在做皮肉生意的过程中可以获得一点儿零星的情报，这些情报无疑会被送到柏林去详加研究。当然她与那位女男爵完全不是同类人，她所追逐的猎物也容易得多。但是阿申顿还看见了那个冯·霍尔兹明敦伯爵，他很惊讶，心想他到这里干什么来了。此人是德国派到沃韦的特工，只会偶尔到日内瓦来。有一次阿申顿在老城区看见了他。那里的街上没有什么人迹，街边的房子里也一片静默，他看见此人站在街角同另一个人交谈着什么，那人的模样一看就是个间谍，他当然很想知道这两个人在说些什么。今晚在这里撞上这位伯爵引起了他的兴趣，因为战前在伦敦时他就熟悉这个人。此人出身名门，与霍亨索伦家族[1]有亲戚关系。他喜欢英国，舞跳得好，骑马、射击也都堪称高手，大家都说他比英国人更像英国人。他身材瘦高，衣着合身，有一头普鲁士人的短发，身体总是微微前倾，仿佛随时要对某位王公贵戚鞠躬行礼似的——这种特殊的姿势你即使没有亲眼见过，应该也能想象得到，这是经常出入宫廷的人所特有的。他仪表堂堂，对美术兴趣浓厚。但是此刻，阿申顿和这位伯爵都装作以前从未见过面。当然，两人心里都明白对方在干什么。阿申顿有心想同他调侃一番——多年来时不时在一起吃饭打牌的两个人居然装作素不相识，未免太滑稽了——但他还是忍住了没这么做，免得这个德国人把他的行为看作英国人即便大战当前仍举止轻浮的证据。阿申顿感到迷惑不解的是，这位霍尔兹明敦伯爵此前从没来过这家酒店，他今晚出现在这里应该有充分的理由。

阿申顿暗自嘀咕，此事会不会同阿里亲王意外出现在这个餐厅里有什么关系。在此非常时期，把眼前发

1 欧洲的三大王朝之一，为勃兰登堡-普鲁士（1415—1918）及德意志帝国（1871—1918）的主要统治家族。

生的任何事，不管看上去是多么偶然的事，仅仅解释为纯属巧合，都是很不谨慎的。阿里亲王是埃及人，统治者赫迪夫的近亲，在赫迪夫下台后逃亡到国外。他是英国人的死敌，大家都知道他在埃及到处惹起事端。就在前一周，赫迪夫还极隐秘地在这家酒店住过三天，两人就在阿里亲王的住处多次见面密谈。阿里亲王是个矮胖子，蓄着浓浓的黑胡须。同他一起生活的有他的两个女儿，还有一位名叫穆斯塔法的帕夏[1]，作为秘书帮他打点日常事务。这四个人此刻在一起用餐，他们喝了不少香槟酒，但是面无表情地坐着，一言不发。两位公主都是已离开父母独立生活的未成年女孩，她们晚上总在各大饭店与日内瓦的公子哥儿跳舞。她们身材矮小粗胖，乌黑的眼睛很好看，面色很黄；她们的穿戴非常阔气张扬，让人联想到开罗的鱼市，而不是巴黎的和平路。亲王殿下一般都在楼上的房间里用餐，两位公主则每晚都在大餐厅里吃饭。她们的身边总是悄无声息地跟着一个矮小的英国老太太保姆，大家叫她金小姐，她曾经是两位公主的家庭教师。不过她总是独自一人坐在旁边的餐桌上吃饭，两位公主似乎根本不理睬她。有一次阿申顿

1　一种官衔，用于称呼高级文武官员。

在走廊上看到两位胖公主中的姐姐在用法语劈头盖脸地怒骂那个保姆，阿申顿看到那恶狠狠的一幕简直惊得喘不过气来。她扯着嗓子大喊大叫，然后猛地重重抽了这女人一个耳光。当她一眼瞥见了阿申顿时，她怒目瞪了他一眼，转身回到自己的屋里，砰的一声关上了房门。阿申顿径直往前走去，装作什么也没看见。

刚住进这家酒店时，阿申顿曾尝试结识金小姐，但是不但他的热心遭到冷遇，她的反应甚至可以说挺粗鲁的。事情经过是这样的：他第一次见到金小姐时首先向她脱帽致礼，对方只是僵硬地欠了下身；接着阿申顿向她问好，可她就简单地哼哼了一声，明摆着不想跟他打交道。不过干他这一行的人是不会轻易气馁的，所以他一抓住机会就同她攀谈。她摆出一副生硬态度，用带有英国腔的法语说道：

“我不想同陌生人交谈。”

她说罢转身就走了，下一次再遇见他时，她对他不理不睬。

这个女人格外瘦小，简直就是一身皱巴巴的皮囊裹着一副小小的骨架。她满脸深深的皱纹，很明显戴着假发，是棕色的，做工非常精细，但她经常戴得不太正。她化了浓妆，皱巴巴的脸颊上抹了好几块很大的猩红胭脂，嘴唇也涂得鲜红。她穿的衣服花里胡哨的，仿佛是从旧衣店里胡乱抓了一件。白天她总是戴着帽檐很大的那种只有小女孩才戴的帽子。她走路迈着小碎步，脚上穿着鞋跟很高的小花鞋。她的这身模样实在太古怪了，谁见了都会感到不只是好笑，简直是惊骇。她走在街上时，行人会扭过头来瞪着她看，惊得合不拢嘴。

阿申顿听说，金小姐自打被亲王的母亲雇为家庭教师后就再也没回过英国，他不由得感到惊异，很想知道她这么多年来在开罗的后宫里都看到了些什么。谁也猜不出她今年多大岁数了。她究竟目睹过多少东方人走完了他们短暂的一生，又知道多少宫闱秘密呢！阿申顿想知道她来自哪个地方，离开故土这么多年，她一定已经没有亲人和朋友了。阿申顿看得出她有反英情绪，既然她对阿申顿态度这么粗鲁，他就只能推测一定有人关照过她要小心提防自己。她平时只说法语。阿申顿不禁好奇：当她独自一人坐在那里吃午饭和晚饭时，她的脑子里究竟在想些什么？她平时看不看书？每次吃完饭，她便径直上楼回房间去了，从不在酒店大堂露面。阿申顿想知道她对这两位未成年单独生活的公主到底有什么看法——她们每天穿得花枝招展的，总去二流咖啡馆里同陌生男人跳舞。但是每次金小姐从餐厅出来走过阿申顿身边时，阿申顿似乎总能感觉到她那面具一般的脸会突然阴沉下来，好像是故意在表示厌烦他。当他们的目光相遇时，两人会互相对视一会儿，这时阿申顿仿佛看到她的眼神在表达一种无声的不屑。要不是背后另有一番令人同情的悲哀原因，看到这张浓妆艳抹的憔悴的老脸本来也只会让人感到怪异而已。

这时希金斯女男爵已经用毕晚餐，她收起手绢，拎上提包，起身昂首挺胸地走来，左右两侧的侍者频频鞠躬送她。她在阿申顿的桌前停下了。真是气派十足。

“我很高兴你今晚来打桥牌。”她用纯正的英语说道，几乎没有德国口音，“你吃完就来我的客厅喝杯咖啡吧。”

“您这件衣服好漂亮！”阿申顿说。

“太糟糕啦！我没有衣服可穿了，可我现在去不成巴黎，真不知道该怎么办了。这些可恶的普鲁士人。”她一抬高嗓门儿，那个“r”的发音就露出了德语的口音，“他们干吗要把我可怜的国家卷进这场可怕的战争啊？”

她发出一声叹息，嫣然一笑，又昂首款款离去。餐厅里没几位客人了，等阿申顿吃完，餐厅里几乎空无一人了。他走过霍尔兹明敦伯爵的身边时，一时心血来潮，竟向他眨了眨眼睛。这个德国特工恐怕搞不懂这是什么意思，如果他起了疑心，估计他会绞尽脑汁去弄明白这究竟预示着什么。阿申顿上了三楼，敲了下女男爵的房门。

“进来，进来！”她说着，一把拉开了房门。

她用双手热情地握住阿申顿的手，将他引进客厅。他看到另外两个牌友已经在座，那就是阿里亲王和他的秘书。阿申顿大吃一惊。

“请允许我把阿申顿先生介绍给您，殿下。”女男爵用流利的法语说道。

阿申顿欠身致意，握了握亲王伸过来的手。亲王飞快地看了他一眼，没有说话。希金斯女男爵接着说道：

“我不知道您有没有见过这位帕夏。”

“非常荣幸能认识您，阿申顿先生。”亲王的秘书说着，热情地跟他握手，“我们美丽的女男爵跟我们夸过您的牌技，而亲王殿下也钟爱打桥牌。对吗，殿下？”

“对，对。”亲王应道。

穆斯塔法帕夏是个很胖的大块头，约莫四十多岁，一双大眼睛滴溜溜地转，满脸浓黑的大胡须。他穿着晚礼服，衬衫的前襟缀着一颗大钻石，头上戴着他们国家特有的圆顶毡帽。他极为健谈，一句句话滔滔不绝地从他嘴里滚出来，活像打开口袋往外倒玻璃球一样。他竭尽全力对阿申顿表现得彬彬有礼。亲王坐在那里一言不发，只是从他厚重的眼皮底下静静打量着他。他好像很腼腆的样子。

“我没在俱乐部里见到过您，先生，”帕夏说，“您不喜欢玩百家乐牌吗？”

“我玩得不多。”

“女男爵博览群书，她跟我说过您是一位大作家。可惜我看不了英文书。”

女男爵对他大加赞颂，阿申顿洗耳恭听，连连道谢。接着，她给客人上了咖啡和餐后酒，然后取出纸牌来。阿申顿一时想不明白女男爵为什么会邀请他来打牌。他对自己的能耐很少过分自信（他心里认为这是个优点），至于打桥牌，就更是太有自知之明了。他知道自己的牌技在二流牌手中还算不错，不过他跟世界上牌技一流的人多次交手，自知同那些人不是一个等级的。现在他们打的是“合约桥牌”，他对这种打法不太熟悉，而且赌注不低。可他看得出打牌只是个借口，背后在玩什么把戏他一无所知。也可能是亲王和他的秘书知道了他是个英国特工，所以想会会他，以便探探他的底细。这一两天里阿申顿已经嗅到事情有些不对劲儿，眼前的这个牌局更证实了他的猜疑不是空穴来风，只是到底在发生什么性质的事，他丝毫摸不着头脑。他手下的特工最近没有给他传递任何值得引起重视的消息。此刻他更相信瑞士警方来调查他，背后有这位女男爵的精心安排，而眼下这个桥牌局也是在发现了那两位瑞士警探一无所获之后才特意安排的。这么一想，他感觉事情变得有些神秘，同时也挺好玩了。他一盘接一盘地打着牌，不停地参与牌桌上的交谈，同时留意自己说的话总是贴合大家在谈的话题。战争话题谈得最多，女男爵和帕夏都表达了强烈的反德情绪。女男爵心向着英国，她的家族（来自约克郡的马倌）就是在那里发迹的，而帕夏则视巴黎为精神家园。当这位帕夏说到巴黎蒙马特高地和那里的夜生活时，亲王终于开了金口：

“那是一座很美的城市，巴黎。”他说道。

“亲王在那里有一所很漂亮的房子。”他的秘书接着说，“挂满了精美的画，还有跟真人一样大的雕像。”

阿申顿也表达了他的看法：他对埃及人追求民族独立的精神深表同情，他认为维也纳是全欧洲最令人神往的大都市。他们对他的态度很友善了，他也报以一样的友好。不过，要是他们因此而认为可以从他口中套出任何他们在瑞士报纸上看不到的东西，他相信他们可就错了。有那么一阵儿，他怀疑他们是不是在试探他有没有可能被收买。他们做得很谨慎，所以他也不能确定是否如此，可是他感觉到空气中飘动着这样一个暗示：一个头脑聪明的作家如果肯接受一种安排，为这个动荡的世界带来人民衷心渴望的和平，他就既能为国家立功，也能为自己大赚一笔钱。显然，在这个大家初次见面的晚上是谈不出太多东西来的，不过阿申顿还是尽可能不动声色地用和颜悦色的态度，而不是用言语，表示出他愿闻其详。在他同亲王的秘书和那位美丽的奥地利女男爵说话的时候，他能感觉到阿里亲王一直在用警觉的眼神盯着他，这使他感到不安，生怕被他们看出太多他的内心活动。虽说他并不了解这位亲王，但他能感觉到这是个精明能干的人。很可能在阿申顿离开这个屋子后，这位亲王会告诉另外两人，他们是在浪费时间，在阿申顿身上搞不出什么名堂来的。

午夜过后不久，他们打完了最后一盘，亲王从桌边站起身来。

“时候不早了。”他说，“阿申顿先生明天一定有不少事要做。我们不能让他睡得太晚了。”

阿申顿知道这是在下逐客令了。他起身告辞，留下那三个人自己去商讨了。他出门的时候感到满腹狐疑，不过他相信他们三人也同他一样一头雾水。回到自己的房间后，他才突然感到累极了，脱衣服时他的眼皮直打架。他一头倒在床上就睡着了。

他敢发誓自己只睡了不到五分钟就被敲门声惊醒了。他听了一下。

“是谁？”

“服务员。请开门。我有话要对您说。”

阿申顿骂骂咧咧地打开灯，伸手捋了捋他那稀疏的头发（因为他像凯撒大帝一样，不喜欢让人看到他那难看的秃顶），然后打开了门。门外站着一位头发蓬乱的瑞士女侍者，她没有系围裙，看上去像是匆匆忙忙披上外衣就过来的。

“那个英国老太太，就是埃及公主的保姆，快要死了。她要见您。”

“见我？”阿申顿惊诧地说，“这不可能。我不认识她。她今天晚上还好好的啊。”

他被搞糊涂了，不假思索地说了几句。

“她说要见您。医生要我来问问您能不能过去一下。她撑不了多久了。”

“准是搞错了。她不可能要见我的。”

“她说了您的名字，还有您的房间号码。她说要快，快！”

阿申顿耸耸肩，回到屋里，穿上了拖鞋，又套上睡袍，转念一想，随手把一支小手枪揣进了兜里。阿申顿一般更相信自己的脑子，并不相信什么武器，这东西会不小心走火，也会碰出声音打草惊蛇，不过有时候用手握住枪把的感觉会让人心里更有底气，更何况今夜这样的突然召唤让他感觉特别蹊跷。当然了，现在就想象是那两位热心的埃及先生在布下陷阱等他上套，那也有些可笑，但是在阿申顿所从事的这个行业里，那些看似平平淡淡的例行公事的确也很容易时不时地演变成十九世纪六十年代流行的荒唐情景闹剧。表现热情时总会肆无忌惮地使用陈词滥调，同样，表现机会时则往往会不自觉地落入俗套。

金小姐的房间比阿申顿的高两层，他随着女侍者经过楼道走上楼去，问了一句那位老保姆究竟出了什么问题。女侍者慌慌张张，说不明白。

“我想她大概是中风了吧。我也不知道。前台值夜班的人叫醒了我，说布里戴先生要我赶紧起来。”

布里戴先生是酒店的副经理。

“现在几点了？”阿申顿问道。

“该有三点了吧。”

他们来到了金小姐的门前，女侍者敲了敲门。来开门的是布里戴先生。显然他也是从睡梦中被叫醒的。他光脚穿着拖鞋，睡衣外面套了条灰裤子，披了件长外衣。他的样子很怪异。他的头发平时用发胶梳得整整齐齐的，这会儿都立了起来。此刻他一个劲儿地道歉。

“这么晚打搅您，真是太对不住了，阿申顿先生，可那女人不停地要求见您，医生就说还是把您请来吧。”

“这没关系的。”

阿申顿进了屋。那是一间不大的里屋，屋里的灯全都亮着。窗户紧闭，窗帘也都拉上了。屋里热极了，一个满脸胡须、头发花白的瑞士医生站在床边。布里戴先生虽然衣衫不整，明显受到了惊扰，却仍能像一位尽职的经理那样保持头脑冷静，他不失礼貌地给他们做了介绍。

“这位就是金小姐一直要求见的阿申顿先生。这位是日内瓦医学院的阿尔勃斯医生。”

医生没有说话，只用手指了指床。金小姐就躺在床上。阿申顿看见她大吃一惊。她头上戴着一顶白色棉布大睡帽（阿申顿一进屋就留意到了她的棕色假发挂在梳妆台的发架上），用绳子系在下巴上，身穿一件宽大的白色睡衣，领子高得盖住了脖子。她的睡帽和睡衣都属于一个过去的时代，会让你联想起柯鲁珊克为狄更斯小说所作的插图里的情景。她的脸上还留着她上床前用过的卸妆油，但她卸妆太粗略了，眉梢上还留着一些黑纹，脸颊上还有腮红。她躺在床上，个头显得特别小，跟小孩子差不多大，看上去老得不成样了。

“她肯定有八十多岁了。”阿申顿心想。

她看上去不像一个活人，像是一具玩偶，是某个滑稽玩具师自娱自乐捏出来的一个很老的女巫玩偶。她纹丝不动地仰面躺在那里，瘦小的躯体上盖着一条毯子，看上去平平的，看不出她的身体轮廓；她的脸也比平时更小了，因为她没戴假牙。要不是她那双因面部抽缩而显得格外大的黑眼睛还在直勾勾地瞪着，你准会以为她已经死了。阿申顿感到这老太太一看见他，眼神就出现了变化。

“我来了，金小姐，看到你这样我很难过。”阿申顿用尽量轻快的语气说道。

“她说不了话了。”医生说，“在服务员去找你的那会儿，她又发了一次小中风。我刚给她打了一针。可能过一会儿她的舌头会恢复一部分功能。她有话要对你说。”

“我会耐心等的。”阿申顿说。

他想象自己在那双乌黑的眼睛里看到了一丝宽慰的神情。一时间，屋里的四个人都站在床边，注视着这位将死的老妇人。

“好了，看来我留在这儿也帮不上什么忙了，我不如回去睡会儿吧。”这时布里戴先生说话了。

“走吧，我的朋友，”医生用法语说道，“你确实帮不上忙。”

布里戴先生转身对阿申顿说：

“我可以和您说句话吗？”

“当然可以。”

医生注意到金小姐的眼睛里突然闪过惊恐的神情。

“不要害怕。”他和气地对她说，“阿申顿先生不会走的，你想叫他待多久他就待多久。”

副经理拉着阿申顿走到门外，把门虚掩上，这样屋里的人就听不见他的低语了。

“我可以相信您做事是很谨慎的吧，阿申顿先生？酒店里死人是很不吉利的事，其他房客都会很反感，所以我们要尽可能不让他们知道。我会安排人尽早把尸体抬走。希望您不要跟别人说这里死人了，我将对您感激不尽。”

“你完全可以放心。”阿申顿答道。

“糟糕的是经理偏偏今晚不在。恐怕他知道了会特别不高兴。当然了，要是能行，我早就叫来救护车把她送到医院去了。可是医生坚决不让我这么做，他说不等我们把她抬下楼她就会死的。要是她真的死在酒店里，也不是我的错。”

“人要死也不能挑时间的。”阿申顿嘀咕了一句。

“她毕竟也是老得不行了，早几年死掉也不奇怪。不知道这位埃及亲王为什么要用这么老的一个保姆？他早就应该把她送回自己的国家去了。这些东方人啊，净给人添乱。”

“那亲王这会儿在哪儿呢？”阿申顿问道，“她伺候他们家有好多年了吧。不应该把他也叫来吗？”

“他这会儿不在酒店里，同他的秘书出去了。或许去玩百家乐啦。我也不知道。我总不能叫人满城去找他吧。”

“那两位公主呢？”

“她们还没回来。她们通常要到天亮才回来。她们跳舞跳疯了。我也不知道她们在哪儿，再说了，就因为她们的保姆中风了，我去把她们拽回来，搅了她们的兴致，她们会跟我过不去的，我太了解她们是什么样的人了。等她们回来时，值夜班的会告诉她们，那之后她们想怎样就怎样吧。老太太也没要见她们。值夜班的把我叫来后，我走进了她的房间，我问她亲王殿下在哪儿，她拼了老命大喊：不，不要！”

“那会儿她还能说话？”

“是的，还能说一点儿。不过让我吃惊的是，她说的是英语。她一向只肯说法语的。您知道吧，她讨厌英国人。”

“那她叫我来干什么呢？”

“这我就说不清了。她说她有话必须马上当面跟您说。奇怪的是，她居然知道您的房间号。一开始她要找您的时候，我不让服务员去叫您。我不能因为一个疯疯癫癫的老太婆要找人，就半夜三更去吵我们的客人啊。你们有睡觉的权利吧，我是这样想的。可医生来了之后坚持要我们去找您。她不让我们消停。我跟她说要等到天亮再说，她就大哭起来。”

阿申顿看了一眼副经理。他似乎对自己讲述的事情完全无动于衷。

“医生问了我您是什么人，我告诉他了，他说老太太想要见您也许是因为您跟她同是英国人。”

“也许吧。”阿申顿冷冷地说。

“好了，我得回去再睡会儿。我会吩咐值夜班的人等你们结束了就叫醒我。幸好现在夜里的时间还挺长的，如果一切顺利，天亮前我们就能把尸体运走。”

阿申顿回到了房间里，躺在床上奄奄一息的老太太那双乌黑的眼睛立刻又盯住了他。他感到自己这会儿有责任说点什么，可是刚张嘴说话，他就意识到自己很愚蠢，竟然用的是平常问候病人的语气。

“你恐怕病得很重啊，金小姐。”

阿申顿好像看到了那双眼睛里闪过一道愤怒的光，他只能认为老太太是被他的废话激怒了。

“你可以在这儿等着？”医生问他。

“当然可以。”

听说事情经过是这样的：前台值夜班的人被电话铃声吵醒，电话是金小姐的房间打来的，可是他拿起听筒却听不见有人说话。铃声不停地响，他便跑上楼去敲房门。无人应门，他用酒店的钥匙开门进去，发现金小姐躺在地上，电话也掉落了。看来她是突然感到身体不舒服，伸手抓起电话呼救，结果摔倒在地上了。他赶紧叫来了副经理，两人一起把她抬到床上。然后他们叫醒了女侍者，请来了医生。阿申顿感到不解的是，医生怎么会当着金小姐的面讲述这些经过。他就那样满不在乎地说着，好像金小姐根本听不懂他说的法语，好像她已经是个死人。

接着医生又讲道：

“好了，现在我的确已无能为力。再待下去也没有用了。如果再发生什么变化可以打电话叫我。”

“好的。”

医生拍拍她苍老的脸颊，好像是在哄小孩子似的。

“你得多睡会儿。我早上再过来。”

他收拾好医药箱，洗了手，穿上厚厚的大衣。阿申顿送他到门口，在握手告别的时候，这个满嘴胡须的医生咕咕哝哝地说了几句他对病情的判断。阿申顿回到屋里，看了一眼女侍者，她神色紧张地坐在椅子边上，仿佛面对死亡吓得不知所措了。她那张宽大而丑陋的脸疲惫得有些肿了。

“你守在这儿也没什么用。”阿申顿对她说道，“还是回去睡觉吧。”

“先生，您不会想一个人留在这里的，我还是陪着吧。”

“我的老天，为什么啊？你明天还要干活的。”

“我反正五点也该起床了。”

“那就赶快再去睡一会儿吧。你起来后再过来看一眼就好。走吧。”

她撑着沉重的身体站了起来。

“那我就听先生的吧。可我是愿意留下来的。”

阿申顿微微一笑，摇了摇头。

“再见，可怜的金小姐。”女侍者嘟囔了一句。

她走了，屋里只剩下了阿申顿了。他坐到床边，又看到金小姐的目光注视着他。面对这凝视的眼神让他感到有些尴尬。

“你不必担心，金小姐。你只是轻微中风了。我相信你很快就又能说话了。”

现在他确信自己在那双乌黑的眼睛里看到了拼命想要说出话来的挣扎。他不会看错的。她脑子里想要做什么，可是身体麻木了，不听大脑支配。她的眼睛里清清楚楚地流露出无可奈何的失望，她的眼泪夺眶而出，顺着脸颊流了下来。阿申顿掏出手帕替她揩干。

“别难过，金小姐。不要着急，你一定能说出你想要说的。”

他不知道是不是自己的错觉，他分明从她的眼神里看到了她此刻心里想的是什么：她已经没有时间再等了。说不定他只是用自己的想法在理解她。梳妆台上放着这位保姆的简陋梳洗用品，一把镶银的梳子、一面银镜子；屋角立着一只破烂的黑色皮箱，衣柜上有一个很大的漆皮帽盒。这些东西出现在这个四壁檀木的豪华酒店套房里，实在显得太寒碜了。灯光亮得刺眼。

“我关掉一些灯你会不会觉得舒服点儿？”阿申顿问。

他把屋里的灯都关了，只留下床头的那盏，然后又在她床边坐下。这时他很想要抽支烟。他的眼睛又一次被那双眼睛盯住了，那双眼睛里闪现出这个只剩一口气的老太太身上唯一还活着的东西。他确信她有什么紧急的事情要跟他说。可到底是什么事呢？能有什么事呢？也许她把他叫来的原因只是感到自己死期将近，一个多年流亡异国的人，突然渴望能有一个来自故土的人为自己送终，毕竟对自己民族的人她早已没有多少记忆。那位医生就是这么想的。可是她为什么非要找他呢？酒店里还有其他英国人啊。比如有一对老夫妇，也就是一位退休的驻印度的官员和他的妻子，去找他们似乎更理所当然。对她来说，阿申顿纯属素不相识的陌生人。

“你有话要对我说吗，金小姐？”

他想从她的眼神中看出答案。那双眼睛依旧有所示意地盯着他，可到底是什么意思，他却一无所知。

“别担心我会走。你想要我在这里待多久都可以。”

什么也没有。他看不出任何答案。他又仔细观察了那双黑眼睛，突然看到她的眼睛里发出了神奇的亮光，仿佛眼珠后面有一团火在燃烧，这双眼睛继续直勾勾地注视着他。阿申顿又在心里嘀咕起来：她把他叫来的原因是不是因为她知道他是个英国特工？有没有可能是她在生命的最后一刻，突然对她这么多年来一直认为有重大意义的所有事情产生了强烈的反感？会不会是在她临死的这一刻，她心中已经沉睡了半个世纪的对故国的眷恋又苏醒了——（“我怎么会有这么愚蠢的胡思乱想，太可笑了。”阿申顿心想，“都是俗不可耐的廉价小说里写的东西。”）——所以她情不自禁地渴望为她自己的国家尽一份力。在这种时候没有人还能保持自我的本色和爱国主义（这个在和平时期最好留给政客、公共人物和傻瓜去玩的一种姿态，到了动荡的战争时期，却真的会成为牵动人心的真情实感），爱国情绪会让人做出种种荒谬的怪事。奇怪的是她一直都不愿意见亲王和他的女儿。是她突然恨他们了？是她感到由于他们自己成了叛徒，所以想要在临死前有所悔过？（“这一切好像都不太可能，她只不过是个傻乎乎的老用人，早就活到头了。”）可是即便不太可能的事也不可以忽视。阿申顿的常识在向他提出抗议，他很奇怪地确信金小姐是有什么秘密要透露给他。她把他叫来是因为她知道他是什么人，知道他这个秘密对他有用。她已是将死之人，什么也不怕了。可是她要说的事情真的很重要吗？阿申顿探过身去，竭力想从她的眼睛里看出她要说什么。或许只是这个老糊涂的脑袋里认为重要的什么琐事。阿申顿平时很讨厌别人把每一个平常的过路行人都看成间谍，把最单纯几件巧合的事情也看成有人要图谋不轨。如果金小姐恢复了语言能力，很可能她会告诉他的事情对谁都毫无用处。

可是这个老太婆一定知道很多事情！凭着她这双锐利的眼睛和灵敏的耳朵，她一定有机会了解到不少对一些重要人物也严格保密的内幕。阿申顿再次想起了自己最近一直感觉到有人在围绕着他策划一件重大的事情。霍尔兹明敦突然来酒店就是件怪事；阿里亲王和那个帕夏都是大赌徒，他们为什么肯浪费一个晚上来同他打桥牌？说不定他们正在酝酿一个新的计谋，说不定最重要的事情正在进展之中，也许这个老太婆要说出来的事情将会改变整个世界的格局。这件事可能会决定胜败，可能会决定一切。可她现在却只能躺在床上，没有力气说话。很长时间，阿申顿默默地看着她。

“是不是跟战争有关，金小姐？”他猛地大声问了一句。

她的眼睛里闪过了一道光，她那张苍老干枯的脸上抽搐了一下。这个动作清晰可见。一件怪异而吓人的事情发生了。阿申顿屏住呼吸。只见那瘦小虚弱的身躯突然抽搐了几下，这老太婆仿佛是用尽了她最后垂死挣扎的意志力竟在床上坐了起来。阿申顿一跃上前扶住了她。

“英国。”她说出声来了，但就说了这一个词，声音尖锐刺耳，说完就倒在了他的怀里。

阿申顿扶着她再躺倒在床上时，他看到人已经死了。

无毛墨西哥人

“你喜欢意面吗？”R问。

“你指的是哪一种意面？”阿申顿反问道，“你这就好像是在问我喜不喜欢诗歌。我喜欢济慈、华兹华斯、魏尔伦和歌德。你说的是空心的、实心的、宽的、窄的还是随便什么意面？”

“意面。”R答道，他一贯少言寡语。

“我喜欢一切简单的食物，煮鸡蛋、牡蛎和鱼子酱、蓝鳟鱼、烤三文鱼、烤羊肉（里脊肉最好）、松鸡冷盘、糖浆馅儿饼、香米布丁。不过在所有这些简单的食物当中，有一种是我天天吃都不会腻的，不但不会吃腻，而且吃得再多也还会胃口大开，那就是意面。”

“太好了，我正要派你去意大利。”

阿申顿是从日内瓦专程到里昂来跟R见面的，他早到了一步，有一个下午要打发，他就跑到街上逛了逛。这个兴旺大城市的街上虽然看上去一片忙碌，却不免枯燥乏味。此刻他们两人坐在一家餐馆里，阿申顿在接头地点一见到R就把他带到这里来了，因为据说在这家餐馆可以吃到这一带最好的法国菜。不过，这家餐馆声名远扬，在这里吃饭的人实在太多了（里昂人向来讲究晚餐要大吃一顿的），难保不会有人竖着耳朵在听你们讲话，从你们随意说出的话中捕捉到有用的信息，所以他们只是随便聊了些无关紧要的事。一顿美餐很快进入尾声。

“再来一杯白兰地？”R问。

“我不喝了，谢谢。”阿申顿答道，他喝酒很节制。

“战争年代大家日子都过得艰辛，能放松就放松一下吧。”R郑重地说，随手拿起酒瓶给自己斟了一杯，又给阿申顿的酒杯斟满。

阿申顿觉得再推辞未免有些做作了，便不再坚持，但是看到他的上司拿酒瓶时的不雅姿态，他忍不住提出异议。

“我年轻时就常听人家说，搂女人要搂腰，握酒瓶要握颈。”阿申顿喃喃道。

“感谢指教，但我以后还会继续握酒瓶的腰，女人嘛，还是离远点儿好。”

阿申顿一时不知如何作答，就没再多说。他啜饮着白兰地，R叫服务生过来结账。说真的，R是个有权势的人，他有权决定他手下很多人的前程，连那些掌握着帝国命运的政要们都会认真听取他的意见。可是他不会处理给服务生付小费这样的事，每次遇到这种时候总会窘态毕露，苦恼不堪，既怕小费给多了被人当成傻瓜，又怕给少了遭来服务生的白眼。账单送来时，他干脆把几张百元法郎的钞票递到阿申顿手里，对他说：

“你替我付账好不好？法国的币值我总搞不清。”

服务生给他们取来了大衣和帽子。

“你想现在就去旅馆吗？”阿申顿问。

“可以啊。”

虽然刚开春，但天气骤然变暖了，所以他们把大衣搭在手臂上一路走去。阿申顿知道R喜欢住有客厅的套间，所以提前给他预订好了，他们一到旅馆就先进了客厅。这是一家老式旅馆，客厅很宽敞，全套红木家具，衬着绿色天鹅绒，一张大桌子周围整齐地摆着一圈座椅。墙纸陈旧，墙上挂着表现拿破仑有名战役的大幅铜版画；天花板上悬挂着一盏大吊灯，以前是用煤气的，现在换成了电灯泡。阴冷的灯光使这间客厅显得没有生气。

“这房间不错。”R一进屋就说。

“不算很舒适吧？”阿申顿试探地问。

“是的，不过看来在这个地方也找不到更好的了，我很满意。”

他从桌边拉过一把绿色天鹅绒座椅坐下，点了一支雪茄。他随后松开腰带，解开军服上衣的纽扣。

“我一直以为我最喜欢抽方头雪茄。”他接着说，“可是开战以来，我就喜欢上哈瓦那雪茄了。是啊，凡事都会变的。”他的嘴角掠过一丝稍纵即逝的微笑，“老话说得好，恶风也可能刮来好运，没有绝对的坏事。”

阿申顿拉过来两把椅子，坐到一把椅子上，另一把用来搁腿。R看见了说：“好主意。”他也拉过来一把椅子，舒了口气，便将穿着皮靴的脚搁到了椅子上。

“隔壁是什么房间？”他问。

“你的卧室。”

“另一边那间呢？”

“那是宴会厅。”

R站起身，缓缓地在屋里转了一圈，经过窗户时，仿佛只是一时好奇地拉开厚厚的斜纹布窗帘朝外面望了望，又合上窗帘，回到座椅边，再一次舒坦地把双脚搁到椅子上。

“尽量不要冒险。”他说。

他若有所思地看着阿申顿。薄薄的嘴唇上挂着淡淡的微笑，但他那双挨得太近的浅色眼珠里射出来的目光显得冷峻而刚毅。要不是阿申顿已经习惯了R这样的凝视，一定会被他盯得局促不安。他知道R是在斟酌如何说出他心里的筹划。他们至少沉默了两三分钟。

“我在等一个人今晚来见我。”他终于开口了，“他坐的火车十点左右到。”他看了下手表，“这人叫无毛墨西哥人。”

“为什么？”

“因为他没有毛发，又是墨西哥人。”

“这个解释倒是无懈可击。”阿申顿说。

“关于他的情况他自己会告诉你。他是个话痨。我是在他最落魄的时候遇见他的。他好像是在墨西哥参与了什么革命活动，最后只身逃了出来，除了身上穿的那身衣服之外什么都没带，而我见到他时，那身衣服也已经破得没法穿了。如果你愿意讨他高兴，你可以叫他将军。他自己说他曾经是胡尔塔部队的将军，我记得好像是胡尔塔，反正他还说过，要不是行动失败，他现在就该当上国防部长了，日后必能官运亨通。我发现他是个可用之才。他人不坏。唯一让我反感的是他总爱用香水。”

“那我的任务是什么？”阿申顿问。

“我要派他去意大利办一件棘手的事，需要你从旁协助。我对他还不太放心，不能把大笔的钱交到他手里。他好赌，而且太喜欢勾搭姑娘。你这次从日内瓦来还是用的那本阿申顿名字的护照吗？”

“是的。”

“我给你另外备了一本，是外交护照，用的名字是索莫维尔，已办好法兰西和意大利的签证。我看你们还是搭伴同行为好。他这个人混熟后还是挺有趣的。另外我也认为你们两人应该彼此多了解。”

“他要去办的是什么事？”

“我还没想好这件事可以让你知道多少。”

阿申顿不说话了。两人漠然对视，就像两个陌生乘客坐在同一节火车车厢里，谁都在纳闷对方是谁，是干什么的。

“从你的角度来讲，我认为你还是少说话为好，尽量多让将军说。你的个人情况我也不会跟他多说，只会告诉必须让他知道的。他不会问你任何问题的，这点我可以保证。他有一套自己的绅士做法。”

“顺便问一下，他的真名叫什么？”

“我总是叫他曼努埃尔，不知道他喜不喜欢我这样叫他，他的全名是曼努埃尔·卡蒙纳。”

“虽然你没说，但我好像听得出来，他是个十足的浑蛋。”

R的浅蓝色眼睛里露出笑意。

“或许还不至于说到这个分儿上。他没有念过中学。他的处事方式同你我不完全一样。如果他在旁边，我大概不会把金烟盒拿出来随便放，要是他正好打牌输给你钱了，他会顺手牵羊拿走你的金烟盒去当铺当掉，回来付给你赌债。但凡有半点儿机会，他还会勾引你的老婆，但要是你倒了霉，他又会跟你分享他的最后一块面包。他听留声机里放着古诺的《圣母颂》[1]会泪流满面，但如果你伤了他的自尊，他会像打死一条狗一样一枪崩了你。听说在墨西哥有一种忌讳，不能从一个在喝酒的人和他的酒之间穿过，那是一种侮辱。他亲口对我

---

1 法国浪漫时期著名音乐家夏尔-弗朗索瓦·古诺（1818—1893）脍炙人口的名作。

讲过，有一回一个不知情的荷兰人从他和吧台之间穿了过去，他当即抽出手枪，一枪要了他命。”

“打死人也没事？”

“没事，据说他出身名门望族。事情被压下去了，报纸上说那个荷兰人是自杀的，实际上是他干的。依我看，这个无毛墨西哥人不那么把人命当回事儿。”

阿申顿一直聚精会神地看着R，听到这里他不由得吓了一跳，更仔细地打量了一番他这位上司显得疲惫的脸，脸上满是皱纹，面色发黄。他明白，R说这些话不是没有用意的。

“当然啦，关于人命的价值已经有人说过太多的废话了。我们不妨还可以说，在牌桌上用的那些筹码也是有内在价值的，不过这些筹码的价值取决于我们怎么看待。一个将军在战场上通常会把他手下的士兵看作手里的筹码，只有傻瓜才会感情用事，把他们看作活生生的人。

“但是你要知道，这样的筹码都是有感情、有思想的，他们一旦明白了自己是被人利用去当炮灰，他们完全有能力拒绝去白白送命的。

“这话有些扯远了。我们刚接到消息，有一个名叫康斯坦丁·安德里亚蒂的人已经从君士坦丁堡出发，他身上带着我们想要弄到手的文件。他是希腊人，是安弗帕夏手下的一名间谍，安弗很信任他，还给他传授了一些口信，因为事关重大机密，不能写成文字。他乘坐‘埃萨卡’号轮船从比雷埃夫斯出发，会在布林迪西上岸，再到罗马。他要将文件送到德国大使馆，并亲口向大使传达口信。”

“我明白了。”

那时意大利还保持中立，同盟国一心要让意大利继续保持中立，而协约国则想要力劝意大利加入它们的阵营，向对方宣战。

“我们不想与意大利当局发生冲突，那样后果将不堪设想，但是我们必须阻止安德里亚蒂抵达罗马。”

“不惜一切代价？”阿申顿问。

“钱不是问题。”R答道，他撇了下嘴角，露出一丝讥笑。

“你认为我该怎么做？”

“我想你不必为此费心。”

“可是我有丰富的想象力。”阿申顿说。

“我要你同无毛墨西哥人一起去那不勒斯。他现在一心想要去古巴。据我所知，他的一些朋友正在墨西哥策划一个行动，他要去尽量离他们近一些的地方，等待时机成熟，他好马上赶回墨西哥。他现在急需现金。我已经带来了，是美金，今晚我就交给你。你最好带在身上。”

“很多吗？”

“挺多的。我想你随身带一大包钱不方便，所以都换成了千元一张的钞票。你要把这些钞票交给无毛墨西哥人，从他手里交换安德里亚蒂带来的文件。”

阿申顿忽然想问一个问题，可话到了嘴边他又改变主意，问了另一个问题。

“这人清楚他要做什么吗？”

“一清二楚。”

就在这时，有人敲了一下门，门开了，无毛墨西哥人站在他们面前。

“我到了。晚上好，上校。见到你万分高兴。”

R站起身。

“一路顺利吧，曼努埃尔？这位是索莫维尔先生，他会同你一起去那不勒斯，卡蒙纳将军。”

“很高兴认识你，先生。”

他同阿申顿握了握手，他的手劲儿太大了，痛得阿申顿连连往回缩手。

“你的手简直像铁钳，将军。”他嘟囔道。

墨西哥人看了一眼自己的手。

“我今天早上去修过指甲。我感觉修得不太好。我喜欢指甲涂得特别光亮才好。”

他的指甲修剪得很尖，涂成了鲜红色，阿申顿感觉这些指甲简直亮得像镜子。虽然天气并不冷，但将军却穿着一件毛皮翻领的大衣，只要他的身子动一下，就会有一阵香水味扑鼻而来。

“脱下大衣吧，将军，抽支雪茄。”R说。

无毛墨西哥人个儿很高，虽然有些瘦，但给人的印象强壮有力。他穿一身挺时髦的蓝色哔叽西装，上衣口袋里塞着一块漂亮的丝绸手帕，腕上戴着一只金手镯。他的五官端正，只是比常人大一号，一双棕色眼睛亮闪闪的。他果真没有毛发，连眉毛和眼睫毛都没有，发黄的皮肤像女人那样细腻光滑。他的头上戴着长长的淡棕色假发，故意弄得有些蓬乱，像艺术家似的。这样的一头假发，配上那张没有皱纹的暗黄色的脸，还有那身花里胡哨的穿着，使他的模样乍见之下有些吓人。尽管这个人怎么看都不顺眼，很可笑，但你还是会把目光投向他。他的怪模怪样中散发着一股充满邪气的魅力。

他坐下，把裤腿往上拉了一下，以免在膝盖处鼓出来。

“我说，曼努埃尔，你今天是不是又伤了谁的芳心了？”R用讥嘲的口气跟他逗乐。

将军扭头对阿申顿说：

“我们的这位好朋友，上校先生，是在嫉妒我总能交桃花运。我一再告诉他，只要听我一句，他也会有一样的桃花运。自信，只需要自信。不怕碰钉子就永远不会碰钉子。”

“胡说八道，曼努埃尔，得有你对付女人的本事。你的魅力人家抵挡不住。”

无毛墨西哥人哈哈大笑，毫不掩饰得意之情。他英语说得不错，听得出西班牙语的口音，同时带有美国人说话的腔调。

“既然你问我了，上校，我不妨告诉你，我还真的在火车上结识了一个来里昂看她婆婆的女人。她不算年轻了，身材比我喜欢的类型瘦了点儿，但还算过得去，她帮我消磨了旅途中乏味的时光。”

“行了，我们该说正事儿了。”R说。

“我悉听吩咐，上校。”他瞥了阿申顿一眼，“索莫维尔先生是军人吗？”

“不是。”R说，“他是个作家。”

“正如你说的，哪个圈子里都有各色各样的人。很高兴认识你，索莫维尔先生。我能给你讲很多你会感兴趣的故事，我相信我们能相处得很好。我看得出你是善解人意的。我对这一点特别敏感。跟你说句实话，我这个人很容易神经过敏，要是跟我交往的人跟我合不来，我会崩溃的。”

“希望我们一路顺利。”阿申顿说。

“我们的那位朋友什么时候到达布林迪西？”墨西哥人扭头问R。

“他十四号从比雷埃夫斯搭乘‘埃萨卡’号启航，那很可能是一艘破旧的轮船，不过你们还是尽量早些到布林迪西为好。”

“我赞成。”

R站起身，双手插兜坐到桌子边沿。他穿着一身很旧的军服，上衣的扣子没扣上，在这位衣冠楚楚的墨西哥人身旁实在显得太邋遢了。

“索莫维尔先生对你此行的任务几乎一无所知，我也不希望你告诉他什么。一切都由你自己拿主意吧。我给他的指示是提供你工作所需的经费，怎么行动是你自己的事。当然，如果你需要听听他的意见，也可以跟他商量。”

“我很少跟别人商量，也从不采纳别人的意见。”

“万一你把事情搞砸了，我相信你不会把索莫维尔先生牵连进去。无论如何不能连累他。”

“我是个讲信义的人，上校。”无毛墨西哥人义正词严地答道，“我宁可自己被千刀万剐也绝不会出卖朋友的。”

“我也是这样告诉索莫维尔先生的。反过来说，要是一切顺利，我已吩咐索莫维尔先生按我们商定的数额付给你那笔钱，交换我跟你说过的那些文件，至于你用什么方式弄到这些文件，不是他的事。”

“这不用说。只有一件事我要说得非常明白：索莫维尔先生必须理解，我接受你委托的这项任务并不是为了钱。”

“他完全理解。”R满脸严肃地答道，直勾勾地看着对方的眼睛。

“我全心全意站在协约国一边。我不能原谅德国人残暴践踏中立的比利时。如果我接受了你们提供给我的金钱，那也是因为我本质上是一个爱国者。我想，可以完全信任索莫维尔先生吧？”

R点了点头。墨西哥人又转向阿申顿。

“我不幸的祖国正在遭受暴政的蹂躏，为了祖国的解放事业我们正在组织艰苦的斗争，我收到的每一分钱都会用于购买枪炮弹药。对我自己来说，我根本不需要钱，我是一名战士，我只需要一片面包和几粒橄榄就能活下去。一个堂堂男子汉只有三件事值得去做：上战场、打牌、找女人。扛上一杆枪到山里去战斗，用不着花钱——可这才是真正的战斗，大部队调兵遣将，发射大炮，这些都算不上战斗——女人嘛，她们是真心爱我；打牌我通常会赢。”

阿申顿发现眼前这个怪人的张扬浮夸，还有他那散发着香水味的手帕和手腕上的金镯子，居然很对他的胃口。他绝不是那种混迹于街头的人（我们总是厌恶那种人蛮横霸道，但到头来还是不得不屈服），而有些人不懂得浮夸也是人性中的一大特征，他们会觉得他就是个难得一见的奇人。他就像一篇行走的夸张散文。虽然他头戴假发，虽然他那张没有毛发的大脸显得怪异，但他无疑还是别有气度的；他看着很滑稽可笑，可他不是那种让你感觉可以小看的人。他的自鸣得意令人叫绝。

“你的行李呢，曼努埃尔？”R问他。

墨西哥人顿时阴沉地皱了一下眉头，可能是因为他不满意这个冷不防的问题多少有些轻蔑地打断了他的高谈阔论，不过他并没有流露出其他不快的神情。阿申顿猜想他心里一定认为上校是个根本不懂高雅情感的野蛮人。

“我寄存在车站了。”

“索莫维尔先生携带的是外交护照，所以他的行李是免检的，如果你愿意的话，过境时他可以把你的行李一起带出去。”

“我的行李不多，就几套外衣和几件衬衫，那就还是请索莫维尔先生帮忙吧。我离开巴黎前还买了五六套丝绸睡衣。”

“你的呢？”R又问阿申顿。

“我就一个包。在我房间里。”

“最好趁现在旅馆还有人，马上叫人送到车站去。你们的火车今晚一点十分开。”

“噢？”

阿申顿还是第一次听说他们今夜就要出发。

“我认为你们最好尽早赶到那不勒斯。”

“好的。”

R站起身来。

“我要去睡了。不知道你们还想做什么？”

“我想去里昂城里转转。”无毛墨西哥人说，“我对生活充满兴趣。可以借我一百法郎吗，上校？我身上没带零钱。”

R掏出皮夹，递给了将军一百法郎的钞票，接着转身问阿申顿：

“你要做什么呢？在这儿等着？”

“不。”阿申顿说，“我这就去车站，看会儿书。”

“你们两位出发前最好喝点儿威士忌吧。你觉得怎么样，曼努埃尔？”

“谢谢你的好意，可我除了香槟和白兰地不喝别的。”

“兑在一起喝？”R不无挖苦地问。

“也不一定。”墨西哥人一本正经地回答。

R叫旅馆的服务生送来了白兰地和苏打水，他和阿申顿各自倒了白兰地，兑上苏打水喝了起来，而无毛墨西哥人则给自己倒了大半杯纯白兰地，咕嘟咕嘟两口就喝完了。他站起身，穿上毛领大衣，一只手抓起那顶大黑礼帽，另一只手伸给了R，他的姿势就像一个风流的演员把自己心爱的人潇洒地转交给一个更配得上她的男人手里。

“好了，上校，我要跟你道晚安了，做个好梦。我们恐怕不会很快再见面了。”

“别把事情办砸了，曼努埃尔，万一真的办砸了，就闭紧你的嘴。”

“我听说在贵国一所培养贵族子弟的海军学校里用烫金字写着这样一句话：英国海军的字典里没有‘不可能’一词。而我，不明白‘失败’这个词到底是什么意思。”

“它还有很多同义词。”R反驳道。

“一会儿车站见吧，索莫维尔先生。”无毛墨西哥人说着，挥了挥手便扬长而去。

R看了阿申顿一眼，脸上露着他那总是让人感觉精明得有些危险的笑容。

“你对这个人有什么看法？”

“我可服了你了。”阿申顿说，“他是个江湖骗子吧？他简直像只孔雀一样自命不凡。看他这么一副吓人的模样，真的能像他吹嘘的那样讨女人的欢心吗？你为什么会觉得可以信任他？”

R轻笑了一声，搓着他那双又老又瘦的手，仿佛在用肥皂洗手似的。

“我觉得你会喜欢他的。他挺有个性的吧？我认为我们可以信任他。”他的眼神突然显得凝重，“我相信他要是跟我们玩猫腻就会吃不了兜着走。”他停顿了片刻，“不管怎么说，我们也只能冒这个险了。我现在把车票和钱交给你，你可以上路了。我太累了，要睡啦。”

十分钟后阿申顿动身去车站了，叫一个搬运工扛着他的旅行包。

到了车站后还要等将近两小时，所以他在候车室里舒坦地坐了下来。这里光线不错，他拿出一本小说读了起来。他们要坐从巴黎开来的那趟火车直达罗马，可是等到火车快要进站了，无毛墨西哥人还没有露面，阿申顿有些焦急了，便走出候车室到站台上去找他。阿申顿有那种所谓的火车恐惧症，就是每次离开车还有一个小时他就开始担心起来，生怕自己会误车，又担心旅馆的行李员总是不能把他房间里的行李及时送到车站，他也想不通为什么旅馆大巴总把时间卡得这么紧，每次街上一堵他都会急得抓狂，而车站的行李员总是慢腾腾的，也让他忍不住要发火。仿佛整个世界都在阴险地密谋要拖住他；通过进站口时总有人挡住他的路；售票处总有很多人排在他的前面买其他车次的票，总有人数零钱慢得让人焦急；他的行李总是老半天都登记不完；如果有朋友跟他一起出行，他们总会要去买报纸啦，到站台上走一走啦，而他又断定他们是赶不回来的；他们还会不经意地同哪个陌生人聊起天来，或者突然心血来潮要去打个电话，随即一路小跑就不见踪影了。总之，他每次坐火车总会觉得全天下的人都串通一气要害他误车。只有足足提前半个钟头就安稳地坐到自己的座位上，随身带的东西都在头顶的行李架上放好，他才可以放下心来。有时，他即使到车站时间早了，完全来得及坐上更早的一趟车，但反而会更紧张，照样提心吊胆怕赶不上车。

车站的信号显示罗马直达快车即将到站，可还是不见无毛墨西哥人的踪影；火车进站了，还是不见他的人影。阿申顿越来越焦躁不安。他到站台上跑来跑去找他，在每一个候车室里张望了一圈，还到行李寄存处去找了，就是找不到他。这趟车没有卧铺车厢。有些乘客下车了，他赶紧在一个头等车厢里占了两个座位。他站在车厢门口，朝站台上四处张望，又抬头看了看时钟；要是他的旅伴不出现，他也就不用去了。就在阿申顿决定把他的行李拿出车厢时，列车员喊了一声“请旅客快上车！[1]”。老天爷！他发誓见到那畜生一定要骂他个狗血喷头。离开车只剩三分钟了，两分钟，一分钟。时间这么晚了，站台上已经没有什么人，所有乘客都已上车坐好。就在这时他看见了无毛墨西哥人，他的身后跟

1 原文为法语。

着两个搬运工提着他的行李，身旁伴着一位戴圆顶硬礼帽的人，正不慌不忙地走上站台来。他一眼看见了阿申顿，向他挥了挥手。

“嘿，我的伙计，你已经到啦，我还在担心你出什么事了呢！”

“我的天啊，赶快上车，火车都要开啦。”

“我从来不会误车的。你找好座位了？站长下班了，这是副站长。”

阿申顿朝那位戴着礼帽的人点点头，那人摘下帽子回礼。

“可这是普通车厢。我恐怕没法乘坐这样的车厢。”他笑容可掬地扭头对副站长说，“你得帮我安排一下，站长先生[1]。”

“没问题，将军[2]，我这就把你们安排到包厢里去。”

副站长领着他们走进了一间空的包厢，里面有两个床铺。墨西哥人满意地打量了一下，招呼行李员把行李放好。

---

1 原文为法语。

2 原文为法语。

“太好了。非常感谢。”他同副站长握了握手，“我不会忘记你的。下次我见到部长时会告诉他，你接待我非常周到。”

“您太客气了，将军。不胜感激。”

响了一声汽笛后，火车开了。

“我觉得这里比普通的头等车厢还要好，索莫维尔先生。”墨西哥人说道，“经常出门的人要学会给自己找方便。”

可阿申顿还是满腹不快。

“我实在不懂你为什么非要把时间掐得这么紧。要是真的误了车，我们可就傻眼了。”

“我的伙计，这是完全不可能发生的事。我上次到站时就找了站长，告诉他我是墨西哥军队的总司令卡蒙纳将军，我要在里昂停留几个小时，同英国陆军元帅商谈要事。万一我不能及时返回车站来坐这趟列车，请他扣住车等我。我还向他暗示，我国政府会考虑为此颁给他一枚勋章。我以前来过里昂，很喜欢这里的姑娘。她们不如巴黎的女人时尚，可是她们另有妙处。这是不可否认的，她们另有妙处。你睡觉前要喝点儿白兰地吗？”

“不喝了，谢谢。”阿申顿没好气地说。

“我睡前总要喝一杯的，可以睡得更踏实。”

他打开手提箱，毫不费力地拿出一瓶白兰地，拧开瓶盖咕咚咕咚喝了好大一口，用手背抹了抹嘴，点着了一支香烟，然后脱下皮靴，躺到床铺上。阿申顿把灯光调暗。

“我一直都没想出答案，”无毛墨西哥人若有所思地说道，“入睡前到底是有个美人儿吻着你的嘴来劲儿，还是嘴里叼着烟更舒服。你去过墨西哥吗？明天我给你讲讲墨西哥。晚安。”

转眼工夫，阿申顿就从他均匀的呼吸声中听出他已睡着了，不一会儿他自己也迷糊过去了。但是他很快就醒了。墨西哥人还在酣睡，躺在那里一动不动；他脱下了毛领大衣，当成毯子盖在身上；他还戴着假发。突然间，列车狠狠颠了一下，随着尖厉的刹车声，停了下来；阿申顿还没反应过来是怎么回事，墨西哥人已经跳下了床铺站了起来，一只手放在屁股上。

“怎么回事？”他大喊道。

“没什么。大概只是临时停车。”

墨西哥人一屁股坐到床铺上。阿申顿打开了灯。

“你睡觉睡得这么沉，醒得倒真够快的。”他说。

“你干了我这行就知道了。”

阿申顿本想问问他，干他这行究竟指的是杀人、阴谋，还是指挥作战？但他拿不定这样问是否有些唐突。将军又打开手提箱拿出了酒瓶。

“你不喝一口？”他问，“夜里突然被惊醒，没有比这更好的了。”

阿申顿表示拒绝，他把酒瓶再次送到嘴边，又灌下了一大口。他叹了口气，又点着了一支香烟。阿申顿看到他差不多已经喝完了一瓶白兰地，而且上车前他一定已经在城里喝过不少了，可他还是显得很清醒，从他的言谈举止根本看不出他已喝了很多酒，好像一整天都只喝了柠檬水似的。

列车又开动了，阿申顿再次入睡。等他早上醒来，懒洋洋地转过身来时，他看到墨西哥人也醒了。他在抽烟。他床边的地板上丢满了烟蒂，空气中烟雾弥漫。睡觉前他关照过阿申顿不要开窗，他说吹夜风是很伤身体的。

“我没起来是因为怕惊醒你。你先去洗漱还是我先去？”

“我不急。”阿申顿答道。

“我是个老兵了，很快就好。你每天都刷牙吗？”

“是的。”阿申顿说。

“我也是。这是我在纽约学会的一个好习惯。我认为男人有一口漂亮的牙齿是挺添彩的。”

包厢里有个洗脸池，将军在那里刷了牙，使劲咕噜了一阵，然后从包里取出一瓶古龙水，往毛巾上洒了一些，抹了几把脸和手。他又取出一把梳子，细心地梳了梳假发，这头假发或许是他夜里睡觉就没动过，也或许是在阿申顿醒来之前他就戴好了。他又从包里拿出一个带喷嘴的瓶子，捏住喷嘴上的小球，往衬衫和外衣上喷了一层香雾，又往手帕上喷了几下。料理停当后，他就像完成了世界头等大事一般满面春风，喜滋滋地转过来对阿申顿说：

“我已经收拾好了。这些东西都留给你用。你不必怕用古龙水，那是在巴黎能买到的最好的香水。”

“多谢。”阿申顿答道，“我只需要肥皂和水。”

“水？我从不用水，除非是洗澡。水对皮肤太有害了。”

列车快到边境时，阿申顿想起了将军在夜里突然被惊醒时做的那个动作，便对他说：

“如果你身上有枪，最好先交给我。我带的是外交护照，他们应该不会搜我的身，可他们或许会想起来要搜你的身，我们不能惹麻烦。”

“这东西都算不上是武器，就是个玩具嘛。”墨西哥人一边说，一边从后面的裤兜里掏出一把上满了子弹的很大的左轮手枪，“我必须随时把它带在身上，哪怕只有一个钟头不带着，我都会感觉像是少穿了一件衣服似的。不过你说得很对，我们不能冒险。干脆把我的刀也交给你吧。我通常更喜欢用刀，不太喜欢用手枪，我觉得刀是更雅致的武器。”

“我想这可能只是习惯问题吧。”阿申顿说，“或许你更习惯用刀。”

“扣扳机谁都能做到，可是要刀子是男子汉才能做的事。”

说话间他一把扯开了马甲，从腰带上解下一柄很长的可以置人死地的刀，这一连串动作在阿申顿看来是一气呵成的。他把刀递给阿申顿，那张丑陋光滑的大脸上露出扬扬得意的笑容。

“这可是一把好刀，索莫维尔先生。我一辈子都没见过比这更好的钢，刀刃锋利得跟刮胡须的刀一样，但是很有力量；可以用它切卷烟纸，也可以用它砍倒一棵橡树。从来不会失手。合上后就像是小学生在课桌上划道道的刀。”

他咔嗒一声合上了刀。阿申顿把刀和手枪一起放进了自己的衣服口袋里。

“还有别的吗？”

“还有我这双手。”墨西哥人满脸傲气地答道，“不过我相信海关官员不会拿我的手刁难我们吧。”

阿申顿想起了他们握手时他那铁钳似的手劲儿，不禁打了个寒战。那双手又大又长，还很光滑，连手腕上都没有一根汗毛，还有那修剪得尖尖的鲜红指甲，看上去的确有些骇人。

阿申顿和卡蒙纳将军分别通过了边境检查，他们回到车厢后，阿申顿把手枪和刀子还给他。他松了一口气。

“我现在感觉安心多了。玩会儿牌怎么样？”

“好吧。”阿申顿说。

无毛墨西哥人又打开他的包，从一个角落里找出一副油腻腻的法国纸牌。他问阿申顿会不会玩埃卡泰，阿申顿说他不会，他就建议玩皮奎特。这种玩法阿申顿还是比较熟悉的，他们说好了赌注大小就玩了起来。由于两人都喜欢速战速决，所以他们决定玩四副牌，第一副和最后一副赌注加倍。阿申顿抓到的牌够好的，但是将军的牌似乎总是比他的还要好。阿申顿睁大了眼睛留神他的对手是否有可能玩什么花招，可是他没有看出任何端倪。他连着输了一局又一局。他一败涂地，越输越多，最后输了差不多一千法郎，这在当时是笔不小的数目。将军没完没了地抽烟。纸烟是他自己卷的，手指一转，舌头一舔，就卷成了一支，快得令人难以置信。最后他猛地往椅子后背上一靠。

“顺便问一问，我的朋友，在你外出执行任务时，英国政府会给你付打牌输掉的钱吗？”

“当然不会。”

“这么说来，我想你已经输得够多了。要是你可以当旅途开支报销，我会提议咱们一直玩到罗马，不过我不想坑你，既然要花你自己的钱，我不想再赢了。”

他把牌收起来，放在一边。阿申顿有些怏怏不乐地抽出几张钞票递给了墨西哥人。他点了一下，还是那么动作麻利地把钞票叠得整整齐齐，放进他的钱包里。然后他向前凑过来，亲切地拍了拍阿申顿的膝盖。

“我挺喜欢你的，你谦和，没有架子，不像贵国同胞那样傲慢，我相信你会实事求是地接受我的忠告。不要同你不熟的人玩牌。”

阿申顿感到有些难堪，或许他的脸上有些挂不住了，只见墨西哥人一把抓住了他的手。

“我的好朋友，我没有让你不开心吧？我一丁点儿都没有小瞧你的意思。你的牌技并不比别人差。原因不是这个。要是我们在一起相处得久一些，我会教你怎样赢牌。玩牌就是为了赢，输钱没有意思。”

“我还以为只有在爱情和战争中一切才是公平的。”阿申顿扑哧笑了一声说。

“啊，我很高兴看到你笑了。输赢乃赌家常事。我看得出你脾气很好，通情达理，日后会一帆风顺的。等我回到墨西哥，收回我的庄园后，我要请你来做客。我会把你当国王一样招待，你可以骑我最好的马，我们可以一起去看斗牛，要是对哪个姑娘中意了，你只要说句话，那就是你的了。”

他开始给阿申顿大讲他在墨西哥被剥夺的大片土地、庄园和矿场，讲他曾经在封建领地的生活。他说的事情究竟是真是假，一点儿都不重要，就听听他那么慷慨激昂的言辞吧，充满了如此沁人心脾的浓烈浪漫情调。他描绘了一种无比宏大的生活场景，仿佛是属于另外一个时代的，而看着他绘声绘色地侃侃而谈，你的脑海中不由得展现出一片辽阔的黄褐色田野、绵延不绝的绿色种植园、成群的牛羊，还有月光下盲人歌手的悠扬歌声和扣动心弦的吉他声荡漾在空气中。

“什么都失去了，一无所有。到了巴黎后，我都快活不下去了，不得不靠教西班牙语，或者给美洲人——我是指北美人——当向导，带他们游览巴黎夜生活，勉强混口饭吃。我曾经是个一顿饭就挥霍千金的人，竟落得像一个印第安盲人一样讨饭。我曾经时时沉浸在给心爱的美人戴上钻石手镯的喜悦之中，竟落得要从一个老得可以做我母亲的老太婆手里接受一套衣服的地步。忍辱负重啊！男人生下来就是要经受磨难的，就像火花总要向上四溅一样，但是总有一天会否极泰来。只待时机成熟，我们就要发起反击。”

他拿起那副油腻腻的纸牌，把它们摆成几小堆。

“我们来看看牌怎么说。它们从不说假话。唉，要是当初我更相信它们，我就不会去做我这辈子唯一遗憾的那件事了。不过我问心无愧，在当时的情形下，任何人都会像我那样做。让我感到遗憾的是，要是我的境况不是那样窘迫，我是完全可以不那样做的。”

他把纸牌翻看了一遍，把其中几张牌用阿申顿看不懂的方式排在一边，然后他又把剩下来的牌重新洗了一遍，再把它们分成几小堆。

“我的纸牌警告过我，这是我不可否认的，那警告清清楚楚，确凿无疑。爱情和一个黑女人、危险、背叛、死亡。那就像自己脸上长着鼻子一样清楚。随便哪个傻瓜都该明白是什么意思，我一辈子都用纸牌占卜，每做一件事都要问问牌怎么说。我不必找什么借口。当时我就是中了邪。唉，你们北方人不懂什么叫爱情，不知道为什么爱情会使人夜不能寐、食不甘味，好像生了一场大病一样身体垮掉，你们也不懂为什么陷入爱情的人会如痴如狂，就像个疯子一样，不顾一切就想要满足欲望。像我这样的人要是深陷情网，那就什么傻事、什么坏事都能干得出来，是的，先生[1]，也能干出英雄创举来，能登上比珠穆朗玛峰更高的山峰，游过比大西洋更宽的海洋。他可以成神，也可以成魔。女人是我的克星。”

无毛墨西哥人又看了一眼纸牌，从每一小堆牌里抽出几张，把剩下的牌又洗了一遍。

“不知有多少女人爱过我。我说这话不是显摆。我不想解释原委。事实就是这样。你到墨西哥城去问问他们知不知道曼努埃尔·卡蒙纳，知不知道他的辉煌经历。问他们有几个女人抵挡得住曼努埃尔·卡蒙纳。”

阿申顿微微皱起了眉头，他若有所思地看着这个墨西哥人，心里暗想，一向精明的R有着看人很准的敏锐

1 原文为法语。

本能，这次会不会是看走眼了呢？他为此感到不安。他眼前的这个无毛墨西哥人到底是真的相信自己在女人面前具有不可抗拒的吸引力呢，还是只是在厚颜无耻地吹牛罢了？他还在摆弄这些纸牌，现在他把所有的牌都拿走了，只留下四张，并排放在自己面前，正面朝下。他在每一张牌上碰了一下，但没有把牌翻过来。

“要决定命运了。”他说，“世界上没有任何力量可以改变。我犹豫不决。每到这个时刻，我总是忧心忡忡，我必须鼓足勇气才敢把这些牌翻过来，生怕它们会告诉我灾祸即将临头。我是个勇敢的人，但是有时候我到了这个紧要关头也会没有勇气翻看这四张决定命运的牌。”

他的确两眼直勾勾地盯着这四张牌的背面，毫不掩饰满脸的忧虑。

“我刚才跟你说了什么？”

“你告诉我女人都抵挡不住你的吸引力。”阿申顿不无挖苦地说。

“可还是有一次我遇到了一个拒绝我的女人。我第一次见到她是在墨西哥城的一家妓院里，我上楼的时候她正好下楼来。她不是很漂亮，我有过上百个比她更漂亮的女人，但是她身上有什么东西让我一见倾心，我便叫老鸨把她送到我这里来。如果你到墨西哥城去就会知道那个老鸨的，大家都叫她侯爵夫人。侯爵夫人说那姑娘不是她那里的人，只是偶尔过来‘客串’一下，现在已经走了。我叫侯爵夫人第二天晚上请她过来，我来之前别放她走。可是第二天晚上我有事给耽搁了，等我到那里时，侯爵夫人告诉我说，那姑娘说从来没有人会让她这样等的，所以她走了。我脾气很好的，有的女人特别矫情，甚至故意吊你胃口，我并不在乎，这也是她们迷人的地方，所以我一笑置之，留下了一张百元钞票，并且答应第三天我一定准时到。那天晚上我分秒不差准时到了，可是侯爵夫人把我的百元钞票还给了我，说那个姑娘没有看中我。我对她的无礼还是付诸一笑。我摘下了戴在手上的钻石戒指，叫老鸨把这枚戒指交给那个姑娘，看看她会不会动心。第二天早上，侯爵夫人给我送来了一枝红色康乃馨，说那姑娘收下了我的戒指，这是回送我的礼物。我真不知道该觉得好笑还是该生气。我追女人从来没有受过挫折，我花钱也从不吝啬。（钱不花在漂亮女人身上还有什么用处？）我叫侯爵夫人马上去找那个姑娘，说我愿意给她一千银圆，要她那天晚上陪我吃饭。她马上送来回音说，那姑娘愿意赴约，但是有一个条件：吃完饭马上让她回家。我耸了耸肩就同意了。我以为她说这话并不是认真的。我以为她那么说只是为了吊我的胃口。她到我家来吃饭了。我是不是说过她并不很漂亮？其实她是我见过的最漂亮、最有魅力的姑娘。我为她神魂颠倒。她又迷人又聪明。安达卢西亚女人所有的一切风采她都有。总而言之，她可爱至极。我问她为什么对我这样敷衍，她笑而不答。我尽力讨好她，使出了各种技巧。我差不多做到了百般殷勤。但是吃完晚饭，她立刻起身离席，向我道别。我问她去哪里，她只说我答应过让她走的，她相信我是正人君子，会说到做到。我央求她，跟她讲道理，我生气，急得跳脚。可她就是抓住我的话不放。我好说歹说，她也只是答应第二天晚上再跟我一起吃饭，条件相同。

“你会觉得我是个傻瓜，可我自己觉得我是世界上最幸福的人；我一连七天都跟她一起吃晚饭，每次付她一千银圆。每天晚上我急盼着见到她，心都快要跳出来了，就像一个第一次上斗牛场的新手一样紧张得不行，每天晚上她都跟我嬉闹，笑话我，挑逗我，把我弄得心醉神迷。我疯狂地爱上了她。我从来没有像爱她那样深爱过一个人，以后也不会了。我满脑子除了她什么也没有了。我整天心神恍惚，什么事情都抛到脑后了。但我是个爱国者，我爱我的祖国。我们为数不多的一些志同道合的人聚在一起，认为我们再也不能忍受正在给我们带来苦难的暴政。每一个有利可图的政府职位都被别人占了，我们被迫纳税，就好像我们是商人似的。即便这样，我们还要遭受侮辱。我们筹到了钱，召集了人，制订了行动计划，准备要动手了。我有做不完的事，要开会，要购买军火，要下达命令，可是这个女人把我迷得昏了头，我什么事情也顾不上了。

“她弄得我这么狼狈，你一定会以为我会生她的气，我毕竟是个平时无论有什么心血来潮的念头都能随时得到满足的人，我也不相信她拒绝我是为了点燃我的欲火，我反倒认为她说的是大实话，只有等到她爱上我的时候才会委身于我。她还说，她会不会爱上我就要看我的本事了。她在我心里就是天使。我愿意等待。我感觉我的激情就像草原上熊熊燃烧的烈火，能把四周的一切烧尽，早晚会烧着她的。最后终于——她终于说她爱我了。我激动得差点儿立刻倒地昏死过去。哦，真是喜从天降啊！哦，我简直要疯了！我愿意给她一切，我愿意把天上的星星摘下来装点她的秀发。我要做一些事情来证明我对她的爱，我要做常人做不到的事，难以置信的事，我要把我自己奉献给她——我的灵魂，我的名誉，我拥有的一切，我的全部。那天夜里她躺在我怀抱里的时候，我把我们的密谋计划，参与活动的都有哪些人，统统告诉了她。我感觉到她的身体绷紧了，她在注意听，我察觉到她的眼皮眨了一下，我隐隐觉得有些不对头，但是不知道究竟哪里有问题，只觉得她抚摸着我的脸的那只手是冰凉的、干干的。我顿时起了疑心，立刻想起了纸牌给我的警告：爱情和一个黑女人，危险、背叛、死亡。纸牌给了我三次警告，我都置之不理。当时我不动声色，没有让她看出我察觉到了什么。她依偎在我的胸口，悄悄对我说，她听了我说的事特别害怕，问我某某人是不是也参与了我们的密谋。我回答了她。我要弄个水落石出。她一次又一次地亲吻我，每吻我一次都狡猾地哄我说出我们的密谋细节。我终于确信无疑，就像我现在确信你就坐在我面前一样，她是个间谍。她是总统派来的奸细，利用她的美色来诱惑我，现在她已从我嘴里套出了我们的所有秘密。我们这些人的性命都握在她的手里了，我知道她一离开这间屋子，二十四小时内我们全都要丧命。可是我爱她，我爱她！唉，我无法用语言来描述我内心忍受着怎样的欲火如焚的痛苦，这样的爱情没有带来快乐，只带来了痛苦，痛苦，然而这种痛苦别有意味，超越一切快乐。这就是圣徒感受到即将进入极乐世界的狂喜时所说的超脱凡尘的受难。我很清楚，不能让她活着走出这个门，我还担心稍一迟疑我就可能失去勇气。

“我想睡觉了。”她说。

“睡吧，小宝贝儿。”我说。

“她用西班牙语叫了我一声‘Alma de mi corazon’，意思是‘我心中的灵魂’，这是她最后说的话。她沉重的眼皮，下面是黑晶晶的眼睛，像两颗葡萄，还有一丝湿润，她合上了这沉重的眼皮，不大一会儿我感受到了她紧贴在我身上的胸脯在有节奏地起伏，就知道她睡着了。你瞧，我爱她，我不忍心让她受苦。她是个奸细，这没错，可是我发自内心不想让她知道接下去必然会发生的事，以免她受惊吓。说来也奇怪，我并没有因为她背叛了我而生气，我本该恨她这么阴险，可是我恨不起来，我只感到我的灵魂被沉沉夜色包裹起来了。可怜的人，可怜的人啊！我真的要为她流下伤心的泪。我很轻很轻地把我搂在她脖子上的手臂抽了出来，那是我的左臂，我的右臂是空着的，我撑住右臂坐了起来。可是她真的好美啊！所以我扭过身去，不忍心看她的脸，用全身力气在她漂亮的脖子上划了一刀。她没醒来，就在睡梦中断了气。”

他停了下来，皱起眉头盯着仍旧摆在他面前的那四张牌，背面朝上，等着他去翻过来。

“一切都早已在那些纸牌里注定了。我为什么置之不理呢？这几张牌我不看了。让它们见鬼去吧！”

他狠狠地使劲把桌上的整副纸牌都扫到地上。

“虽然我不信神灵，但我还是请人为她的亡灵做了弥撒。”他靠到椅子背上，卷了一支烟，长长地吸了一大口。他耸了耸肩，“上校说你是个作家。你写的是什么？”

“小说。”阿申顿答道。

“侦探小说？”

“不是。”

“为什么不写侦探小说？我只读侦探小说。我要是个作家，我就写侦探小说。”

“侦探小说很难写，需要有很强大的想象力。我曾经构思过一篇谋杀案的小说，但是谋杀的手段设计得太巧妙了，我怎么也无法顺理成章地追踪出凶手，毕竟写侦探小说有一条常规，最后案情必须真相大白，罪犯必须服法。”

“要是你构思的谋杀案真的像你说的那样巧妙，可以证明凶手有罪的唯一办法是找到他的杀人动机。一旦找到了动机，很可能可以找到先前你忽略了的证据。

如果找不到动机，证据再确凿也不能定罪。我们打个比方来说，在一个月黑风高的夜晚，你在一条空无一人的街上拿刀捅死了一个人。谁会想得到是你干的呢？但是如果死者是你老婆的情人，或者是你的兄弟，或者这个人欺骗过你、侮辱过你，那么只要有一张纸头、一根绳子，或者随口说一句话，就足以把你送上绞刑架。这个人被杀的时候你在干什么？是不是在事发之前或之后有十多个人看见过你？但是如果他是一个完全的陌生人，谁也不会怀疑到你头上来。开膛手杰克一定能逃脱法网的，除非他在作案时被当场抓获。”

阿申顿有的是理由转换话题。他们就要在罗马分手了，他认为有必要和他的同伴就接下去的各自行动达成共识。无毛墨西哥人将去布林迪西，阿申顿去那不勒斯。他打算在贝尔法斯特旅馆下榻，那是一家二流的大旅馆，在港口附近，住这家旅馆的大都是些外出做买卖的人和想要省钱的人。他觉得还是让将军知道自己的房间号码为好，这样他在必要时可以直接到自己的房间来找他，不用向门房打听了，所以到了下一站，阿申顿就去车站小卖部买了一只信封，叫将军写上自己的名字和寄到布林迪西邮局的地址。这样，阿申顿只需要到时候在一张纸片上写上自己的房间号码寄出就行了。

无毛墨西哥人耸了耸肩。

“我觉得没必要这么小心翼翼的，这未免太幼稚了。绝对没有风险的。不过你可以放心，不论出了什么事，我都不会连累你。”

“我对这样的任务不太熟悉。”阿申顿说，“所以我只能按上校吩咐的做，我也不想知道任何可以不用知道的事。”

“你说得对。如果事态突变，我被迫采取紧急行动，可能会惹上麻烦，我当然会作为政治犯被关押。不过意大利迟早会加入协约国参战，那时我会获释的。我已经把什么都考虑到了。但我还是要很严肃地请求你不要疑神疑鬼，担心我们的任务会有什么恶果，你就当作到泰晤士河游玩了一圈吧。”

他们终于分了手，当阿申顿独自坐在去那不勒斯的车厢里时，他不由得大大松了口气。他庆幸自己终于摆脱了这个絮絮叨叨、让人讨厌的怪人。他去布林迪西找康斯坦丁·安德里亚蒂了，如果他对阿申顿说的话有一半是真的，那么阿申顿不由得庆幸自己没有遇到过那样的情况。他不知道那是个什么样的人。想想他跨越爱奥尼亚海过来，带着那些机密文件和危险的秘密，一点儿都没有觉察到自己正在把脑袋伸进为他设好的绞索中，真叫人后脊梁发冷。没办法啊，这就是战争，只有傻瓜才会以为对手会手下留情。

阿申顿到了那不勒斯，在旅馆开好了房间，用工整的字体把房间号写在一张纸上，寄给了无毛墨西哥人，他去了英国领事馆，R事先安排好了，如果他有什么指示就会发到领事馆转达给他。他到了领事馆后发现那里的人已经知道他要来，一切井井有条。他便暂时不去想这些事了，决定先好好玩一玩。南方已是暮春，人流熙攘的街上艳阳高照。阿申顿对那不勒斯很熟悉。圣费迪南多广场上的喧闹景象、平民表决广场上的漂亮教堂，都在他心里勾起了美好的回忆。基亚拉大街热闹如昔。他站在街角，抬头望着那些攀升到陡峭山坡上的小巷子，巷子两边都是高高的房屋，隔街拉着绳子，上面晾满了衣服，仿佛节日里飘荡的彩旗。他漫步在海边，远远望着波光潋滟的海面，港湾处隐约可见卡普里岛的轮廓。他一直走到了波西利波住宅区，那里有一座破旧不堪的宫殿，他年轻时曾在那里度过不少浪漫的时光。他打量着这座宫殿，往事顿时涌上心头，他感到心里隐隐作痛。接着，他坐上了一匹枯瘦的小马拉的马车，嗒嗒地踏着鹅卵石路来到了拱廊街，找了个阴凉处坐下，喝了一杯美式咖啡，观望着在那里站着一边闲聊一边生动地比比画画的人群，运用他的想象力，从他们的外表推想他们在现实生活中的角色。

阿申顿过了三天这样的悠闲生活，这种生活情调与这个奇异、脏乱而又亲切的城市倒是十分相称。他从早到晚什么也不干，只是到处闲逛，东瞧瞧西看看，既不是以一个游客的眼光去寻找值得游览的名胜古迹，也不是以一个作家的眼光去寻觅自己的灵感来源（比如望着落日而想到一段动人的文字，或者从某个人的脸上看到自己心中一个人物的性格特征），而是用一个流浪汉的眼睛，无论看到什么都视作理所当然。他去博物馆看了古罗马皇后小阿格里皮娜的塑像，他有特殊的理由对这座塑像怀有念念不忘的深情。他还借这个机会又去画廊观赏了一次提香和勃鲁盖尔的画作。但是他最后总是折回到圣基亚拉教堂。这座教堂气势典雅而又欢快，既显出一种似乎对待宗教有所不敬的态度，背后又透露出世俗的情感。还有它奢华的外观、优美的线条，所有这一切在阿申顿看来都似乎在用一个荒诞夸张的隐喻，表现着这个阳光灿烂、尘土飞扬的可爱城市和城市里熙来攘往的居民。这一切都好像是在说，生活既迷人又悲哀。没有钱很遗憾，但钱并不代表一切，既然我们今天生活在这里而明天就不知去往何方，又何苦去为此操心呢？

反正生活充满了刺激和趣味，我们还是尽情享受吧：facciamo una piccola combinazione.[1]但是到了第四天早上，阿申顿刚洗完澡，正要用一条根本不吸水的毛巾擦干身子时，突然有个人推开了他的房门，一闪身就溜了进来。

“你要干什么？”阿申顿大喊。

“没事。你连我都不认识了？”

“我的天，你是那个墨西哥人。你怎么弄成这副模样了？”

原来他换了假发，现在戴的是很短的黑发，像是头皮上戴了一顶小便帽似的。这头假发完全改变了他的模样，虽然还是显得怪里怪气，但是跟他先前的模样已大不相同。他穿了一身破旧的灰色外套。

“我只能等一会儿再动手。他在理发店剃胡子。”

阿申顿突然感到满脸发烫。

“这么说你找到他了？”

“找到他没什么难的。他是船上唯一的希腊乘客。轮船一靠岸我就上去了，说要找一个从比雷埃夫斯来的朋友乔治·狄奥吉尼迪斯先生。我假装很惊讶他怎么

---

1 意大利语，意为让我们随遇而安吧。

会没来，顺便就同安德里亚蒂攀谈了起来。他用的是假名，叫隆巴多斯。他上岸后我就跟踪他，你知道他做的第一件事是什么吗？他到理发店去剃胡子了。你对此有什么看法？”

“没有看法。谁都可以剃掉胡子的。”

“我可不那么想。他是要改变外貌。哼，够狡猾的。我佩服德国人，他们做事讲究万无一失，他编的故事毫无破绽，不过我只能过会儿再讲给你听。”

“其实，你自己不也变了模样了！”

“啊，没错，我换了个假发。变样了吧，是不是？”

“我差点儿没认出你来。”

“必须小心谨慎。我和他已经成了好朋友。我们要在布林迪西待一天，可他不会意大利语，所以很乐意有我帮助他，就这样我们一路同行过来的。我把他带到这家旅馆来了。他说他明天去罗马，可我必须盯住他，我哪能让他溜掉呢？他说他要在那不勒斯观光，我提出可以带他到各处看看。”

“他为什么不想今天就去罗马？”

“这就有故事了。他假装自己是个希腊商人，战争爆发后发了一笔财。他说他拥有两艘轮船，刚脱手卖掉，现在想到巴黎去痛快玩一玩。他说他一辈子都想去巴黎玩玩，现在终于有机会了。他嘴挺紧的。我想方设法套他的话。我告诉他说，我是个西班牙人，去过布林迪西，同土耳其联系过战时物资的事。我看得出他听了我的话很有兴趣，但是他什么也没说，当然，我要是逼他说话也是不明智的。那些文件他带在身上了。”

“你怎么知道的？”

“他不怎么小心在意他的手提箱，不过时不时会去摸摸自己的腰部，所以文件不是藏在腰带里就是在背心里。”

“你怎么把他带到这家旅馆来了？”

“我觉得这样更方便啊。我们可能要搜他的行李。”

“你也住在这里吗？”

“不，我没这么蠢。我告诉他，我要坐夜班火车去罗马，所以不开房间了。不过我现在得走了，我答应他十五分钟后在理发店门口等他。”

“好吧。”

“今晚我要是有事到哪里去找你？”

阿申顿飞快地看了他一眼，又皱了皱眉头转过头去。

“今晚我就在房间里不出去了。”

“很好。请你看一下过道上是不是没有人？”

阿申顿打开门，探头看了看，外面没有人。事实上，在这个季节，旅馆里几乎没有人住。那不勒斯没有几个外国人，生意很清淡。

“没有人。”阿申顿说。

无毛墨西哥人大摇大摆地走了出去。阿申顿随手关上了门。他刮了脸，慢慢穿好衣服。广场上阳光依旧灿烂，路上的行人和破旧的马车还是往常的样子，只是这些都已提不起阿申顿的兴致了。他感到不安。他走出旅馆，照例去领事馆问了问有没有发给他的电报。没有。他又到库克旅行社去查了一下开往罗马的火车班次：午夜过后马上就有一趟，第二天早晨五点还有一趟。他一心想坐第一趟车走。他不知道无毛墨西哥人作何安排，如果他真的要去古巴，他应该会设法先到西班牙，阿申顿扫了一眼旅行社墙上的时刻表，看到第二天有一趟从那不勒斯驶往巴塞罗那的轮船。

阿申顿已经对那不勒斯感到腻味了。街上的阳光晃得他眼睛很累，尘土飞扬令人难以忍受，到处都是喧闹声，他的耳朵都要被震聋了。他到拱廊去喝了杯咖啡，下午去看了场电影。回到旅馆后他对前台说，他第二天一早就要走，所以不如先把账结了，接着他把行李送到车站，房间里只留了一只公文皮包，里面放着他的密码本和一两本书。他吃了晚饭后，回到旅馆坐等无毛墨西哥人。他无法掩饰自己紧张的心情。他拿起一本书看，可是这书太乏味，他又翻开另一本，但是他总是走神。他看了看手表，时间还早得很。他又拿起书来，打定主意不看完三十页决不看手表。他的眼睛虽然很认真地看了一页又一页，但其实模模糊糊的什么也看不进去。他再看了一下时间。老天爷，才十点半。他心里嘀咕，也不知道无毛墨西哥人上哪儿去了，在干什么。他担心他把事情搞砸，要那样就不可收拾了。他忽然想到该把窗户关上，把窗帘拉起来。他抽了不少香烟，又看了一眼手表，才十一点一刻。他脑袋里闪过一个念头，心怦怦直跳。出于好奇，他数了数自己的脉搏，惊讶地发现脉搏其实很正常。天气挺暖和的，屋子里也很闷，可是他感到自己手脚冰凉。好烦人啊，他心里恼火地暗想，怎么会在这个时候胡思乱想起来，脑海中出现了一幕幕自己一点儿都不想看到的画面！他经常会从作家的视角思考谋杀案，他想起了《罪与罚》里描述的可怕场景。他不愿再去想这个事情，可是谋杀的场景不停地钻进他的脑海。他拿在手里看的那本书落到了他的膝盖上，他怔怔地看着面前的墙壁（棕褐色的墙纸上印着色彩灰暗的玫瑰图案），他在心里问自己，如果有人不得不在那不勒斯暗杀一个人，应该在哪里下手好呢？当然可以选择那座“别墅”，也就是面对海湾的那个树叶茂密的大花园，水族馆就在那里面，到了夜里游人散尽后，那里一片漆黑，常常会发生一些见不得阳光的事情，行为谨慎的人天黑后总会绕道而行。波西利波区外的马路也很僻静，那里有好几条上山的小径，到了晚上一个人都见不到，但是你怎么诱骗一个人鼓起这么大的胆量去那种地方呢？你或许可以提议到海湾里去划划船，但是租船的船夫会看见你，而且船夫多半也不会同意你们单独划船到海湾里去。港口附近有一些名声不好的小旅馆，遇到深夜不带行李来投宿的人，他们是什么也不问的，但是带你去房间的服务生一样有机会看清你的长相，何况你开房间时也得填一张详细的表。

阿申顿又看了一下时间。他很累了。他现在只是呆呆地坐在那里，连书也不想看了，脑袋里一片空白。

这时门轻轻地开了，他惊跳了起来，起了一身鸡皮疙瘩。只见无毛墨西哥人站在他面前。

“我吓着你了？”他笑嘻嘻地问，“我以为你宁愿我不敲门的。”

“有人瞧见你进来吗？”

“是值夜班的人放我进来的。我按铃时他已睡着了，连看也没看我一眼。很抱歉我这么晚才来，可我总得换一身打扮嘛。”

眼前的无毛墨西哥人现在穿的是他来时旅途中穿的那身衣服，戴上了浅色假发，完全变了个人。他看上去更高大了，也更显得花里胡哨，连容貌都完全不一样了。他两眼闪光，似乎兴致勃勃。他瞥了阿申顿一眼。

“你怎么脸都白了，我的朋友！你不会是真的吓坏了吧？”

“文件到手了吗？”

“没有，他没带在身上。他身上只有这些。”

他把一只鼓鼓的钱包和一本护照放到桌上。

“我不要这些。”阿申顿马上说，“拿走吧。”

无毛墨西哥人耸耸肩，把钱包和护照又放回到自己的口袋里。

“他的腰带里有什么？你不是说他总在摸自己的腰部吗？”

“只有钱。我翻了他的钱包，里面只有私人信件和女人的照片。他一定是今晚跟我出去之前把文件锁在手提箱里了。”

“见鬼！”阿申顿骂了一句。

“我有他房间的钥匙。我们最好去检查一下他的行李。”

阿申顿感到一阵作呕。他迟疑不定。无毛墨西哥人不失善意地微笑了一下。

“没有危险的，amigo[1]。”他说，那口吻好像是在哄一个小孩子，“可要是你不想去，我就自己一个人去吧。”

“不，我跟你一起去。”阿申顿说。

“旅馆里没有人醒着，安德里亚蒂先生也不会打扰我们了。你要不要把鞋子脱了？”

阿申顿没有作答。他皱了皱眉头，因为他留意到自己的手有些发抖。他解开鞋带，脱下了鞋。墨西哥人也脱了鞋。

“你打头，”他说，“往左拐，沿着过道一直向前走。三十八号房间。”

阿申顿打开房门走了出去。过道上灯光很暗。他能感觉到他的同伴从容不迫，而自己却紧张得七上八下，这使他很恼火。他们走到那个房门口，无毛墨西哥人把钥匙插进锁孔转了一下，开门进去。他开了灯，阿申顿跟在他身后进屋，随手关上门。他注意到百叶窗关着。

“现在没事了。我们可以慢慢来。”

---

1 西班牙语，意为朋友。

他从口袋里掏出一串钥匙，试了一两把，就咔嗒打开了手提箱，里面都是衣服。

“不值钱的东西。”墨西哥人一边把衣服翻出来，一边轻蔑地说，“我自己的原则是，一分钱一分货，买最贵的到头来反而更便宜。从这里就可以看出一个人的档次高不高。”

“你不说话不行吗？”阿申顿问。

“碰到一点点的危险，每个人反应不一样。我遇到危险只会感到兴奋，可是你却会发脾气，amigo。”

“你知道吗，我害怕了，可你却不怕。”阿申顿坦率地说。

“这只是胆量问题。”

他把衣服一件件拿出来，一边快速却很仔细地摸几下。衣箱里没有任何文件。他取出折刀，割开了箱子的衬里。这箱子也是劣质品，衬里是粘在箱子里的，没有可以藏东西的夹层。

“文件不在这里。一定是藏在房间里什么地方了。”

“你确定他不会存放在哪个办公室里了吗？比如某个领事馆？”

“他除了剃胡子那会儿，根本没有一分钟离开过我的视线。”

无毛墨西哥人打开抽屉和衣柜看了看。地板上没有铺地毯。他又看了看床底下、床里面、床垫下面，他那双乌黑的眼睛在屋子里扫来扫去，寻找可以藏东西的地方，阿申顿感觉什么都逃不过他的眼睛。

“他会不会交给楼下前台保管了？”

“那我会知道的，而且他也不敢。不在这个屋里。我弄不懂了。”

他犹豫不定地在屋里四处张望，皱起眉头，竭力想要解开这个谜。

“我们出去吧。”阿申顿说。

“等一等。”

无毛墨西哥人跪到地上，把衣服很快叠得整整齐齐，重新放回到衣箱里。他锁上箱子，站起身来，关了灯，悄悄地打开门，探头向外面望了一下，然后向阿申顿招招手，一闪身溜出了门。等阿申顿跟着他出门后，他回过身来锁上门，把钥匙放进口袋里，同阿申顿一起回到了阿申顿的房间里。他们进屋插上门闩后，阿申顿擦了擦汗涔涔的双手和脑门儿。

“谢天谢地，总算安全离开了！”

“本来就没有丝毫危险的。只是我们现在该怎么办？没有找到文件，上校会发火的。”

“我坐五点钟火车去罗马。到那里后我可以发电报请示。”

“也行，我同你一起走。”

“我觉得还是早些离开这个国家为好。明天有一趟去巴塞罗那的船。我觉得你不如坐那趟船走，如果有事，我可以到那里去找你。”

无毛墨西哥人微微一笑。

“原来你是要尽快把我甩掉。那也行，我不想碍你的事，可以原谅你在这种事情上缺乏经验。我就去巴塞罗那吧，我有西班牙的入境签证。”

阿申顿看了一看手表。刚过两点，他还有差不多三个小时要等。他的同伴从容自在地给自己卷了一支烟。

“去吃点儿消夜怎样？”他问道，“我饿死了。”

阿申顿一想到吃的不觉有些反胃，但他口渴得厉害。他不想同无毛墨西哥人一起出去，可他也不想独自待在旅馆房间里。

“这么晚了，能到哪里去吃？”

“跟我走吧。我会带你找到一个地方的。”

阿申顿戴上帽子，提上公文包，两人一起下了楼。他们看到旅馆的门房躺在大厅里的一个垫子上睡得很沉。他们轻轻地走过前台，免得惊醒他。阿申顿一眼看到了前台标着他的房间号的信格子里有一封信。他取了出来，看到这封信是写给他的。他们悄悄地走出了旅馆，随手拉上了门，然后快步走远。走了一百码开外有一盏路灯，阿申顿停下脚步，从口袋里掏出那封信来读了一遍。信是领事馆写来的，上面写着："附上今晚收到的一封电报，恐有急事，特派人送到你的旅馆。"看来这封信早在午夜前阿申顿在房间里时就送到了。他撕开电报一看，是用密码发的。

"算了，只好等会儿再看啦。"他自言自语道，随手把电报放回到口袋里。

无毛墨西哥人熟门熟路地走在这些没有行人的街道上，阿申顿跟在他身旁。最后，他们走进了一条阴森森的死胡同里，那里有一家小饭馆，他们走了进去。

"这里可不是丽兹大饭店。"他说，"不过到了夜里这个钟点，也只有在这样的地方才有可能弄到一些吃的。"

阿申顿跟着墨西哥人走进了一间乌烟瘴气的狭长餐厅，餐厅里的一头坐着一个干瘦的年轻人在弹钢琴，两侧靠墙摆着一些桌椅，桌边坐着一些男男女女，有的在喝啤酒，有的在喝葡萄酒。那些女人都不算年轻，还涂脂抹粉，难看极了，她们都在寻欢作乐，吵吵闹闹，同时又无精打采。阿申顿和无毛墨西哥人进来时，她们的目光都向他们两人射来。他们找了一张桌子坐下，阿申顿故意转过脸去要躲开那些挑逗的眼神，她们只要有机会同他四目相遇就会两眼放电。那个干瘦年轻人弹起了一支快节奏的曲调，马上有几对男女起身跳起舞来。由于男舞伴不够，几个女人相伴而舞。将军点了两盘细条意面、一瓶卡普里酒。酒一送来，他便狂饮下满满一大杯，然后一边等着上面条，一边打量起坐在其他桌边的女人。

“你想跳舞吗？”他问阿申顿，“我要去请一个姑娘陪我跳一曲。”

他站了起来，阿申顿看着他走到一个至少还算是明眸皓齿的女人面前发出邀请，那女人站了起来，他便搂住她跳起了舞。他舞跳得很好。阿申顿看到他开始说话了，那女人咯咯笑了几声，刚才接受他邀请时还是无动于衷的神情，现在顿时变得兴趣盎然。很快，他们两人便嘻嘻哈哈地有说有笑了。跳完一曲，他把舞伴送回她的桌边，自己回到阿申顿身边坐下，又喝了一杯酒。

“你觉得我找的那姑娘怎么样？”他问，“挺不错的吧？跳舞挺好的啊！你为什么不去找个人跳？这个地方还不错吧？你可以相信我总能找到这样的地方。我有直觉。”

舞曲再次响起。那女人看看无毛墨西哥人，他用大拇指指了一下地板，她便一跃而起。他把上衣扣子扣好，弓起背，站在桌边等着那女人走过来。他一把挽住她，快步跳了起来，两人又说又笑，这时他已经同餐厅里的所有人都混熟了。他流利地说着带有西班牙口音的意大利语跟大家开玩笑。每个人都被他逗得哈哈大笑。这时，侍者端来了满满的两大盘面条，墨西哥人看到面条立刻停下不跳了，也没送他的舞伴回到她的桌边去，只顾自己急匆匆地过来吃面。

“我快饿扁了。”他说，“可我晚饭吃得挺多的啊！你晚饭是在哪里吃的？你不想吃点面条吗？”

“我没有胃口。”阿申顿说。

可他说完这话还是吃了起来，没想到自己竟然也已经饿了，无毛墨西哥人狼吞虎咽，吃得津津有味；他两眼发光，嘴里还叨叨个不停。就那么一会儿，他的舞伴已经把自己的底细全都告诉了他。此刻他在转述给阿申顿听。他往嘴里塞了一大块面包，又要了一瓶葡萄酒。

“喝点儿葡萄酒算什么？”他不屑地说，“葡萄酒根本不算酒，顶多也是香槟而已，甚至都不解渴。你现在是不是感觉好些了，amigo？”

“我只能说是的。”阿申顿微笑道。

“锻炼，你就是缺少锻炼。”

他伸出手拍了拍阿申顿的胳膊。

“那是什么？”阿申顿惊叫道，“你袖口上的污渍是什么？”

无毛墨西哥人瞥了一眼自己的衣袖。

“你说那个？没什么。就是血而已。我出了点小状况，割到自己了。”

阿申顿没再说话。他抬眼去看挂在门口的时钟。

“你急着要去赶火车？让我再跳一曲，然后就陪你去车站。”

无毛墨西哥人站起身，无比自信地把坐得最近的一个女人拉到怀里，翩翩起舞。阿申顿闷闷不乐地瞧着他。这个戴着金黄色假发、脸上没有一根汗毛的家伙，看上去活像个妖怪，可是他的舞姿却轻盈优美，简直无与伦比；他的双脚不大，在地上挪动起来非常平稳，很像猫爪或者虎爪。他的动作富有节奏，一眼就能看出他那穿戴俗气的舞伴已经为他灵动的舞姿陶醉了。他的脚趾、搂着舞伴的长长手臂，还有随着臀部神奇摆动的长腿，仿佛他浑身上下都涌动着音乐似的。尽管他的模样古里古怪、邪气十足，可现在看着他跳舞的样子却让人感到他身上有一种猫一般的优雅，甚至可以说是优美，使你不由得暗暗感到一种羞答答的着迷。他让阿申顿想到了古老的阿兹特克人雕刻的石像，充满粗犷的野性和活力，看上去有些残暴和恐怖，然而又隐隐透露着一种忧郁又深邃的美感。尽管如此，他还是巴不得离开这个人，让他独自在这个乌烟瘴气的餐厅里跳一夜的舞。但是他知道自己有正经事要跟他了结。想到这件事他不免有些苦恼。他有任务要完成，要交给曼努埃尔·卡蒙纳一笔钱，从他手里交换一些文件。糟糕的是，现在文件没有着落，至于别的事，阿申顿一无所知——他也不想知道。无毛墨西哥人跳着舞步从他身边经过，欢快地跟他挥挥手。

“音乐一停我就过来，你先付账，我跳完就走。”

阿申顿真恨不得能钻进他的脑袋里去看看他究竟是怎么想的。他甚至都无法猜测这是个怎样的脑袋。过了会儿，墨西哥人用他香喷喷的手帕擦着脑门儿上的汗回来了。

“你玩得尽兴吗，将军？”阿申顿问他。

“我总是玩得很痛快的。这些烂货，可我在乎什么呢？我就喜欢有个女人搂在怀里，感受她的身体，看着她的眼神渐渐慵懒、双唇轻启，感受到她对我的欲火融化了她的骨髓，就像黄油在阳光下融化一样。都是些烂货，可也是女人哪。”

他们走到街上。墨西哥人建议步行，因为这个时间在这一带是不可能叫到出租马车的。在这个满天繁星的夏夜，四周寂然无风。他们一路走着，四周的寂静就像一个死人的幽魂一样伴随着他们。他们快走到车站时，路边的房屋突然显得更灰暗了，线条更僵直，明显可以感觉到天快要亮了。黎明前的夜色令人不寒而栗。这个时刻总会让人心里产生恐惧，突然间感到焦虑，这好像是亿万年前流传下来的恐惧，让人莫名害怕再也等不来天明。但是他们一走进车站，又再次感受到被夜晚包围了。有一两个搬运工走来走去，好像谢幕以后在拆除布景的后台工作人员一样。两个身穿灰暗制服的士兵纹丝不动地站着。

候车室里空无一人，但是阿申顿和无毛墨西哥人还是走到最隐蔽的地方才坐下。

“离开车还有一个小时。我要看看这封电报说了些什么。”

他从口袋里掏出电报，又从公文包里取出密码本。那时他用的密码不是很复杂，由两部分组成，一部分记在一个小本子上，另一部分是写在一张纸片上给他的，他在离开协约国国境之前把它背下来后就销毁掉了。阿申顿戴上眼镜开始翻译电报。无毛墨西哥人坐在长椅上的一个角落里，卷了一支烟抽了起来，他非常平静地坐在那里，丝毫不理会阿申顿在干什么，自顾自地享受着得来不易的片刻安宁。阿申顿对照密码把一组一组的数字译出来，逐字写在一张纸上。他译电报有自己的方法，那就是在译出全文之前不去思考电文的意思，因为他早就发现，如果每译出一个字就去琢磨意思，往往会过早下结论，有时会导致误解。所以他只是机械地译出一个个字，把它们逐一写在纸上，不去注意这些字的意思。最后译完全文后，他读出了如下电文：

“康斯坦丁·安德里亚蒂因病滞留比雷埃夫斯，未能启程。即回日内瓦待命。”

阿申顿起先没有看懂这是什么意思。他又读了一遍。随即，他从头到脚浑身发抖，终于失去了自制，他压低嗓门儿，用粗哑、惊恐、愤怒的声音低吼道：

“你这个该死的蠢货，你杀错了人。”

毛姆

短篇小说全集

[英] 毛姆 著　姚锦清 刘勇军 译

第12册

三个圈经典文库

经典就读三个圈　导读解读样样全

江苏凤凰文艺出版社
JIANGSU PHOENIX LITERATURE AND ART PUBLISHING

目　录

领 事

皮特先生怒不可遏。他在领事馆工作二十多年了，应付着各种各样无理取闹的人：官员们毫不讲理，商人把英国政府当成收债机构，传教士把任何公平竞争的行为都视为严重的不公，并因而愤愤不平。然而，他想不起还有哪件事能叫他如此不知所措。他性情温和，但他无缘无故地冲他的书记员大发脾气，差一点儿就解雇了这个欧亚混血办事员，因为他把一封拼错了两个单词的信拿来给他签名。他是个认真尽责的人，不到四点，他无法说服自己离开办公室，然而，只要一到时间，他就马上站起来要他的帽子和手杖。如果他的仆人没有立刻取来，他就把仆人臭骂一顿。人们都说领事们有点儿怪，那些在中国生活了三十五年却不会用汉语问路的商人说，这是因为领事们必须学习汉语。毫无疑问，皮特先生的确很怪。他是个单身汉，因此会被安排到一些偏僻的地方工作，毕竟这些地方都不适合已婚男性去。他一个人生活，变得极为古怪，他的许多习惯会让陌生人大吃一惊。他经常心不在焉。他对自己的房子毫不在意，家里总是乱七八糟的，他也不在乎饮食；仆人们喜欢吃什么，就给他吃什么，还总要敲他的竹杠。他坚持不懈地查禁鸦片，但城里只有他一个人不知道他的仆人把鸦片藏在领事馆，还公然在领事馆后门进行大宗的鸦片交易。他是一个痴迷的收藏家，在政府提供给他的这栋房子里，满是他一件件收藏起来的物品，比如锡镴制品、铜器、木雕，这些都是他的较为正式的藏品，他也收集邮票、鸟蛋、旅店标签、邮戳，他吹嘘他收藏的邮戳在大英帝国无人能敌。他在偏僻的地方长期居住期间，还阅读了大量的书籍。他对东方非常了解，对东方的历史、文学和人都知之甚详，在这一点上，他的大多数同事都不能望其项背；他虽然看了这么多书，却没有学到宽容，反而变得虚荣。他的外形十分独特：他身体瘦弱，走起路来让人感觉他就像一片枯叶在风中飘动。他那顶蒂罗尔式小帽也异常古怪，帽子上插着一根鸡毛，又旧又破，随意地歪戴在他那颗大脑袋上。他秃顶得厉害；有一双浅蓝色的眼睛，眼镜后面的眼神怯怯的；留着脏兮兮、乱糟糟的八字胡，就连他的胡子也掩盖不了那张怒气冲冲的嘴巴。这会儿，他离开领事馆所在的街道，向城墙走去，因为在这个人口众多的城市里，要想舒舒服服地散步，只能去那里。

他工作起来很努力，为了每一件小事都会忧虑过度，但一般说来，在城墙边散散步，他就会平静下来。这座城市位于一片巨大的平原之上，每逢日落时分，站在城墙上，往往能看到远处冰雪覆盖的高山，那是西藏的雪山；但现在他走得很快，并没有左顾右盼，他那只肥胖的西班牙猎犬在他周围蹦跳着，并没有觉察到主人有些不对劲。他小声而语速飞快地自言自语。他之所以生气，是因为白天有一位女士来见他，这位女士自称于太太，而他作为一位领事，则要坚持称她为兰伯特小姐，而这一点本身就破坏了他们之间的愉快交往。她是一个英国人，丈夫是东方人。她丈夫一直在伦敦大学读书，两年前，她随丈夫来到了这里。他让她相信他在自己的国家是个大人物，她就以为自己会住进华丽的宫殿，并且成为显贵。但结果大大出乎了她的意料，到了当地之后，她竟然被带到了一栋破烂的房子里，里面住满了人，甚至连一张西式床都没有，更没有刀叉，在她看来，一切都污秽不堪，臭气熏天。她震惊地发现，她必须和公婆住在一起，他还告诉她，婆婆让她做什么，她就得做什么。此外，由于她并不会讲汉语，所以她在那栋房子里住了两三天，才发现她并不是她丈夫唯一的妻子。在他离开家乡去外国学习知识之前，就已经娶了亲，而当时他还只是个少年。她责骂他欺骗自己，他却只是耸了耸肩。只要当地人乐意，就可以娶两个女人，没什么可以阻止。而且，他不顾事实，说什么当地的女人都不觉得这有问题。发现了这些事，她便去找了领事。领事已经听说她来了，毕竟在一个地方，大家对彼此的事都心知肚明。所以，他接待她的时候，并不觉得惊讶。领事对她也没有表现出太多的同情，一个外国女人嫁给一个东方男人，这件事本身就让他十分愤怒。她应该没有详细打听一下就和他结婚了，所以领事更生气，就好像他个人遭到了冒犯。看她的外表，就知道她并没有为自己干了这样一件蠢事而内疚。她身材矮胖结实，非常年轻，样貌平平，还很务实。她身上的衣服是便宜货，戴着的是一顶苏格兰圆扁帽。她的牙齿参差不齐，皮肤灰黄。她的手又大又红，并没有精心保养。看得出来她是干惯了粗活的。她的英语带着伦敦腔。

“你是怎么认识你先生的？”领事冷冷地问。

“啊，事情是这样的。”她答道，“我父亲有一份非常好的工作，他去世之后，我母亲说：‘这些房间一直空着，实在是罪过，太浪费了，我在窗户上挂一块出租的牌子吧。’”

领事打断了她。

“他在你家里寄宿？”

“其实倒也算不上寄宿。”她说。

“那就算是公寓出租好了。”领事说，露出了他那淡的但又有些自负的笑容。

这种婚姻通常都是这样的。然后，由于他认为她是个愚蠢粗俗的女人，便不客气地说，根据英国的法律，她并没有与这个男人结婚，她现在能做的，就是马上返回英国。她哭了起来，领事心软了。他保证会把她托付给一些女传教士，让她们在漫长的归国途中照顾她，而且，如果她愿意的话，他会看看是否可以安排她住在某个布道所里。但在他说话的时候，兰伯特小姐擦干了眼泪。

“回英国有什么好处呢？”她终于说道，“我没有地方可去。”

“你可以去找你的母亲。”

“她一直反对我嫁给他。如果我现在回去，一定会被她数落得狗血淋头。”

领事开始和她争论起来，但他越是争论，她就变得越是坚决，最后，他生气了。

“如果你愿意和一个不是你丈夫的男人待在这里，那也是你自己的事，我没什么可以帮你的了。”

她的回答叫他怒不可遏。

“那你就不必担心了。”她说，每当他想起她，她当时脸上的神情都会浮现在他的面前。

这是两年前的事了，从那之后，他又见过她一两次。看起来她和婆婆、她丈夫的另一个妻子相处得很不好，她还问领事根据当地的法律她都有哪些权利。他又提出让她回国，但她依然坚定地回绝了，每次他们见面，到最后总是领事勃然大怒。他几乎想要同情那个男人了，毕竟他不得不周旋于几个水火不容的女人之间维持和平。按照这个英国妻子所说，他对她还算不错。他努力对两个妻子一视同仁。兰伯特小姐一直没有让自己的处境变好。领事很清楚，她平时都穿当地的衣服，但在来见他的时候，她就会穿上欧式裙装。她变得非常邋遢。她吃当地的食物，身体变得一天比一天差，看上去病恹恹的。但他真正感到震惊的，还是那天她来他的办公室的时候：她没戴帽子，头发乱七八糟，处在一种极度的歇斯底里的状态中。

“她们给我下毒。”她尖叫道，并把一碗臭烘烘的食物摆在他面前。“这里面有毒。”她说，“我病了十天了，我能逃出来，就是个奇迹。”

她详细地讲了一个很长的故事，他相信了：当地的女人常用类似的手段除掉她们厌恶的入侵者。

“她们知道你到这里来了吗？”

“她们当然知道了，我告诉她们我要去告发她们。”

此刻，终于到了采取果断行动的时候了。领事拿出公事公办的态度瞧着她。

“你绝对不能再回去了。我再也不要听你说的那些废话了。我坚持要你离开这个根本都不是你丈夫的男人。”

但他发现自己根本无法应付这个疯狂又固执的女人。他把从前经常对她说的话又说了一遍，可她不肯听，然后，和往常一样，他生气了。就是在这个时候，面对他最后一个绝望的问题，她的答复让他彻底失去了冷静。

“你为什么非要和那个男人在一起？”他大喊道。

她犹豫了片刻，她的眼中流露出了奇怪的眼神。

“我太爱他额头的头发了。”她答。

领事还是第一次听说这么离谱的话。这真的就是最后一根稻草。此时，他大步往前走，试图甩掉心中的愤怒。他并不是个常常满嘴脏话的人，但他现在真的控制不住自己，他狠狠地说：

“女人真是不可理喻！”

患难之交

我研究我的同胞已有三十年之久，却对他们了解不多。我肯定不会光看长相就雇用仆人，但我想多数时候我们确是通过外貌来判断遇到的各色人等。我们往往通过下巴的形状、眼神，还有嘴巴的轮廓就下结论，但到底有多准确，我持怀疑态度。为什么小说和戏剧总是与现实生活不符，因为可能出于某种需要，作者必须让笔下的角色心口如一。他们不敢让角色自相矛盾，因为那样的话，读者就不好理解其中的角色了。然而，我们中的大多数不都自相矛盾吗？我们不过是由一堆反复无常的特征随意拼接在一起罢了。讲逻辑学的书籍告诉你，黄色是管状的、感恩比空气重，这样的说法荒唐至极。但是在构成我们不一致的矛盾体中，黄色很可能是一辆马车，感恩也很可能是下个礼拜三或者礼拜四中的一天。每每有人告诉我他们对别人的第一印象从不会出差错，对这种说法我只是耸耸肩。这样的人要么没什么见地，要么就是太自负。就我自己来说，我发现认识一个人越久，就越是看不清他：我的老朋友往往是我一无所知的人。

我之所以想到这些，是因为在今天的早报上看到爱德华·海德·伯顿在神户去世的消息。他是个商人，在日本经商多年。虽然我对他知之甚少，但他引起了我的兴趣，因为他曾给过我一个很大的"惊喜"。要不是我从他口中亲耳听说，我怎么也不会相信他会做出那样的事。无论从外表还是举止来看，他都无疑是个表里如一的人——如果世上真有这种人的话——所以他能做出这种事更让我震惊。他身材矮小，身高顶多五英尺四英寸[1]，非常瘦弱；他一头白发，蓝眼睛，红通通的脸上布满了皱纹。我估摸认识他的时候他大概有六十岁了吧。他总是穿着符合自己年龄、地位的衣服，干净整洁，显得很稳重。

他的办公室在神户，但他时常到横滨来。碰巧有

1　约1.6米。——编者注

一次我在那儿等船的时候停留了几日，有人在英国俱乐部把我介绍给了他。我们一起打桥牌，他打得很好，也很慷慨。他打牌的时候话不多，之后我们喝酒的时候也是如此，但只要他开口，说的话都很有道理，不经意间透着冷幽默。他在俱乐部似乎很受欢迎，他离开之后，他们都说他是个顶好的人。碰巧我们都住在格兰德酒店，第二天他请我一同用餐。我见到了他有些发福的妻子——她上了年纪，脸上带着微笑，还有他的两个女儿。这显然是一个和睦、充满温情的家庭。我认为伯顿给我印象最深的是他的善良，那双温柔的蓝眼睛给人一种非常愉悦的感觉。他的声音很温柔，你无法想象他愤怒时提高嗓门的样子；他的笑容和蔼可亲。这个男人让你着迷，因为你在他身上能感受到他对同胞发自肺腑的爱。他很有魅力，从不无病呻吟。他喜欢打桥牌、喝鸡尾酒，能讲雅俗共赏的故事，年轻时还有几分运动员的风范。他是个有钱人，每一分钱都是自己赚来的。我想，他招人喜欢的原因是他身形弱小，很容易激起大家的保护欲，你会觉得他连一只苍蝇都不忍心伤害。

一天中午，我在格兰德酒店大厅坐着。那时候地震还没发生，他们那儿的扶手椅都是皮质的。窗外视野开阔，能看见港口繁忙的景象。有开往温哥华、旧金山的巨轮，也有经中国上海、中国香港和新加坡去往欧洲的巨轮。各个国家的货船，由于海水的侵蚀，已有些破旧了。中式帆船船尾很高，帆布五颜六色。还有数不清的小船。这是一幅令人振奋的繁忙景象，但不知为何，我却很平静。这里有种浪漫的元素，似乎只要伸手就能摸到。

没多久，伯顿进来了。他注意到我，便在我旁边的椅子上坐下了。

“喝一点儿怎么样？”

他拍手招来一个服务生，点了两杯杜松子汽水酒。服务生把酒送过来时，有个人从外面的街道走过，看到我，就跟我挥了挥手。

我点头致意。“你认识特纳？”伯顿问我。

“在俱乐部见过他，有人跟我说他靠家里汇款过日子。”我说。

“是的，我想是这样。这里有不少这样的人。”

“他桥牌打得不错。”

“他们一般都玩得很好。去年这里有个家伙，说来也奇怪，他和我同姓，是我见过的桥牌打得最好的人。我想你在伦敦从来没有见过他吧。他自称兰尼·伯顿，想必是很多高级俱乐部的会员吧。”

“没有，我想不起来见过这么个人。”

“他是个相当出色的玩家，似乎天生就会打牌，很神奇。我以前经常和他一起玩，他在神户待过一段时间。”

伯顿抿了一口杜松子汽水酒。

“他的故事挺有意思的。”他说，“这家伙倒是不坏，我挺喜欢他的。他的衣着向来十分得体，人也相当精神。他的头发自然卷曲，面色白里透红，从某种程度上说，他还挺英俊的。女人都很喜欢他。他也伤害不了谁，其实他只是有点儿放荡不羁罢了。当然了，他太喜欢喝酒了。不过，那类人都这样。过去他每个季度都能赚点钱，打牌再赚一些。反正我知道他赢了我不少。”

伯顿和善地笑了笑。根据我自己的亲身经历，我知道他打桥牌输钱时很有风度。他用瘦削的手抚过刮得很干净的下巴，手上青筋突起，几乎能透过光。

“我想这大概就是他破产时来找我的原因——赢过我的钱，加上和我同姓。有一天，他到我的办公室找我，要我给他一份工作。我很惊讶。他告诉我，家里不再寄钱给他了，他想要工作。我问他多大年龄了。

“‘三十五。’他说。

“‘之前你都干了什么？’我问他。

“‘唉，也没干什么。’他回答。”

我忍不住笑了。

“‘恐怕我现在帮不上你什么忙。’我说，‘过三十五年再来找我，到时候我再看看能给你找个什么活儿。’

“他站那儿没动，脸色变得苍白，犹豫了一会儿，他跟我说他牌运不好有一段时间了，他不愿意在桥牌上死磕，就开始玩扑克，结果中了人家的套，一个子儿都没剩下。他把所有的家当都当掉了，付不起旅馆的账，人家再也不给他赊账了。他现在一贫如洗，要是再找不到活儿干，就只能自杀了。

“我看了他几眼，看得出来，他已经走投无路了，最近酒也比平常喝得更多了，看上去得有五十岁了。要是当时有姑娘瞧见他，怕是不会那么把他当回事了。

“‘好吧，除了打牌你还会别的吗？’我问他。

“‘我会游泳。’他说。

“‘游泳！’

“我简直不敢相信自己的耳朵，这个回答听起来也太荒唐了。

“‘我以前是大学游泳队的。’他说。

“我大抵知道他的意思了，但我在大学见过太多自命不凡的家伙，不会对他们另眼相看。

“‘我年轻的时候也游得不错。’我说。

“一个想法突然冒了出来。”

伯顿停了下来，转头看着我。

“你了解神户吗？”他问我。

“不了解。”我说，“从那儿经过一次，但只待了一晚。”

“那你就不知道盐谷俱乐部了。年轻的时候，我曾从那里出发，绕过灯塔，游到垂水区的一条小溪边上岸。全长超过三英里，而且灯塔周围水流湍急，游完全程相当不容易。然后，我跟和我同姓的人讲了这件事，还告诉他，如果他也能做到，我就给他一份工作。

“看得出他很吃惊。

“‘你刚才说你水性很好。’我说。

“‘但现在我身体不太好。’他回答道。

“我什么都没说，就耸了耸肩。他看了我一会儿，然后点了点头。

“‘好吧。’他说，‘你希望我什么时候去游？’

“我看了一眼手表，当时刚过十点。

“‘你得把时间控制在一个半小时内完成。我十二点半开车去小溪那儿等你，然后带你回俱乐部穿好衣

服，再一起吃午饭。’

“‘成交。’他说。

“我们握了握手。我祝他好运，他便离开了。那天早上我有很多工作要做，到了十二点半才勉强赶到垂水区的小溪。但其实我用不着那么急，因为他根本就没有出现。”

“他在最后关头退缩了吗？”我问。

“没有，他没有退缩。他开始进展得很顺利，但他喜欢酗酒，生活又很放荡，身体早就垮了，灯塔附近的浪潮他根本就应付不了。我们找了三天才找到他的尸体。”

一时间，我什么都说不出来。我有点儿难以相信。然后我问了伯顿一个问题。

“你当时答应给他机会，提出那个要求时，那你知道他会淹死吗？”

他轻轻地笑了笑，用他那和善、真诚的蓝眼睛看着我，揉了揉下巴。

“这么说吧，当时我的公司没有空缺的职位。”

丛林里的足迹

在马来亚，没有比丹那美拉更迷人的地方了。丹那美拉位于海边，沙滩边缘长着木麻黄。政府办公室仍设在荷兰人统治时建造的市政厅里，山上矗立着灰色的堡垒废墟，曾经葡萄牙人凭借这座堡垒，控制着不守规矩的原住民。丹那美拉有着悠久的历史，华商在海边建造了迷宫般的巨大宅邸，到了凉爽的傍晚，他们便坐在凉廊里，享受着夹杂着咸腥味的海风，而这些家庭在这个国家定居了三个世纪。许多人已经忘记了自己的母语，用马来语和洋泾浜英语进行交流。在马来联邦，仅剩的过去大都只存在于生者父辈的记忆中了，但好在现在还有想象力。

在曾经很长的一段时间里，丹那美拉一直是中东最繁忙的商业中心，这里的港口停满了船只，还有很多快帆船和舢板船从中国的海面驶来。然而，现在这个地方死气沉沉，弥漫着凄凉和浪漫的气氛，和很多曾经辉煌一时的地方一样，如今只能生活在对昔日荣光的记忆中。这里是一个冷清的小镇，陌生人来了，都将逐渐失去往日的活力，在不知不觉中与当地人一样，过着简单和慵懒的生活。橡胶产业的持续繁荣并没有让这里兴旺起来，随之而来的衰退却加速了小镇的衰落。

欧洲人聚居区非常平静。那片区域整洁干净。这里的白人要么是公务员，要么是公司代理，他们的房屋建在一片巨大的运动场周围，他们所住的平房宽敞舒适，掩映在高大的玉桂树的树荫之下。运动场非常大，绿色的草坪经过精心的打理，就像大教堂的场院。丹那美拉的这个角落笼罩在静谧之中，美轮美奂，会让人想起坎特伯雷大教堂周围的区域。

临海有一个俱乐部，大楼虽然宽敞，却有些破旧，弥漫着衰败之气，走进俱乐部，你会觉得自己像是硬闯进去的，仿佛俱乐部正在停业改建和装修，而你却冒失地走进开着的门，进入了一个不该进的地方。早晨，你可能会看到几个种植园经理从他们的庄园里来这里办事，他们喝过杜松子酒就会返回种植园。到了下午晚些时候，也许会看到一两个女人带着一种鬼鬼祟祟的神气，翻阅过期的《伦敦新闻画报》。傍晚时分，几个男人信步走进来，坐在台球室里，一边看别人打台球一边喝酒。不过每逢礼拜三这里会热闹一些。在那一天，楼上的大房间里会放留声机，人们从周围的乡村来这里跳舞。有时跳舞的人至少有十几对，甚至可以凑齐两桌桥牌了。

就在这样的场合里，我结识了卡特莱特夫妇。我当时住在警察局局长盖兹的家里，那天，我坐在台球厅里，盖兹过来问我能不能搭个手玩桥牌。卡特莱特夫妇打理一座种植园，每周三都带女儿来丹那美拉玩。盖兹说这对夫妇人不错，话不多，为人谦逊，和他们打桥牌挺愉快。我跟着盖兹走进台球室，盖兹把我介绍给他们。他们已经坐在一张桌子旁了，卡特莱特太太正在洗牌。她洗牌的手法很纯熟，我对牌局顿时有了信心。她的手又大又壮，两只手各拿了半副牌，灵巧地把半副牌的牌角插在另外半副牌的牌角下面，“咔嗒”一声，整副牌干脆利落地合在了一起。

她洗牌就像在变魔术。打牌的人都知道，只有不断地练习，才能把牌洗得这么好。可以相当肯定地说，能够这样洗牌的人，都很喜欢玩桥牌。

“你们介不介意我们夫妻两个搭档？”卡特莱特太太问，“我们两个赢对方的钱可没意思。”

“当然不介意。”

切牌之后，我和盖兹坐下。

卡特莱特太太抽了一张A，她一边快速而利落地发牌，一边与盖兹谈着当地的大事小情。但我知道她一直在打量我。她看上去挺精明的，但心地善良。

卡特莱特太太五十来岁（在东方，人们老得很快，但还是很难看出他们的年龄），一头白发梳得乱糟糟的，总有一绺长发掉到额头前面，她经常不耐烦地用一只手把头发往后拨开。真不明白她为什么不干脆用一两个发夹把头发别住，好省去不少麻烦。她的蓝眼睛很大，但脸色苍白，带着倦意。她的脸布满了皱纹，脸色蜡黄。在我看来，正是因为她的嘴，使她看起来有些刻薄，总像是在讽刺什么，同时又显得很宽厚。你看得出，这个女人很有自己的想法，并且从不害怕说出自己的想法。她喜欢一边打牌一边聊天（有些人就反对这样，我却觉得挺不错，因为我不明白在牌桌上为什么要表现得像在参加追悼会一样），而且，我很快就发现她这人很风趣。她拿人打趣的时候嘴很毒，但也很有趣，只有傻瓜才会发火。如果她不时说一句挖苦人的话，你也乐意用你所有的幽默感来体会其中的乐趣，而且，你很快就会发现，她拿别人打趣，也不介意别人用她来开玩笑。要是你能给出机敏的回答，把嘲笑的矛头指向她，她那张嘴唇薄薄的大嘴会形成一抹干笑，她的眼睛也会闪闪发亮。

我认为她是一个非常和蔼可亲的人。我喜欢她的坦率和机智，对她那张朴素的面孔也很有好感。我从未见过一个女人对自己的外表如此不在乎。不光她的头发凌乱不堪，她身上的一切都很邋遢。她穿了一件高领丝绸衬衫，但是为了凉快，她把最上面的扣子解开了，露出一段枯瘦干瘪的脖子。她的衬衫皱巴巴的，一点儿也不干净。她抽了数不清的烟，身上全是烟灰。当她站起来和别人说话时，我看到她的蓝裙子急需洗一洗，下摆都磨损了。此外，她穿着笨重的低跟靴子。但这些都无关紧要。她的穿着打扮很符合她的性格。

和她打桥牌是一种乐趣。她出牌很快，一点儿也不会犹豫，她不仅很懂桥牌之道，还很有这方面的天赋。她自然了解盖兹打牌的手法，却是第一次和我打牌，不过她还是很快就看出了我的意图。她和丈夫之间的合作令人钦佩，她的丈夫打起牌来很谨慎，牌技非常好。但她了解他，所以她打牌时非常大胆和肯定，玩得很漂亮，还能赢。盖兹玩牌乐观到了愚蠢的地步，希望他的对手想不到去利用他的错误，如此一来，我们两个根本不是卡特莱特夫妇的对手。我们连输了好几把，只好干笑，假装就算输了也无所谓。

“这副牌八成有问题。”盖兹最后神情凄楚地说道，“就算有了所有好牌，我们照样输得很惨。”

“这跟你们的牌技可没什么关系。”卡特莱特太太答，用她那双淡蓝眼睛直视着他的脸，“只不过是你们的运气不好罢了。不过上一把你不把红心和方片弄混，说不定还有点儿胜算。”

盖兹开始详细地解释搞得我们损失惨重的不幸是如何发生的，但是，卡特莱特太太灵巧地一挥手，把牌摊成一个大圆圈，准备发牌。卡特莱特看了看时间。

“最后一把了，亲爱的。”他说。

“啊？”她看了看表，然后对一个正在穿过房间的年轻人喊道，“布伦先生，你上楼去的话，就告诉奥利弗我们过几分钟就该走了。”她转向我，“我们路上要走大半个小时才能到种植园，可怜的西奥天一亮就得起床。”

“我们每周只来一次。”卡特莱特说，“奥利弗只有在这天才有机会不受拘束，好好玩一玩。”

我觉得卡特莱特看上去又累又老。他中等身高，秃顶，脑袋光亮亮的，留着短而粗的灰白胡须，戴着一副金边眼镜。他穿着白色帆布西装，系着一条黑白相间的领带。他穿戴很整洁，看得出比起他邋遢的妻子，他在穿着方面花了更多的工夫。他很少说话，但很明显，他喜欢妻子尖刻的幽默，有时还能很巧妙地反驳几句。他们显然是非常要好的朋友。他们两个人都年纪不轻了，一定在一起生活了很多年，真高兴看到他们之间的感情那么坚贞，对彼此如此宽容。

这把牌只打了两手就决定了胜负，我们刚刚点了最后一杯苦味杜松子酒，奥利弗就下来了。

“真要走了吗，妈妈？”她问。

卡特莱特太太用慈爱的目光看着女儿。

“是的，亲爱的。快八点半了。要到十点我们才能吃晚饭。”

“该死的晚餐。”奥利弗快活地说。

“走之前让她再跳一支舞吧。”卡特莱特建议道。

“不行。你晚上必须休息好。”

卡特莱特微笑着看着奥利弗。

“你妈妈决定了的事，亲爱的，我们还是乖乖照办为好。”

“她是个意志坚定的女人。”奥利弗说，爱怜地抚摸着母亲布满皱纹的脸颊。

卡特莱特太太拍拍女儿的手，吻了一下。

奥利弗谈不上漂亮，但十分清秀。我想她也就十九或二十岁，还带着一点儿婴儿肥，再瘦一点儿会更有魅力。她不像她母亲那样果断，而她母亲正因如此才显得个性十足；她更像父亲，继承了他的黑眼睛和微微的鹰钩鼻，也和他一样都很和蔼可亲。一看就知道她很强壮，身体非常健康。她的脸颊红红的，眼睛炯炯有神。她有一种他早已失去的活力。她是那种典型的英国姑娘，情绪高昂，盼着可以享受生活，脾气也很好。

和他们分开之后，我和盖兹向他家走去。

“你觉得卡特莱特夫妇怎么样？”他问我。

“我喜欢他们。在这样一个地方，他们肯定人缘不错。”

“我希望他们能多来几次。他们的生活实在太单调了。”

“那姑娘肯定很无聊。卡特莱特夫妇像是有对方陪伴就满意了。”

“是的，他们非常幸福。”

“奥利弗长得像她父亲，对吧？”

盖兹斜睨了我一眼。

“卡特莱特不是她的生父。卡特莱特太太在嫁给他之前是个寡妇。奥利弗是在她生父去世后四个月出生的。”

“啊——！”

我拉长音说出这个字，融入了我所有的震惊、兴趣和好奇。但盖兹什么也没说，我们默默地走完了剩下的路。男仆在门口恭候我们进屋。我们喝完最后一杯苦味杜松子酒，坐下来吃晚饭。

起初，盖兹十分健谈。由于对橡胶产量的限制，走私开始变得猖獗，他的工作就是要打击这种奸诈的行为。那天，他们抓了两艘走私船，他为自己的成功沾沾自喜。没收来的橡胶堆满了仓库，很快就会被正式焚毁。但是，过了一会儿，他不再说话，我们默默地吃了饭。男仆送来了咖啡和白兰地，我们点上了雪茄。盖兹靠在椅背上。他若有所思地看了看我，又看了看他的白兰地。男仆离开房间后只剩下我们两个了。

“我认识卡特莱特太太有二十多年了。”他慢慢地说，“那时候她长得太美了。她一直都有些邋遢，但她年轻，这也就不是什么大问题，她可真是个可人儿。她嫁给了一个叫布朗森的男人——雷吉·布朗森。他是雪兰登一个种植园的经理，我当时被派到阿洛利比斯工作。那时，那个地方可比现在小得多，整个社区想必都不超过二十人，但有一个挺有意思的小俱乐部，我们玩得很开心。我还记得我第一次见到布朗森夫人的情景，就像昨天一样。那时候没有汽车，她和布朗森是骑着脚踏车过来的。当然，那时她看上去不像现在这么坚决。她瘦得多，肤色很美，一双眼睛格外动人，你知道，她的眼睛是蓝色的，一头乌黑的头发是那么浓密。如果她肯多花些心思打扮，必定会相当迷人。事实上，她是当地最漂亮的女人。”

我试图根据卡特莱特太太现在的样子，以及盖兹那不太形象的描述，在脑海中勾勒出她曾经的（那时她还是布朗森太太）模样。从她那结实的身材，以及坐在桥牌桌旁的笨拙姿态，我想象一个身段玲珑的年轻女子，她的动作轻盈优雅，做什么都仪态万方。现在，她的下巴是方的，鼻头很圆，但她年轻时丰腴圆润，也就掩盖了这些缺点。她一定是个美人，皮肤白里透红，一头浓密的棕发随意一梳。在那个时期，她穿着一条束腰长裙，戴着一顶阔边帽。或者马来亚的妇女当时仍然会戴的、老画报上登的那种遮阳帽？

“我有将近二十年没见过她了。”盖兹继续说道，

“我知道她住在马来联邦，但不知道具体地方，后来我接受了这份工作，来到这里。我在俱乐部里遇见她，就像多年前我在雪兰登时一样，感到非常意外。她现在自然是上了年纪，变得面目全非。看到她有一个成年的女儿，我感到相当震惊，不由得感叹岁月如梭。上次见到她时我还是个年轻人，现在，哎呀，再过两三年我就要退休了。有点儿无聊吧？”

盖兹看着我，他那丑陋的脸上露出悔恨的笑容，还带着些许愤怒，仿佛我能帮忙控制岁月匆匆流逝的脚步。

“我也不再年轻了。”我回答。

“你没有一辈子都在东方生活。这会让人提前衰老的。到了五十岁就是老人了，到了五十五岁，人就成了废物，什么也干不了。”

但我不想让盖兹跑题，转而说什么年老的话题。

“你再见到卡特莱特太太时，有没有认出她？”我问。

“也可以说有，也可以说没有。我第一眼看见她，就觉得我认识她，却一时想不起她是谁。我还以为她是我休假时在船上遇到的人，只有一面之缘。但她一开口，我立刻就记起来了。我记得她眼里干涩的闪光和她清脆的声音。她的声音里似乎有什么东西在暗示：你真是个傻瓜，但你并不坏，说实话，我还挺喜欢你的。”

“你从她的声音里听出了不少东西。”我笑着说。

“她在俱乐部里走到我跟前，和我握了手。‘你好，盖兹少校。还记得我吗？’她说。

“我当然记得。

“‘自从我们上次见面以来，都过了很多年了。我们都不再年轻了。你见过西奥了吗？’

“我一时想不出她指的是谁。我想我看起来很傻，她轻轻一笑，就是那个我很熟悉的嘲弄的微笑，然后她给我解释了一下。

“‘西奥是我的丈夫。这似乎是最好的办法。我很孤独，他正好想结婚。’

“‘我听说你嫁给他了。’我说，‘希望你过得幸福。’

“‘非常幸福。西奥这人可好了。他马上就来。他会很高兴见到你。’

“我对此表示怀疑。在我看来，我是西奥最不愿意见到的人了。我也没想到她会希望我见西奥。但女人都很有趣。”

“他为什么不想见你？”我问。

“这个我等会儿再说。”盖兹道，“西奥出现了。我不知道我为什么要叫他西奥，毕竟我一向只叫他卡特莱特，我也只当他是卡特莱特。见到西奥，我大吃一惊。你也知道他现在的样子，在我的记忆中，他很年轻，留着一头鬈发，精神抖擞，干净利落。他总是把自己收拾得很干净，身材好，举止得体，看得出经常运动。现在回想起来，他长得并不难看，虽然谈不上高大魁梧，但你知道，他很优雅，动作也轻盈。可当我看到这个老家伙，戴着眼镜、弯腰驼背，还是个秃顶，我简直不敢相信自己的眼睛。我都认不出他来了。至少，他看到我似乎很高兴，也很感兴趣。他并没有表现得太热情，但他向来都是个话不多的人，我也没盼着他对我多热情。

“‘你在这儿遇到我们，是不是很惊讶？’他问我。

“‘我并不知道你们住在什么地方。’

“‘我们可是一直都多多少少了解一些你的动向。你的名字时常出现在报纸上。你找一天一定来我们家里坐坐。我们在那儿住了好多年了，想必在回国之前，我们会一直住在那里。你回过阿洛利比斯吗？’

“‘没有。’我说。

“‘那是个不错的小地方。听说现在越来越繁荣

了。我再也没有回去过。’

“‘那里并没有给我们留下什么非常愉快的回忆。’卡特莱特太太说。

“我问他们要不要喝一杯，然后叫来了仆人。我敢说你注意到卡特莱特太太喜欢喝酒了，我不是说她是个酒鬼，但她喝起苏打威士忌活像个男人。我看着他们，心里充满了好奇。他们看起来非常幸福，我猜想他们的日子过得不错，后来我才发现他们相当富裕。他们有一辆高档汽车，每次回国休假出手都很阔绰。他们相处得很好。你知道，看到两个人在结婚多年后，依然喜欢彼此的陪伴，是一件多么令人高兴的事。他们的婚姻显然非常美满。他们都很爱奥利弗，为她感到骄傲。西奥尤为如此。”

“虽然她只是他的继女？”我说。

“虽然她只是他的继女。”盖兹道，“别人肯定以为她会直呼他的名字。但她没有，而是叫他爸爸，她自从出生就只有西奥一个父亲，但她在信上的签名是奥利弗·布朗森。”

“顺便问一下，布朗森是个什么样的人？”

“布朗森？他是个大个子，性格舒爽，声音洪亮，笑起来像打雷，他的体格很健壮，就跟运动员似的。他这人并不突出，但是他为人正直。他的脸很红，头发也是红的。现在回想起来，我从来没见过一个人像他那样流这么多汗。汗水从他身上往下淌，他打网球的时候总是带着毛巾。”

“这么听来，他并不是个有魅力的男人。”

“他长得挺英俊，身材一直都很好。他向来都很注意保持身材。他喜欢谈论的只有橡胶、运动，你知道的，就比如网球、高尔夫和射击，我想他一年到头也看不了一本书。他是典型的公立学校毕业生。我认识他时，他大约三十五岁，但他的头脑却像一个十八岁的孩子。你知道的，很多人来到东方后，就停止成长了。”

说到这种情况，我还真了解一些。对旅行者来说，最令人不安的事情之一就是看到那些又胖又秃顶的中年绅士说话和举止都像小学生。你可能会认为，自从他们第一次从苏伊士运河来到这里，就再也不会动脑子了。虽然结了婚，有了孩子，也许还管着大生意，但他们仍然站在六年级学生的立场上看待生活。

“但他不是傻瓜。”他继续说，“他很清楚自己的工作。他的种植园是全国管理得最好的种植园之一，他也很懂如何对付手下的工人。他真是个好人，就算他有点儿招你烦，你也会不由自主地喜欢他。他在钱的方面很慷慨，总是乐于帮助别人。正是因为这一点，才会有卡特莱特的出现。”

“布朗森夫妇的感情怎么样？”

“我觉得应该很好吧。我相信他们很恩爱。他脾气好，她也是个开朗的人。你知道，她很直率。即使是现在，她要是高兴，也能非常有趣，但一般来说，她开起玩笑来可是绵里藏针，她年轻时嫁给了布朗森，纯粹就是为了好玩。她情绪高昂，喜欢玩。她从来不在乎自己说些什么，但这就是她的风格，如果你明白我的意思的话。她是那么坦白直率，无忧无虑，你根本不会在乎她对你说了什么。他们看起来非常幸福。

“他们的种植园离阿洛利比斯大约五英里。他们有一辆马车，通常在傍晚五点左右驾车过来。当时外国人很少，男性占大多数。只有六个女人。幸亏有布朗森夫妇在，他们一出现，气氛就会活跃起来。我们在那个小俱乐部里玩得很开心。从那以后，我经常想起他们，我也不知道还有什么时候比驻扎在那里时更快乐。二十年前，从六点到八点半，从亚丁到横滨，阿洛利比斯的俱乐部是最热闹的地方。

“有一天，布朗森太太告诉我们，有个朋友要来和他们住在一起，几天后，他们带来了卡特莱特。看来他是布朗森夫妇的一个老朋友，他们一起在马尔伯勒之类的地方上过学，第一次来东方的时候还乘坐同一艘船。橡胶产业低迷，很多人都失业了。卡特莱特就是其中之一。他失业大半年了，穷得叮当响。在那个时候，种植园经理的工资比现在还要低，要运气特别好，才能存一些钱以备不时之需。卡特莱特去过新加坡。遇上经济不景气的时候，他们都会去那里。那时候的经济太糟糕了，我可是亲眼见过的，我知道有些种植园经理就睡在街上，连一晚上的住宿费用都掏不出来。我知道他们会在欧洲酒店外面拦住陌生人，乞讨一块钱去买吃的，我觉得卡特莱特那时候的日子过得很糟糕。

“最后他写信给布朗森，请他帮忙。布朗森就请他来家里住，等情况好转再做打算，至少他可以白吃白住。卡特莱特欣然接受了这个机会，但布朗森还得给他寄钱，让他去买火车票。当卡特莱特到达阿洛利比斯时，他口袋里连一毛钱也没有。布朗森自己倒是有一点儿钱，我想每年有两三百美元吧，虽然他的薪水减少了，但好歹工作保住了，因此他比大多数种植园经理都富裕。卡特莱特来的时候，布朗森太太让他把这里当自己的家，想住多久就住多久。”

“她人真好，是不是？”我说。

“是的。”

盖兹又点燃了一根雪茄，斟满了酒。四周静悄悄的，除了偶尔传来壁虎的叫声，其余时间都是一片死寂。在这个热带的夜晚，仿佛只有我们两个，天知道离人类聚居地有多远。盖兹良久都没有说话，最后我不得不说些什么。

“卡特莱特那时是个什么样的人？”我问，“当然他是很年轻，你说过他长得不错，但他这个人怎么样？”

“跟你说实话，我向来就没怎么注意过他。他和蔼可亲，也不爱摆架子。他现在不爱说话，我敢说你已经注意到了，他以前也不活跃。但他并不招人讨厌。他喜欢读书，钢琴弹得相当好。人们很喜欢和他在一起，他从不碍事，但人们也不会过多地关注他。他跳舞跳得很好，女人们都很喜欢他，他还打得一手好台球，网球技术也不错。他很自然地进入了我们的小圈子。也不能说他有多受欢迎，但每个人都喜欢他。我们当然为他感到难过，就像为一个穷困潦倒的人感到难过一样，但我们无能为力，我们只好接受他，忘记他是后来才来的。他每天晚上和布朗森夫妇一起来，像其他人一样付钱买酒。我想是布朗森借了他一些钱用于日常开销。他总是很有礼貌。我对他的印象相当模糊，他真的没有给我留下什么特别的印象。在东方，总会遇到很多这样的人，他看起来和其他人没什么区别。他想尽一切办法找点事做，但他运气不佳。事实上，那里没有工作，有时他似乎对此相当沮丧。他和布朗森夫妇在一起住了一年多。我记得有一次他对我说：

“‘我毕竟不能永远和他们住在一起。他们对我非常好，但我不好一直麻烦他们。’

“‘我想布朗森夫妇会很高兴招待你的。’我说，‘住在橡胶园里，并不是特别快乐的经历，至于你吃的喝的，不管你是否在那里，对他们都不会有什么太大的不同。’”

盖兹又停了下来，带着犹豫的神情看着我。

“怎么了？”我问。

“恐怕我把这个故事讲得太糟了。”他说，“我好像一直在闲扯。我可不是什么小说家，我是一名警察，我只是把我当时看到的事实讲了出来，在我看来，所有这些情况都很重要，我的意思是，搞清楚他们是什么样的人，非常重要。”

“当然。继续说吧。”

“我记得有个人，一个女人，我想应该是医生的妻子，问布朗森夫人，家里住着一个陌生人，有时候会不会很烦。你知道，在阿洛利比斯这样的地方，没有什么可谈的，要是不谈邻居们的事，也就没有什么可聊的了。

“‘我不觉得烦。’她说，‘西奥并不麻烦。’她转向坐在那里擦脸的丈夫，‘我们都很高兴接待他，是不是？’

“‘是的。’布朗森说。

“‘他整天都做些什么？’

“‘我不知道。’布朗森太太说，‘他有时会和雷吉一起去种植园里转转，还会打猎。他也会跟我聊天。’

“‘他总是乐于帮忙。’布朗森说，“有一天我发高烧，他就替我干活儿，我躺在床上休息，惬意得很呢。’”

“布朗森夫妇没有孩子吗？”我问。

“没有。”盖兹回答，“我不知道为什么，他们绝对养得起孩子。”

盖兹靠在椅背上。他摘下眼镜擦了擦。镜片很厚，透过镜片看，他的眼睛扭曲得可怕。摘掉眼镜，他就不那么丑了。天花板上的壁虎发出一种奇怪的叫声，听起来很像人声，就像一个傻孩子在咯咯笑。

“布朗森被杀死了。”盖兹忽然说。

“被杀？”

“是的，谋杀。我永远不会忘记那个晚上。当时在场的有我和布朗森夫人，还有医生的妻子和西奥·卡特莱特，我们打完网球又去打桥牌。卡特莱特手气不好。我们在桥牌桌旁坐下来的时候，布朗森太太对他说：‘西奥，如果你打桥牌像打网球一样烂，我们就要连裤子都输掉了。’

“我们刚喝了一杯，但她叫仆人再送一轮酒过来。

“‘把这东西喝下去。’她对西奥说，‘要是摸不到最大的牌，赢不了边花，就别再叫酒喝了。’

“布朗森不在，他骑脚踏车去卡布隆取钱好给他手下的劳工们发薪水，回来后才能来俱乐部。比起卡布隆，布朗森夫妇的种植园离阿洛利比斯更近，但论起商业地位，还是卡布隆更重要，所以布朗森把钱都存在了那里的银行。

“‘雷吉来了之后再和我们玩。’布朗森太太说。

“‘他迟到了吧？’医生的妻子说。

“‘晚了很久了。他说他赶不及回来打网球，但一定能赶上打桥牌。我怀疑他没有直接回家，而是去了卡布隆的俱乐部，这会儿正喝得美呢，那个浑蛋。’

“‘他可是千杯不醉啊。’我笑着说。

“‘你知道，他越来越胖了。他得注意一下身体了。’

“我们坐在棋牌室里，可以听见台球室里的人们有说有笑，看来兴致都很高。快到圣诞节了，我们都有点儿放纵自己。圣诞前夜还会举办一场舞会。

“后来我想起来，我们在牌桌边坐下来的时候，医生的妻子还问布朗森太太累不累。

“‘我一点儿也不累。’她说，“为什么这么问？’

“我不知道她为什么会脸红。

“‘我担心你打网球累着。’医生的妻子说。

“‘不累，不累。’布朗森太太回答，我想她的语气有点儿冲，好像她不想讨论这件事。

“我不知道她们是什么意思，我也是后来才想起这个小插曲。

“我们玩了三四把，但布朗森还是没来。

“‘不知道他是不是遇到什么事了。’他的妻子说，‘我不知道他为什么来得这么晚。’

“卡特莱特一向不爱说话，但今天晚上他几乎没有开口。我以为他累了，就问他白天都干了什么。

“‘没干什么。’他说，‘吃完了午饭，我去猎鸽子了。’

“‘结果怎么样？’我问。

“‘打到了六只。它们一听到动静就飞跑了。’

“但这会儿他说：‘雷吉要是回来太晚了，我敢说他会觉得来这里一趟不划算。我估摸他现在都洗过澡了，等我们回去就会看到他在椅子上打盹儿。’

“‘从卡布隆骑车回来要很久。’医生的妻子说。

“‘你知道，他不走大路。’布朗森太太解释说，‘他都是从丛林里抄近路。’

“‘丛林里能骑车吗？’我问。

“‘能呀，有一条很好走的小路。可以少走几英里路。’

“我们这把牌才刚开始打，酒吧服务员就进来了，他说外面有个警官想和我说话。

“‘有什么事？’我问。

“服务员说他不知道，但警官是带着两个劳工一起来的。

“‘真见鬼。’我说，‘如果我发现他无缘无故地打扰我，看我不让他吃不了兜着走。’

“我告诉服务员我就来，把那把牌打完后，我站了起来。

“‘我马上就回来。’我说，‘替我发牌。’我对卡特莱特说。

“我走出去，发现有个警官和两个马来人在台阶上等着我。我问他出了什么事。你可以想象一下，我听到他告诉我那两个马来人来到警察局，称在通往卡布隆的丛林小路上有一具白人死尸，我是多么惊慌失措。我立刻想到了布朗森。

“‘死了？’我大喊道。

“‘是的，是被人开枪打死的，子弹穿过头部。死者是一个红头发的白人。’

“我一听这个，就确定死者是雷吉·布朗森，其中一个马来人不仅说出了布朗森的种植园的名字，还认出死者正是布朗森。这真是一个可怕的打击。布朗森太太此刻就在牌室里，不耐烦地等着我理牌叫牌。有那么一会儿，我真不知道该怎么办。我沮丧极了，也没有事先准备，就给她这样一个意外而恐怖的打击，简直太可怕了，但是我发现自己实在想不出任何办法来减轻这种打击。我让那个警官和两个劳工等着，然后回到俱乐部。我试着振作起来。我走进牌室，布朗森太太说：‘你怎么去那么久？’这时她看到我脸色不对。‘出什么事了吗？’我看见她握紧拳头，脸色发白。她好像有了不祥的预感。

“‘发生了一件可怕的事。’我说，我的喉咙有些发紧，所以声音有些沙哑怪异，‘发生了一场事故。你丈夫受伤了。’

“她长吁了一口气，并没有尖叫，但奇怪的是，那让我想起一块丝绸被撕成两半的声音。

“‘受伤？’

“她猛地站起来，直勾勾地盯着卡特莱特。这一眼对他产生了不可思议的效果，他瘫坐在椅子上，脸色苍白如纸。

“‘恐怕是非常非常严重的伤。’我补充说。

“我知道我必须告诉她真相，而且是马上就说，但我无法让自己一下子把一切都说出来。

“‘他还有意识吗？’她的嘴唇颤抖得几乎说不出话来。

“我看了她一会儿，没有回答。我宁愿掏一千镑，也不愿意回答这个问题。

“‘恐怕没有了。’

“布朗森夫人盯着我，好像要看穿我的心思。

“‘他死了吗？’

“我想此时唯一的办法就是和盘托出，把这件事解决好。

“‘是的，他们发现他的时候，他已经死了。’

“布朗森太太瘫倒在椅子上，放声大哭起来。

“‘老天。’她低声说，‘我的天哪。’

“医生的妻子走过去用双臂抱住她。布朗森太太双手捂着脸，前后摇晃着，歇斯底里地号哭。卡特莱特脸色铁青，一动不动地坐着，张着嘴盯着她。他就跟变成了石头一样。

“‘亲爱的，亲爱的。’医生的妻子说，‘你必须努力振作起来。’然后，她转身对我说，‘给她拿杯水，再把哈利叫来。’

“哈利是她的丈夫，正在打台球。我进去告诉哈利发生了什么事。

“‘去他的水吧。’他说，‘她要的是一大杯白兰地。’

“我们拿了酒，强迫她喝掉，渐渐地，她不再激动。几分钟后，医生的妻子把她带到洗手间洗脸。我已经决定了接下来怎么做。我看得出来，卡特莱特帮不上忙，他都崩溃了。我能理解这对他来说是一个很大的打击，毕竟布朗森是他最好的朋友，帮了他很多。

“‘伙计，你看起来也需要喝点白兰地。’我对他说。

“他努力打起精神。

“‘你知道，这件事太突然了。’他说，‘我……我没有……’他停了下来，好像在走神，他的脸色仍然苍白得可怕。他拿出一包香烟，划了一根火柴，但他的手在发抖，根本划不着。

“‘是的，我需要喝点白兰地。’

“‘服务员。’我叫道，然后对卡特莱特说，‘你现在能送布朗森太太回家吗？’

“‘可以。’他回答。

“‘那就好。我和医生带着劳工和警察一起去发现尸体的地方。’

“‘你们会把他送回家里吗？’卡特莱特问道。

“‘我想最好直接送到太平间吧。’我还没来得及回答，医生就开口了，‘我还得做尸检。’

“布朗森太太回来后平静多了，我都有点儿不敢相信。然后，我把我的建议告诉了她。医生的妻子是个善良的女人，主动提出陪她一起回家，在她家里住一夜，但布朗森太太不同意。她说她会好起来的，可医生的妻子坚持要去，你知道有些人多么想把他们的仁慈强加给那些遇到困难的人，但她几乎是凶巴巴地回绝了她。

“‘不，不，我要一个人待着。’她说，‘我必须

一个人待着。再说西奥也在。’

“他们上了马车。西奥拉住缰绳，他们就上路了。我和医生随后也出发了，那个警官和两个劳工跟在后面。我派我的车夫去警察局送信，让他们派两个人到现场。我们很快就超过了布朗森太太和卡特莱特。

“‘还好吗？’我叫道。

“‘没事。’他回答说。

“有一段时间，我和医生一句话也没说。我们两个仍处在深深的震惊之中。我还很担心。无论如何，我必须找到凶手，我也料到这件事很棘手。

“‘你说是不是团伙抢劫？’医生终于说。

“他跟我想的一模一样。

“‘我想这是毫无疑问的。’我回答，‘他们知道他去卡布隆是为了取钱发薪水，就在回来的路上埋伏他。所有人都知道他身上有包钱，他真不应该一个人走丛林。’

“‘这么多年了，他一向都是这样的。’医生说，‘而且，这么做的人不止他一个。’

“‘我知道。但问题是，我们怎么才能找到凶手。’

“‘你不认为那两个报告发现尸体的劳工跟这事有

什么关系吗？’

“‘不。他们没这个胆子。依我看，我不相信马来人会这么干，他们会吓破胆的。我们当然会留意那两个马来人的动静。他们要是挥霍钱财，我们很快就能知道了。’

“‘这件事对布朗森太太一定是惊天噩耗了。’医生说，‘在任何时候遇上这种事都很糟糕，况且现在她还怀着孕……’

“‘我还不知道这件事。’我打断他说。

“‘不知道为什么，她想保密。我倒觉得她在处理这件事的时候有点儿奇怪。’

“这时我想起了布朗森太太和医生的妻子说的那几句话，这才明白那位善良的女人为什么那么着急，生怕布朗森太太劳累过度。

“‘说来也怪，她结婚这么多年才有孩子。’

“‘这是常有的事。但她知道后很惊讶，她那时候来找我，我把事情告诉她，她竟然晕倒了，醒来后就哭了起来。我本以为她会很高兴的。她说布朗森不喜欢孩子，一想到孩子，他就极为厌烦。她要我答应不把这个消息说出去，好让她有机会慢慢向布朗森解释。’

“我沉思片刻。

“‘布朗森是那种活泼、热情的人，倒像个喜欢孩子的人。’

“‘这种事光看是看不出来的。有些人很自私，就是不想麻烦。’

“‘那么，她告诉他之后，他有什么反应？很生气吗？’

“‘我不知道她有没有告诉过布朗森。不过她不能再等了，除非我弄错了，否则她再过五个月左右就该生了。’

“‘真可怜。’我说，‘你知道，我觉得他要是知道有孩子了，一定会非常高兴的。’

“余下的路我们都沉默不语，最后终于到了一条岔路口，通往卡布隆的小道就在那里。我们在这里停了下来，过了一两分钟，那个警官带着两个马来劳工乘坐我的马车赶了过来。我们拿着头灯照路。我让医生的马夫去照看小马，还嘱咐他让别的警察来了以后顺小路去找我们。两个马来劳工提着灯走在前面，我们跟着他们。这条小路相当宽，足以通过一辆小马车，在修筑公路之前，人们都是从这条小路往来卡布隆和阿洛利比斯。路面很坚实，走起来并不费力。到处都是沙子，有些地方可以清楚地看到脚踏车车轮的痕迹。这是布朗森在去卡布隆的路上留下的痕迹。

“我想我们排成一列走了二十分钟，突然，两个劳工大叫一声，猛地停了下来。那幅情景突然出现在他们面前，尽管他们早有预料，但还是吓了一跳。在劳工所拿的灯的朦胧光线下，可以看到布朗森躺在小路中间。他从脚踏车上摔了下来，横躺在车上，姿势十分怪异。我震惊不已，连话都说不出来了，我想医生也一样。在我们的沉默中，丛林的喧闹声震耳欲聋，该死的蝉和牛蛙绝对能把死人吵醒。即使在平常，夜间丛林的各种声响也很可怕。因为人们会觉得这个时候林子里应该万籁俱寂，看不见的生物不停地发出的叫声会冲击着你的神经，让你寒毛直竖。丛林怪声包围着你。但就在那时，相信我，那些声音真叫人毛骨悚然。那个可怜的家伙躺在那里，已经死了，在他的四周，丛林里躁动不安的生命无视死者，继续着凶狠地生活。

“他脸朝下趴着。警官和两个苦力看着我，好像在等我下命令。那时我还很年轻，看见死人有点儿害怕。虽然我看不见死者的脸，但我确信死的就是布朗森，但我觉得应该把尸体翻过来确认一下。我想我们都有点儿神经兮兮的，你知道的，我一直讨厌触碰死尸。我现在不得不经常这样做，只是依然感到有些恶心。

“‘是布朗森。’我说。

“哎呀，幸亏医生也在。医生弯下腰，把死者的头翻转过来。警官把灯对准死者的脸。

“‘老天，他的头被打飞了一半儿。’我叫道。

“‘是的。’

“医生站直身体，用长在路边的树叶擦了擦手。

“‘他死了吗？’我问。

“‘是的。他一中弹就断气了。开枪的人一定距离他很近。’

“‘你觉得他死了多久了？’

“‘不太清楚，有几个小时了吧。’

“‘我想，如果他打算六点到俱乐部打牌，那他经过这儿的时间大概是五点。’

“‘没有争斗的迹象。’医生说。

“‘肯定不会有。他是在骑车的时候中枪的。’

“我看了一会儿尸体。我不禁想，就在不久之前，布朗森还是个吵吵闹闹、声音洪亮的大活人。

“‘别忘了，他身上还有给劳工的工钱呢。’医生说。

“‘我们最好搜查一下。’

“‘要把他翻过来吗？’

“‘等等。先检查一下地面。’

“我拿起灯，尽可能仔细地环顾四周的地面。就在他倒下的地方，沙石小路上布满了混乱的痕迹，有我们的脚印，还有发现他的两个劳工的脚印。我走了两三步，就可以清清楚楚地看到他脚踏车轮子的痕迹，可见他一直沿直线骑得很稳。我沿着车痕走到他倒地的地方，确切地说是快到他摔倒的地方。在车轮两侧，我清楚地看到了他那双沉重靴子的印记。他显然是在那儿停了下来，把脚搁在地上，然后又骑了起来，之后车轮出现了剧烈的晃动，他也倒在了地上。

“‘现在搜搜他身上吧。’我说。

“医生和警官把尸体翻过来，一个劳工把脚踏车拖开。他们让布朗森仰面躺在地上。我想他的钱有一部分是纸币，剩下的都是银币。银币应该装在脚踏车上系着的一个袋子里，我一看就知道银币不在了。他会把钞票放进钱包里，钱包应该很厚。我摸遍了他的全身，但一无所获。然后我把口袋翻了出来，里面都是空的，只有右边的裤兜里装着一些零钱。

“‘他不是一直戴着手表吗？’医生问。

“‘是的。’”

“我记得他把表链穿过上衣翻领上的纽扣孔，怀表、一些印章和其他东西都放在胸袋里。表和表链都不见了。

“‘好吧，现在没什么可怀疑的了吧？’我说。

“很明显，有人知道他身上有钱，就结伙在这里抢他。他们杀了他之后，抢走了他身上的所有财物。我突然想起了有些足印证明他曾一动不动地站了一会儿。我能想象出当时的情形。其中一个人找了个借口拦住了他，然后，就在他再次出发的时候，另一个人从他身后的丛林里溜了出来，把枪上两根枪管里的子弹一股脑儿都打进了他的脑袋。

“‘好吧。’我对医生说，‘我一定要抓住他们，我告诉你，我可是很高兴看到他们被绞死。’

“当然要进行调查询问。需要布朗森太太录口供，但她也提供不了我们不知道的线索。布朗森在上午十一点左右离开了家，在卡布隆吃午餐，五点到六点之间回来。他叫她不要等他，说把钱放进保险柜后会直接去俱乐部。卡特莱特证实了这一点。他和布朗森太太两个人吃了午饭，抽完烟后拿着枪去射鸽子。他大概是在五点左右回去的，也许还要早一点儿，洗了个澡，然后换了衣服去打网球。他猎鸽子的地方离布朗森被杀的地方不远，但没有听到过枪声。这当然不能说明任何问题，如果有蝉声、蛙声和丛林里的其他声音，他必须离得很近才能听到枪声，而且，在布朗森被杀之前，卡特莱特很可能已经回了布朗森家。我们调查过布朗森都干过什么。他在俱乐部吃的午饭，在银行快关门的时候取了钱，回到俱乐部又喝了一杯，然后骑上脚踏车出发了。他是乘渡船过的河，船夫清楚地记得看见过他，但肯定没有别的骑脚踏车的人过河。看来凶手没有跟踪他，而是准备埋伏他。他沿着大路骑了几英里，然后抄近路走那条通往他家的小路。

“看来凶手很了解他平时的习惯，当然，种植园的劳工马上就成了怀疑对象。我们非常仔细地检查了他们，但没有任何证据表明他们牵涉其中。事实上，他们中的大多数人都能清楚交代他们都做过什么，而交代不清的人在我看来也因为这样或那样的原因都被排除了嫌疑。我也调查了他们，但不知何故，我认为这事不是华人干的，我感觉华人不会用猎枪。我的调查没有进展。因此，我们悬赏一千美元，只要有人能帮助我们找到凶手，就能拿到这笔钱。既能帮助警方破案，同时还能挣一大笔钱，我想这对很多人而言都很有吸引力。但是我也清楚，告密者不会承担任何冒险，除非保证安全，否则他们绝不会说出心中的秘密，于是我耐心等待。有了悬赏令，我手下的警察破起案来也有了劲头，我知道他们会用尽一切手段将罪犯绳之以法。在这种情况下，他们能做的比我多。

“可说来也怪，根本没人提供线索，赏金似乎一点儿诱惑力都没有。我把网撒大了一点儿。沿公路有两三个村子，我不知道凶手是不是藏在里面。我见了村长，但他们也没帮上忙。并不是他们什么也不告诉我，我确信他们并不知情。我找村里的混混儿也谈过，但没有证据显示他们和谋杀案有关。一点儿线索也没有。

“‘好吧，伙计。’我一边驾车回阿洛利比斯，一边对自己说，‘别着急，绞索又不会坏。’

“那些坏蛋抢走的是一大笔钱，但钱不花是一点儿用也没有的。我自认为很了解当地人的性情，他们要是拿到这笔钱，肯定很想把钱花出去。马来人都喜欢铺张浪费，而且好赌，迟早会有人突然开始大手大脚地花钱，那时我就可以调查钱的来源。只需要几个有技巧的问题，我想我就可以唬住他们，只要我再用点手段，应该不难让他们坦白罪行。

“到了这个时候，唯一的办法就是坐下来，等追捕嫌疑犯的热潮平息下来，凶手就会以为这件事过去了。他们会越来越想花掉那些不义之财，像是百爪挠心，难以忍受，直到最后再也按捺不住。我继续做我的工作，但我从来没有放松警惕，总有一天我会把这个案子破了。

“卡特莱特带布朗森太太去了新加坡。布朗森工作的那家公司问他是否愿意接替布朗森的位置，但他说自己不想。于是他们派了另一个人去，并告诉卡特莱特，他可以接替布朗森的继任者留出来的职位，也就是去打理卡特莱特现在赖以为生的种植园。他立刻就去了那里。四个月后，奥利弗在新加坡出生，又过了几个月，也就是布朗森去世一年多后，卡特莱特和布朗森太太结婚了。我很惊讶，但仔细一想，又不禁承认这是顺理成章的事。麻烦过后，布朗森太太对卡特莱特有了更深的了解，他也为她安排好了一切，她一定很孤独，而且相当迷惘，我敢说她很感激他的好意。我猜想他为她感到难过，一个女人遇到这种事，那就是天都塌了，她无处可去，他们所经历的一切一定让他们之间形成了一种纽带。他们完全有理由结合，这对他们来说可能是最好的安排。

“杀害布朗森的凶手看来要永远逍遥法外了，因为我的那个计划没有奏效。在这个地区，没有人突然大笔花钱，如果有人把这些钱埋在家里的地板下面，那他的自控力简直超乎常人。一年过去了，这件事完全被遗忘了。谁能这么谨慎，过了这么长时间，不让一点儿钱流出去？真叫人难以置信。我开始认为布朗森是被几个流浪的人杀死的，他们作案后逃到新加坡去了，在那里抓住他们的机会很小。最后我放弃了。仔细想想，通常来说，找到抢劫案件罪犯的可能性最小，因为没有证据可以把嫌疑人揪出来，就算凶手被抓住了，也只能是由于他自己的粗心大意。这与激情犯罪或复仇犯罪不同，在这两种情况下，只要通过动机就能确定谁想除掉受害者。

“失败之后哭哭啼啼毫无用处，我让自己保持理智，尽力把这件事抛诸脑后。没有人喜欢失败，但我确实失败了，我必须尽量装得没这回事。后来，一个华人拿着可怜的布朗森的怀表去典当，结果被抓住了。

“我告诉过你，布朗森的怀表和表链不见了，当然，布朗森太太清楚地描述了怀表的样子。那是一块半猎表，本森公司制造，配一条金链，此外还有三四个印章和一个装硬币的钱包。当铺老板很精明，一看到人拿着怀表来当，立刻就认出了那块表。他找了个借口让那人等着，然后派人去叫警察。那个华人被逮捕了，并立即被带到我面前。我看见他，就像见到了久违的兄弟。我这辈子还从没在见到哪个人的时候这么高兴过。你知道，我对罪犯没有感情，我为他们感到很难过，因为在他们正在玩的牌局中，所有的王牌都被他们的对手攥在手中，但是，每次抓到罪犯，我还是会有一种小小的满足感，就像打桥牌时来了一次漂亮的飞牌。这个谜终于要解开了，即便凶手不是那个人，我们也很有把握通过他找到凶手。我对他微笑。

“我问他是从哪里得来的这块表。他说他是从一个不认识的人那里买的。这话无法使人信服。我简要地说了说案情，并告诉他，他将被指控谋杀。我就是想吓唬吓唬他，结果他怕了，改口说怀表是他捡来的。

“‘捡来的？’我说，‘真想不到。你在哪里捡的？’

“他的回答使我大吃一惊。他竟然说他是在丛林里拾到的。我哈哈大笑，问他是不是觉得有人会把怀表丢在丛林里。他就说他当时走在从卡布隆到阿洛利比斯的小路上，到了丛林里，他看见一个闪闪发光的东西，过去一看就是这块怀表。这件事极为古怪。他为什么要说是在那里捡到了表？这要么是事实，要么就是此人过于狡猾。我问他链子和印章在哪里，他立刻把它们拿了出来。我把他吓坏了，他脸色苍白，浑身发抖。这个人有些八字脚，个子很矮，我真傻，竟然还以为自己抓住了凶手。但是，他这么恐惧，可见他知道一些事情。

“我问他什么时候捡到手表的。

“‘昨天。’他说。

“我问他为什么要走从卡布隆到阿洛利比斯的这条近路。他说自己一直在新加坡工作，因为父亲生病才会去卡布隆，他去阿洛利比斯也是为了做工。这活儿是他父亲的一个木匠朋友给他介绍的。他说了他在新加坡的同事的名字，以及他在阿洛利比斯的雇主的名字。他所说的一切听来都很可信，而且很容易得到证实，不可能有假。我当然想到，如果真像他说的那样，那块表是他捡到的，那么，怀表在丛林里肯定有一年多了，不可能保存得很好，我试了试，但没能把怀表打开。当铺老板也在警察局，就在隔壁房间等着。幸好他会修表。我派人去叫他来，让他看看这块表。他打开手表的时候还吹了一声口哨，原来表上生了很厚的一层锈。

“‘表坏了。’他摇着头说，‘不走了。’

“我问他怀表怎么会变成这样，我没提示，他就主动说是长期受潮造成的。我把那个人关进了牢房，好让他记住这次的教训，同时我派人去找他的雇主。我给卡布隆发了一份电报，又给新加坡发了一份电报。在等待回信的时候，我尽最大努力把事实拼凑起来。我倾向于相信这个人说的是事实，他之所以害怕，是因为他拿着捡到的东西去卖，所以非常内疚。即使是无辜的人，在和警察打交道的时候也会紧张，我不知道警察有什么特别，但人们和警察在一起总是很不自在。但如果他真的在他说的地方找到了表，那就是有人把它扔在那里的。这就奇怪了。即使凶手认为留着怀表是个祸害，也会把金表壳熔化掉，对原住民来说，这可是轻而易举的事，表链的样式太普通了，他们不可能认为会有人认出表链。全国的珠宝店里都有这样的表链。当然，也有可能是他们跑进丛林，匆忙逃走的时候把表弄掉了，又不敢回去找。我认为这不太可能：马来人习惯把东西藏在纱笼里，华人的外套上也有口袋。再说了，他们一进入丛林就知道没什么可着急的了，他们大可以等一等看看情况，并且当时就把赃物分了。

“几分钟后，我派出的人回到警察局，证实了犯人所说的话，一个小时后，我得到了卡布隆的答复。警察见到了他的父亲，说是这个人到阿洛利比斯的一个木匠那里做工。到目前为止，他所说的一切似乎都是真的。我叫人把他带进来，让他带我去他说捡到手表的地方，而且他必须带我去确切的地点。我把他铐在一个警察手上，虽然这几乎没有必要，这个可怜的家伙已经吓得浑身发抖了。我还带了几个人和我一起去。我们驾车来到小路和大路相连的地方，沿着小路步行。在离布朗森被杀的地方不到五码远处，那个人停了下来。

“‘就是这里。’他说。

“他指着丛林，我们跟着他走了进去。我们走了大约十码，他指着两块大石头之间的缝隙说就是在那里找到了手表。他很可能只是偶然发现了怀表，如果他真的在那里发现的，那么看上去很像有人把表藏在了里面。”

盖兹停了下来，若有所思地看了我一眼。

“你怎么看？”他问。

“我不知道。”我回答。

“好吧，我告诉你我的想法。我想，如果表在那里，那钱也可能在那里。看起来应该好好搜查一番。当然，在丛林里找东西，简直难如登天，但我必须这么做。我打开了那个人的手铐，我需要所有我能得到的帮助，就让他也跟着搜索。我让我手下的三个警察搜查，我自己也找了起来。我们五个人排成一行沿路搜索，搜索了布朗森遇害地的方圆五十码，然后，我们又仔细搜查了一百码。我们翻了枯叶，查了灌木丛，看了乱石下和树洞里。我知道这么做很蠢，因为我们有所发现的概率可能都不到千分之一。我唯一的希望是凶手在杀人后会惊慌失措，不管他想藏什么都是匆匆忙忙，选择第一个显而易见的地点来藏东西。他藏手表时就是这样的。我之所以在这个限定范围内搜查，唯一的原因是那块表是在离公路很近的地方被发现的，想要扔掉那些东西的人肯定是想尽快把东西脱手。

“我们继续搜索。我渐渐有些疲倦和恼火。我们汗流浃背。我渴得要命，可周围没有喝的。最后，我得出结论，继续搜索不可能有结果，必须放弃，至少那一天要停止了。就在这个时候，那个人突然号叫了一声，他是个年轻人，眼睛一定很敏锐。他弯下腰，从弯弯曲曲的树根下抽出一个肮脏发霉的东西，还有一股臭味。这是个钱包，在雨中泡了一年，被蚂蚁和甲虫啃咬过，已经湿透腐烂了，但这是个钱包不会有错，而且是布朗森的钱包，里面他从卡布隆取来的新加坡币都烂了，散发出恶臭。现在只差银币尚未找到，我确信它们就藏在附近的某个地方，不过我不打算费力去找了。我发现了一条非常重要的线索。无论是谁谋杀了布朗森，那人都不是为了钱。

“你还记不记得我告诉过你，我注意到在充气轮胎留下的很粗的痕迹的两侧，有布朗森的脚印，他在那里停了下来，也许是在跟什么人说话？他人高马大，靴子的痕迹很明显。他不只是把脚放在松软的沙地上，随即便骑车离开，他至少停了一两分钟。我的解释是，他停下来和一个当地人说话，但我越想越觉得这个推测不可能。他为什么要这么做？布朗森正赶回家，虽然他这个人性格开朗，但与当地人也没有相处得多么融洽。他和原住民是主仆关系。我一直都搞不清楚那些脚印是怎么回事。现在我突然明白了真相。杀害布朗森的人并不是为了抢钱，如果他停下来和别人说话，那这个人只能是他的朋友。我终于知道凶手是谁了。”

我一直认为侦探小说最有趣、最巧妙，但是很遗憾我没有能力写侦探小说。我读过很多优秀的侦探小说，而且，我向来都是在看到结局之前就解开了谜团，为此我深感自豪。我早就预见到盖兹会说些什么，但当他终于开口说话时，我承认，我还是有些吃惊。

“他遇见的那个人是卡特莱特。卡特莱特在猎鸽子。他停了下来，问卡特莱特在干什么。就在他骑车要走的时候，卡特莱特举起枪，把两管子弹都射进了他的脑袋里。卡特莱特拿走了钱和表，伪装成劫杀，慌忙中，他把财物藏在了丛林里，然后沿着丛林边缘走到公路，回到布朗森家，换上打网球的衣物，驾车带布朗森太太去俱乐部。

"我记得他那天打球打得很糟糕，我还记得，当时为了更委婉地把这个消息告诉布朗森太太，我只说布朗森受伤了但没有死，可卡特莱特却崩溃了。如果布朗森只是受了伤，那就能说出打伤他的人是谁。天哪，我敢打赌他当时肯定备受煎熬。那孩子是卡特莱特的。看看奥利弗吧，你也看出他们长得像了。医生说当他告诉布朗森太太她怀孕时，她很不高兴，还让医生答应不告诉布朗森。为什么？因为布朗森知道自己不可能是孩子的父亲。"

"你认为布朗森太太知道卡特莱特做了什么吗？"我问。

"我敢肯定她一清二楚。想起那天晚上她在俱乐部的一言一行，我就百分百肯定。她很难过，但不是因为布朗森被杀了，她难过是因为我说他受伤了，而当我告诉她人们发现他的时候他已经死了，她就号啕大哭起来，提着的心终于放了下来。我了解那个女人。看她那方下巴，我就清楚她拥有魔鬼般的勇气，钢铁般的意志。是她怂恿卡特莱特做的，她计划了每一个细节和每一个行动。他完全受她控制，现在也是如此。"

"可是你的意思是，你和其他人都没有怀疑过他们两个有关系吗？"

“从来没有。从来没有。”

“如果他们相爱，又知道她怀孕了，为什么不干脆私奔？”

“他们怎么走？钱都是布朗森的，她身无分文，卡特莱特也是个穷光蛋。他失业了。你认为出了这件丑闻，他还能找到工作吗？布朗森在他快饿死的时候收留了他，他却和布朗森的妻子好上了。他们根本没有机会。他们不能让真相大白，唯一的机会就是除掉布朗森，于是他们真的动手了。”

“他们大可以求他成全。”

“是的，但我认为他们没脸这么做。他对他们那么好，他又是那么正派，我想他们不忍心告诉他真相。他们宁愿杀了他。”

我们两个沉默了片刻，我思索着盖兹所说的话。

“那么，你是怎么处理的？”我问。

“我什么都没做。我能怎么做？证据是什么？就凭找到的怀表和纸钞吗？也可以说是凶手把它们藏了起来，事后害怕又不敢去取。凶手很可能只拿走银币就满意了。那脚印又是怎么回事？布朗森很可能是停下来点了根烟，或者有一棵树倒在了小路上，他只能等碰巧在那里遇到的劳工把树搬走。谁能证明一个非常正派体面的女人在她丈夫死后四个月所生的孩子不是她丈夫的呢？没有陪审团会判卡特莱特有罪。我不再提起这件事，布朗森谋杀案就这样被人遗忘了。”

“我想卡特莱特夫妇是不会忘记的。”我说道。

“我并不感到惊讶。人类都是健忘的，如果你想听听我的专业意见，那我不介意告诉你，在我看来，一个人若是肯定他的罪行永远不会被发现，那就不会因为犯罪而感到懊悔。”

我又想起了那天下午我遇到的那对夫妇，丈夫瘦削秃顶，上了年纪，戴着金边眼镜；妻子满头白发，邋里邋遢，说话直率，脸上带着和蔼而刻薄的笑容。几乎无法想象在遥远的过去，他们竟然被心中的激情所左右，而只有这个理由能解释他们的行为，甚至到了最后，他们觉得只有残酷而冷血地痛下杀手，才能解决问题。

“跟他们在一起，你没觉得不舒服吗？”我问盖兹，“我不想吹毛求疵，但我不得不说，我认为他们可不是什么好人。”

“你错就错在这里了。他们是非常好的人，是这里最开朗的人。卡特莱特太太是个非常善良的人，为人很是风趣。我的职责是防止犯罪，在犯罪发生时抓住罪犯，但我认识的罪犯太多了，所以我很清楚，总体来说，我并不觉得他们比其他人更坏。一个完全正派的人可能会受到环境因素的驱使而犯罪，如果他被发现，就会受到惩罚，但他很可能仍然是一个非常正派的人。当然，如果有人违反了法律，社会就会惩罚他，这是对的，但不能总是通过一个人的行为来评判他的为人。如果你像我一样当过警察，你就会知道人们做什么并不重要，重要的是他们是什么样的人。幸运的是，警察不必去管人们的思想，只管他们的行为，不然的话，那就是另一回事了，处理起来要困难得多。”

盖兹弹掉雪茄上的烟灰，向我投来了他那充满讥讽而又令人愉快的苦笑。

“告诉你吧，有一种工作我很不喜欢。”他说。

“是什么？”我问。

“就是上帝在审判日干的那份工作。”盖兹说，“我可干不了。”

机会之门

阿尔班和安妮的运气真不错，头等船舱只有他们两个人。他们带了很多东西，阿尔班有手提箱和大旅行袋，安妮带着化妆盒和帽盒，还有两个大箱子在行李车厢，里面装的是他们的日用品。阿尔班把其余的行李都交给一个代理人保管，让这个代理人把行李运到伦敦并存起来，等他们决定好接下来怎么办再做处理。他们有很多东西：画和书，阿尔班在东方收集的古玩，以及他的枪和马鞍。他们这次离开桑都拉就不会再回去了。阿尔班照例给了搬运工丰厚的小费，然后去书摊买了几份报纸。他买了《新政治家周刊》《国家》《闲谈者》和《素描》，以及最新一期的《伦敦水星》。他回到车厢，把报纸扔在座位上。

“一个小时就到了。”安妮说。

“我知道，但我想买。我很久没看过报纸了。明天早上我们就能看到当天的《泰晤士报》，还能看到《快报》和《邮报》，想想就兴奋啊。”

她没有回答，他转过身，看见有两个人向他们走来。来人是一对夫妇，也是从新加坡来的，与他们同路。

“通关没问题吧？”他高兴地对他们大声说道。

那个男人似乎没听见，只是一直往前走，但妻子回答了他。

“没问题，他们没发现香烟。”

她看见了安妮，友好地朝她微微一笑，随即走开。安妮脸色一红。

“我刚才还担心他们会来这里。”阿尔班说，“但愿头等舱里只有我们两个。”

她用怪异的眼神看着他。

“我想你不必担心。”她答，“不会有人来的。”

他点了一支香烟，在船舱门口徘徊。他脸上带着幸福的笑容。他们一路上经过红海，又在苏伊世运河上忍受了刺骨的寒风。安妮看惯了男人们穿白色西装，打扮得体面整洁，而现在很多男人都换上了保暖衣服。见到这些人有了这么大的变化，她觉得非常惊讶。他们看起来糟透了：领带十分难看，衬衫也是不伦不类。他们要么穿着脏兮兮的法兰绒裤子和破旧的高尔夫外套，一看就知道是买的成衣，要么就穿着出自乡下裁缝之手的蓝色哔叽套装。大部分乘客都在马赛下船，但有十来个人还在船上，他们要么是因为在东方待久了，觉得乘船过海湾对自己有好处；要么和他们一样，为了省钱，会一直坐到蒂尔伯里[1]。现在有几个人在甲板上散步。他们有的戴着太阳帽或双边毡帽，穿着厚重的大衣；有的戴着没有形状的呢帽或圆顶礼帽，那些帽子不仅太小，还需要好好刷一刷。看到他们，真令人震惊。他们看上去土里土气的，全都不入流。但阿尔班已颇具伦敦气派。他那件时髦的大衣上没有一粒灰尘，他那顶黑色的汉堡帽看上去也是崭新的。你绝对想不到他有三年没回家了。他的衣领紧紧地贴合着脖子，软薄绸领带系得整整齐齐。安妮看着他，不由自主地觉得他英俊不凡。他身高将近六英尺，体格匀称，穿着得体，而且他的衣服都剪裁合身。他有一头依然浓密的金黄色头发，眼睛是蓝色的，皮肤有些发黄，年轻时皮肤白里透红的人上了年纪后就会有这种肤色。他两颊毫无血色，脑袋的形状十分

1　英国港口。

好看，脖子修长，喉结有点儿凸出，但给你印象最深的是他的与众不同，而不是他英俊的样貌。他五官端正，鼻子挺直，额头宽阔，所以非常上相。的确，看照片你会认为他长得帅气至极。可他其实谈不上英俊，也许是因为他的眉毛和睫毛都很浅，嘴唇很薄，但他看上去很聪明，也很彬彬有礼，仿佛有一种能打动人的灵性。诗人就是这个样子的，当安妮和他订婚时，她告诉那些向她打听他的女朋友，他长得像雪莱。这会儿，他转向她，蓝眼睛里带着一丝笑意。他的笑容很迷人。

“要到英国了，多么完美的一天！”

现在是十月。他们从灰色的海面上驶过海峡，头顶上是一片灰蒙的天空。连一丝风都没有。渔船似乎停在了平静的水面上，仿佛大自然彻底忘记了它们过去的敌意：海岸一片翠绿，看起来明亮舒适，与东方丛林那种浓郁葱茏的青翠截然不同。他们不时经过的红色城镇看起来极为温馨，像家一样。它们似乎带着友好的微笑欢迎游子。船只驶进泰晤士河口，他们看到了埃塞克斯郡那富饶的平原，不久，肯特郡岸边的乔克教堂就出现在了视野中，它孤零零地矗立在饱经风吹雨打的树林中，教堂后面是科布哈姆的树林。红红的太阳挂在空中，地面上薄雾弥漫，阳光落在沼泽上，然后，夜幕降临。下船后，他们换乘火车。车站里的弧光灯发出一道亮光，在黑暗中投射出又冷又硬的光斑。穿着肮脏制服的搬运工在吃力地忙碌，肥胖的站长戴着圆顶硬礼帽，很有派头，此情此景，见了就让人开心。站长吹了一声口哨，挥了挥手。阿尔班走进车厢，坐在安妮对面的角落里。火车启动了。

“六点十分到伦敦。”阿尔班说，“应该七点就能到杰米恩大街。到时候我们有一个小时的时间洗个澡，换换衣服，八点半前赶到萨沃伊酒店吃晚饭。今晚我们喝汽水吧，宝贝，再吃顿好的。”他呵呵地笑了，“我听见斯特劳德夫妇和蒙德里夫妇约好去特罗卡德罗餐厅。”

他拿起报纸问她要不要看。安妮摇了摇头。

“累了？”他笑了。

“没有。”

“太兴奋了？”

她笑了一下，没有回答。他开始看报纸，从出版商的广告看起。她意识到，当他再次置身于熟悉的环境中，他是那么满足。他们在桑都拉也读过同样的报纸，但报纸要在出版当日的六周后才能送到。他们一直都了解这个世界上发生的使他们两人都感兴趣的事，但这些报纸只是让他们的流浪生活更为明显。此时，他们看的报纸都是刚刚出版的，闻起来味道都不一样，摸起来十分清脆舒服。他想把它们全部读完。安妮向窗外望去。乡村里一片漆黑，她什么都看不到，但可以看到车厢里的灯光反射在玻璃上，很快，镇子就出现在视线里，她看到许多又脏又小的房子绵延数英里，偶尔会有窗里亮着灯，一个个烟囱映衬着天空，形成了一幅沉闷的图案。他们穿过巴金区、东汉姆和布罗姆利，过车站时，看到站台上的名字，她不禁颤抖起来，但这个样子真是太蠢了。然后，他们到了斯特普尼。阿尔班放下报纸。

“再过五分钟就到了。”

他戴上帽子，从行李架取下搬运工放进去的东西。他两眼炯炯有神地看着她，嘴唇抽搐着。她看得出他只是勉强控制自己的情绪。他也向窗外望去，他们经过灯火通明的大街，大街上挤满了电车、巴士和小货车。他们看见街上挤满了人。竟然有这么多人！商店里点着明亮的灯。他们看见小贩在路边摆摊。

“伦敦到了。”他说。

他握住她的手，轻轻按了一下。他的微笑如此甜美，她不得不说些什么，于是试着开玩笑。

“高兴坏了吧？”

“我不知道我是想哭还是想吐。”

他们到了芬丘奇街。他放下窗户，挥手叫来一个搬运工。随着刺耳的刹车声，火车停了下来。一个搬运工打开门，阿尔班逐个把包裹递给他。他跳下火车，像往常一样礼貌地伸手搀扶安妮下到站台上。搬运工去找手推车，他们站在一堆行李旁边等着。船上的两名乘客从他们身边经过，阿尔班向他们挥手致意。其中有个男人僵硬地点点头。

“再也不用对那些讨厌的人客气了，感觉真不错。”阿尔班轻松地说。

安妮瞥了他一眼。他真是个叫人难以理解的人。搬运工推着手推车回来后把行李放在车上，他们跟着他去取箱子。阿尔班挽起妻子的胳膊，紧紧地按了一下。

“伦敦的味道。天哪，太棒了！”

他很享受喧闹声，喜欢身处熙熙攘攘的人群之中被挤来挤去，弧光灯投下的灯光形成斑驳的光影，让他兴高采烈。他们走到街上，搬运工去给他们叫出租车。阿尔班的眼睛闪闪发光，他看着巴士来来往往，警察引导着混乱的交通。他那张与众不同的脸上流露出一种鼓舞人心的神情。出租车来了。搬运工把行李推过去堆放在司机旁边的座位上，阿尔班给了搬运工半个克朗。车开了。他们从天恩教堂大街拐到坎农大街，结果遇到了交通堵塞，阿尔班大笑起来。

“怎么了？”安妮说。

“我太兴奋了。”

出租车沿着堤岸行驶，那里比较安静。出租车和小轿车从他们身边驶过，电车的铃声在他耳中如同音乐般动听。到了威斯敏斯特大桥，他们抄近路穿过议会广场，又驶过宁静的绿色圣詹姆斯公园。他们在杰米恩街附近的一家旅馆订了一个房间。接待员把他们带到楼上，一个搬运工把他们的行李搬上来。房间里有两张单人床和一间浴室。

“看起来不错。”阿尔班说，“我们先住在这里，慢慢找公寓。”

他看了看表。

“听着，亲爱的，我们要是一起整理行李，准会绊个跟头。反正时间多得很，你收拾行李和换衣服要比我费时。我先把我的东西都挪开，再去俱乐部看看有没有我的信。我的晚礼服就放在手提箱里，而且我洗澡换衣服只要二十分钟。你觉得呢？”

“好吧。”

“我一个小时后回来。”

“好的。”

他从衣袋里掏出一直带在身上的小梳子，用它梳了梳他那金黄色的长发，戴上帽子。他照了照镜子。

“要我帮你放洗澡水吗？”

“不用麻烦了。”

“好吧。再见。”

他走出房间。

他走后，安妮把她的化妆盒和帽盒放在箱子顶上，按了铃。她并没有摘下帽子，只是坐下来点了一支香烟。一个仆人听到铃声过来，安妮吩咐他去找个搬运工。搬运工来后，她指着行李。

“把那些东西送去大厅，过一会儿我再告诉你怎么处理。”

“遵命，女士。”

她给了搬运工一个弗罗林[1]。搬运工拿起行李箱和其他包裹，随手关上了门。几滴眼泪顺着安妮的脸颊流下来，但她让自己镇定下来。她擦干眼泪，在脸上扑了粉。她需要保持冷静。她很高兴阿尔班临时起意要去俱

1 英国曾经的通用货币。

乐部。这下反倒好办了，她也有时间把事情考虑清楚。

现在是时候做她几个礼拜前就决定的事了，现在她必须说出她不得不说的可怕的话，可她退缩了。她的心在往下沉。她很清楚要对阿尔班说什么，她在很久以前就想好了怎么说，而且练习了一百遍。在从新加坡回国的漫长旅途中，她每天都练习三四次，但她很怕自己到时候会慌。她害怕吵架。一想到他们两个吵个不停，她就有点儿恶心。无论如何，她还有一个小时让自己镇定。他会说她冷酷无情，不讲道理。她没有办法。

“不，不，不。”她大声喊道。

她吓得发抖。突然，她仿佛又看见自己坐在平房里，而她从一开始时就是这样坐着。午餐时间快到了，几分钟后阿尔班就要从办公室回来了。大阳台就是他们的客厅。想到家里是这么温馨，她很高兴。而且，她知道，虽然他们在那儿住了十八个月，他仍然能时刻意识到她把房子收拾得像模像样。百叶窗拉了下来，将正午的阳光挡在外面，柔和的光线穿过百叶窗的缝隙，让人觉得凉爽宁静。安妮是个讲究家里摆设的人，虽然他们会根据工作需要从一个地区搬到另一个地区，很少在一个地方长住，但每到一个新岗位，她就以新的热情把他们的房子布置得舒舒服服。她很时髦。客人们看到他们家里没有小摆设都很惊讶。他们震惊于她使用的色调大胆的窗帘，根本不认识银制画框里玛丽·劳伦辛[1]和高更[2]的画作的彩色复制品，这些画都巧妙地挂在墙上。她发现没有几个客人完全欣赏她的品位，华莱士港和彭伯顿的高贵女士们认为这种布置古怪又做作，很不合时宜，但她置身其中就能平静下来。她们会明白的，给她们一点儿刺激不是坏事。现在，她环视着那又长又宽的游廊，像个艺术家一样对自己的作品发出满意的赞叹。这里很温馨，没有小摆设，十分宁静。待在这里，能叫人精神振作，使人的想象力活跃起来。三盆黄色美人蕉为整个地方的配色画上了点睛之笔。她的目光在摆满书的书架上停留了一会儿，殖民地的人也不能理解这个书架，他们认为这些书都很奇怪，觉得大部分书有些沉重，她却深情地看着那些书，仿佛它们是活物。然后，她瞥了钢琴一眼。谱架上放着一本打开的乐谱，上面记录着德彪西的曲子，阿尔班在去办公室之前弹过那段曲子。

那时候阿尔班被任命为达科塔的政务专员，她在殖

1　玛丽·劳伦辛（1885—1956），法国立体派画家。
2　保罗·高更（1848—1903），法国后印象派画家。

民地的朋友们都向她表示慰问，因为达科塔是桑都拉最偏僻的地区。那里与政府的总办事处所在的城镇既不通电报，也不通电话。但她喜欢。他们在那儿已经住了一段时间了，她希望他们能一直待到十二个月后阿尔班休假回国的时候。这个地方相当于英国的一个郡，有长长的海岸线，海面上散布着数个小岛。一条宽阔蜿蜒的大河流经达科塔，在这片绵延的群山的两侧，覆盖着茂密的原始森林。驻地分站位于河上游，有一排商店，一个掩映在椰树之间的当地村庄，驻地办公室、政务专员居住的平房、职员住处和兵营。他们的邻居不多，只有河上游几英里处一个橡胶种植园的经理，以及伐木场的经理和他的助理。这两个人都是荷兰人，伐木场位于大河的一个支流附近。橡胶种植园的汽艇一个月从河上往来两次，这是他们与外界定期沟通的唯一方式。他们很孤独，但并不无聊，日子过得很充实。他们的小马在黎明时就等着他们，天还没亮，他们就起来了，骑马穿行于丛林的骑马专用道，感受着依旧弥漫着热带夜晚气息的神秘氛围。回来后，他们洗澡换衣服吃早餐，阿尔班去办公室工作。安妮整个上午都在写信，忙这忙那。从她来到这个国家的第一天起，她就爱上了这里，并努力掌握当地的通用语言。她听到的关于爱情、嫉妒和死亡的故事激发了她的想象力。有人给她讲过去那些浪漫的故事，她沉浸在陌生人的传说中。她和阿尔班都读了很多书，他们带着很多书来到这个国家，几乎每次收到的包裹里都有从伦敦寄来的新书。所有值得注意的事都逃不过他们的眼睛。阿尔班喜欢弹钢琴，作为一个业余爱好者，他弹得很不错。他很认真地学习弹琴，手法不错，听觉也很敏锐，读起乐谱来更是轻松。每当他尝试新曲子，安妮总喜欢坐在他旁边，看着乐谱听他演奏。但他们最高兴的还是去当地游览，有时他们会去两个礼拜才回来。他们乘坐快帆船沿河而下，周游各个小岛，在大海里游泳、钓鱼，或者划船到上游浅水处，在那样的地方，两岸的树木距离很近，树枝交叠在一起，只能看到细长的天空。在这里，船夫们必须撑竿才能把船划动。他们会在当地人的家里过夜，在一个河水汇聚成的池塘里游泳，池水清澈，可以看到池底的沙子闪着银光。那个地方是那么美丽、宁静、偏远，你觉得你可以永远待在那里。有时，他们会在丛林小径跋涉数日，睡在帐篷里，尽管有蚊子和吸血的水蛭，但他们仍然享受着每一刻。他们在行军床上睡得十分香甜。返回的时候，他们也是开心的，他们怀着喜悦回到井然有序又温馨的房子里，收取从家里寄来的信件和所有的报纸，他们又可以弹钢琴了。

阿尔班会坐在钢琴前，手指蠢蠢欲动，他会弹奏斯特拉文斯基、拉威尔、达律斯·米约[1]的曲子，她觉得他把他自己的元素加进了琴曲中，听着曲子仿佛能听到丛林夜晚的声音，看到河口的黎明、繁星闪烁的夜晚、晶莹清澈的林中水池。

有时雨一下就是好几天。阿尔班便借机学习汉语，好与这个国家的华人用他们的母语交流。安妮做了许许多多她以前没时间做的事。在那些日子里，他们的关系更近了，他们总有很多话可谈，当他们各自忙着各自的事情时，从骨子里感到彼此很亲近，并因此而欣喜。他们相处和谐。雨天把他们关在平房的四壁之间，使他们觉得和彼此融为一体，共同面对这个世界。

有时他们去华莱士港。这为他们的生活带来了变化，但安妮总是很高兴回家。她在那儿向来都不太自在。她意识到他们遇到的人都不喜欢阿尔班。那些人都非常普通，出身中产阶级，住在郊区，全都沉闷无趣。对于使阿尔班和她的生活如此充实和多样化的知识趣味，他们通通不了解。他们中的许多人心胸狭窄，脾气

1 斯特拉文斯基、拉威尔、达律斯·米约都是作曲家。

也不好，但是，她和阿尔班大多数时候都要与这些人交往，所以他们对阿尔班如此不友善，实在令人厌烦。他们说阿尔班太自负。阿尔班总是对他们友好以待，但是，她意识到他们讨厌的恰恰是他的热诚。他要是表现开朗，他们就说他是在装腔作势；他和他们开玩笑，他们就认为他是在取笑他们。

有一次，他们住在总督府里，总督的妻子汉内太太很喜欢她，跟她谈了这件事。说不定是总督建议妻子给安妮一个暗示。

“亲爱的，你丈夫没试着和更多的人搞好关系，真是太遗憾了。他很聪明，可他不该让别人都看出他知道自己有多聪明，你说是吗？我丈夫昨天还对我说：‘我当然知道阿尔班·托瑞尔是公务员中最聪明的年轻人，但最让我生气的人也是他。我是总督，可是他一跟我说话，我总觉得他把我看成一个该死的傻瓜。’”

最糟糕的是，安妮太清楚阿尔班对总督的评价有多低。

“他并不是有意表现得高人一等。”安妮笑着回答，“他一点儿也不自负。我想这只是因为他的鼻子太笔直，颧骨太高吧。”

“你知道，他在俱乐部里并不受欢迎。他们叫他

‘粉扑[1]娘娘腔’。”

安妮的脸腾一下红了。她听说过这个外号，而且非常生气。她的眼里充满了泪水。

“我认为这太不公平了。”

汉内太太握住她的手，亲热地轻握了一下。

“亲爱的，你知道我不想伤害你的感情。你的丈夫以后肯定还会升官。如果他能多一点儿人情味，事情就会容易得多。他为什么不踢足球？”

“他不太喜欢。网球才是他的心头好。”

“别人可不这么觉得。看他打网球，就好像这里没人配做他的对手。”

“确实没有。”安妮讽刺地说。

阿尔班是一个非常优秀的网球运动员。他在英格兰参加过许多次锦标赛，安妮知道，把球场上那些精力充沛、身体强壮的人打得没有还手之力，会让阿尔班既沮丧又满足。他可以让他们中最优秀的人显得愚蠢。他在网球场上会叫人发狂，安妮知道有时他就是不由自主地这么做。

1　粉扑（powder-puff）在英文中也有软弱、女性化的男子之意。——编者注

“他确实喜欢哗众取宠。”汉内太太说。

“我不这么认为。相信我，阿尔班并不知道自己不受欢迎。据我所知，他对每个人都很好。”

“他在这样的场合最招人烦。”汉内太太冷冷地说。

“我知道人们不太喜欢我们。”安妮笑着说，“我很抱歉，但我真的不知道我们能做些什么。”

“不是你，亲爱的。”汉内太太大声说，“每个人都喜欢你，所以他们才对你丈夫一忍再忍。亲爱的，谁能不喜欢你呢？”

“我不清楚我有什么可招人喜欢的。”安妮说。

她这话说得并不十分诚恳。她故意扮演可爱的小女人，心里觉得这么做十分有趣。他们不喜欢阿尔班，因为他特别，还因为他对艺术和文学感兴趣，他们不明白这些，就认为他是个娘娘腔。他们不喜欢他，因为他的能力比他们强，比他们有教养。他们认为他优越，他的确优越，但并不像他们说的那样。他们对她宽容，只是因为她长得丑。她管自己叫丑姑娘，但事实并不是这样的，或者说，就算她丑，那最吸引人的也是她的丑。她就像一只小猴子，但是非常可爱，非常有人情味儿。她身材匀称，这是她身上最值得称赞的地方。她的眼睛也很动人。她有一双深棕色的大眼睛，眼神灵动，闪闪发光，她的眼中总是流露出俏皮的眼神，但有时也很温柔，传递着令人动容的同情。她的一头鬈发几乎全是乌黑的，皮肤黝黑。她有一个肉嘟嘟的小鼻子，鼻孔很大，嘴巴也很大。她很机敏，也很活泼，兴致勃勃地与殖民地的妇女们谈论她们的丈夫、仆人和在英国的孩子，也能欣赏地倾听那些男人讲她早就听说过的故事。他们认为她人好，性格也活泼，却不知道她私下里拿他们开了多大的玩笑。他们绝想不到，在她看来，他们就是一群狭隘、粗俗、自命不凡的人。他们用物质的眼光庸俗地看待东方，所以在他们眼中，东方是个没有魅力的地方。浪漫在他们的门口徘徊，他们却像赶纠缠不休的乞丐一样把它赶走了。她冷漠，她向自己重复兰德的诗句：

我热爱自然，其次是艺术。

她回想起与汉内太太的谈话，但总的来说，她并不在意。她不知道是否应该把这件事告诉阿尔班，她一直都很奇怪他竟一点儿也不知道自己这么不受欢迎，但她担心她把这事告诉他，他会难为情。他从来没有注意到俱乐部里那些人的冷漠。他让他们感觉自愧不如，所以他们心里不舒服。他一出现，场面立马变得尴尬，可他本人却很高兴，对环境无知无觉，对所有的人都很热情。事实是他并不在乎其他人。对她，对他们在伦敦的一小群朋友，他自然不一样，然而，殖民地的人、政府的官员、种植园园主和他们的妻子，在他眼里似乎并不是真正的人。他们对他来说就像棋盘里的棋子。他跟他们一起笑，和他们开玩笑，对他们客客气气。安妮咯咯笑着告诉自己，他有点儿像预科学校的校长，带着小男孩去野餐，急于让他们玩得开心。

估计把这事告诉阿尔班也没什么用。他不会虚伪掩饰，而她却很高兴地意识到自己很擅长此道。该怎么和那些人打交道？那些人从二流学校一毕业就到了殖民地，生活没有教给他们任何东西。他们到了五十岁，也照样没教养。他们大多数人都酗酒，不看任何值得一读的好书。他们的抱负是活得和其他人一样。他们赞扬别人，顶多说那人是个好人。如果你注重心灵，那你就是道学先生。他们还彼此嫉妒。女人们很可怜，老是因为琐事勾心斗角。他们组成的社交圈子是那么狭隘，还不如英国最小的城镇。他们装得一本正经，心里则充满恶意。即便他们不喜欢阿尔班，又有什么关系？他们照样得忍受他，因为他的能力是如此之强。他聪明，精力充沛。他们又不能说他失职。他不管做什么职位都很成功。凭着敏锐的洞察力和想象力，他了解当地人的想法，能让当地人乖乖听话办事，在他这种职位的人都做不到他这样。他有语言天赋，会说当地所有的方言。他不仅知道大多数政府官员说的惯用语，还熟悉这种语言的细微之处，有时还能讲一番礼仪致辞，让村长们听得心花怒放，印象深刻。他有组织的天赋。他不害怕承担责任。在适当的时候，他一定会晋升成为特派代表。阿尔班在英国有些门路，他的父亲是一名准将，在战争中牺牲，虽然他没有走后门，但他有一些很有影响力的朋友。提起他们，他经常说一些有趣的挖苦话。

“民主政府有一个最大的优势，只要有权有势，那做出功绩的人肯定会得到应有的回报。”他如是说。

阿尔班显然是最能干的公务员，看起来他没有理由当不上总督。安妮想，人们现在抱怨他高人一等，等他当上总督，他们就会觉得这是理所当然，并且接受他成为他们的长官，他会知道如何使其他人尊重自己，服从自己。她预见的前景并没有使她感到惊奇。她认为这是他们应该得到的。阿尔班成为总督，她成为总督夫人，一定会非常有趣。多么好的机会啊！公务员和种植园园主就像绵羊，当政府大楼成为文化中心，他们很快就会接受现实。若赢得总督欢心的最佳方式是当个聪明人，那聪明将成为时尚。她和阿尔班将重视当地的艺术，仔细收集蕴含着逝去岁月的纪念物。这个国家将迎来它从未梦想过的进步。他们会让这个国家发展，同时还会遵循秩序，保护美好的事物。他们会鼓励下属去热爱那片美丽的土地，爱护当地那些浪漫的民族。他们会让人们明白音乐的意义，培养他们的文学素养。他们会创造美。那将是一个黄金时代。

突然，安妮听到阿尔班的脚步声响起，她从白日梦中醒来。那一切都是遥远的未来。阿尔班还只是一名政务专员，重要的是他们现在的生活。她听见阿尔班走进浴室，往身上泼水。不一会儿他就走了进来。他换上了汗衫和短裤，一头金发还湿着。

“午餐准备好了吗？”他问。

“是的。”

他在钢琴旁坐下，弹了早上弹过的那首曲子。银铃般的音符在闷热的空气中如瀑布般凉爽地倾泻下来。好像周围是一个大花园，长着高大的树木，人工景观水体优雅别致，氛围悠闲的小路的两侧矗立着仿古典雕像。阿尔班的演奏带着一种独树一帜的细腻。管家过来说午餐准备好了。阿尔班从钢琴旁站起来。他们手拉着手走进餐厅。一只布屏风扇懒洋洋地在空中扇着风。安妮瞥了一眼桌子。色彩鲜艳的桌布和有趣的盘子活跃了用餐的气氛。

“今天上午办公室里有没有发生什么好玩的事？”她问。

“没什么。有一桩关于水牛的案子。啊，普林派人请我去他的种植园看看。有些苦力一直在毁坏树木，他想要我去管管。”

普林是河上游橡胶种植园的经理，他们不时在他那儿过夜。有时候他想换换口味，就来和他们一起吃饭，睡在政务专员的平房里。他们都喜欢他。他三十五岁，脸颊很红，脸上有深深的皱纹，留着一头乌黑的头发。他没受过什么教育，但很乐观，很容易相处。周围两天行程的范围内只有普林一个英国人，他们只能和他做朋友。起初他和他们相处有些紧张。消息在东方传得很快，他们尚未到达驻地，他就听说他们是品位高雅的人。他不清楚该怎么与他们交往。他可能不知道自己很有魅力，所以他即便缺少许多更可贵的品质也无所谓，而阿尔班具有近乎女性化的感性，所以特别容易受到这种魅力的影响。他发现阿尔班比他想象的更有人情味，当然安妮也很迷人。阿尔班为他演奏雷格泰姆音乐，总督都没有这个面子，他们两个还一起玩多米诺骨牌。阿尔班带着安妮第一次去当地游览，并提议去种植园住几天，普林还想提醒阿尔班自己和一个当地女人住在一起，和她生了两个孩子。普林表示会尽最大努力不让他们出现在安妮的视线里，但不能把他们送走，因为他们没有地方可去。阿尔班听完大笑起来。

“安妮不是那种女人。用不着把她们藏起来，她很喜欢小孩子。”

安妮不光很快就和那个害羞、漂亮的土著女人交上了朋友，还和孩子们开心地玩了起来。她和那个女人聊了很多悄悄话。孩子们喜欢上了她。她从华莱士港给他们带来了可爱的玩具。殖民地的其他白人妇女知道白人和当地女人同居，都是既不以为然又尖刻，看到安妮这么宽容，普林就有些不明白了。他无法表达心中的喜悦和感激之情。

“如果所有品位高雅的人都像你一样，那让我的周围都是这样的人吧。”他说。

他不愿意去想再过一年安妮和阿尔班就要离开这个地区，而下一任政务专员很可能已经结婚，专员的妻子会瞧不起普林，因为他不独自生活，反而找了一个土著女人，甚至还很喜欢那个女人。

不过，近来种植园出了麻烦事。有些劳工变得难管。阿尔班只能将其中几个判处各种罪行，将他们关进了监狱。

“普林告诉我，只要他们的刑期一满，他就会把他们全部送走，再找一些爪哇人来做工。”阿尔班说，“我相信他是对的，爪哇人比较听话。”

“不会有什么大麻烦吧？”

“不会的。普林很了解他的工作，他是个很有主见的人，不会容忍任何人胡作非为，有我和我们的警察做后盾，我想那些人不敢捣乱。”他笑了，“我们知道什么是外柔内刚。”

他刚说完，突然传来一声喊叫。跟着响起一阵骚动和脚步声，有人在大声说话叫喊。

“老爷——老爷——”

“怎么了？”

阿尔班猛地从椅子上站起来，快步走到游廊上。安妮也跟着走了出去。台阶底下站着一群原住民。其中有警长，三四个警察，几名船夫和几个村民。

“出什么事了？”阿尔班大声问道。

两三个人同时大声回答。警官把其他人推开，阿尔班看到地上躺着一个穿着衬衫和卡其布短裤的男人。他跑下台阶。他认出那人是普林种植园的经理助理。他是个混血儿。他的短裤上满是血，脸上和头的一侧都是凝固的血块。他已经昏迷了。

“把他抬上来。”安妮叫道。

阿尔班下了命令。那人被抬到游廊上。他们把他放在地上，安妮把枕头放在他的头下，又叫人去取水和药箱。药箱一直备着，就为了不时之需。

“他死了吗？”阿尔班问。

“没有。”

“最好给他喝点白兰地。”

船夫们带来了可怕的消息：几个劳工突然袭击了经理办公室。普林被杀，经理助理奥克利侥幸逃过一劫。他赶到的时候正碰上暴动者在打劫办公室，还看见普林的尸体被扔出了窗外，然后，他拔腿就跑。那几个人看到他，就追了上去。他跑到河边，跳上汽艇时受了伤。汽艇开了，他们没来得及上船，于是尽可能快地到下游去找帮手。就在他们顺流而下的时候，他们看见办公室着火了。毫无疑问，苦力们烧掉了一切可以燃烧的东西。奥克利呻吟一声，睁开了眼睛。他个子矮小，皮肤黝黑，五官扁平，头发又粗又厚。他那双土著特有的大眼睛充满了恐惧。

“没事了。”安妮说，“现在很安全。”

他叹了口气，笑了笑。安妮给他洗脸，涂了消毒剂。他头上的伤并不严重。

“能说话吗？”阿尔班说。

“等一会儿。”她说，“先看看他的腿。”

阿尔班命令警长让其他人离开走廊。安妮撕掉短裤的一条裤腿。织物都粘在了凝血的伤口上。

“我一直在流血。”奥克利说。

奥克利只受了皮外伤。阿尔班的手指很灵巧，虽然血又开始流，但他把血止住了。阿尔班给奥克利打上敷料，缠上绷带。警长和一个警察把奥克利抬到一张长椅上。阿尔班给了他一杯白兰地苏打水，不久他就觉得自己有力气说话了。他知道的和船夫说的差不多。普林死了，种植园化为了一片火海。

“那个女人和孩子们呢？”安妮问。

“我不知道。”

“阿尔班。”

“我必须叫警察出动了。你确定普林死了吗？”

“是的，先生。我看见了。”

“暴徒有武器吗？”

“不知道，先生。”

“你是什么意思，你不知道？”阿尔班恼怒地叫道，“普林有枪，对吧？”

“是的，先生。”

“庄园里一定还有别的枪。你有一支，是吧？监工也有一支。”

混血助理沉默了。阿尔班严肃地看着他。

“到底来了多少人？”

“一百五。”

安妮很奇怪他问了这么多问题。这不是在浪费时间吗？现在最重要的是把能去河上游的苦力都召集起来，准备船只，并向警察发放弹药。

“你有多少警察，先生？”奥克利问道。

“八个警察和一个队长。”

“我能去吗？那我们就有十个人了。我包扎好了，我相信我很快会好起来的。”

“我不去。”阿尔班说。

“阿尔班，你必须去。”安妮叫道。她不敢相信自己的耳朵。

“无稽之谈。那不是疯了吗？奥克利显然一点儿忙也帮不上。几小时后他一定会发烧。他只会碍事。到时候就只剩下九支枪了。有一百五十个人，他们有武器，还有弹药。”

“你怎么知道？”

“这不明摆着吗？没有这么多武器，他们哪里敢这样做？现在过去就太蠢了。”

安妮目瞪口呆地盯着他。奥克利的眼里写满了迷惑。

“你打算怎么办？”

“幸好我们有汽艇。我会派人乘坐汽艇去华莱士港求援。”

“但他们至少要过两天才能到。”

“那又怎么样？普林已经死了，种植园被烧为灰烬。我们现在去没用。我会派一个当地人去探探情况，确定一下暴乱者究竟在做什么。”他向安妮露出迷人的微笑，“相信我，宝贝，等上一两天再收拾这些坏蛋，照样让他们吃不了兜着走。”

奥克利张开嘴想说话，可他不敢说。他只是个混血助理，而阿尔班是政务专员，代表着政府的权力。但他看向安妮，她似乎从他的目光里看出了一种发自内心的恳求。

“可是，两天时间足够他们犯下最可怕的暴行。”她叫道，“他们很可能会做出令人发指的事。”

“不管他们造成什么损失，他们都会付出代价。我向你保证。”

“阿尔班，你不能就这么坐着，什么也不做。我恳求你马上亲自带人过去。”

“别犯傻了。我只有八名警察和一名警长，拿什么去平息暴乱。我无权去冒那样的风险。我们得坐船去。你说我们可能不被发现吗？河岸的白茅丛最适合躲藏了，他们可以在我们经过的时候向我们胡乱扫射。我们一点儿机会也没有。”

“两天不采取行动，恐怕他们只会认为我们软弱无能，先生。”奥克利说。

“我要是想听你的意见，自然会问你。”阿尔班尖刻地说，“在我看来，遇到危险，唯一能做的就是逃跑。我无法说服自己相信遇到危险你能帮上忙。”

混血助理脸红了。他没再说什么，只是直视前方，眼神十分困惑。

“我要去办公室写一份简短的报告，马上派人乘汽艇送走。”阿尔班说。

他向一直僵硬地站在台阶顶端的警长下了一道命令。警长行了个礼就跑开了。阿尔班走进家里的小门厅去拿遮阳帽。安妮迅速跟了过去。

“阿尔班，老天，我有话对你说，给我一分钟。”

她低声说。

“我不想对你无礼，亲爱的，但我时间紧迫。我想你还是少管闲事为好。”

“你不可以什么都不做，阿尔班。你必须去，哪怕是有危险。”

“别犯傻了。”他生气地说。

他以前从未像这样对她发脾气。她抓住他的手，不让他动。

“我告诉过你，我去了也帮不上忙。”

“你怎么知道？那个女人和普林的孩子们还在种植园，必须想办法把他们救出来。我和你一起去。那些人会杀了他们的。”

“他们可能早就下手了。”

“你怎么能这么无情！还有机会救他们，你有责任去试一试。”

“做一个理性的人该做的事才是我的责任。我不会为了一个土著女人和几个混血儿，就拿自己和那几个警察的命去冒险。你把我当傻瓜吗？”

“他们会说你是个胆小鬼。”

“谁？”

“殖民地里的每一个人。”

他轻蔑地笑了。

“你要知道，殖民地里的人有什么意见都无所谓，我不在乎。”

她仔细地看了他很久。她和他结婚已有八年，她了解他脸上的每一个表情，清楚他脑子里的每一个想法。她凝视着他的蓝眼睛，仿佛那是开着的窗户。她突然脸色发白。她松开他的手，转过身去。她二话没说，又回到游廊上。她那张丑陋的猴脸仿佛是一张写满惊骇的面具。

阿尔班去办公室写了一份简短的情况报告，几分钟后，汽艇就向下游驶去。

接下来的两天看似漫漫无期。逃出来的原住民带来了种植园里的消息。然而，他们太激动了，又惊又恐，从他们的故事中不可能推测出确切的真相。种植园里死伤惨重。监工遇害。他们讲述的情节充满了残忍和暴行，叫人难以置信。安妮没有关于普林的女人和两个孩子的消息。一想到他们可能的命运，她就不寒而栗。阿尔班尽可能多地把当地人集合起来，给他们分发了长矛和剑，还征用了不少船只。情况很严重，但他必须保持镇静。他觉得自己已经尽了最大的努力，其余时间仍像往常一样生活。他处理公务，经常弹钢琴，一大早和安妮一起骑马。他似乎忘记了，自从结婚以来，他们第一次产生了严重的意见分歧。他认为安妮接受了他的明智决定。他和她在一起，一如既往地风趣、热情、快乐。谈到暴乱者，他会带着一种冷酷的讽刺意味：到了清算的时候，他们中的许多人会希望自己从来没有出生过。

“他们会怎么样？”安妮问。

“会被绞死。”他厌恶地耸了耸肩，“我讨厌看行刑，总感觉不舒服。”

阿尔班很同情奥克利，他们让他卧床休息，安妮负责照料他。也许他后悔之前在气头上对他说了那番无礼的话，于是特意对他好一些。

第三天下午，他们吃过午饭，正在喝咖啡，阿尔班听觉敏锐，听到有汽船驶来。与此同时，一名警察跑过来说看到了政府的汽艇。

“终于来了。”阿尔班叫道。

他冲出房子。安妮抬起百叶窗，望着外面的河。这会儿汽艇的声音大了起来，不一会儿她就看见船转过了河弯。她看见阿尔班站在码头上。他上了一艘快帆船，汽艇下锚后，他上了汽艇。她告诉奥克利援军来了。

“他们进攻的时候，政务专员会一起去吗？”他问她。

“当然。”安妮冷冷地说。

“不见得吧。”

安妮心里有一种奇怪的感觉。在过去的两天里，她不得不竭力克制自己，不让自己哭出来。她没有回答，走出了房间。

一刻钟后，阿尔班带着警察队长回到了平房。警察队长奉命率领二十个锡克人去镇压暴乱分子。斯特拉顿队长是个小个子，脸很红，蓄着红胡子，有些罗圈腿。他非常热情，精力充沛，她在华莱士港经常遇见他。

“托瑞尔太太，眼下的情况实在是一塌糊涂。”他一边跟她握手，一边快活地大声道，“现在我来了，我带来的人劲头十足，随时准备战斗。打起精神，小伙子们，灭了他们。这么个破地方有什么喝的吗？”

“过来一下。”她笑着叫仆人来。

“来点凉的，带酒精的，喝痛快了，我就开始讨论作战计划了。”

他如此轻松活泼，使人感到很舒服。自从灾难发生以来，这座平房就失去了平静，被忧虑笼罩，队长的到来将阴霾一扫而光。仆人端着托盘进来，斯特拉顿给自己调了一杯威士忌苏打。阿尔班把情况给他讲了一遍。他讲得清楚简短，而且准确无误。

“我得说我很佩服你。”斯特拉顿说，“换成是我肯定忍不住，准带着八个警察，亲自去制服那些该死的家伙。”

“我认为完全没有道理去冒险。”

“安全第一，老伙计，怎么了？”斯特拉顿快活地说，“我很高兴你没有这么做。我们很少有机会打个痛快。如果你一个人都干了，那还有什么意思。”

斯特拉顿队长想要立即逆流而上，发起进攻，但阿尔班指出这样做并不可取。汽艇只要一靠近，暴乱者就会听到声音。河边的长草为他们提供了掩护，他们又有足够的枪，可以逼得他们不能登陆。把进攻部队暴露在炮火之下，完全没有意义。对方有一百五十个人，个个都不要命，忘记这一点就太蠢了，他们很容易被人伏击。阿尔班讲了他自己的计划。斯特拉顿听着，不时点点头。这个计划显然很不错。他的计划是从后面包抄暴徒，突袭他们，并且很可能在没有一人伤亡的情况下完成任务。队长除非傻了，才会不接受。

“可你为什么不自己动手？”斯特拉顿问。

“只有八个人和一个警长，怎么动手？”

斯特拉顿没有回答。

“不管怎么说，这主意不错，就这么定了。我们还有很多时间，所以请托瑞尔太太允许我去洗个澡。”

日落时分，他们出发了，斯特拉顿队长带着二十个锡克人，阿尔班带着手下的警察和他集结起来的原住民。夜很黑，没有月光。他们身后是阿尔班征用来的独木舟，再行驶一段距离后，他们就会把人转移到舟上。重要的是不能发出任何声音，以免让敌人有所防备。他们乘坐汽艇大约走了三个小时，然后，他们转乘独木舟，悄无声息地划着桨逆流而上。他们到了广阔的种植园的边缘，然后上岸。向导领着他们穿过一条非常窄的小路，他们不得不排成一列行进。这条路已经很久没人走了，走起来很吃力。他们两次涉水蹚过溪流。这条小路尽管蜿蜒曲折，但沿路而行，就能绕到苦力的后方。他们要等到快天亮时才准备进攻，于是斯特拉顿下令让大家停下。天气很冷，他们等了很久。夜色终于不再那么浓重，虽然看不见树干，但在黑暗中可以隐约感觉到它们。斯特拉顿一直背靠着一棵树坐着。他低声给一名警长下了命令，几分钟后，纵队又走了起来。突然来到一条大路，他们四人一排，向前跋涉。天亮了，在鬼魅般的光线下，周围的景物依稀可见。纵队听到低声的命令，便停了下来。苦力出现在他们的视线里，那些人一点儿声音也没有。队伍再次开拔，随后又停了下来。斯特拉顿两眼放光，对阿尔班笑了笑。

“那些该死的家伙在睡觉。”

他让手下人摆好阵势。他们在枪里装了子弹。他走上前去，举起手来。卡宾枪对准了那些苦力。

“开火！”

枪声响成一片。突然，随着一阵巨大的喧闹声，他们拥了出来，大喊大叫，挥舞着手臂。但在他们面前，一个白人男子一边扯着嗓子咆哮着，一边向他们挥舞着拳头。阿尔班见到此情此景，都糊涂了。

“那人是谁？”斯特拉顿喊道。

那个男人又高又胖，穿着卡其色裤子和背心，迈着肥胖的双腿，向他们跑了过来。

“该死的浑蛋！一群废物！[1]”

“我的天哪，是范·哈斯尔特！”阿尔班说。

此人正是伐木场的荷兰经理，伐木场位于一条相当大的支流边上，距此大约二十英里。

“你们在干什么？”他气喘吁吁地走到他们跟前。

“你怎么会在这里？”斯特拉顿问。

他看到劳工们人向四面八方逃开，就命令部下去围

1 原文为荷兰语。

捕他们。然后，他又转向范·哈斯尔特。

“出什么事了？”

“出什么事了？出什么事了？”荷兰人愤怒地喊道，“我也正想知道呢。你和你那该死的警察，你们一大早到这儿来，胡乱开枪是什么意思？打靶？老子的命差点儿没了。白痴！”

“抽支烟吧。”斯特拉顿说。

“你怎么会在这里，范·哈斯尔特？”阿尔班又问了一遍，有些搞不清状况，“我们是从华莱士港来这里平息暴乱的。”

“我怎么会在这里？我走来的。你以为我是怎么来的？去他妈的暴乱。我早就把暴乱平息了。如果这就是你们来的目的，那你们可以带着那些该死的警察回家了。刚才有颗子弹擦着我的脑袋飞了过去。”

“我不明白。”阿尔班说。

“没什么好明白的。”范·哈斯尔特气呼呼地说，“有几个人来我的伐木场，说几个劳工杀了普林，还把这个该死的种植园给烧了，我就带着我的助手、监工和一个和我住在一起的荷兰朋友，过来看看有什么麻烦。”

斯特拉顿队长睁大了眼睛。

“你们就像去野餐一样溜达来的？”他问。

“我在这个国家都待了这么多年了，你该不会以为区区几百个劳工就能把我吓住吧？我发现他们都吓得半死。其中一个居然敢拿枪指着我，我就把他那该死的脑袋轰掉了。其余的人就这么投降了。我把领头的都绑了起来。我本打算今天早晨派船到你那里去，让你把他们带走。”

斯特拉顿盯着他看了一会儿，突然大笑起来，笑得眼泪都流了下来。荷兰人生气地看着他，也笑了起来。就和所有胖的人一样，他一笑，大肚子上的肥肉都在震颤。阿尔班闷闷不乐地看着他们。他非常生气。

“普林的女人和孩子们怎么样了？”他问。

“他们没事，都逃了。”

阿尔班心想，这就证明了他是多么明智，安妮那么歇斯底里，他都没受影响。孩子们当然不会受到伤害。他早就料到他们不会有事的。

范·哈斯尔特带着自己人开始返回伐木场，斯特拉顿也很快带上他的二十个锡克人向华莱士港开拔，只留下阿尔班领着手下的警长和警员善后。阿尔班交给斯特拉顿一份简报，让他转交总督。他有许多事要做。看来他得在这儿待上相当长的一段时间，但是，由于种植园里的所有房子都被烧毁了，他只好和苦力一起睡觉，他认为最好不要让安妮过来，就给安妮写了一封信，将事情经过说了一遍，还说起普林的女人现在平安无事，他很高兴能让妻子放心。他立即着手进行初步调查。他询问了许多证人。但一个礼拜后他接到命令，要他即刻前往华莱士港。负责传令的汽艇会送他过去，他在半路上见了安妮，但只能和妻子待一个小时。阿尔班有点儿恼火。

“我不明白为什么总督不能让我把事情理顺，非要耽误时间，弄得我太被动了。”

“总督从不太在意下属做起事来是不是方便。”安妮笑着说。

“真是官僚习气。我很想带你一起去，亲爱的，只是我见过总督后要立即回来，不能多待一分钟。我想尽快为地方法庭收集证据。我认为在这样一个国家，及时伸张正义是非常重要的。”

汽艇驶进华莱士港后，一名港口警察告诉他，港长有一张字条给他。字条是总督的秘书写的，通知他总督大人希望他一到就见总督。那是早上十点。阿尔班去了俱乐部，洗了个澡，刮了胡子，然后穿上干净的裤子，把头发梳得整整齐齐。他叫了一辆人力车，让车夫把他送到总督办公室。他立刻被领进了秘书办公室。秘书和他握了手。

“我去告诉总督大人你来了。”他说，“请坐吧。”

秘书离开房间，不一会儿又回来了。

“总督大人马上就会召见你。我要继续写信了，你不介意吧？”

阿尔班笑了。这位秘书没什么吸引力。他一边抽烟一边等，沉浸在自己的思绪中。他很好地完成了初步调查。他对这项工作很感兴趣。然后，一个勤务兵进来告诉阿尔班，总督可以见他了。他从座位上站起来，跟着勤务兵进了总督办公室。

“早上好，托瑞尔。”

“早上好，先生。”

总督坐在一张大办公桌旁。他向阿尔班点点头，示意他坐下。总督整个人都是灰白的。他的头发花白，脸色发灰，眼睛也是灰色的，看上去就像热带的太阳把他身上的颜色都晒掉了。他在这个国家待了三十年，一级一级升到了现在的官职。他看上去又疲倦又沮丧。甚至他的声音也是灰色的。阿尔班之所以喜欢总督，是因为他话不多，他并不认为总督聪明，但是，总督对这个国家的了解是无与伦比的，拥有丰富的经验，这足以弥补智力上的不足。总督默默地看了阿尔班好一会儿，阿尔班突然产生了一个奇怪的想法：总督很尴尬。他刚想率先打破沉默，总督就开口了。

“我昨天看见范·哈斯尔特了。”总督忽然说道。

“怎么了？”

“对于阿路德种植园所发生的事，以及你是如何处理的，可以讲一讲吗？”

阿尔班的头脑很有条理，他也很冷静。他对发生的事情再清楚不过了，能够准确地陈述出来。他措辞严谨，说得很流利。

“你有一个警长和八名警员，为什么不立即前往暴乱发生的地方？”

“我认为没有理由去冒险。”

总督灰白的脸上现出一丝淡淡的微笑。

“如果政府的官员在面对风险时都这么犹豫不决，那这里也就不可能成为大英帝国的领土了。”

阿尔班沉默了。很难与一个明显在胡说八道的人沟通。

“我很想听听你作出这个决定的理由。”

阿尔班冷静地说出了自己的理由。他深信自己的行动非常严谨。他把他一开始对安妮说的话重复了一遍，但说得更完整。总督聚精会神地听着。

“范·哈斯尔特带着他的经理、一位荷兰朋友和一位原住民监工，就有效地控制住了局面。”总督说。

“他运气不错，但就算如此，他依然是个该死的傻瓜。他这样做太疯狂了。”

“你有没有意识到，你让一个荷兰种植园园主去做本应该由你来完成的事，已经让政府受到嘲笑了吗？”

“没有，先生。”

“你使自己沦为了整个殖民地的笑柄。”

阿尔班笑了。

“我的背够宽，可以忍受别人的嘲笑，况且我对他们的意见完全不在意。”

“政府官员的事业在很大程度上取决于他的声望，而且，我担心，如果一个官员被贴上怯懦的标签，那他的声望可就全毁了。”

阿尔班的脸微微一红。

“我不大明白你的意思，先生。”

“我已经非常仔细地调查过这件事了。我见过斯特拉顿队长、可怜的普林的助手奥克利，也见过范·哈斯尔特。现在我也听了你的辩解。”

“我不认为我是在为自己辩护，先生。”

“请不要打断我。我认为你犯了一个严重的判断错误。事实证明，风险很小，但无论如何，我认为你应该冒险去救人。在这种情况下，采取迅速而坚定的行动，可谓至关重要。我不明白你为什么差人来请求警察支援，并在他们赶到之前什么也不做。不过，恐怕我认为你在政府里已经没有多大用处了。”

阿尔班惊讶地看着他。

“可是在那种情况下，你会去吗？”他问总督。

“会。”

阿尔班耸了耸肩。

“你不相信？”总督厉声说道。

“我当然相信你了，先生。不过请恕我直言，如果你被杀了，那整个殖民地就会蒙受无法弥补的损失。”

总督用手指咚咚地敲着桌子。他看了看窗外，又看了看阿尔班。他再次开口的时候，语气里并没有恶意。

“我认为以你的性格，你不适合过这种杂乱无章的生活，托瑞尔。如果你听我的劝告，你就回国吧。以你的能力，我相信你很快就会找到一份更适合你的工作。”

“我不太明白你的意思，先生。”

“得了吧，托瑞尔，你并不傻。我只是想让你好过点儿。为了你的妻子，也为了你自己，我不希望你带着因怯懦而被开除的耻辱离开殖民地。我现在给你机会主动辞职。”

“非常感谢，先生。我不准备利用这个机会。我辞职，就表示我承认自己犯错了，承认你对我的指控是合理的。我是不会承认的。”

“随你的便。我已仔细考虑过这件事了，并且已经打定了主意。我不得不解除你的职务。必要的文件将在适当的时候送到你那里。现在你回到你的任职上，等继任者到了之后把工作交接给他。”

“很好，先生。”阿尔班答道，眼里闪着饶有趣味的光芒，“你要我什么时候回去工作？”

“马上。”

“我要去一趟俱乐部，在走之前先吃午餐，可以吗？”

总督惊奇地看着他。他很恼怒，但也不得不钦佩阿尔班。

“完全可以。我很抱歉，托瑞尔，这次发生了不幸的事故，让政府失去了你这样一个员工，你总是抱着热情，并且你一向得体、机智和勤奋，将来必定会晋升高位。”

“想必阁下从来不看席勒的作品，所以可能不熟悉他的名言：‘Mit der Dummheit kampfen die Gotter selbst vergebens.[1]’”

“什么意思？”

“大意是：与愚蠢作斗争，纵使众神出马也是徒劳。”

“再见。”

阿尔班昂着头，嘴角挂着微笑，离开了总督办公室。总督也是个普通人，不由得好奇心起，所以当天晚些时候他问秘书，阿尔班·托瑞尔是不是真的去了俱乐部。

“是的，先生。他的确在那儿吃了午餐。”

“那他还真是很有勇气。”

阿尔班兴高采烈地走进俱乐部，走到站在吧台旁的一群人身边。他照常用轻松亲切的语气和他们聊天，好让其他人放松。自从斯特拉顿带着他的故事回到华莱士港以后，他们就一直在议论他，又是讥讽又是嘲笑。有很多人以前都不满他的傲慢态度，现在看到他栽了跟头，全在幸灾乐祸。但是，他们看到他出现，都大吃一惊，发现他还像以前一样自信，他们又不禁困惑起来，

1 德语。

所以感到尴尬的，反倒是他们。

有个人虽然很清楚事情的经过，却还是问阿尔班来华莱士港做什么。

“我是为阿路德种植园的骚乱来的。总督想见我。在这件事上。他和我意见不一致。这头蠢驴把我解雇了。他一任命下一任政务专员，我就回家了。”

有那么一会儿，气氛有些尴尬。另一个比较和蔼的人说：

“我很遗憾。”

阿尔班耸了耸肩。

“我亲爱的朋友，面对一个十足的傻瓜，你又能怎么办？唯一的办法就是让他自作自受。”

秘书尽量谨慎地把事情原原本本地讲给总督听。总督听后笑了笑。

“勇气是一种奇怪的东西。我宁愿开枪自杀，也不愿在那时去俱乐部面对那些家伙。”

两个礼拜后，阿尔班和安妮来到华莱士港，等着乘坐当地的轮船前往新加坡。安妮把自己费了很多力气布置的装饰品都卖给了即将上任的政务专员，然后把剩下的东西都装在箱子里。牧师的妻子邀请他们和她住在一起，但安妮拒绝了。她坚持去住旅馆。他们到达一个小时后，她收到总督夫人写来的一封言辞亲切的短信，请她去喝茶。她应邀前往。她起初只见到汉内太太一个人，但不一会儿，总督也来了，他对她的离开表示遗憾，还说他对此事感到非常遗憾。

“你这样说真是太好了。”安妮高兴地笑着说，“但你千万别以为我会把这事放在心上。我完全支持阿尔班。我认为他做得完全正确，恕我直言，我认为你对他太不公平了。”

“相信我，我也不愿意这么做。”

“我们别谈这个了。”安妮说。

“你们回家后有什么打算？”汉内夫人问。安妮愉快地聊着。你会以为她根本不在乎，似乎很高兴能回国。她兴高采烈的，说话风趣，还会讲些小笑话。当她告别总督夫妇，她感谢他们的好意。总督送她到门口。

第二天晚饭后，他们上了一艘干净舒适的小船。牧师和他的妻子为他们送行。当他们走进船舱，发现安妮的床铺上有一个大包裹。包裹是给阿尔班的。他打开，只见里面有一个巨大的粉扑。

“不知道这是谁送来的。”他笑着说，“一定是给你的，亲爱的。”

安妮瞥了他一眼。她的脸变得刷白。这群畜生！他们怎么能这么残忍？她强挤出一丝微笑。

“还挺大。我这辈子从没见过这么大的粉扑。”

船驶入大海，阿尔班离开船舱后，她激动地把粉扑扔到了海里。

现在，他们回到了伦敦，而桑都拉远在九千英里之外，可一想起大粉扑，她仍会攥紧拳头。他们这么做，简直坏透了。他们称呼阿尔班为“粉扑娘娘腔”，还把那个荒唐的东西送给他，真是太不厚道了，而且充满了恶意。这就是他们所谓的幽默吗？没有什么比这更使她伤心的了，即使现在，她也觉得只有紧紧抱住自己，才能忍住眼泪。这时，门开了，她吓了一跳，然后阿尔班走了进来。她还坐在他离开时她坐的那把椅子上。

“怎么还没换衣服？”他环顾了一下房间，“行李也没打开。”

“没有。”

“怎么了？”

“我不会把行李拿出来。我也不打算待在这里。我要离开你。”

“你在说什么？”

“我一直忍到现在才开口，是因为我决定回国后再和你摊牌。我咬紧牙关，几乎都要忍不住了，但现在一切都结束了。我已经做了所有我应该做的。我们现在回到伦敦了，我可以走了。”

他茫然地看着她。

“你疯了吗，安妮？”

“老天，我忍受了那么多！在去新加坡的一路上，所有官员都知道那件事，就连乘务员也一清二楚。在新加坡，人们在旅店用那种眼神看我们，我还得被迫忍受人们的同情。他们出言讥讽，当他们意识到自己说了不该说的话，又觉得尴尬。天哪，我真想杀了他们！这段归途太漫长了。船上没有一个乘客不知道。他们瞧不起你，又费尽心思对我好。而你却对自己那么满意，你什么也看不见，什么也感觉不到。你的脸皮一定比牛皮还厚。看到你那么健谈，那么随和，真叫人难受。贱民，我们就是贱民。你好像巴不得别人冷落你。怎么会有人像你这样无耻呢？”

她气坏了。现在，她终于不必继续戴她强迫自己戴的那副冷漠和骄傲的面具了，她也抛开了所有的矜持和自制。恶毒的话接连从她颤抖的嘴唇里涌出。

“亲爱的，你怎么能这么荒唐呢？”他微笑着和气地说，“你是太紧张、太激动了，脑子里才会有这样的想法。你为什么不和我说？你就像一个来到伦敦的乡巴佬，以为每个人都在盯着自己看。没人在意我们的，就算他们在意，那又有什么关系呢？你应该理智一点儿，犯不着为了傻瓜说的话而烦恼。你觉得他们都说了什么？”

“他们说你被解雇了。”

“那倒是真的。”他笑着说。

“他们说你是个胆小鬼。”

“什么？”

“你看，那也是真的。”

他若有所思地看了她一会儿。他的嘴唇抿得更紧了。

“你为什么会这样想？”他不悦地问道。

“我从你的眼睛里看到了这一点，那天出了事，你不肯到种植园去，我跟你到走廊取帽子，我恳求你去，我觉得无论危险有多大，你必须得去，突然，我在你眼里看到了恐惧。我当时吓得差点儿晕过去。”

“我要是白白拿生命去冒险，那就是大傻瓜。我为什么要这么做？出事的又不是我在乎的人。勇气是蠢人的美德。我并不认为它特别重要。”

“你怎么能说出事的又不是我在乎的人？如果你是发自真心说这句话，那么你的整个人生就是一场骗局。你放弃了你所坚持的一切，我们都坚持的一切。你让我们大家都失望了。我们让自己站在顶峰，我们热爱文学、艺术和音乐，就自认强过其他人，我们不满足于让生活中充满不光彩的猜忌和庸俗的闲聊，我们看重思想境界，我们热爱美好的事物。这些都是我们的精神食粮。他们嘲笑我们，挖苦我们。这也在所难免，无知的普通人自然会憎恨和害怕那些对他们不懂的东西感兴趣的人。我们不在乎。我们说他们是野蛮人。我们鄙视他们，我们有权鄙视他们。我们的理由是，我们比他们更好、更高贵、更聪明、更勇敢。而你没有更好，没有更高贵，没有更勇敢。危机来临，你就像一条夹着尾巴的杂种狗，偷偷溜走了。你比所有人更没有权利做一个懦夫。他们现在看不起我们，他们有权看不起我们。看不起我们和我们所代表的一切。现在他们可以说艺术和美都是腐朽的，到了紧要关头，像我们这样的人总是让人失望。他们从来没有停止寻找机会责骂我们，而你却把这个机会拱手奉上。他们可以说，他们早料到会这样呢。这对他们来说是一个胜利。我以前很生气他们叫你'粉扑娘娘腔'。你知道他们为什么这么叫你吗？”

“当然。我认为这很粗俗，但我是不会在意的。”

“有趣的是，他们的直觉竟然如此正确。”

“你的意思是说，这几个礼拜来你一直对我怀恨在心？我真想不到你会这样。”

“当所有人都反对你的时候，我不能再反对你。我太骄傲了，所以做不出来。不管发生什么事，我都对自己发誓，我都会和你在一起，有什么事等回国再说。我因此受尽了折磨。”

“你不再爱我了吗？”

“爱你？我一见到你就讨厌。”

“安妮！”

“天知道我以前多爱你。八年来，我甚至热爱你踩过的土地。你是我的一切。我相信你，就像有些人相信上帝一样。那天，当我看到你眼中的恐惧，当你告诉我你不会为一个情妇和她那几个混血孩子冒生命危险时，我崩溃了。好像有人把我的心从我身上扯了出来，丢在地上践踏。你杀了我的爱，阿尔班。你让我的爱消失得一干二净。从那时起，当你吻我的时候，我都不得不双手攥拳，才能忍住不把脸转过去。一想到要和你有更亲密的接触，我就觉得反胃。我厌恶你的自满和你那可怕的麻木不仁。如果这只是一时的软弱，如果事后你感到羞愧，也许我可以原谅你。我还是会痛苦，但是我想我的爱是如此强烈，我只会可怜你。但你并不感觉羞耻。现在我什么都不相信了。你愚蠢、自命不凡、粗俗，只会装腔作势。我宁愿做一个二流种植园园主的妻子，只要他有人类共同的美德，也不愿做一个像你这样的骗子的妻子。”

他没有回答。他的脸上逐渐现出了慌乱的表情。他那俊美、匀称的五官扭曲得可怕，突然他放声大哭起来。她轻轻地叫了一声。

“别这样，阿尔班。别这样。”

“亲爱的，你怎么能对我这么狠心呢？我那么爱你。我愿意用我的一生来取悦你。没有你，我活不下去。”

她伸出双臂，好像要挡开别人挥来的拳头。

“不，不，阿尔班，别想劝动我。我做不到。我必须走。我不能再和你生活在一起了。那太可怕了。我永远都忘不了这件事。我必须告诉你实话，我看不起你，厌恶你。”

他跪在她脚边，试图抱住她的膝盖。她倒抽一口气，跳了起来。他把头埋在空椅子里。他痛苦地哭着，胸膛剧烈地起伏。那哭声太可怕了。安妮的眼泪夺眶而出，她用双手捂住耳朵，不去听那歇斯底里的可怕哭声，泪水模糊了她的眼睛，她踉跄着奔向门口，跑了出去。

毛姆

短篇小说全集

[英] 毛姆 著　姚锦清 刘勇军 译

第⑪册

三个圈经典文库

经典就读三个圈　导读解读样样全

江苏凤凰文艺出版社
JIANGSU PHOENIX LITERATURE AND ART PUBLISHING

目　录

无价之宝

理查德·哈伦杰是个幸福的人。不管悲观主义者怎么说，自《传道书》[1]问世后，想要在这个不幸的世界找到一个幸福的人其实并不难。但理查德·哈伦杰能知道自己是幸福的，这确实就相当难得了。古人推崇备至的中庸之道如今已经过时了，很多人不再认为自我约束值得赞许，也不再觉得保持理性是一种美德，因此依然遵循中庸之道的人势必会受到一些客气的嘲讽。对此，理查德·哈伦杰只是愉快而不失礼貌地耸耸肩，让其他人去过那些危险的生活吧，让其他人去承受烈火的煎熬

1 《传道书》是《圣经》中的一卷，内容与其他经卷不同，它极为超然，有浓厚的出世思想。——编者注

吧，让其他人把自己的命运押在牌桌上吧。就像走钢丝一样，最后不是获得荣誉就是通往死亡；或者是为了一项事业、一种激情、一次探险，就将生死置之度外。他既不羡慕那些用壮举换来名声的人，也不会同情那些因此获得不幸结局的人。

不过也不能就此判定理查德·哈伦杰是个自私或者冷漠的人。这两种人他都不是。他体贴周到，为人慷慨大方，总是乐于主动帮助有需要的朋友，又因为家境殷实，所以常常能够尽情享受帮助别人的乐趣。他本身就有些积蓄，又是内政部的成员，拥有一份不错的薪资。这份工作本身也很适合他：稳定、职位重要，同时也轻松愉快。平日里下班后他会去俱乐部里打几个小时桥牌；每逢周六、周日他就会去打高尔夫球；到了节假日他会出国度假，住在高档的酒店里，去参观教堂、画廊、博物馆。他会经常去观看话剧或者歌剧的首演，也经常去餐馆吃饭。朋友们都很喜欢他，因为他很会聊天。他喜欢阅读各种书籍，他知识渊博，为人也风趣。而且他还称得上是品貌兼优，虽然算不上特别英俊，但他身材高挑而挺拔，脸上也没什么脂肪，看上去就很聪明。但头发渐渐稀疏了，毕竟他也是快五十岁的人了，不过他棕色的眼睛依然笑意盈盈，牙齿一颗也没有掉。

他的体质天生就好，又会保养自己。所以理查德·哈伦杰自然而然是一个幸福的人，如果他为人再傲慢那么一点儿，恐怕他自己都会说这些都是他应得的。

在幸运之神的眷顾下，他甚至安全地穿过了婚姻中那些充满危险、动荡不安的海峡——要知道，有不少聪明而优秀的男人都过不了这道坎，翻了船。二十岁出头的时候，他和妻子因为彼此相爱而步入了婚姻，度过了几年近乎完美的幸福生活后，夫妻俩开始渐行渐远。他们都没有跟别人再婚的打算，所以也没考虑过要离婚（事实上，离婚会给在政府单位工作的理查德·哈伦杰带来不好的影响）。不过为了方便起见，他们还是在家庭律师的帮助下商定了一份分居协议，这样他们就可以互不干扰地过自己想要的生活。临别时夫妻俩表达了对彼此的尊重和祝福。

理查德·哈伦杰卖掉了他在圣约翰伍德的房子，然后在走路就能到怀特霍尔[1]的地方买下了一个公寓。书都放在起居室里，他那套奇彭代尔家具正好能放进厨房，卧室的大小也适合他一个人睡，厨房的另一边还有两个仆人房。他把圣约翰伍德那位跟了自己多年的厨师

1 伦敦的街道名，也是政府机关所在地。

带了过来，但他现在已经不需要那么多用人了，于是把其余的都解雇了，又联系了登记处，寻找一位客厅女佣。他很清楚自己想找一位什么样的女佣，于是跟登记处的负责人详细地解释了自己的需求。他想找一位年纪大一点儿的女佣：一是因为小姑娘一般都不够稳重；二是因为就算他现在上了一定年纪，而且为人正直，也难免会有人说闲话，即使其他人不说，门房和送货员肯定会议论纷纷。为自己和那位小姑娘的声誉着想，他觉得求职之人应该达到能辨别是非的年纪。除此之外，这个人还得是清洗银器的好手。哈伦杰向来喜欢历史悠久的银器，如果说那些叉子和汤匙曾被安妮女王时期的贵妇使用过，那要求女仆能温柔而恭敬地对待它们也很合理啊。他生性热情好客，每个礼拜至少要办一次小型晚宴，邀请四到八个人到家里做客。他相信自己的厨师能做出让客人满意的食物，也希望自己将来的客厅女仆在侍餐时能做到有条不紊、反应迅速。其次，他也需要一名能够照顾好自己饮食起居的贴身仆人。他平日里的穿着得体讲究，符合自己的年龄和身份，自然也希望自己的衣物能被妥善照看。他要找的这位客厅女仆一定要会熨裤子、熨领带，尤其是要能将鞋子擦得锃亮。哈伦杰的脚偏小，所以特别定做了许多合脚的鞋子，这可费了他不少工夫，他向来都是鞋子一离脚就要用鞋楦撑起来。最后一点是能让公寓保持干净和整洁。当然任何想获得这个职位的人都必须具有无可指摘的品性，稳重、坦诚、可靠、长相端正。作为回报，他也会提供丰厚的工资、适当的自由和充足的假期。负责人听完后眼睛都没有眨一下，直接就说能为他找到一个合适的女仆。随后她派了一批应聘者过来，却也由此证明她压根儿没认真听他的要求。他亲自见了每一个应聘者，有些明显没什么能力，有些看上去就很放纵，有些年纪太大，有些又太年轻，有些又缺少风度（这一点对他而言恰恰又是必不可少的），到最后甚至都找不到一个可以试用的。他是一个温文尔雅的人，在拒绝这些应聘者时依然会面带微笑，委婉地说几句表示遗憾的话。他没有失去耐心，会继续面试下去，一直找到合适的客厅女仆为止。

生活中有一点很有意思：如果你只愿意接受最好的东西，你得到的往往不会太差；如果你能坚持宁缺毋滥，最后你总是能得到自己想要的。就好像命运女神嘴上说的：这个家伙竟然在追求完美，也实在太蠢了。然后仅仅是出于女人的任性，她随手就将“完美”扔进了他怀里。有一天，公寓的门房突然跟理查德·哈伦杰说：

“先生，听说你要找一位居家的客厅女仆，我知道一个合适的人选，那人也正好在找工作。”

“是你自己在推荐她吗？”

理查德·哈伦杰有一个正确的认识，那就是仆人推荐的人选往往比雇主推荐的更靠谱。

“我可以为她的人品做担保，她之前的工作岗位都特别体面。”

“我七点钟会回来换身衣服，她方便的话可以过来见一面。”

“太好了，先生，我一定会转告她的。”

他进门不到五分钟前门的门铃就响了，厨师过去开了门，然后进来告诉他是门房说的那位应聘者来了。

“带她进来。”他说。

为了方便看清楚应聘者的模样，他调亮了灯光，起身背对壁炉站在那里。一个女人走了过来，恭恭敬敬地站在门口。

“晚上好，”他说，“你叫什么名字？”

“普里查德，先生。”

“你今年多大了？”

“三十五了，先生。”

“这年纪还算合适。”

他抽了一口烟，然后若有所思地看着她。这个女人个子很高，几乎和他一样高，不过也可能是穿了高跟鞋。她穿着适合自己身份的黑色连衣裙，仪态不错，五官也很端正，气色也很好。

“你能把帽子取下来吗？”他问。

她拿下了帽子，哈伦杰看到了一头淡棕色的头发，头发梳得很工整，发型也很漂亮。她看上去健康而强壮，身材不胖也不瘦，要是配上一身合适的制服肯定会体面好看。她虽然不是特别漂亮，但绝对也算得上标致，要是换个出身，你估计就会称她是个美丽的女人。接着他问了一些问题，她的回答也很让人满意。她离开上一任雇主的理由很充分；她曾接受过一位男管家的培训，所以很了解自己的职责是什么；她上一份工作的地方有三位客厅女仆，她是领班，不过她也不介意独自料理这间公寓；她曾为一位先生管理过衣物，还因此被送到了裁缝店里学习如何熨衣服。她有点儿害羞，但既不胆怯也不局促。理查德·哈伦杰在提问时跟往常一样亲切、从容，而她回答时也很谦恭、沉着，对此他印象非常深刻。他还问她身上是否带着介绍信，看过之后也让人特别满意。

“说实话，”他说，“我确实很想雇用你。但是我讨厌变动，我家厨师已经干了十二年——如果你能做到这一点，而且觉得这地方也适合你，那么我希望你能留下来。我的意思是，我不希望你干了三四个月后就辞职去结婚。”

“先生，这一点儿不用担心，我是一个寡妇。照目前的状况来看，我也没有再婚的打算。自结婚的那天起，我的丈夫就什么活儿都没干过，一直是我在养家，我现在只想安安稳稳地过自己的日子。”

“我比较同意你的观点，”他笑着说道，“结婚是件喜事，但也不能一次又一次地结婚。”

她合时宜地没有接话，安静地等他宣布决定。她似乎一点儿也不焦急，想来也是，如果她真的像看上去那么能干，那她肯定也清楚自己不愁找不到工作。他告诉她自己会提供多少薪酬，她对这个数目似乎很满意。然后他又向她介绍了一下家里的基本情况，可她却表示这些她早就知道了。对此他的感觉是，她在应聘这份工作前肯定打听过自己，不过他不会因此感到不安，反而觉得很有意思：这恰恰表明她是一位谨慎而理智的人。

“我要是雇用你，你什么时候可以过来？我这边正好缺人，厨师那边全靠一个清洁工在帮忙，我希望能尽快安顿下来。”

“先生，我原本打算给自己放一个礼拜的假，但要是为绅士效劳，我愿意放弃这个假期。方便的话，我明天就过来。”

理查德·哈伦杰露出了一个迷人的微笑。

“我相信这个假期肯定是你期待已久的，犯不着放弃。我可以再凑合一个礼拜，去度假吧，假期结束了就过来。”

“非常感谢您，先生。那我下个礼拜这一天的后一天再过来，可以吗？”

“没问题。”

普里查德离开后，理查德·哈伦杰觉得这一天收获颇丰：看情况应该是找到了自己想要的人选。他摇铃唤来了厨师，告诉她已经找好客厅女仆了。

“我觉得你会喜欢她的，先生。”厨师说，“她下午进门的时候和我聊了两句，我立马就看出她知道自己该干什么，也不是那种反复无常的人。”

“这只能试过才知道，洁迪太太。希望你把我说得还不错。”

“我说了您很讲究，先生。我说您是一位做事情井井有条的绅士。”

“这我承认。”

“她说这一点她倒不是很在乎，她说她欣赏的是那些明辨是非的绅士。她说要是把事情做好了却没被人注意到，那会让人很气馁。我相信到时候你会发现，她对自己的工作会特别自豪。”

“这正是我想要的，我觉得继续找也找不到更好的了。”

“是的，先生，确实是这样。布丁好不好，得吃了才知道。但你要是问我的意见，我觉得她会是个不可多得的好帮手。”

事实证明普里查德确实配得上这句话，没有人比她更会服侍人了。也不知她用了什么不可思议的法子，每次都将鞋子擦得锃亮。晴朗的清晨，他出了门朝办公室走去，脚下的步伐比以往都要轻快，他甚至能在鞋面上看到自己的倒影。她打理起衣物也是那么精心，以至于同事们都打趣说他是行政部门里最会穿衣服的人。有一天，他意外提前回到家里，发现浴室里晾着一排袜子和手帕。他唤来了普里查德。

“你是亲手洗我的袜子和手帕吗，普里查德？可你原本就够忙了啊。”

“洗衣店容易把它们洗坏，先生。如果你不反对的话，我还是更喜欢在家里洗。”

她很清楚他在每个场合该穿哪身衣服才合适。到了晚上，她都不用问就知道该拿出一件晚礼服配黑领带，或者是一身燕尾服配白领带。在参加需要佩戴荣誉勋章的派对时，他发现自己的勋章早就整齐地粘在上衣的翻领上。很快他再也不用每天早上亲自去衣橱前挑选领带了，因为他发现她总能选出符合自己心意的领带。她的品位简直无可挑剔。他猜测她可能看过自己的信件，不然怎么会这么了解他的行程安排，要是他忘记了和人约好的见面时间，不用看笔记本，直接问普里查德就行。接电话时，她很清楚该用什么语气跟对方说话。她只有在和店铺老板通话时，语气会相对傲慢一点儿，其他时候，她的语气都很客气礼貌。不过如果对方是哈伦杰先生在文学界的朋友，或者是哪位内阁成员的妻子，她的态度又会发生明显的变化。她凭直觉就知道哪些人的电话是理查德·哈伦杰想避开的。有时候在客厅里，他能听到普里查德用平静而真诚的语气，跟打电话来的人保证哈伦杰先生不在家。然后她走进客厅，说某某某刚刚来了电话，但她觉得他不想被人打扰。

“做得不错，普里查德。”他微笑道。

“我知道她是想为音乐会的事来烦您。”普里查德说。

他的朋友想和他见面，都是联系普里查德安排时间。等他晚上回来，普里查德会把自己做的安排告诉他。

“先生，索莫斯太太今天打了电话过来，问您周四，也就是八号，有没有时间共进午餐。我说很抱歉，那天中午您已经约了维新德夫人。另外，奥克利先生打电话邀请您下周二六点去萨沃伊酒店参加鸡尾酒会，我说您只要有时间就过去，不过您那天可能要去看牙医。”

“很好。”

“我觉得您可以到时候再作打算，先生。”

在她的打理下，整个公寓亮洁如新。她刚刚过来工作的时候，有一次，理查德·哈伦杰度假回来，随手从书架上拿出来一本书，当即就发现有人把书上的灰尘都擦了。他摇了摇铃。

“走之前忘记跟你说了，就是无论怎样都不能碰我的书。把书拿出来清灰尘，放回原来位置的可能性几乎不存在。书脏一点儿没关系，但我很讨厌每次都要找书。”

“实在太抱歉了，先生。”普里查德说，“我知道有些绅士比较注意这一点，所以我小心地把每本书都放回原来的地方。”

理查德·哈伦杰扫了一眼自己的书，目光所及之处的每本书都放在原来的地方。

“我很抱歉，普里查德。”

“书上的灰尘太多了，先生。我的意思是，你只要一看书手上就都是灰。”

当然她将银器也保养得十分精心，与她相比，之前就像没保养过一样。他觉得自己有必要特别夸一夸她。

“你知道吗，这大部分都是安妮女王和乔治一世时期的银器。”他解释说。

“是的，我知道，先生。保管这样的好东西，能让它们保持原样也是一种乐趣。”

“你保养起银器来确实有一套，我从没见过哪个男管家能有你这样的水平。”

“男人不像女人这么有耐心。”她的回答很谦虚。

他向来喜欢每周在家办一次小型宴会，等他觉得普里查德在这儿的生活已经稳定了，便立即恢复了这个惯例。他早就发现普里查德知道该如何侍餐，但在看到她能将一个派对办得那么好时，他还是不禁体会到了一种温暖的满足感。她动作敏捷，话也不多，还很会察言观色。客人刚意识到自己需要什么，身旁的普里查德就将东西递了过去。她很快知道了与他关系比较亲近的朋友的喜好，记住了其中一位喜欢在威士忌里加水而不是加苏打水，还有一位特别喜欢吃羊蹄。她知道猪腿肉放到多凉才不会破坏它的口感，也知道红葡萄酒要醒酒多长时间才能释放出它的酒香。看着她将勃艮第葡萄酒一滴不洒地倒进酒杯中简直是一种享受。有一次她端上来的不是理查德·哈伦杰要的酒，他有些严厉地指出了这一点。

“我开瓶后发现酒有一点儿木塞味，先生，这才换成了香贝坦红葡萄酒，我觉得这样更稳妥一些。”

“做得不错，普里查德。”

很快哈伦杰就把选酒这件事完全交给了普里查德，因为他发现她很清楚每位客人喜欢的都是哪种酒。如果她觉得来的客人是懂酒的行家，不用哈伦杰下命令，她就知道从酒窖里取出最好的葡萄酒和年份最久的白兰地。她不相信女人能鉴别出美酒，所以如果客人是女性，她端上来的往往是快要过期的香槟酒。跟所有英国仆人一样，她天生就知道社会的差异，不管一个人地位再高或金钱再多，她都可以准确地判断出这人是不是一名绅士。不过来客中也有她所偏爱的，如果是他那几位朋友过来用餐，她会把哈伦杰为特殊场合准备的葡萄酒拿出来，那模样自豪得就像是吞了金丝雀的猫。这倒把哈伦杰逗乐了。

“看样子你很讨普里查德的喜欢，老同学，”他大声打趣道，“能让她把这瓶酒拿出来的人可不多哟。”

普里查德成了一个知名人士。很快她就被誉为最完美的客厅女仆。人们不羡慕哈伦杰别的，只羡慕他拥有这样一位女仆。她的价值不亚于同等体重的黄金，她的身价比红宝石更值钱。当人们夸赞她时，理查德·哈伦杰满脸的骄傲。

“好的主人才能调教出好的仆人。”他得意地说道。

一天晚上，众人坐在一起喝波尔图葡萄酒。普里查德离开了房间后，他们开始谈论她。

“等哪天她要是离开了，对你来说可是个重大打击。”

“她怎么会离开呢？之前有一两个人想从我这儿挖走她，但她都拒绝了。她知道哪里待得更舒服。”

“可她总有一天会结婚的。”

“我觉得这不是她的行事风格。”

“她长得挺标致。”

“是的，她的仪态还不错。”

“你瞎说什么呢？她是一个很漂亮的女人。如果换一个出身，她会是社交圈里有名的美人儿，她的照片会出现在各个报纸上。”

这时普里查德正好端着咖啡进来了。理查德·哈伦杰仔细瞧了瞧她。每天时不时都能看到她，到如今也有四年了——哎呀，时间过得可真快——他是真的没认真注意过她的模样。和第一次见面那时候相比，她的变化似乎并不大。身材没有变胖，气色也依旧很好，五官端正的脸庞上依然是一副专注而克制的表情，还是很适合穿黑色的制服。她离开了房间。

“她算得上是这一行的典范，这点不用怀疑。”

“这我知道，”哈伦杰回答说，“她很完美。没了她我可能都不知道该怎么办了。不过奇怪的是，我并没有特别喜欢她。”

“为什么呢？”

“我觉得她人有些无趣，你看，她都不怎么说话。我常常试着和她聊天，每次都是问一句她答一句。这四年来，她从来没开口提过自己的事情，我对她几乎一无所知，不知道她是喜欢我这个人呢，还是说她其实根本不在乎是为谁工作。她就像个机器人。我尊重她，欣赏她，相信她。她拥有这世界上一切美好的品质，可就算这样，我对她就是没什么兴趣，这一点连我自己都觉得纳闷。可能是因为她没有什么魅力吧。”

这个话题到这儿就结束了。

又过了两三天，那天是普里查德休息的日子，理查德·哈伦杰因为没有什么安排，所以独自在俱乐部里吃晚餐。一位服务生走上前来，告诉哈伦杰刚刚他公寓打来了一通电话，说他出门的时候没有带钥匙，想问是否需要让人乘出租车把钥匙送过来。哈伦杰伸手摸了摸口袋——果然没有。出门用餐前他换了身蓝色的哔叽西服，但不知怎么就忘记把钥匙拿出来了。他原本想打几局桥牌，但俱乐部这晚有些冷清，估计也凑不起什么像样的牌局。他突然想起一直听人谈起的那部电影，正好趁今天这个机会去看一看。于是他回信息说，半个小时后他亲自回家取钥匙。

他按响了公寓的门铃，开门的是普里查德，手里拿着他的钥匙。

“怎么是你呢，普里查德？”他问，“你今晚不是休假吗？”

“是的，先生。但我不是很想出门，所以让洁迪夫人去休假了。”

“有机会的时候你应该出去走走，”他说，就跟往常一样体贴周到，“老是关在家里也不好。”

“我有时也会出去办点事，只是最近这一个月我每天晚上都待在家里。”

“这是为什么呢？”

“我觉得一个人出去没多大意思，而且目前也没遇到什么特别想要一起出去的人。”

“你时不时也该出去放松一下，这样有益身心。”

“我一时间可能还改不了这个习惯。”

“这样吧，我现在正好要去看电影，你愿意跟我一起去吗？”

他这样说只是出于善意，但话刚说出口他就有些后悔了。

“好的，先生，我很愿意。”普里查德说。

“那赶紧去收拾一下吧。”

“我很快就好。”

普里查德离开后，他走进客厅，点燃了一支香烟。他对自己刚刚的举动既觉得有点儿好笑，同时也很满意；毕竟赠人玫瑰，手有余香。普里查德的反应倒是很符合她的性格，既不惊讶，也没有犹豫。大概等了五分钟，普里查德出来了，他注意到她换了一身衣服：穿上了一条蓝色的连衣裙——哈伦杰估计这应该是人造丝绸；戴着一顶黑色的小帽子，上面别着一枚蓝色的饰针；此外脖子上还围着一条银狐毛皮。看她穿得既不寒酸也不招摇，哈伦杰稍稍松了口气。碰到他们的人估计怎么也想不到，这是一位受人尊重的内政部官员带着自己的女仆去看电影。

“不好意思，让您久等了，先生。”

“没关系的。”他和蔼地说道。

他扶着门礼让女士，普里查德也没推托，直接出了门。这让他想起了路易十四和其侍臣之间那件耳熟能详的趣事，不禁赞赏普里查德的果断。要去的那家电影院就在公寓附近，所以两人走路过去。哈伦杰聊到了天气，聊到了路况，聊到了阿道夫·希特勒，而普里查德搭话也很得体。到电影院的时候，《米老鼠》正好刚刚开始放映，两人的心情也跟着愉悦起来。在过去的四年里，理查德·哈伦杰几乎就没见过普里查德的笑容，如今听到她发出一阵阵欢快的笑声，他觉得特别有意思。他很高兴见她这样开心。接下来他们的注意力主要集中在屏幕上，这部电影很不错，两个人都乐得快喘不过气来了。哈伦杰把烟盒拿出来的时候，下意识地递到了普里查德面前。

“谢谢您，先生。”她一边道谢一边拿了一支烟。

他替普里查德点燃了烟，但她目光一直看着屏幕，几乎都没意识到他的动作。电影结束后，他们随着人群一起走到了大街上，朝公寓走去。那晚的夜空上布满了星星。

“喜欢这部电影吗？”他问。

“特别喜欢，先生。今晚真的很开心。”

他突然想到一件事。

“对了，你今晚吃东西了吗？”

“没吃，先生，没来得及。”

“那你不饿吗？”

“等会回家我可以吃一点儿面包和芝士，然后再给自己做一杯可可。”

“那吃得也太简单了。”空气中洋溢着一种欢乐的气氛，周围来来往往的人群看上去也都喜气洋洋。哈伦杰心里想，好人做到底，送佛送到西。“嘿，你愿不愿意和我一起去哪里吃一点儿晚餐？”

“都听您的，先生。”

“那走吧。”

他叫了一辆出租车。哈伦杰感觉自己现在就像个大善人，不过他并不反感这种感觉。他让司机开到牛津路的一家餐馆去，那一片比较热闹，而且肯定也不会遇到什么认识的人。那家餐馆里有一个乐队，大家会跳跳舞，去那儿普里查德肯定能玩得开心。两人坐下来后，一位服务生走了过来。

“他们晚上都会提供套餐，”他说，心里想她应该会喜欢，“我建议可以点份套餐。你喝什么呢？来点儿白葡萄酒？”

“我现在倒是真想喝一杯姜汁啤酒。”她说。

理查德·哈伦杰给自己点了杯苏打威士忌。他其实不饿，但为了让她放松，也跟着吃了点。刚刚一起看了部电影，所以也有话题可聊。朋友在之前那晚没有说错，普里查德并不难看，就算被他们看到自己和她在一起也没什么大不了的。要是告诉朋友，自己带着举世无双的普里查德去看了电影，然后又去吃了晚餐，肯定也算得上是一段美谈。看着那些跳舞的客人，普里查德的嘴角露出一抹淡淡的微笑。

“你喜欢跳舞吗？”他问。

“我年轻时跳舞特别厉害，不过结婚后就没怎么跳了。我丈夫比我要矮一点点，不知道您懂不懂这种感觉，我觉得跳舞的时候男士一定要高一点儿才好看。可能我很快就会老得再也跳不动了吧。”

理查德·哈伦杰肯定比她高，跳舞的话不会看起来不协调。而且他喜欢跳舞，舞技也不错。不过理查德·哈伦杰还是有些犹豫，要是邀普里查德一起跳舞，不知道她会不会觉得尴尬。或许也不用想太多，这有什么大不了的呢？她的生活过得单调又乏味，而且她人又那么通情达理，要是她觉得这样不妥，肯定能找到一个合适的理由。

“你愿意一起跳一曲吗，普里查德？”当乐队又开始演奏时他问道。

“我可是很久没跳了，先生。”

“那又有什么关系？”

“只要您不介意就好，先生。”她泰然自若地站起身子。

她其实不是害羞，只是担心自己跟不上他的舞步。进了舞池后，哈伦杰发现她其实跳得很好。

“你跳得很好啊，普里查德。”他说。

“渐渐就想起该怎么跳了。”

她虽然个子高大，但脚步轻盈，天生就有韵律感，和她跳舞让人觉得特别愉快。理查德·哈伦杰不经意间扫了一眼墙上挂着的镜子，不禁觉得两个人在一起看上去是那么相配。当他们的眼神在镜子里相会时，哈伦杰想知道那一瞬间她是不是也有同样的念头。他们接着又跳了两支舞，理查德·哈伦杰建议是时候该回家了。他买好单，两人一起走出了餐厅。他注意到普里查德在穿过人群时一点儿也没有觉得难为情。随后他们坐上了出租车，十分钟后就到家了。

“我从后门上去，先生。”普里查德说。

“这没必要，就跟我搭电梯上去了。”

带她一起上去的时候，他冷冷地看了一眼值夜班的门房，意思是就算时间不早了，他和自己的女仆一起回来也没什么好惊讶的。上楼后他拿出钥匙打开门，两人进了公寓。

“那么，晚安了，先生。”她说，“非常感谢。今晚玩得很开心。”

“应该是我谢谢你，普里查德，没有你的话，我今晚肯定过得很无聊。希望你这次出门确实玩得很痛快。”

“当然，先生，简直都无法用语言来形容这种快乐。”

今晚很成功，理查德·哈伦杰对自己今天的善举也很满意。如果能给一个人带来真正的快乐，自己也会感到特别愉快。这善意的举动让哈伦杰自己都觉得很温暖，在那一刻，他的内心对整个人类都充满了爱。

“晚安，普里查德。”他说。因为心情特别美好，他伸手搂住她的腰，吻向了她的唇。

她的嘴唇特别柔软。被他吻了一会儿后，她也回吻了他。这是一个正当盛年的健康女人，她的拥抱很温暖也很热情。哈伦杰发现抱着她很舒服，于是抱得更紧了些，而她也伸手揽住了他的脖子。

往日里，他都是等普里查德把信拿进来后才会醒，但今天早上他七点半就醒过来了。他有种说不清道不明的感觉。他睡觉时习惯垫两个枕头，却突然意识到自己脑袋下只有一个枕头。但随后立马就想起来了，他惊慌地看了一圈。另一个枕头就在他旁边。感谢上帝，没有看到一张熟睡的脸，但很明显刚刚有人睡在这个枕头上。他的心情顿时沉重起来，开始直冒冷汗。

“天哪，我是有多蠢啊！”他大声喊道。

他怎么会做出这么愚蠢的事情？究竟是哪里不对劲？他是最不会和女仆乱来的那种人。以他的年龄和地位来说，这么做实在太可耻了！他不知道普里查德是什么时候离开的，估计是睡得太熟了。他甚至都不怎么喜欢她，她不是他喜欢的类型。他那天也说过，他觉得普里查德其实很没意思。甚至到现在，他也只知道她姓普里查德，都不知道她的名是什么。实在太疯狂了！接下来会发生什么呢？这地方她是待不了了，他显然不能再继续雇用她。不过因为自己犯的错——当然她也有错——就把她辞退似乎也太不公平了。糊涂一时就失去了有史以来最完美的客厅女仆，这是有多蠢啊？

“该死的，我就是心太好了。”他郁闷地咕哝了一句。

再也找不到一个人能将他的衣服打理得那么好，能将他的银器擦拭得那么干净了。她记住了他所有朋友的电话号码，也懂红酒。但她肯定是要走的。她自己肯定也清楚，事情既然发生了就回不到原点。他会送她一份贵重的礼物，写一封特别好的推荐信。她现在随时都可能进来。她会因此变得傲慢吗，还是会变得过分亲昵？或许她现在都懒得再把信送进来了。要是他摇完铃，却是洁迪太太进来说“普里查德还没起床，先生，因为昨晚的事情她现在要睡个懒觉”，那可就太可怕了。

“我就是个大傻瓜！我就是一个臭无赖！”

这时响起了敲门声，他顿时不安到了极点。

“进来。”

此时的理查德·哈伦杰是一个特别不幸的人。

整点的钟声响起，普里查德走了进来，身上穿着以往每天早上都会穿的印花布裙。

“早上好，先生。”她说。

“早上好。”

她拉开窗帘，把信件和文件递给哈伦杰。她的脸上没有表情，跟平时没什么差别。她的动作也像往日一样从容、利落。她没有刻意避开哈伦杰的目光，也没有故意和他对视。

“今天就穿那套灰色的西服可以吗，先生？昨天裁缝铺就把衣服送过来了。”

“可以。”

他假装在看信，其实一直在偷偷观察普里查德。她当时背对着他，把他的内衣和衬裤叠好放在椅子上，然后把他昨天穿的那件衬衫上的饰扣取下来，镶在干净的衬衫上。接着她拿出一双干净的袜子放在椅子上，把配套的吊袜带摆在旁边。随后她把那套灰色的西服拿了过来，把背带系在后裤腰的扣子上。她打开衣柜，思量片刻后选了一条合适的领带。她把他昨天穿的西服搭在手臂上，然后提起哈伦杰的皮鞋。

“先生，您是先用早餐，还是先去洗澡呢？”

“先吃早餐。”他说。

“好的，先生。”

她像往日一样缓步走了出去，不慌不乱，没有发出任何声响。她的表情也跟以往一样无趣，一样严肃恭敬。昨晚的事情或许就是一场梦。看普里查德的行为举止，她仿佛像是什么都不记得了一样。哈伦杰终于松了一口气。一切都过去了，她不用走了，她不用走了。普里查德是一个完美的客厅女仆。他知道从今以后，普里查德每一言每一行，都不会暗示他们之间的关系曾超越了主仆。理查德·哈伦杰还是那个幸福的人。

蒙特拉格勋爵

奥德林医生看了看桌上的时钟，五点四十分。他有些惊讶病人竟会迟到，毕竟蒙特拉格勋爵以守时为荣。勋爵这个人张口闭口总爱搬弄警句，即便只是一句很普通的话，在他说来也带有格言的意味。他总是说，守时是对智者的赞扬、对蠢人的责备。蒙特拉格勋爵预约的时间是五点半。

奥德林医生的外表没什么吸引人的。他又高又瘦，窄肩膀，有点儿驼背，他的头发灰白而稀疏，脸有点儿长，脸色灰黄，脸上布满了深深的皱纹。他不到五十岁，却很显老，浅蓝色的大眼睛里流露出疲倦的神态。和他相处一段时间后，就能注意到他的眼珠很少动，他会一直盯着你的脸，只是眼里并没有流露出丝毫感情，所以他盯着别人也不会让别人感到不舒服。他的双眼鲜有神采。那双眼睛既不会透露他在想什么，眼神也不会随着他说的话而改变。如果你是一个善于观察的人，你可能会觉得，他眨眼的次数比我们大多数人要少得多。他的手很大，手指又长又细。他的双手柔软而结实，摸起来凉凉的，但不黏湿。除非你特别注意观察，否则你永远说不出奥德林医生穿的是什么。他的衣服都是深色的，领带是黑的。在衣服的衬托下，他那布满皱纹的灰黄脸颊更显苍白，浅色的眼睛更加暗淡，让他看起来如同一个病重的人。

奥德林医生是一位心理咨询师。他选择这个职业纯属偶然，从业期间一直怀着深深的疑虑。战争爆发时，他刚刚获得职业资格证书，正在不同的医院实习，他主动向当局提出入伍，一段时间后被派往法国。就在那时，他发现了自己独特的天赋。他用自己那双冰凉结实的手触摸病人，就可以减轻他们的疼痛；他和失眠的人聊天，常常能使他们睡着。他说起话来慢条斯理。他的声音其实没什么特别，声调也不随他说话的内容而改变，听起来却是那么悦耳、柔和，能叫人平静下来。他告诉病人必须休息，不要担心，一定要睡觉，于是，他们疲倦的骨头渐渐得到了休息，平静驱走了他们的焦虑，就像一个人在拥挤的长凳上为自己找了个位置，睡意也降临在他们疲惫的眼皮上，犹如春天的细雨落在刚刚翻耕过的土地上。奥德林医生发现，只要他用自己低沉而平缓的声音和人们说话，用平静的浅色眼睛看着他们，用修长结实的手抚摸他们疲惫的额头，就可以扫清他们的烦忧，解决让他们心烦意乱的问题，消除让他们的生活备受折磨的恐惧。有时，他的治疗能取得奇迹般的效果。有个病人在炮弹爆炸时被埋在地下，再也说不出话来，奥德林医生却让这个病人恢复了说话的能力；另一个病人在飞机失事后瘫痪，奥德林医生让他的肢体恢复了以往的功能。他不理解自己为什么拥有这样的能力，他对此一直都持怀疑态度。虽然人们都说，在这种情况下首先要相信自己，可他从来没有真正做到过。哪怕是疑心最重的人也认为他的治疗效果显著，他这才不得不承认自己确实具有某种能力。他也不清楚为什么会这样，毕竟这种能力是那么模糊而不确定，使他能做出一些他自己都无法解释的事。战争结束后，他去了维也纳学习，后来又到了苏黎世。那之后，他在伦敦定居下来，用他那莫名其妙获得的技艺行医救人。他从事这一行有十五年了，在他所从事的专业领域，他获得了很高的声誉。人们口口相传，称赞他是神医。尽管他收费高昂，但前来求医的人从来没有断过。奥德林医生很清楚自己取得了一些非凡的成就。他让人打消自杀的念头，让人不再疯狂，让人远离精神病院；他减轻人们的痛苦，让他们不至于堕落一生；他使婚姻不幸的人变成恩爱伴侣；他根除了人们的异常本性，使他们摆脱了恶习的束缚；他让心灵有缺陷的人恢复了健康。这一切都是他的成就，可是他在心里仍然怀疑自己不过是个江湖郎中。

奥德林医生使用这种他无法理解的能力，实在有违自己的内心，而且，他明明对自己没有信心，还要利用病人对自己的信任来谋生，他觉得这么做并不诚实。现在他有钱了，不用工作也能生活，工作使他筋疲力尽。他有很多次都想放弃行医。他熟读弗洛伊德、荣格等人的全部著作，但他并不满足于此，他深信那些人的理论不过是骗人的把戏，然而，结果虽然令人费解但却十分明显：十五年来，病人们纷纷来到他位于温普尔街的昏暗内室看病。对于人性，他还有什么是没见过的？那些被灌输到他耳朵里的启示，有时是病人心甘情愿讲出来的，有时是病人带着愤怒和羞愧说出来的，所以有所保留，但都早已不再使他感到惊奇。再也没有什么能使他震惊了。他现在知道人都是骗子，也清楚人的虚荣心能到多么过分的程度，而且，他对他们的了解远不止这些，但是，他也明白自己没有权利去评判或定罪。一年又一年，他不停地听这些可怕的秘密，他的脸色随之变得越来越灰白，皱纹也越来越明显，苍白的眼睛也愈发疲倦。他很少笑，但当他为了放松而读小说时，他会不时地露出微笑。那些作者真的认为他们笔下的男女是那样的吗？他们要是知道人有多复杂、多出乎意料，灵魂中存在着多么不可调和的因素，内心进行过多么阴暗和阴险的争斗，那该多好！

现在差一刻钟到六点。在他接诊的所有奇怪病例中，奥德林医生记得的最怪异的一个，莫过于蒙特拉格勋爵了。首先，他的这个病人具有明显与众不同的性格。蒙特拉格勋爵是一个能干而杰出的人。他不到四十岁就被任命为外交部长，三年后的现在，他的政策获得了成功。人们普遍认为，他是保守党里最能干的政治家。不过，他的父亲是贵族，他在父亲死后会继承贵族头衔，将不能再担任下议院议员，所以不能参选首相。但在民主时期，英国首相虽然不能出自上议院，但没有什么能阻止蒙特拉格勋爵接连在由保守党组建的政府里担任外交部长，长期管控国家的外交政策。

蒙特拉格勋爵有很多优秀的品质。他既聪明又勤奋。他游历广泛，能流利地说几门语言。他从年轻时就专门从事外交工作，并仔细了解其他国家的政治和经济情况。他有勇气、洞察力和决心，无论是在讲台上还是在下议院，他都是一位出色的演讲者，他思路清晰、准确，常常妙语连珠。他是一名出色的辩手，他的机智和辩才备受赞扬。他仪表堂堂，长得高大英俊，虽然有点儿秃顶，又有些胖，但这也有好处，那就是这让他看起来很结实，也很成熟。年轻时，他曾是一名出色的运动员，曾在牛津大学划船，还被誉为英格兰最好的射手之一。二十四岁那年，他娶了一个十八岁的姑娘为妻，岳父是一位公爵，岳母是一位美国的女继承人，他的妻子既有地位又有财富，还为他生下了两个儿子。几年来，他们私下里分开住，但在公开场合又表现出一副恩爱的样子，保持形象。他们并没有风流韵事让人们评头论足。蒙特拉格勋爵的确野心太大，工作起来非常拼命，而且还极具爱国精神，他不会被享乐诱惑，从而妨碍自己的事业。简而言之，他足够优秀，可以让自己成为一个受欢迎的成功人士。不幸的是，他也有很多缺点。

蒙特拉格勋爵这个人极为势利。如果他父亲是家族里第一个受封爵位的，那这也没什么可奇怪的，毕竟父亲是受封贵族的律师、制造商或酿酒师，儿子把自己的地位看得很重，倒也可以理解。但是，蒙特拉格勋爵的父亲所拥有的伯爵爵位是查理二世颁发的，而第一任伯爵所拥有的爵位则是玫瑰战争时期受封的。三百年来，这个家族的一代代头衔继承者与英国地位最高的贵族家庭联姻。但蒙特拉格勋爵对自己出身的在意，就像暴发户特别在意自己的财富一样。他从不放过任何一个给别人留下深刻印象的机会。他在展示自己的成就之际总是举止优雅，但他只在面对他认为与自己地位相当的人时才会如此。对那些他觉得社会地位不如他的人，他向来冷漠无礼。他对仆人粗鲁，对秘书无礼。他先后任职的政府部门的下属对他又怕又恨。他还非常傲慢。他知道自己比大多数与他打交道的人都聪明得多，所以毫不犹豫地让对方知道这一事实。他对人性的弱点没有耐心。他觉得自己生来就是发号施令的人，谁要是希望他听听他们的观点，或是希望他讲讲做出某个决定的理由，他就非常恼火。他自私到了极点。他觉得自己地位尊崇、才智过人，所以任何人为他效劳，他都认为是理所当然的，不需要感激。他从来没有想过要帮助别人。他有许多仇敌，而他藐视他们。在他看来，没有人值得他帮助和同情。他没有朋友。上司怀疑他的忠诚，所以不信任他。他傲慢无礼，因此在党内也不受欢迎。然而，他太出色、太爱国，智慧又是如此过人，处理起事务来又是那么妥帖，所以他们不得不容忍他。而且，别人能忍他，还因为他有时确实迷人。他要是遇见他认为与他地位相当或者他想要征服的人，如果他和外国政要或贵妇人在一起，他可以表现得非常风趣诙谐、温文尔雅，他的举止会让你想起他的血液里流淌着切斯特菲尔德勋爵的血液，他可以讲很有意义的故事，他可以举止自然、明智甚至深刻。他的渊博学识和敏锐的鉴赏力能让你大感意外。你会认为他是世界上最好的伙伴，全然忘了他前一天还侮辱过你，而第二天又会把你置于死地。

蒙特拉格勋爵差点儿就做不成奥德林医生的病人。勋爵的一位秘书给医生打了个电话，说勋爵想请他帮忙，希望医生能在第二天上午十点去勋爵府上。奥德林医生回答说自己去不了，但很乐意后天下午五点在他的诊疗室为勋爵诊疗。秘书记下医生的答复，不久就回了电话，称蒙特拉格勋爵坚持要在自己家里见奥德林医生，医生要多少钱他都可以答应。奥德林医生回答说，他只在诊室接诊病人，并遗憾地表示，除非蒙特拉格勋爵来找他，否则他就爱莫能助了。一刻钟后，有人给他送来了一封短信，说勋爵将在明天下午五点到诊室。

蒙特拉格勋爵被引进来之后，并没有走上前，而是站在门口，傲慢地上下打量着医生。奥德林医生觉察到勋爵在生气，便用平静的目光默默地注视着他。他看见蒙特拉格勋爵是个大个子，有些胖，有一头灰白的头发，前额的发际线比较高，使他的额头有了几分贵族气质。他的脸有些浮肿，五官端正，表情傲慢。他有点儿像十八世纪波旁王朝的某位君主。

“奥德林医生，见你比见首相还难。我本身也有很多事要处理。”

“坐吧。”医生说。

他的脸上没有任何迹象表明蒙特拉格勋爵的话对他有影响。奥德林医生坐在桌旁的椅子上。蒙特拉格勋爵仍然站着，眉头紧锁。

“我想我应该告诉你，我是陛下的外交大臣。”他尖刻地说。

“你不坐吗？”医生重复道。

蒙特拉格勋爵做了个手势，似乎要转身离开房间，但即便他本想这么干，后来显然决定还是留下为好。他坐下。奥德林医生打开一个大本子，拿起笔。他不看病人就写了起来。

“年龄？”

“四十二。”

“结婚了吗？”

“是的。”

“结婚多少年了？”

“十八年。”

“有孩子吗？”

“两个儿子。”

蒙特拉格勋爵生硬地回答问题，奥德林医生记下了这些事实。然后，医生向后靠在椅子上，看着伯爵。他没有说话，只是严肃地注视着，苍白的眼珠一动不动。

“你为什么来找我？”他终于问道。

“我听说过你。我知道克努特夫人是你的病人。她说你帮了她不少。”

奥德林医生没有回答。他一直盯着勋爵的脸，眼神平静无波，你可能以为他根本没有看见对面的人。

“我可不是什么神医。”他终于说。他没有笑，但一抹笑意从他的眼中闪过：“英国皇家医师学院是不会允许医生胡来的。”

蒙特拉格勋爵轻轻地笑了笑，他的敌意似乎减轻了一点儿，语气也变亲切了。

“你的名气很大。人们都很相信你。”

“你为什么到我这里来？”奥德林医生重复道。

现在轮到蒙特拉格勋爵不说话了。他似乎觉得很难回答。奥德林医生等着。最后，蒙特拉格勋爵似乎费了很大力气才开口。

“我的身体是很好的。那天，我照常去找我的医生奥古斯都·菲茨赫伯特爵士做检查，我敢说你听说过他，他说我的体格和三十岁的人差不多。我的工作很多，但我并不累，我喜欢我的工作。我不怎么抽烟，喝酒也很适度。我经常锻炼，生活很有规律。我是一个完全健康正常的人。想必你会觉得我又愚蠢又幼稚，才会来找你。”

奥德林医生看出这个病人的确需要他好好医治一番。

“我不知道自己能否帮上你。我尽量吧。你很心烦吗？”

蒙特拉格勋爵皱起了眉头。

“我从事的工作很重要。我所做的决定动辄就能影响到国家的利益，乃至世界的和平。我的判断要公平，我的头脑要清醒，这至关重要。我认为我有责任消除任何忧虑，绝对不能因此影响我的工作。”

奥德林医生的目光一直定格在他身上。他有了很多发现。他看得出，在病人浮夸的态度和傲慢的骄傲背后，有一种连病人自己也无法消除的焦虑。

“我请你到这儿来是有道理的。我凭经验知道，比起习惯的环境，一个人在医生昏暗的诊疗室里更容易说出心里话。”

“医生的诊疗室的确昏暗。”蒙特拉格勋爵尖刻地说。他停顿了一下。他以往是那么自信敏捷、那么果断，从没有不知所措的时候，所以此时不免有些尴尬。他笑了笑，想让医生知道他很放松，但他的眼神泄露了他的不安。当他再次开口，语气中多了一点儿不自然的真诚。

“这件事太微不足道了，我都没办法说服自己麻烦你。恐怕你只会让我不要犯傻，别再浪费你宝贵的时间。”

“有些事看起来微不足道，其实可能非常重要，可能是某种根深蒂固的精神错乱的症状。我的时间完全由你支配。”

奥德林医生的声音低沉而严肃。他单调的语气出奇地令人宽慰。蒙特拉格勋爵终于下定决心要坦白。

“事实上，我最近一直在做一些非常讨厌的梦。我也明白，太在意那些梦就太蠢了，但是……唉，说实话，我真的很心烦。”

“能给我描述一下你的梦吗？”

蒙特拉格勋爵微微一笑，他努力装出若无其事的样子，露出的却是悲伤的笑容。

“那些梦太蠢了，我讲不出来。”

“不要紧。”

“我第一次做梦，大约是在一个月前。我梦见我在康纳马拉家参加一个聚会。这是一个正式的聚会。国王和王后也会出席，当然还要佩戴勋章。我戴着我的绶带和勋章。我走进一个衣帽间，他们要我脱下外套。那里有个叫欧文·格里菲思的小个子男人，他是威尔士的一名国会议员。和你说实话吧，见到他我有点儿惊讶。他很普通，我对自己说：‘莉迪亚·康纳马拉太过分了，不知道她还邀请了谁。’我觉得他很好奇地看着我，但我没怎么注意他。事实上，我都没搭理那小子就上楼去了。我想你从没去过康纳马拉家吧？”

“是的。”

“你肯定不会喜欢去那样一栋房子的。那里相当庸俗，但有一条非常精致的大理石楼梯，康纳马拉夫妇正在楼梯顶端接待客人。当我和康纳马拉夫人握手时，她惊奇地看了我一眼，开始咯咯地笑起来。我没怎么在意，毕竟她这个人非常愚蠢，又没有教养，她的举止并不比被查理二世国王封为女公爵的祖先好多少。我必须承认，康纳马拉家的接待室确实富丽堂皇。我走过去，向许多人点头致意，还与他们握手。然后，我看见德国大使在和一位奥地利大公聊天。我正好有事找他，于是走上前去，伸出一只手。大公一看见我就哈哈大笑起来。我感觉自己受到了深深的侮辱。我严厉地上下打量他，但他笑得更厉害了。我正想责备他两句，突然四周安静了下来，我意识到是国王和王后来了。我转身背对着大公，走上前去，突然，我发现我竟然没穿裤子，只穿着丝绸内裤和鲜红色的吊袜带。难怪康纳马拉夫人会笑，难怪大公会笑！我说不出那一刻我有多难受。我满心羞愧，痛苦难当。我醒来的时候出了一身冷汗。你都不知道，当我发现这只是一场梦时，我有多轻松。”

“这种梦并不罕见。”奥德林医生说。

“确实如此。但是第二天发生了一件怪事。我正在下议院的大厅里，格里菲思那个家伙从我身边慢慢走过。他故意低头看我的腿，然后直视着我的脸，我几乎可以肯定他在眨眼。一个荒谬的念头出现在我的脑海里。他头天晚上就在那儿，他看见我出丑了，此刻依然觉得很有意思。但我当然知道那是不可能的，因为那只是一个梦。我冷冷地瞪了他一眼，他继续往前走。但他笑得嘴都快裂开了。”

蒙特拉格勋爵从口袋里掏出手帕，擦了擦手掌。他现在不打算掩饰自己的不安了。奥德林医生的目光从未离开过他。

“再说说别的梦吧。”

“我说说转天晚上做的梦吧，那个梦可比第一次还荒唐。我梦见我在下议院，正在进行一场关于外交事务的辩论，不仅是我国，全世界都极为关注这场辩论。政府决定改变政策，这对帝国的未来将产生至关重要的影响。这是一个历史性的时刻。议院里当然很拥挤。所有的大使都来了。旁听席里挤满了人。当晚最重要的演讲要由我来做。我已经精心准备好了。像我这样的人有敌人，有很多人对我在现在这个岁数就得到这样的职位很不以为然，毕竟哪怕是最聪明的人，有时候也不得不满足于平凡的工作。我认为我的演讲不仅配得上这样的场合，还可以让那些批评我的人闭上嘴。一想到整个世界都在听我演讲，我就特别兴奋。我站了起来。你要是去过下议院，就会知道，在辩论进行时，下面的议员们会互相交谈，翻动文件和报告的沙沙声会响个不停。而当我开始说话时，四周却一片死寂。突然，我看见那个可恶的小个子威尔士议员格里菲思就坐在我对面的长椅上。他向我吐舌头。不知道你有没有听过一首粗俗的音乐厅歌曲《双人脚踏车》。这首歌在许多年前非常流行。为了向格里菲思表明我是多么鄙视他，我唱起了这首歌。我把第一段唱了一遍。有那么一会儿，众人有些吃惊，我唱完后，他们坐在对面的长凳上叫‘听呀，听呀’。我举起手让他们安静，开始唱第二段。所有人都在听我唱，议院里鸦雀无声，我觉得这首歌不太受欢迎。我很烦恼，我的声音可是男中音，非常好听，我认为他们应该对我公平一点儿。当我开始唱第三段的时候，议员们开始大笑，刹那间，笑声传开了。大使、贵宾席里的听众、女士旁听席里的女士、记者，全都笑得浑身直颤，捂着肚子在座位上前仰后合，几乎所有人都笑个不停，除了我后面坐在前排的部长们。在那不可思议且前所未有的喧闹声中，他们呆呆地坐着。我瞥了他们一眼，突然意识到我简直犯了滔天大罪。我成了全世界的笑柄。我痛苦地意识到我应该辞职。然后，我醒了，知道这只是一场梦。”

蒙特拉格勋爵叙述这番话的时候，不再是刚才那副高高在上的样子，讲完以后，他脸色苍白，浑身发抖。但他努力使自己镇定下来。尽管嘴唇在颤抖，他还是勉强笑了一下。

“整件事太过荒唐，我觉得太可笑了。当时我并没在意这个梦，第二天下午当我走进议院，我感觉自己状态很好。辩论很无聊，但我必须在场，我看了一些需要我注意的文件。不知什么缘故，我偶然抬起头来，看见格里菲思正在说话。他有一口令人讨厌的威尔士口音，相貌平平。我想象不出他能说什么值得我听的东西，我正要继续看文件，就听见他说了《双人脚踏车》里的两句歌词。我忍不住瞥了他一眼，发现他盯着我，笑容里还带着尖刻的嘲弄。我轻轻地耸了耸肩。一个矮小的威尔士议员竟然那样看我，真滑稽。他提起我在梦中一直唱的那首灾难性的歌中的两句词，只是一个奇怪的巧合。我又开始看文件，但我不介意告诉你，我发现我很难集中注意力。我有点儿糊涂。欧文·格里菲思出现在我的第一个梦里，就是梦到去康纳马拉家的那个梦，后来，我有了一个非常明确的印象，就是他知道我出洋相了。那现在他提到歌词，仅仅是个巧合吗？我问自己，他有没有可能和我做了同样的梦。但这个想法当然荒谬，我决定不再多想。”

接下来是一阵沉默。奥德林医生看着蒙特拉格勋爵，蒙特拉格勋爵也看着奥德林医生。

“别人的梦都很无聊。我妻子偶尔做梦，第二天一定要详细地告诉我她都梦见了什么。我发现这会让人发疯。”

奥德林医生微微一笑。

“听你的梦，我并不觉得烦。”

“我再给你讲一个梦，是在做这个梦几天后做的。我梦见我走进莱姆豪斯区的一家酒馆。我这辈子从来没去过莱姆豪斯区，我想我从牛津大学毕业后就没去过酒馆，但是我看到的街道和我进去的酒吧是那么熟悉。我走进一个房间，我不知道该叫那里沙龙酒吧还是私人酒吧。里面有一个壁炉，壁炉一侧放着一把大皮椅，另一边放着一张小沙发。一个吧台贯穿整个房间，从吧台上方你可以看到另一边的公共酒吧。门边有一张大理石台面的圆桌，旁边有两把扶手椅。那是一个礼拜六的晚上，酒馆里挤满了人。房间里灯火通明，但是烟太浓了，弄得我的眼睛刺痛不已。我穿得像个粗人，头上戴着一顶帽子，脖子上围着一条手帕。在我看来，那里的大多数人都喝醉了。我觉得很有趣。有乐声响起，我不知道是留声机在响，还是收音机在响，壁炉前有两个女人在跳着奇怪的舞蹈。有一小群人围着她们，笑着，欢呼着，唱着。我走过去看了看，有个人对我说：‘比尔，喝一杯吧？’桌上放着几只玻璃杯，里面装满了一种深色液体，据我所知，这种液体叫棕色麦芽酒。他给了我一杯酒，我不想惹人注意，只好把酒喝了下去。其中一个跳舞的女人挣脱了舞伴，抓住我的玻璃杯。‘怎么回事？’她说，‘你拿的是我的啤酒。’‘对不起。’我说，‘是这位先生把酒给我的，我很自然地认为酒是他的。’‘好吧，伙计。”她说，‘我不介意。你来和我跳支舞吧。’我还没来得及抗议，她就抓住了我，我们一起跳了舞。然后，我发现自己坐在扶手椅上，那个女人坐在我的腿上，我们喝同一杯啤酒。告诉你吧，性从来没有在我的生活中扮演任何重要的角色。我年纪轻轻就结了婚，基于我的身份地位，结婚有好处，而且也一劳永逸地解决了性这个问题。我希望生两个儿子，并且真的生了两个儿子，然后，性对我而言就无关紧要了。我一直都很忙，没有太多时间去考虑这种事，而且，像我这样生活在公众的视线中，如果爆出丑闻，那结果可是不堪设想的。一个政治家的最大成就，就是不乱搞男女关系。我最讨厌那些为了女人而毁了自己事业的男人，我对他们只有鄙视。坐在我腿上的那个女人喝醉了，她不漂亮，也不年轻，事实上，她只是一个放荡的妓女。我厌恶她，然而当她把嘴凑到我的嘴边吻我的时候，尽管她的呼吸散发着啤酒的臭味，满口蛀牙，尽管我厌恶自己，我还是想要她，甚至情难自禁。突然我听到一个声音：‘这就对了，老伙计，祝你玩得开心。’我抬头一看，只见说话的竟然是欧文·格里菲思。我想从椅子上跳起来，但那个可怕的女人不让我起来。‘别理他。’她说，‘他就爱管闲事。’‘继续吧。’格里菲思说，‘我认识摩尔。她会让你觉得自己的钱花得值。’你知道，我倒不是气他看到我处在这么荒谬的境地，我气的是他竟然叫我‘老伙计’。我把那个女人推开，站起来面对他。‘我不认识你，也不想认识你。’我说。‘我可是很了解你呢。’他说，‘摩尔，我给你个建议吧，一定要先把钱拿到手，不然他一有机会准会赖账。’附近的桌上有一瓶啤酒。我一句话也没说，伸手抓住瓶颈，狠狠地打在他的头上。我太用力了，一下子就惊醒了过来。”

“那种梦并不是不可理解的。”奥德林医生说，“这是大自然对那些品格无可指摘的人的报复。”

“这个故事也太愚蠢了。我给你讲这个梦，并不是为了让你解梦，而是为了第二天发生的事。我当时急着查找一条信息，于是去了议会的图书室。我找到我要找的书后看了起来。我坐下的时候，并没有注意到格里菲思就坐在我旁边的椅子上。另一个工党议员走了进来，走到他跟前。‘你好，欧文。’他对格里菲思说，‘你今天看起来不太舒服呀。’‘我头痛得厉害。”他回答，‘就跟我的脑袋被人用瓶子砸破了一样。’”

此时，蒙特拉格勋爵的脸因痛苦而变得灰白。

“那时我就知道，我之前那个想法是真的，而我当时却认为那很荒谬。我知道格里菲思在做我做的梦，而且和我一样记得清清楚楚。”

“这也可能是个巧合。”

“他这话可不是对着他的朋友说的，而是故意对着我说。他看我的眼神里写满了愠怒。”

“你能告诉我为什么这个人总是出现在你梦里吗？”

“我不知道。”

奥德林医生的眼睛没有离开病人的脸，他看出他在撒谎。他拿起一支铅笔，在吸墨纸上胡乱画了一两条线。让人们说出真相往往要花很长时间，但他们也知道，除非说实话，否则他根本帮不上他们。

“你刚才向我描述的那个梦是三个多礼拜前做的。从那以后你又做过梦吗？”

“每晚都做。”

“这个叫格里菲思的人是不是一直都出现在你的梦里？”

“是的。”

医生在吸墨纸上又画了几条线。他想让那个小房间里的寂静、单调和暗淡的光线对蒙特拉格勋爵的情绪产生影响。蒙特拉格勋爵向后靠在椅背上，把头扭开，不看对方那双严肃的眼睛。

“奥德林医生，你必须帮我。我已经没办法了。这样下去我会发疯的。我害怕睡觉。我有两三个晚上没合眼了。我一直坐着看书，困了我就穿上外套走来走去，直到筋疲力尽。但是我必须睡觉。我有这么多工作要做，我必须保持最好的状态。我必须完全控制我的头脑。我需要休息，可我就是睡不着。我一睡着就开始做梦，而那个人每次都出现在我的梦里，那个小个子，粗俗的无赖，他咧嘴对我笑，嘲笑我，鄙视我。我受尽了煎熬。告诉你，医生，梦中的我不是真正的我，用那个我来判断现实中的我是不公平的。对此，你大可以随便找人去打听。我是一个诚实、正直、正派的人。无论公私，都没有人能说我的道德品质有问题。我的全部抱负是为我的国家服务，让我的祖国一直强大下去。我有钱，我有地位，不如我的人受到的那些诱惑对我一点儿吸引力都没有，因此，我的清廉也不是什么大功劳，但我可以说，任何荣誉、任何个人利益、任何私心，都不会使我动摇，让我忘记自己的职责。为了成为现在的我，我牺牲了一切。我的目标就是成为一代伟人。我眼看就要成功了，而我却失去了勇气。我不是那个可恶的小个子看到的那种卑鄙、懦弱、下流的人。我讲了我的三个梦，但那几个梦其实并不算什么，那个人见过我做了极为残忍、可怕和可耻的事，就算是死，我也不会把那些梦告诉你。可是他全都记得。我几乎不敢去看他眼中的嘲笑和厌恶，我甚至不敢和他说话，因为我知道我的话在他听来也许只是彻头彻尾的谎言。他看到我做了一些只要有自尊的人都不会做的事，而但凡做过这些事的人，一定会被赶出社会，并被判处长期监禁。他听过我说脏话，看过我可笑又令人反感的样子。他看不起我，也不再掩饰这一点。告诉你吧，如果你帮不了我的忙，我要么自杀，要么杀了他。”

“如果我是你，我就不会杀他。”奥德林医生用他那能抚慰人的声音冷冷地说，“在这个国家，杀人的后果可不是闹着玩的。”

“如果你是这个意思的话，我是不会因此被绞死的。谁会知道是我杀了他？我的那个梦向我展示了怎么要他的命。我告诉过你，就在我用啤酒瓶打他头的第二天，他头痛得要命，连眼睛都看不清楚了。这可是他自己说的。这表明他醒了之后，梦中发生的事对他的身体依然有影响。下次我不会再用瓶子打他了。总有一天晚上，当我做梦的时候，我会拿着一把刀或者在口袋里装一把左轮手枪，我一定会的，我太想这么做了，然后，我就会抓住机会。我会像杀猪一样把他捅死，我会像杀狗一样开枪把他打死。就打心脏。那之后，我就可以摆脱这种可怕的迫害了。”

有些人可能认为蒙特拉格勋爵疯了，多年以来，奥德林医生一直在治疗人类的病态灵魂，他很清楚理智和疯狂之间只有一线之隔。他知道，多少人外表看来是那么健康和正常，看似缺乏想象力，尽心尽力地履行日常生活中的职责，为自己赢得了荣誉，为他人带来了好处，可当你赢得了这些人的信任，他们撕掉了平时面对这个世界的面具，你往往就会发现他们的心理不仅畸形到可怕，还具有怪异的缺陷，他们在精神上脱轨得厉害，这样一看，叫他们疯子一点儿也不夸张。如果把他们送进疯人院，那就算把这世界上的疯人院都用上，也住不下那么多人。无论如何，一个人做了怪梦而精神崩溃，并不能证明他是个疯子。这种情况很特殊，但比起奥德林医生治疗过的其他病例，蒙特拉格勋爵的情况只是比较严重一些而已。然而，他怀疑他平时发现有效的治疗方法这次也许不管用了。

“你去我的其他同行那里看过病吗？”他问。

“我只在奥古斯都爵士那里看过。我只说我这是噩梦。他说我工作太累了，建议我乘船出去玩玩。这太荒谬了。现在的国际形势需要持续关注，我是不可能在这个时候离开外交部的。少了我可不成，这我很清楚。我现在的一举一动都会影响到我的前途。他给我开了镇静剂，可惜没什么效果，后来他又给我开了补药，结果更糟。那个老东西真是废物。”

“你能解释一下为什么是这个人一直出现在你的梦境里吗？”

“你刚才问过我这个问题。我已经回答了。”

确实如此。但奥德林医生对答案并不满意。

“刚才你谈到迫害。为什么欧文·格里菲思想迫害你？”

“我不知道。”

蒙特拉格勋爵的目光有些飘忽。奥德林医生确信他说的不是真话。

“你曾经伤害过他吗？”

“从来没有。”

蒙特拉格勋爵一动不动，但奥德林医生有一种奇怪的感觉，感觉勋爵仿佛缩进了一个保护壳。医生面前的这个男人高大而骄傲，让人觉得向他提出那些问题是在侮辱他，然而，在这样的表象背后，他像是在逃避和闪躲，让人觉得他就像陷阱里一只受惊的动物。奥德林医生向前倾了倾身子，用他的眼睛的力量迫使蒙特拉格勋爵直视自己。

“你肯定吗？”

“很肯定。你似乎不明白我和他不是同路人。我不想再啰唆下去了，但我必须提醒你，我是国王的大臣，格里菲思只是工党里一个默默无闻的议员。我们之间自然没有交往，他出身卑微，我在常去的场合里都碰不到他。在政治上，我们两个人的立场相差太远，不可能有任何共同之处。”

“除非你把全部真相都告诉我，否则我帮不了你。”

蒙特拉格勋爵扬起眉毛。他的声音有些沙哑。

“我不习惯别人怀疑我的话，奥德林医生。如果你打算那样做，我想再占用你的时间只能是浪费我自己的时间。请把诊费的数目告诉我的秘书，他会给你开支票的。”

从奥德林医生脸上所能看出的所有表情来看，你可能会认为他根本没有听到蒙特拉格勋爵所说的话。他继续目不转睛地盯着他的眼睛，声音低沉而严肃。

“你对这个人做过什么事，使他可能觉得自己受到了伤害？”

蒙特拉格勋爵犹豫了。他把目光移开，然后，仿佛奥德林医生的眼睛里有一种他无法抗拒的力量，他回过头来，闷闷不乐地回答：

“除非他是个肮脏的无赖，否则他不会这么认为。”

“但你口中的他就是这么一个人。”

蒙特拉格勋爵叹了口气。他被打败了。奥德林医生知道，这一声叹息意味着他终于要说出他此前一直隐瞒的话了。现在他不再坚持了。他垂下眼睛，又开始在吸墨纸上画一些模糊的几何图形。沉默持续了两三分钟。

“我急于把对你有用的一切都告诉你。就算我之前没提，也只是因为那件事并不重要，我并不觉得那与我做梦有关。格里菲思在上次选举中赢得了一个席位，他一来就招人讨厌。他的父亲是一名矿工，他自己十几岁时也在矿井里工作，他在一所寄宿学校做过老师，还当过记者。他是那种半吊子知识分子，自以为是，缺乏足够的知识，想法不成熟，计划不切实际，是出身劳动阶级、受过义务教育的典型。他骨瘦如柴，脸色灰白，一副吃不饱的样子，外表总是很邋遢。天知道现在的议员竟然这么不修边幅，他的衣着有损议院的形象。他那副邋里邋遢的模样太显眼了，他的领子从来没有干净过，领带也从来没有系好过，他看起来好像一个月没洗澡了，他的手也很脏。工党有两三名成员是前席议员，这些人倒是有些能力，但其余的人都是蠢货。山中无老虎，猴子称霸王。格里菲思能说善辩，对许多问题都有一些肤浅的了解，所以只要有机会，他身边的鞭策者就开始怂恿他发言。他似乎对外交事务很感兴趣，不断地问我一些愚蠢烦人的问题。我不介意告诉你，我故意怠慢他，我认为他活该。从一开始，我就讨厌他说话的方式，他说起话来哼哼唧唧，口音很粗俗，一看到他那紧张兮兮的小动作，我就来气。他说话相当腼腆，吞吞吐吐，好像说话对他来说是一种折磨，然而他内心深处的某种激情却迫使他说话，他常常说一些令人非常不安的话。我得承认，他有时说起话来慷慨激昂，滔滔不绝，这对工党内那些思想混乱的人有一定的影响。他们对他的认真印象深刻，可不像我那样对他的多愁善感感到恶心。多愁善感是政治辩论的常见特点。国家受其自身利益的支配，但它们更愿意相信自己的目标是利他的，如果政治家能用公正的言辞和优美的措辞说服选民，他为国家利益所做的艰苦谈判有利于人类的福祉，那么他就是有道理的。像格里菲思这样的人所犯的错误在于只看表面，把这些好听的话当真了。他是个怪人，而且是个有害的怪人。他自称是理想主义者。多年来，知识分子一直用冗长乏味的废话来烦我们，他能把这些话说得滔滔不绝，像什么不抵抗、人类都是手足兄弟。你知道的，就是那些没用的废话。最糟糕的是，这不仅给他自己的政党留下了深刻的印象，甚至还动摇了我们党内一些更愚蠢、更粗心大意的成员。我听到谣言说，有一天工党组建政府，格里菲思可能会得到一官半职，我甚至听说他可能成为外交部长。这种想法很荒唐，但并非不可能。有一天，我负责就格里菲思主持的一场关于外交事务的辩论做总结陈词。他讲了一个小时。我心想这可是给他一个下马威的好机会，天哪，我是一点儿情面也没留。我驳得他没有还口之力，我指出了他推理中的缺陷，强调了他知识的不足。在下议院，最具杀伤力的武器是嘲笑。我嘲笑他、逗弄他，那天我的状态很好，整个议院充满了笑声。他们的笑声使我兴奋，于是我拿出了超常的表现。在野党成员闷闷不乐地坐着，一言不发，就连他们中的一些人也忍不住笑了一两次。你知道，看到一个同事，也许是一个竞争对手被愚弄，可是非常有意思的。那天我把格里菲思好一通戏谑。他瘫坐在椅子上，我看见他的脸都白了，不一会儿他把脸埋在手里。当我坐下的时候，我简直和把他杀了一次差不多。我彻底毁了他的声誉，若是有朝一日工党政府上台，他当部长的机会就像站在门口的警察当部长一样渺茫。后来我听说他的矿工父亲和他的母亲，连同他在选区里的各种支持者，都从威尔士赶来观看辩论，并且都以为他会取得胜利，却只看到他蒙受了极大的耻辱。他当初是以微弱的优势在选区里获胜的。这样的事很容易使他失去在议会的席位，但那不关我的事。”

“如果我说你毁了他的事业，有没有夸张？”奥德林医生问道。

“我想没有。”

“你对他的伤害太重了。”

“这是他自找的。”

“你从来没有对此感到不安吗？”

“我想，要是我早知道他的父母在那里，我也许会稍微手下留情。”

奥德林医生没有什么可说的了，他开始用他认为可能有用的方式治疗病人。他试图通过暗示使他在醒后忘记梦里的情形，还试着让他睡得很沉，从而不会做梦。然而，他发现根本无法破除蒙特拉格勋爵内心的抵抗。一小时后，他把病人打发走了。从那时起，他又见过蒙特拉格勋爵五六次。他没能治好他。这个不幸的人依然每晚都做噩梦，显然他的身体状况正在迅速恶化。他整个人都很疲惫，根本不能压抑怒火。蒙特拉格勋爵很生气，他接受了治疗，却没有好转，但他还是继续治疗，这不仅是他唯一的希望，而且有一个可以说说心里话的人，对他来说是一种解脱。奥德林医生最后得出结论，蒙特拉格勋爵要想解脱，只有一个法子，但他对勋爵非常了解，确信他不可能主动这么做。若要拯救蒙特拉格勋爵，让他不至于崩溃，就必须劝说他放弃出身的优越感和自满。奥德林医生确信现在的情况已经不容拖延。他一直通过暗示来治疗病人，治疗过几次后，他发现病人更容易受暗示的影响。最后他终于使他进入了昏昏欲睡的状态。他用低沉、柔和、单调的声音抚慰着他那备受折磨的神经。他一遍又一遍地重复同样的话。蒙特拉格勋爵静静地躺着，闭着眼睛，呼吸十分平稳，四肢非常放松。接着，奥德林医生用同样平静的语调说出了他事先准备好的一番话。

“你要去找欧文·格里菲思，为你给他造成的巨大伤害道歉。你要说你会尽你所能弥补你对他造成的伤害。”

这些话对蒙特拉格勋爵的影响就像脸上挨了一鞭子一样。他从催眠状态中惊醒，跳了起来。他目露凶光，愤怒地冲奥德林医生骂出一连串连他自己也是第一次听到的辱骂。他咒骂不已。奥德林医生听到过各种各样的脏话，有时是从贞洁而高贵的女性嘴里说出来的，但勋爵使用的语言是如此淫秽，奥德林医生听了只觉得震惊不已。

“向那个肮脏的小个子威尔士人道歉？那我还不如死了算了。”

“我相信这是你恢复平静的唯一途径。”

奥德林医生很少见到一个神志应该还算清醒的人会愤怒到这种不可控的程度。勋爵的脸涨得通红，眼珠子凸出，嘴边都是白沫。奥德林医生冷静地望着他，等着暴风雨逐渐平息下来。不久，他看到几个礼拜以来因为紧张而虚弱不堪的蒙特拉格勋爵终于瘫软下来。

“坐下吧。”他严厉地说。

蒙特拉格勋爵瘫倒在椅子上。

“天哪，我太累了。我必须休息一会儿，然后我就走。”

他们默默地坐了五分钟。蒙特拉格勋爵是一个粗鲁、咆哮的恶霸，但他也是一位绅士。当他打破沉默时，他已经恢复了自制。

“恐怕我对你太无礼了。我为我对你说过的话感到羞耻，我只能说，如果你拒绝继续为我治疗，也是有道理的，但我希望你不要那样做。我觉得我来这里几次后，确实好了很多。我想我现在只能靠你了。”

“没必要纠结你刚才说的话。那不算什么。”

“不过有一件事你千万不能让我做，那就是向格里菲思道歉。”

“关于你的情况我想了很多，我不想假装能理解，但我相信你要想解脱，就只能按照我的建议去做。我认为我们并不只有一个自我，而是有很多个自我，你身上的一个自我强烈反对你对格里菲思所造成的伤害，于是在你的脑海里创造出格里菲思的形象，并为你残忍的行为而惩罚你。如果我是牧师，我就应该告诉你，是你的良心使用那个人的模样，来鞭笞你悔罪，劝你赔罪。”

“我的良心是清白的。就算我毁了他的事业，也不是我的错。我毁了他，就像踩死花园里的鼻涕虫一样。我没什么可后悔的。”

在蒙特拉格勋爵说完这些话后，那次的诊疗就结束了。此时，奥德林医生一边等蒙特拉格勋爵来就诊，一边翻阅笔记，琢磨着怎样才能最好地使病人的精神状态恢复如初，他常用的治疗方法都不奏效，他认为只有病人自己才能帮助自己。他瞥了一眼时钟。六点了。蒙特拉格勋爵还没有来，这可真奇怪。他知道蒙特拉格勋爵计划要来，因为那天早上有个秘书打来电话，说勋爵会在老时间来就诊。他一定是由于工作太忙而耽搁了。念及此，奥德林医生又想起一件事：蒙特拉格勋爵现在完全不适合工作，也不适合处理重要的国家事务。奥德林医生不知道自己是不是该联系一下官方，比如总理或外交部的常任副部长，通知他们自己认为蒙特拉格勋爵心态失衡，将重要事务交给他处理存在风险。不过这件事太棘手了，可能会引起不必要的麻烦，别人还可能觉得他多管闲事。他耸了耸肩。

“毕竟，”他想道，“在过去的二十五年里，政客们把世界搞得一团糟，我想他们疯了也好，神志清醒也好，都没什么大不了的。”

他按了按铃。

“如果蒙特拉格勋爵来了，请告诉他，我六点十五分要接待另一个病人，恐怕不能见他了。”

“好的，先生。”

“晚报来了吗？”

“我去看看。”

不一会儿，仆人拿着晚报进来。头版上的大标题是这样写的：外交部长不幸去世。

“老天！”奥德林医生喊道。

仅此一次，医生失去了惯常的平静，他震惊了，甚至有些不知所措，然而发生这样的事，也在情理之中。他曾多次想到蒙特拉格勋爵可能会自杀，现在，他丝毫不怀疑勋爵就是自杀身亡的。报纸上说蒙特拉格勋爵一直站在地铁站台边缘，当列车进站的时候，有人看到他掉到了铁轨上。人们认为他是突然晕倒了。报纸还说，蒙特拉格勋爵几个礼拜以来一直连轴工作，他认为现在的国外形势需要他持续关注，所以他不能在这个紧要关头休息。现代政治要求政界要人不眠不休地工作，蒙特拉格勋爵是其中一个深受其害的政治家。报纸上还有一篇简短的文章，介绍了这位已故政治家的才华、勤奋、爱国情怀和远见卓识，文章中还猜测了首相可能会选择的继任者。奥德林医生把相关内容都看了一遍。他不喜欢蒙特拉格勋爵。勋爵的死给他的情绪带来的最大影响，就是让他对自己不满，因为他没有治好勋爵。

也许他没有和蒙特拉格勋爵的医生取得联系是他的

失误。他觉得很沮丧，每次他在认真努力后失败，总是受挫不已，对他赖以谋生的经验论的理论和实践也总是感到厌恶。他所面对的是一种黑暗而神秘的力量，这也许是人类头脑所无法理解的。他像一个蒙着眼睛的人，摸索着去他也不知道是哪里的地方。他无精打采地翻着报纸。突然，他吓了一跳，嘴里又不由自主地发出一声惊叫。他的目光落在一个竖栏底部的一小段文字上。他看到了这样的内容：一名议员突然死亡。“某党”成员欧文·格里菲思先生下午在舰队街病倒，在被送到查令十字医院时已无生命迹象。据推测，死亡原因无可疑，但依然会进行调查。奥德林医生简直不敢相信自己的眼睛。是不是前一晚蒙特拉格勋爵终于在梦里发现自己拥有了想要的武器，可能是刀也可能是枪，并杀死了一直折磨他的那个人，而这可怕的谋杀，就像在梦里被酒瓶打第二天醒来后会头疼一样，在他醒来的几个小时后真的发生了？还是说，更神秘、更可怕的是，当蒙特拉格勋爵在死亡中寻求解脱的时候，这个他曾经残忍地冤枉过的敌人依然不肯善罢甘休，竟然放弃生命，追到另一个世界继续折磨他？真是太奇怪了。明智的做法就是把这件事看作一次诡异的巧合。奥德林医生按了按铃。

“告诉弥尔顿夫人，很抱歉我今晚不能见她了。我不太舒服。”

他没有说谎。他就像感染了疟疾那样浑身发抖。带着某种灵性的感知，他似乎看到了一个凄凉可怕的空洞。灵魂的黑夜吞没了他，他感到一种莫名而原始的恐惧。

社交天赋

我不喜欢提前邀约。我怎么知道在未来三四个礼拜的某天，是否有心情同某个人共进晚餐？并且这段时间还很有可能有一些更紧要的事情得处理，而提前这么久就邀约意味着会有一个隆重的正式聚会。但我又能如何呢？既然对方提前这么久发出邀请，就会认为被邀请的客人应该还没有别的安排。所以一定得编个充分的理由才能让你的拒绝合乎情理。要是选择接受邀请，那接下来整整一个月时间，这个邀请都会时刻提醒你，让你心神难宁。你重视的计划会被干扰，你的生活会被搅乱。如果不想这么难受，也不是一点儿办法没有，你可以在最后关头爽约。但我总是没有勇气做到，总是有所顾虑。

那是六月的一天，晚上八点半，我从半月街上的住处出来，步行去街角的麦克唐纳家吃饭，心里隐约有些不快。我内心还是喜欢这家人的。多年前我曾暗下决心，绝不吃我不喜欢或是鄙视的人的食物，虽然因为这个缘故，我确实丧失了很多享受盛情款待的机会，但我仍然坚信这是一个正确的决定。麦克唐纳一家人都很好，但他们举办的聚会却是一言难尽。他们总是臆想，如果请来共进晚餐的六个人之间压根儿找不到什么共同语言，这个聚会就太失败了；而如果把人数翻三倍，请上十八位客人，那聚会一定会很成功。我晚到了一会儿，这是无可避免的，两家住得太近，打车不值当。我进门时房间已经挤满了人，认识的却没有几个。想到一会儿进餐的时候得和两个完全陌生的人费劲地找话说，我的心就凉了半截。后来看到托马斯和玛丽·沃顿来了，我松了一口气。入席时，发现玛丽坐我旁边，更是意外之喜。

托马斯·沃顿是一位肖像画家，曾名噪一时。但他从未兑现年轻时的诺言，也早已不再受评论家们的重视。他收入不少，每逢皇家美术学院有预展，他便送去自己无趣却认真画就的作品——都是些猎狐乡绅和富商们的肖像，从没人肯多看一眼，哪怕只是匆匆一瞥。如果有人愿意欣赏他的作品，也不过是因为他为人和善罢了。如果你碰巧是个作家，他便会对你所有的文章都表现出十分热情，对你的任何成就都着迷不已，你恨不得昧着良心也会带着些许认可去谈论他的作品。但这没什么可能性，你只会被逼无奈，使出肖像画家友人的撒手锏。

“看上去还真是一幅绝妙的肖像。”你说。

玛丽·沃顿是她那个年代颇负盛名的音乐会歌手，到现在依然有把好嗓子。年轻时的她一定端庄迷人。而如今，五十三岁的她面色憔悴。她的容貌少了女性的柔美，皮肤不再白皙透亮。但是，她那头银色的短发浓密、卷曲，一双漂亮的眼睛写满智慧。她的穿着虽不时髦却也格外精致，尤其偏爱串珠和奇特的耳环。她性格直率，能迅速发现他人的荒唐之处，言语也很刻薄，所以不怎么招人喜欢，但又没有人会否认她的聪慧。她不仅在音乐上颇有建树，还很善于阅读，对绘画也很感兴趣。她对艺术的体会可谓人间少有。她喜爱现代艺术，不是装腔作势的那种，而是天生的癖好。她曾花极少的钱买过一些无名画匠的画作，后来这些画匠都成了知名画家。在她的家里，你可以听到最新、最难理解的音乐；欧洲没有哪个诗人或小说家敢于向世人呈现新颖、怪异的作品，除非她打算以他们的名义同艺术盲好好较量一番。可能你会觉得她在炫耀卖弄——还真让你说对了——但她的品位几乎从未出过错，她的判断一向有理有据，她的热情也是相当真诚。

这世上没人能像托马斯·沃顿那般欣赏她。她还是歌手的时候，托马斯就爱上了她，缠着她嫁给自己。她拒绝了好几次，我总感觉她最终嫁给他时也还是有些犹豫。她以为他会成为一位伟大的画家，结果他不过是个合格的工匠，毫无新意和想象力可言，她有一种被骗的感觉。鉴赏家们对他的蔑视使她蒙羞。托马斯·沃顿爱他的妻子。他最在意她的评判，伦敦所有报纸上的颂词加起来也不及她的一句称赞。可她太诚实了，没法背离自己的想法说假话。她轻视他的作品，他很受伤；尽管他假装玩笑来回应，但还是能看出他内心深处对她直言不讳的评论十分憎恶。有时候他也会生气，为了控制自己，他那长长的马脸会憋得通红，双眼因怨恨变得呆滞无光。这对夫妇不和之事早就人尽皆知，他们两个人总是习惯性地当众吵来吵去，让周遭的人很是厌烦。托马斯同他人谈论玛丽的时候只有称赞，玛丽就没那么谨慎了，而且她的密友都知道她有多烦他。她发自内心地承认他善良、慷慨、无私，但他的缺点实在让人无法忍受，他狭隘、爱争辩又自负。他不是艺术家，而在这个世上玛丽·沃顿最在意的恰恰又是艺术。偏偏就是这件事，她无法妥协。托马斯身上让她发疯的那些缺点多半是被她伤害所致，对此，她却视而不见。她接二连三地伤害他，他的自我保护意识让他看上去既古板又偏执。恐怕没有什么事情比被最在意的人瞧不上眼更糟糕了，她的认可于他而言是头等大事。托马斯·沃顿固然让人难以忍受，要说全然不为其心生同情，也不大可能。但要说玛丽是个不知足、令人生厌又自命不凡的女人，那也不公平。作为朋友，她很忠诚；作为同伴，她让人愉悦。世间的话题，没有什么是不能和她交谈的。她的言语诙谐、幽默。她是个活力四射的女人。

她坐在主人的左手边，周遭的人东拉西扯地聊着天，没什么中心。我和邻座谈得火热，听到大家被她的俏皮话逗乐了，我猜她今天状态不错。她要是来了兴致，可没人能赶上她讲俏皮话的本事。

“你今晚的状态很不错。”她终于面向我时我对她说。

“你很惊讶？”

“没有，和我想的一样。难怪人们争先恐后地邀请你去家中做客，你身上藏着一种不可估量的天赋，能活跃聚会的气氛。”

"我只是尽我最大的努力挣口晚餐罢了。"

"对了，顺便问一句，曼森怎么样了？前几天有人告诉我他准备去疗养院做手术，希望没什么严重的问题才好。"

玛丽顿了片刻才回答我，她依然笑得很灿烂。

"你没看今晚的报纸吗？"

"还没看，我一直在打高尔夫，急急忙忙赶回家后，时间也就够匆匆洗个澡、换身衣服了。"

"他今天下午两点钟去世了。"我正要发出惊叫，却被她制止了。"别出声，汤姆[1]正像山猫一样盯着我呢，他们也都看着我，大家都知道我崇拜曼森，只是没人确定他是不是我的情人罢了，连汤姆都不知道，他们都想看看我会怎么接受这件事。就假装你在跟我讨论俄罗斯芭蕾吧。"

这时餐桌对面有人招呼她，她习惯性地把头轻轻往后一甩、张大嘴巴笑着，给那人回复了一句，速度极快，回答得也恰到好处，引得众人大笑。接着，人们又继续漫无目的地闲谈，只留下我独自惊愕。

我知道，每个人都知道，过去二十五年来，杰拉

1 托马斯·沃顿的昵称。

德·曼森和玛丽·沃顿之间有着火热的情感。这段感情持续了这么久，最古板的朋友在为之震惊之后，也早已学会包容、接受它。如今，两位的年纪都不小了，曼森六十了，玛丽也没有年轻几岁，到了这个年纪，居然还是不能做自己喜欢的事，也是有些荒谬的。有时你会在一家小众餐馆幽闭的角落里看到他们就餐，或者在动物园碰见他们一起散步。你不禁心生疑惑，为什么他们仍然小心翼翼地隐瞒这桩无关他人的恋情？当然了，这事确实要考虑托马斯。他对玛丽的猜忌几近疯狂，时常当众发火；他们的关系一直很紧张，也就是不久前才缓和了些，他强迫她答应再也不见曼森。当然，她违背了诺言，她也知道托马斯心有怀疑，于是总是堤防着不让他坐实这件事。

托马斯也是不易。在我看来，要不是玛丽与曼森有交往，她对托马斯的意见也不会越来越大，她会让自己勉强接受托马斯只是一个二流画家这个事实，两个人的日子本是能过下去的。情人才华耀眼，丈夫平平无奇，相比之下落差太大，让人难堪又愤恨。

“和汤姆在一起，就好像被关在一个密闭空间里，到处都是落满灰尘的无用小摆设，让人无法呼吸。”她告诉我，“但和杰拉德在一起，我好像能呼吸到山顶上新鲜的空气。”

“女人有没有可能只因男人的思想而爱上他？”我只是单纯地想探究一下这个问题。

“杰拉德还有别的什么吗？”

我得承认，这个问题还真不好回答。在我看来，他确实没什么了。但男女之事本就不寻常，我很愿意相信玛丽在杰拉德·曼森身上发现了一种多数人看不到的魅力，而且还被他的皮囊深深吸引。他是个身形干瘪的小个子，面色暗黄，透着一股聪慧，他戴着一副眼镜，镜片后面那双蓝眼睛褪去了神采，高高隆起的秃顶泛着光。就这长相怎么看都和浪漫搭不上边。但他确是一位有头脑的评论家，也是一位善于措辞的散文家。我有点儿厌恶他对那些还健在的英国作家的轻蔑态度。但也正因为这一点，他很受知识分子的认同，这群人总是愿意相信自己国家目前的出版物中没有佳作，杰拉德对他们的影响很大。有一次，我告诉他，一句普通的话，只要用法语表达出来，就会被人们误当成妙言警句，他认为这句玩笑还不错，便把它当成自己的观点写进了文章。他把赞美的话都留给了用外语写作的同辈人。但最让人气恼的是没有谁能否认他在写作方面的才华。他学识渊博，叙事风格细腻高雅，高深时不浮夸，打趣时不轻佻，精雕细刻时也不矫揉造作。他最寻常的文章读起来也是津津有味。他的每篇随笔都称得上小小的杰作。在我看来，他不是一个好相处的人，也许是我没能让他展现出最好的一面。我们相识多年，我却从未听他说过一句有趣的话。他不是一个健谈的人，一旦开口，说出的话必是玄妙深奥的。如若让我和他单独待一个晚上，我整个人都会抑郁。这个无趣又循规蹈矩的小个子竟然能妙笔生花，写出这么多优雅、聪慧、欢乐的文字，我至今感到不解。

有件事让我更为困惑：像玛丽·沃顿这样豪迈奔放的女子竟然对他产生了如此强烈的感情。这个古里古怪、叫人难以揣摩的家伙身上显然有什么东西吸引女性，这也太让人费解了。他的妻子很崇拜他。她身材肥胖、不修边幅、无聊得要命，把杰拉德的生活打理得一团糟，却又不愿给他自由。她发誓，如果他弃她而去，她就自杀。因为她的精神有些错乱，情绪又容易激动，杰拉德哪里知道她是否真的会把这种威胁变成现实。一天，我和玛丽喝茶的时候，发现她坐立难安，就问她怎么了，结果她放声大哭。原来刚才和曼森共进午餐时，她发现他身心俱疲，结果是他和妻子干了一仗。

“我们不能再这样下去了。”玛丽大声说，“他的生活毁了，我们的生活也毁了。”

“你们怎么就不能拿定主意呢？”

“什么意思？”

“你们相爱了这么久，彼此最好的一面和最坏的一面也都清楚了，你们的岁数也大了，不能总指望上苍多给几年活头吧。再说了，你们爱了这么久，却没有结果，那也太可惜了。你们这样对曼森太太和汤姆又有什么好处呢？你们这样折磨自己，难道他们就开心了？”

“没什么好处。”

“那为什么不能抛下一切私奔呢？该来的就让它来吧。”

玛丽摇了摇头。

“我俩讨论过无数次了，怕是讨论过四分之一个世纪了，但我们做不到。开始几年杰拉德放不下他的女儿，也许曼森太太对女儿宠爱有加，却不怎么称职，杰拉德只能亲自把她们抚养成人。如今她们虽已嫁人，但他早已习惯了这种生活。我们能怎么办？去法国，去意大利？我不能硬生生把杰拉德从他的生活中割裂出去，那他也太可怜了。他已经上了年纪，没法重新开始生活了；而且，虽然托马斯老是在我面前唠叨，我们也总是当着众人的面吵架、让对方心烦意乱，但他是爱我的。一想到这一点，我就没办法硬下心离开他。没有我他可怎么办？”

“那这事谁也没辙了，真为你们感到可惜。”

突然，玛丽咧开大红嘴唇笑了起来，那张憔悴的脸变得亮堂起来。我敢保证，那一刻她真的很美。

“你不用感到惋惜，刚才我的心情确实很消沉，大哭了一场后现在感觉好多了。虽然这段感情给我带来了这么多痛苦和磨难，但我无论如何都不会再错过了。既然眼下这段爱情还能让我痴狂几回，我自然愿意让我的人生再重新来一遍。我想他也会这么对你说的。哦，这场爱恋真是太值得了。”

我情不自禁被她感动了。

“这一点毋庸置疑。”我说，“这就是爱情本来的样子吧。”

“是的，这就是爱，我们只能这么苦苦熬着，没有出路。”

现在，悲剧来得这么突然，但出路也随即来了。我稍稍转身望着玛丽，她感到我在看她，也转向我，唇间带着笑意。

“为什么今晚你还要到这里来呢？你一定很不好受

吧。”

她耸了耸肩。“我又能做什么呢？我换衣服的时候才在晚报上看到这个消息。由于他妻子的缘故，他嘱咐我不要给疗养院打电话。这简直要了我的命，真要命。我必须来，一个月前就约好了的。我怎么给汤姆交代？本来这两年我都不该去见杰拉德。你知道吗？二十年来我们每天都给对方写信，”她的下唇微微颤抖，她咬住下嘴唇，而庞痛苦地拧在一起，好一会儿才露出笑容，振作起来，“他是我在这个世上的一切，但我不能让整个聚会失望，不是吗？杰拉德总说我有社交天赋。”

“幸好今天应该可以早点结束，你就可以早点回家了。”

“我不想回家，我不想一个人。我不敢哭，那样我的眼睛会红肿，明天中午还要和许多人共进午餐。顺便问一下，你会来吗？我还缺个人，我必须振作起来。汤姆还指望画张肖像赚笔钱呢。”

“天哪，你真勇敢。”

“你真是这么想的吗？你知道，我的心都碎了。我想，这样我还能好过一点儿。杰拉德想必也希望我装出一副若无其事的样子，这个局面还真是讽刺，他应该会喜欢的，他一直认为法国小说家很善于描述这样的事情。”

教堂司事

那天下午，内维尔广场圣彼得教堂举行了一场洗礼仪式，艾伯特·爱德华·福尔曼到现在还穿着司事袍。他还有一件新司事袍，褶皱硬挺丰满，看着不像羊驼毛做的，更像是坚固的青铜制成的，他平时不穿，只在葬礼和婚礼上穿（内维尔广场圣彼得教堂很受上流社会的青睐，他们很愿意在这儿举办婚丧仪式），所以现在他穿着的长袍仅次于那件新的司事袍。只要穿着司事袍，他就感到满足，这是他那庄严的职业的象征；脱掉它（下班的时候），他就感觉衣服不合身，浑身不自在。他在这件袍子上下足了功夫，熨烫的活儿都亲自动手。在这座教堂当司事的这十六年来，他攒了一堆这样的长袍，即便有的已经穿破了，他也从不舍得扔掉，每一件长袍都拿牛皮纸整整齐齐地裹好，放在他卧室衣柜底层的抽屉里。

司事默默地干着活，将大理石洗礼盘的喷漆木盖换了，刚才为一位年迈的妇人搬来的椅子，现在他又那椅子放回了原位，等着牧师换完衣服从法衣室出来，他好去收拾完回家。过了一会儿，他看见牧师穿过高坛，走到圣坛前面跪拜施礼，然后沿着走廊下来；但他的法衣没换下来，依旧穿在身上。

“还在磨蹭什么呢？”司事自言自语道，“不知道我还急着回家喝茶吗？”

这个牧师最近才上任，四十岁出头，脸颊通红，精力很是充沛。但艾伯特·爱德华还在怀念上一任那个老派的牧师，他布道的时候总是很悠闲，声音听起来如银铃一般悦耳，时常和教区身份更为显赫的人一起在外用餐。他喜欢教堂井然有序的样子，却从不吹毛求疵，也不会像现在这位什么事都喜欢插手。好在艾伯特·爱德华性格宽容。圣彼得教堂坐落在一个很好的街区，教区居民都是些体面人。这位新牧师刚从东区过来，总不能指望他一下子就能全然接受上流社会谨慎行事的风格吧。

“一天到晚瞎忙活。”艾伯特·爱德华说，“给他点时间，他会明白的。”

牧师沿着走廊走到司事刚好能听到他说话的地方停了下来，这可是个神圣的地方，声音不宜过大。

“福尔曼，能到法衣室来一下吗，我有话要对你说。”

“好的，先生。”

等司事走近，牧师和他一起穿过教堂。

“今天的洗礼还真是不错，先生。你一抱上那孩子，他就不哭了，太神奇了。”

“我也发现了。”牧师微微一笑道，“毕竟，我都练习很多次了，都有经验了。”

牧师几乎总能让哭闹的婴儿安静下来，他嘴上虽不说，心里却很自豪。婴儿的母亲和保姆看着他把婴儿安稳地抱在穿着白色法袍的臂弯里，就会不自觉流露出喜悦的神情；她们的赞赏牧师自然能感觉得到。司事知道牧师喜欢听别人恭维他的这个本事。

牧师先艾伯特·爱德华一步进了法衣室。看到房间里有两名教会委员，艾伯特·爱德华略微有些惊讶，他未曾看见他们进来。这两个人朝他友好地点了点头。

“下午好，阁下。下午好，先生。”艾伯特·爱德华一一问候道。

这两个人都上年纪了，做教会委员有些年头了，跟艾伯特·爱德华做司事的时间差不多。此刻，他们坐在上任牧师多年前从意大利带来的漂亮长餐桌旁，新牧师过去坐在他们中间的空椅子上。艾伯特·爱德华面朝他们站着，餐桌把他和他们分隔两边。他有点儿不安，想知道到底出了什么事情。司事清楚地记得，上次这个场景出现的时候，是因为风琴手惹上了麻烦，他们费了不少周折才把事情平息。像内尔维广场圣彼得教堂这样的地方，哪里经得起什么流言蜚语。牧师红彤彤的脸上挂着坚定、温和的表情，其他二位则稍感不安。

“他一定跟他们唠叨了不少，错不了。”司事自言自语道，“他一定耍了手段诱惑他们去做什么事情，但他们不怎么愿意。一定就是这样，记着我的话。”

但是这个想法透过司事那张棱角分明、气质不凡的脸完全看不出来。他站在那里，不卑不亢。被任命到教会工作前，他一直都在做帮佣，东家都是有头有脸的人，所以他的举止无可挑剔。他在一个富商家里从做听差小童开始，一步步升到一等男仆，然后又给一个寡居的贵族夫人当了一年男管家，手下没有旁人。后来给一个退休大使当管家，管着两个仆人，一直干到圣彼得教堂有了这个空缺。他高高瘦瘦，严肃而冷峻。就算他不像公爵，至少也是老派演员中饰演公爵的演员。他说话得体，性格坚定、自信，人品无可指摘。

牧师直接进入正题。

“福尔曼，我们有件很不愉快的事情要跟你说。你到这来很多年了，尽职尽责，大家都很满意，我想大人和将军都没有异议吧。”

两位委员点了点头。

“几天前，我了解到一个极其反常的情况，觉得有义务向教会委员汇报一下。我发现你居然不识字，这太不可思议了。”

司事的脸上看不出一丝尴尬。

“这事老牧师知道，先生。”司事回答说，“他说这没什么大不了的。他常说这世上的‘教育’多得过头了。”

“我从没听过这么荒唐的事。”将军喊了起来，“你是说你在这个教堂当司事的这十六年里从没学过认字？”

“十二岁那年我就去别人家干活了，先生。第一家的厨子试着教过我一次，但我好像不开窍。后来因为这样那样的事情，我好像永远都闲不下来去学习。而且，我从不觉得有这个必要，我觉得太多年轻人把大把时间浪费在读书上，还不如去做些有用的事情。”

"但是，你不想知道新闻说的是什么吗？"另一个委员问他，"难道你就从来没有想过写封信？"

"没有，阁下，不识字我似乎过得还好。而且近些年的报纸上有很多图片，我完全能明白发生了什么事。我的妻子很有学问，如果我想写信，她会帮我的。我看着也不像个赌徒吧。"

两位委员无奈地看了一眼牧师，然后都低头看着桌子。

"好吧，福尔曼，我已经和两位先生谈过这件事了，他们完全同意我的想法，我们一致认为这种事情不能再继续下去了。像内维尔广场圣彼得这样的教堂，无论如何都不能任用一个文盲做司事。"

艾伯特·爱德华那张本无血色的瘦脸刷地红了，两只脚不知所措地动来动去，没有回应。

"希望你能理解，福尔曼，我对你没什么可抱怨的。你的工作做得很让人满意，我也信得过你的人品和能力，但万一因为你可悲的无知导致什么意外，我们没有权利冒这个风险。这是原则问题，我们得谨慎对待。"

"可你就不能学着认字吗，福尔曼？"将军问道。

"不行，先生，我恐怕做不到，不光现在不行。您看，我已经不再年轻了，小时候我就好像记不住二十六个字母，更何况现在，我看没什么希望了。”

“我们不想对你太过分，福尔曼。”牧师说，“但教会委员和我都已经下定决心了。给你三个月时间，到时候如果你还是不会读书写字，恐怕就得离开教堂了。”

艾伯特·爱德华从来就对这位新牧师没什么好感。打一开始他就说教会委员不应该任命他来圣彼得教堂当牧师，这是个错误，他不符合上等阶层的期待。这会儿，他挺直了腰板，知道自己的本事，绝不允许自己成为别人的牺牲品。

“不好意思，先生。这恐怕行不通，我上了岁数，新把戏我是学不会了。这么些年，我不会看书写字也活得好好的，不是夸我自己，自夸可不行，但我不介意告诉大家，即便大字不识一个，我也把我该做的事都做好了，这大概就是天意。就算我现在还能学进去，我不知道我是否还愿意去学。”

“这样的话，福尔曼，你恐怕只能离开了。”

“好的，先生，我能理解。我很乐意接受这个决定，你一找到人接替我的位置，我就辞职。”

艾伯特·爱德华本着一贯礼貌的作风，目送牧师和两位委员离开，然后关上教堂大门。这时，他再也绷不住了，遭受打击时的那种镇定自若的气度消失了，他的嘴唇在颤抖。他缓步走回法衣室，脱下司事袍挂在配套的钉子上。想起这件法袍见证过那么多场隆重的葬礼和盛大的婚礼，他叹了口气。一切收拾妥当，他穿上外套，拿着帽子穿过过道走了出去，锁上身后的教堂大门。他信步穿过广场，满心悲伤。他没有走回家的那条路——尽管一杯温暖的浓茶在等着他——而是朝另一条路拐过去，他走得很慢，心情十分沉重，他不知道该怎么办。他不想再回去做仆役了；毕竟当家做主这么些年了，牧师和委员们爱怎么说就怎么说吧，但一直以来都是他在料理内维尔广场圣彼得教堂，他不能就这么自降身份。眼下，他也存了一笔钱，但坐吃山空可不行，况且每年的花销越来越大。他可从没想过竟会为这等事情伤神。就像罗马的教皇一样，圣彼得教堂的司事也应该是个终身职位。他曾时常想象，自己离世后第一个礼拜日的晚祷上，牧师会在布道时满意地提及他，告诉大家他长久以来忠于职守，希望人们学习他的品格，能够缅怀这位已故的司事：艾伯特·爱德华·福尔曼。他深深地叹了一口气。艾伯特·爱德华不吸烟也不喝酒，但不是绝对的。就是说，晚餐的时候他通常会来一杯啤酒，困倦的时候喜欢点支烟。此刻他想着来支烟心里能舒坦些，但身上又没带，只得四处张望寻找一家可以买包黄金叶[1]的商店。他环视了一圈，一家香烟店都没看到，又往前走了几步。这条街很长，有各种各样的商店，但居然没有一家能买到香烟的。

“这太奇怪了。”艾伯特·爱德华说。

为了确定自己没有看错，他又沿着街道转了一圈。确实没有，不用怀疑。他停下脚步，若有所思地四下看了看。

“在这条街上跑来跑去买烟的人恐怕不只我一个吧。”他说，“我本不该多想，但在这里开一家小店会很火爆吧，卖点儿烟、糖果什么的。”

他打了个激灵。

“主意还不赖，”他说，“奇了怪了，好点子总是在不经意间冒出来的。”

他转身回家，喝了茶。

“艾伯特，你今天中午怎么这么安静。”妻子问他。

“我在想事情。”他回答说。

他从各个角度把这件事想了个透，第二天又去了那条街，碰巧找到一家小店，看上去正是他心里想的样子。只过了二十四个小时，他就接手了这家店。一个月

1　一种印度香烟。

后他永远离开了内维尔广场圣彼得教堂。艾伯特·爱德华·福尔曼开始进军商界，从事烟草生意和报刊经销业务。他的妻子不高兴了，直言曾经的圣彼得教堂司事竟流落到这般境地，有失尊严。但他说人得与时俱进，如今的教堂已经大不一样了，从此以后，他就要把凯撒的东西还给凯撒[1]了。艾伯特·爱德华的生意做得极好，一年左右的光景，他就想到可以开家分店，找个人去打理。于是他又找到一条没有烟草商店的长街，恰好有商店出租，他就接手过来备齐了货。这家店的效益也不错。于是，他想既然自己能开两家店，再开个三四家也没问题。便开始满伦敦转，只要发现没有香烟店且有店铺出租的长街，他就出手。就这样，十年间，他的店铺超过了十家，轻轻松松赚了大钱。每个礼拜一，他会一家家店铺去收钱，再到银行存起来。

1 出自《圣经·马太福音》。法利赛人想陷害耶稣，于是他们派一个门徒到耶稣身边，故意问耶稣，到底应不应该向凯撒纳税。当时犹太人在罗马帝国统治下，如果耶稣回答“不该向凯撒纳税”，他们将以“反叛凯撒”的罪名陷害耶稣；而如果耶稣回答“应该向凯撒纳税”，他们将以“背弃犹太人”的罪名陷害耶稣。耶稣并没有中圈套，他指着银币反问：“这像和这号是谁的？”法利赛人派来的门徒回答：“是凯撒的。”耶稣便说：“这样，凯撒的物当归凯撒；神的物当归给神。”

一天早上，他带着一大捆钞票和一大袋沉甸甸的银币去银行存钱，出纳员说他们经理想见见他。他被领到一间办公室，经理和他握了握手。

“福尔曼先生，我想和你谈谈你在我们这里存着的钱，你知道具体数额吗？”

“具体记不太清，只有个大概印象。”

“不算今早刚存进来的，有三万多英镑。这笔钱放在银行，算得上巨额存款，我想要是拿去投资肯定会更好。”

“我不想冒险，先生。我知道存在银行是最安全的。”

“你一点儿都不需要担心这个问题，我们给你列出的绝对都是金边证券[1]。这些金边证券的利率我们可给不起。”

福尔曼先生那张尊贵的脸上露出不安的表情，他说：“我与股票和证券从来就不沾边，我得交给你们全权处理。”

经理笑着说：“这是自然，你只要下次过来的时候

---

1 是指西方金融市场上由政府或大公司发行的一种高级证券。其特点是发行人能向投资者保证在一定时期内获得足够的利润并按期支付证券持有人的本息。

在移交手续上签字就行了。”

“可以。”艾伯特有点儿犹豫，“但我怎么知道我签的是什么？”

“我想你总识字吧。”经理略显严肃地说。

福尔曼先生冲他笑了笑，经理恢复了柔和的表情。

“是的，先生，就是这个问题，我不识字。我知道这听上去很可笑，但这是事实，我只认识、会写我的名字，其他一概不会，而且也是做生意之后我才学着写自己的名字的。”

经理大吃一惊，从椅子上跳了起来。

“这是我听过的最离奇的事。”

“你看，事情是这样的，先生，以前我没机会认字，后来有机会了我却不太愿意学了，我这个人有点儿顽固。”

经理盯着他，像是盯着一头史前怪兽。

“你的意思是说，你不识字，却把生意做到这么大、积累了三万英镑的巨额财富？我的天哪，你要是识字，现在得是多么大的人物啊？”

“这个我可以告诉你，先生。”福尔曼先生说，骄傲的脸上划过一丝微笑，“我会是内维尔广场圣彼得教堂的司事。”

简

我还清楚地记得我第一次见到简·福勒的情景，那些细节清清楚楚地烙印在我的脑海中。我完全相信我的回忆，现在回想起来，我必须承认，我总觉得自己是中了什么奇妙的圈套。那时候，我刚从中国回到伦敦，正在和托尔太太喝茶。那时流行装修，托尔太太也不能免俗，她带着女性的无情，丢弃了多年来坐得很舒服的椅子，丢弃了桌子、柜子，也丢弃了从她结婚以来就一直很喜欢的装饰品，以及她那一代人所熟悉的画作，把自己的家托付给了一位装修专家。在她的客厅里，与她有联系的东西，能让她寄托感情的东西，全都一件不剩。那天，她邀请我去参观她现在所住的房子是多么时髦和富贵。所有能浸酸的都浸酸了，不能浸酸的都上了一层漆。所有东西都不匹配，但一切又都显得协调一致。

“你还记得我以前住的客厅有多难看吗？”托尔太太问道。

窗帘华丽而庄重，沙发上铺着意大利织锦，我坐的那把椅子上铺着针绣毯子。房间很漂亮，华丽而不花哨，新颖而不做作，但对我来说，它缺少一些东西。我一边赞不绝口，一边问自己，为什么我那么喜欢那套遭人嫌弃的家具上铺的相当破旧的印花棉布、我很熟悉的维多利亚时代的水彩画，以及壁炉架上装饰的可笑的德累斯顿瓷器。室内装潢师正在装修房间，装修是一个很有赚头的行业，而我则在琢磨这里到底缺了点什么。是缺乏感情吗？托尔太太环顾四周，倒是一副很开心的样子。

“你觉得雪花石膏灯怎么样？”她说，“灯光真柔和。”

“就我个人而言，我更喜欢那种明亮的灯光，可以看清东西。”我笑着说。

“可那样别人也能看见你。”托尔太太笑着说。

我不知道她芳龄几何。她嫁人的时候我还小，她比我大很多，但现在她把我当作同龄人对待。她一直说她毫不掩饰她的年纪，还说自己四十岁，然后笑着补充所有女人都会把自己的年龄减五岁。她从来没有隐瞒她染过头发，她的头发是棕红色的，看起来美极了。她说她染发，是因为她的头发变成了灰白色，怪难看的。她还说，只要头发一变白，她就不会再染了。

“到时候他们就会说我长得很年轻了。”

她化着精致的妆容，一双眼睛明亮动人，但这很大程度上都要归功于妆容。她是一个漂亮的女人，穿着雅致，在昏暗的雪花石膏灯的灯光下，看上去不过四十岁，和她自称的岁数一模一样。

“只有在我的梳妆台边，我才能忍受相当于三十二支蜡烛的电灯泡发出的强光。”她冷嘲热讽地笑着说，“我需要它率先把可怕的事实告诉我，这样我才能采取必要的步骤来弥补。”

我们愉快地聊着我们共同的朋友，托尔太太给我讲了当天发生的丑闻。我之前辗转各地，过了一段艰苦的生活，此时能坐在一张舒服的椅子上，围着熊熊燃烧的炉火，用着漂亮的桌子上摆着的漂亮茶具，和这个有趣迷人的女人聊天，我不由得感觉相当惬意。她把我当作回头的浪子，对我十分看重。她为自己举办的晚宴感到自豪，不厌其烦地安排哪些客人适合坐在一起，提供哪些上好的饭菜。几乎没人不把她的邀请视为一种享受。

此时，她确定好了举办派对的日期，问我想见哪些人。

“只有一件事我必须告诉你。如果简·福勒到时候还在，那派对只能推迟了。”

“简·福勒是谁？”我问。

托尔太太苦笑了一下。

“简·福勒是我的绊脚石。”

“啊！”

“你还记不记得装修之前钢琴上一直摆着的那张照片？照片里的女人穿着带紧身袖子的紧身裙，戴着一条盒式吊坠金项链，额头很宽，头发向后梳，耳朵露在外面。她还戴一副眼镜，鼻子有点儿大，那个女人就是简·福勒。”

“在你的房子改造之前，你可是摆了不少照片呢。”我含糊地说。

“想到那些照片我就不寒而栗。我把照片用一张大牛皮纸包起来，都藏在阁楼里了。”

“那么，简·福勒是谁？”我笑着又问。

“她是我的小姑子，我丈夫的妹妹，她丈夫生前是北方的一个制造商。她已经守寡多年了，生活很富裕。”

“她为什么是你的绊脚石？”

“她是个值得尊敬的人，只是有点儿古板土气。她看上去比我大二十岁，却还能逢人就说我们以前在同一所学校里上学。她很重视亲情，我是她唯一活着的亲人，所以她对我非常好。她每次来伦敦都住这里，一住就是三四个礼拜，从没想过住别的地方，她认为那会伤害我的感情。我们坐在这儿，她却只顾着缝缝织织和看书。她有时非要带我去克拉里奇酒店吃饭，可她穿衣打扮像个怪异的老用人，而我特别不想碰到的人偏巧就坐在我的邻桌。我们开车回家的路上，她说想送我一些小物件，就是她亲手做的茶壶保温套之类的。她住在这儿的时候，我就不得不用，还有放在餐桌上的装饰衬垫和摆在桌子中间的装饰物也都是她做的。”

托尔太太停下来喘了口气。

“我以为像你这样机智的女人，总会有办法处理这种情况的。”

“可你不明白，我没有机会。她人真的太好了，有一颗金子般的心。我都要被她烦死了，不过我无论如何也不会让她看出我的想法。”

“她什么时候到？”

“明天。”

但是，托尔太太刚说出这两个字，门铃就响了。大厅里传来一阵轻微的骚动声，一两分钟后管家领进来一位老妇人。

“福勒太太到了。”他宣布。

“简。”托尔太太叫道，马上就跳起来，“真没想到你今天就到了。”

“你的管家刚才也是这么对我说的。我在信中明明白白说的就是今天。”

托尔太太恢复了镇定。

“好吧，没关系。无论你什么时候来，我都很高兴见到你。幸好我今天晚上没有别的安排。”

“我不想给你添麻烦。我晚餐吃个煮鸡蛋就够了。”

托尔太太轻轻做了个鬼脸，她那漂亮的五官随之变了形。一个煮鸡蛋！

“我想我们可以吃得更丰富一点儿。”

想到这两位女士竟是同一代人，我就不禁暗自发笑。福勒太太看上去有五十五岁了。她身材高大，头戴一顶宽边黑色草帽，帽子上的黑色花边面纱一直垂到肩部，她披着一件既古板又讲究的斗篷，穿着一件黑色长裙，鼓鼓囊囊的，好像里面穿了好几件衬裙，脚上穿着一双笨重的靴子。她显然是近视眼，不然也不会戴一副金边大眼镜。

“来杯茶吗？”托尔太太问道。

“好吧，如果不太麻烦的话。我先把斗篷脱下来吧。”

她摘下手上戴的黑手套，脱下斗篷。她的脖子上挂着一条纯金项链，上面有一个很大的金挂坠盒，我敢肯定里面是她已故丈夫的照片。她摘下帽子，把帽子、手套和斗篷整齐地放在沙发的一角。托尔太太撇了撇嘴。当然，这些衣服与托尔太太重新装修过的客厅那种简朴而华丽的美并不十分相配。真不知道福勒太太究竟是从哪儿找到她穿的那些古怪衣服的。那些衣服并不旧，而且材料很名贵。不可思议的是，裁缝竟然还在做二十五年前的款式。福勒太太的灰发从中间分开，发式很简朴，前额和耳朵都露在外面，她显然从没烫过波浪鬈发。这会儿，她的目光落在茶几上，注视着乔治王时代的银茶壶和皇家伍斯特牌的茶杯。

“我上次来的时候给你的保温套呢，玛丽恩？”她问，“你没用吗？”

“我每天都用，简。”托尔太太圆滑地答，“不幸的是之前出了点小事故。保温套烧坏了。”

“可我以前送你的那个保温套也是烧坏了。”

“恐怕你肯定会认为我太粗心大意了吧。”

“没关系。”福勒太太笑着说，“我很乐意再给你做一个。明天我去利伯蒂百货公司买些丝绸。”

托尔太太勇敢地保持着镇静。

“还是别为我浪费工夫了。你那里的牧师妻子不是需要一个保温套吗？”

“我刚给她做了一个。”福勒太太高兴地说。

我注意到，她一笑，就会露出一口小而整齐的白牙，看起来很漂亮。她的笑容当然也很甜美。

但是我觉得自己该离开两位女士了，于是起身告辞。

第二天一早，托尔太太给我打了个电话，我立刻从她的声音中听出她心情不错。

“我有一个非常好的消息要告诉你。”她说，“简要结婚了。”

“这怎么可能？”

“她要把未婚夫介绍给我认识，今晚他会来我家用餐，我希望你也来。”

“我就不去打扰了吧。”

“一点儿也不打扰。是简提议让我邀请你的。来吧。”

她放声大笑起来。

“她未婚夫是什么人？”

“不知道。她只说是个建筑师。你能想象简会嫁给这样的男人吗？”

我反正无事可做，况且托尔太太家的饭菜一向丰盛。

我来到托尔太太家，只见她独自一人，而她身上那件漂亮的茶会礼服更适合年轻人穿。

“简马上就装扮好了。我很想让你看看她的样子。她整个人心神不定的。她说他很爱她，那人名叫吉尔伯特，她一提到他，连声音都颤抖了，听起来怪怪的。真是太好笑了。”

“我想知道他是什么样的人。”

“我来猜猜看。又大又壮，秃顶，戴着一条很粗的金项链，还有一个大肚子，一张大脸都是肉，脸颊红润，胡子刮得干干净净，声音洪亮。”

福勒太太进来了。她穿着一件硬挺的黑色丝绸连衣裙，裙摆宽大，配有裙裾。领口是一个小小的V形，袖口在肘部。她戴着一条镶银的钻石项链，手拿一双黑色长手套和一把黑色鸵鸟羽毛扇子。她能够做到表里如一，而没有几个人能做到这一点。一看到她，就知道她是一位遗孀，她丈夫生前是北方的制造商，而且家境殷实。

“你的脖子真漂亮，简。”托尔太太和蔼地笑着说。

和福勒太太那张饱经风霜的脸相比，你会发现她的脖子细皮嫩肉的，显得很年轻。她的脖子很光滑，没有皱纹，十分白皙。我注意到她的头颈姿态很美。

“玛丽恩把我的事告诉你了吗？”她转过身来对我说，脸上带着她那特有的迷人微笑，好像我们已经是老朋友了。

“我得恭喜你了。”我说。

“等见到我那位年轻的未婚夫再恭喜也不迟。”

“你还是先介绍一下你那位年轻的未婚夫吧。”托尔太太微笑着说。

福勒太太的眼睛在她那副可笑的眼镜后面闪闪发亮。

“可别以为他年纪很大。你不会愿意我嫁给一个一只脚已经进了坟墓的老头吧？”

关于她的未婚夫，她只介绍了这么多。的确没有时间再谈下去，因为管家推开门，大声宣布：

“吉尔伯特·纳皮尔先生到。”

一个年轻人走了进来，他穿着裁剪考究的晚礼服。他有些瘦，个子不高，一头金发有些自然卷，胡子刮得很干净，还有一双蓝眼睛。他的样貌谈不上英俊，但他的脸和蔼可亲，很讨人喜欢。十年后，他的脸可能会干瘪发黄，但现在是他最年轻的时候，所以看起来是那么清新干净，朝气蓬勃。他肯定还不到二十四岁。我的第一个想法是，他是简·福勒的未婚夫（我并不知道他是个鳏夫）的儿子，只是过来告诉我们他的父亲因为痛风突然发作而不能来赴约了。但他的目光立刻落在福勒太太身上，表情顿时变得欢快起来，他向她走去，伸出双手。福勒太太握住他的手，嘴角挂着一丝娴静的微笑，然后转向她的嫂子。

“这位就是我的未婚夫，很年轻吧，玛丽恩？”她说。

他伸出手来。

“希望你会喜欢我，托尔太太。”他说，“简告诉我，你是她在这世上唯一的亲人了。”

托尔太太此时的表情真是值得一看。我欣赏地看到良好的教养和社会习俗战胜了女性的本能。因为她一时无法掩饰的惊愕和惊慌很快就烟消云散了，她的脸上现出一种和蔼可亲和好客的表情。但是她显然不知道说什么才好。吉尔伯特有些尴尬，我又忙着不让自己笑出声来，根本想不出要说什么。只有福勒太太依然平静。

“我早知道你会喜欢他，玛丽恩。没有人比他更喜欢美食。”她转向年轻人，“玛丽恩的宴会远近驰名呢。”

“我知道。”他微笑着说。

托尔太太迅速地搭了几句腔，然后我们就下楼去了。吃饭时发生的事可谓精彩纷呈，我必定会久久回味。托尔太太一时不确定他们究竟是在开她的玩笑，还是简故意隐瞒未婚夫的年龄，想看她出丑。但简从不开玩笑，也不会故意干坏事。惊讶、愤怒和困惑这几种情绪包围了托尔太太。但是她恢复了自制，因为她绝不会忘记自己是一个完美的女主人，她的职责就是使宴会继续下去。她谈笑风生，但我不知道吉尔伯特·纳皮尔是否看出，每次她转向他，在她那张友好的面具后面，她的眼神是多么冷酷，怀着多么深的怨恨。她在打量他。她试图探究他灵魂的秘密。我看得出她很生气，因为在她的胭脂下，她的两颊通红。

“玛丽恩，你的气色很好。”简说着，透过她那副圆圆的大眼镜，和蔼地看着她。

“我梳妆打扮时有点儿着急，涂的胭脂太厚了。”

“是胭脂呀？我觉得很自然。否则我也不会提起了。”她害羞地朝吉尔伯特微微一笑，“你知道，我和玛丽恩是同学。只看我们两个你肯定想不到吧？但是，当然了，我一直以来也过着非常平静的生活。”

我不知道她这话是什么意思，如果她是无意中说出了这些话，那也太不可思议了，但不管怎样，托尔太太听了顿时勃然大怒，她把自己的虚荣心抛到了脑后。她笑了笑。

“我们俩再也回不到五十岁的时候了，简。”她说。

如果她这么说是为了让寡妇难堪，那她可就失败了。

“吉尔伯特说了，为了他，我最多只能承认自己四十九岁。”她温和地回答。

托尔太太的手微微颤抖着，但她依然反驳。

“你们两个人的年龄当然是有差距的。”她笑着说。

“我们相差二十七岁。”简说，“你觉得太多了吗？吉尔伯特说我显得很年轻，不像这么大岁数。我告诉过你，我可不愿意嫁给老棺材瓤子。”

我忍不住笑了出来，吉尔伯特也笑了。他的笑声坦率而孩子气。他似乎觉得简说的每句话都很有趣。但是，托尔太太几乎已到了山穷水尽的地步，我担心要是再没有缓和，她准会把自己是社交界名媛这事给忘了。我尽我所能为她解围。

“想必你是在忙着采办嫁妆吧。”我说。

“那倒没有。我认识利物浦的一个裁缝，从我第一次结婚以来，我就光顾她。但吉尔伯特不答应。他很有主见，当然也很有品位。”

她娴静地望着他，脸上带着温柔的微笑，好像一个十七岁少女。

虽然化了妆，托尔太太的脸色依然变得煞白。

“我们要去意大利度蜜月。吉尔伯特从未有机会研究文艺复兴时期的建筑，当然，对一个建筑师来说，亲自去见识一下非常重要。我们途中会去一趟巴黎，在那里买我的衣服。”

“你们要去很久吗？”

“吉尔伯特向公司请了六个月的假。这次出门，对他来说将是一种享受。他从来没有休过超过两个礼拜的假呢。”

“为什么？”托尔太太的语气里透着一股难以掩饰的冷淡。

“他负担不起，可怜的宝贝。”

“啊！”托尔太太说着，这一叹可谓意味深长。

咖啡被端了上来，女士们上了楼。我和吉尔伯特开始东拉西扯，人们彼此之间没有什么可说的，就会这样谈话。两分钟后，管家送来一张纸条给我。是托尔太太写来的，内容如下：

快点儿上楼，然后尽快离开。带他一起走。我必须立刻把事情跟简说清楚，否则我就要疯了。

我撒了个小谎。

“托尔太太头痛，想上床休息了。我想，如果你不介意的话，我们最好还是走吧。”

“当然。”他答道。

我们上了楼，五分钟后到了门口。我叫了一辆出租车，提出让那个年轻人搭顺风车。

“不用了，谢谢。”他回答道，“我去街角坐巴士。”

托尔太太一听到前门在我们身后关闭，就摆出一副要吵架的气势。

“你疯了吗，简？”她喊道。

“我相信不会比大多数住不惯疯人院的人更疯吧。”简温和地回答。

“我能问问你为什么要嫁给那个年轻人吗？”托尔太太极其客气地问道。

“有一部分原因是他不接受我的拒绝。他向我求过五次婚了。我实在是累了，不想再拒绝他了。”

“你认为他为什么那么急着娶你？”

“我能逗他开心。”

托尔太太恼怒地喊了一声。

“他是个无耻的流氓。我刚才差点儿当面这么骂他了。”

“你错了，你要是那么做，就太不礼貌了。”

“他是个穷光蛋，而你很富有。你不可能蠢到看不出来他是为了你的钱才娶你的。”

简仍然十分镇静。她以超然的态度注视着激动的嫂子。

“你知道，我可不这么认为。”她回答，“我认为他很喜欢我。”

“你是个老太太了，简。”

“我和你一样大，玛丽恩。”她笑着说。

“我从来没有放弃过。我很显年轻，根本看不出实际年龄。别人都觉得我只有四十岁。可是，就连我也没有想过要嫁给一个比我小二十岁的男人。”

“是小二十七岁。”简纠正道。

“你的意思是说，你能让自己相信，一个年轻的男人有可能爱上一个年纪大到可以做他母亲的女人？”

“多年来我一直住在乡下。我敢说，关于人性，有很多我不了解的地方。他们告诉我，有个人叫弗洛伊德，是个奥地利人，我相信……”

但是托尔太太毫不客气地打断了她的话。

“别傻了，简。你这样太不体面、太丢人了。我一直认为你是个明智的女人。真的，我万万没想到你会爱上一个年轻的小伙子。”

“但是我没有爱上他。我和他说过我的想法。我当然很喜欢他，否则不会考虑嫁给他。我认为把我对他的感情说得清清楚楚对他才公平。”

托尔太太深吸一口气。血涌上她的头，她的呼吸变得困难。她没有扇子，但她抓起晚报，使劲扇着。

“如果你不爱他，为什么要嫁给他呢？”

“我寡居很久了，我的生活太平静了。我想换个活法。”

“如果你只是为了结婚而结婚，为什么不嫁给一个和你同龄的男人呢？”

“跟我同龄的男人不会向我求婚五次。事实上，没有一个和我同龄的男人向我求过婚。”

简一边咯咯地笑着一边回答。这简直把托尔太太逼到了发疯的地步。

“别笑了，简，我不答应。我觉得你是失心疯了。

太可怕了。”

她再也无法忍受，痛哭起来。她知道，在她这个年龄，哭是致命的，她的眼睛会肿二十四小时，肯定特别难看。但是她实在忍不住了。她的眼泪稀里哗啦往下掉。简却镇定自若。她透过大眼镜看着玛丽恩，若有所思地抚平她黑色丝绸连衣裙的衣襟。

“你结婚是不会幸福的。”托尔太太抽泣着说，她小心地擦着眼睛，希望睫毛膏不会化开。

“我可不这么想。”简用她那平静而温柔的语气回答，仿佛她的话语中都带着一丝微笑，“我们已经认真谈过了。我一直认为我是一个很容易相处的人，我想我会让吉尔伯特非常开心和舒适，从来没有人好好照顾过他。我们是在深思熟虑后才决定结婚的，我们已经决定，如果我们中的任何一个人想要恢复自由，另一个人就不能在对方获得自由的道路上设置任何障碍。”

这时，托尔太太完全恢复了常态，可以发表一番尖刻的话了。

“他说服你在他身上花了多少钱？”

“我本想一年给他一千镑，可是他不肯。我提出这个建议时，他还很不高兴呢。他说他赚的钱足够他自己用了。”

“他比我想的还要狡猾。”托尔太太尖刻地说。

简停了一会儿，用温和而坚定的目光望着嫂子。

“你看，亲爱的，这对你来说是不一样的。”她说道，“你从来没有像我这样守寡这么多年，不是吗？”

托尔太太看着她。她有点儿脸红，甚至感到有点儿不舒服。简太单纯，不会存心含沙射影。托尔太太振作起来，让自己恢复仪态。

“我太难过了，我得去睡觉了。”她说，“我们明天上午再谈吧。”

“恐怕那不太方便，亲爱的。我和吉尔伯特明天早上就要去注册结婚了。”

托尔太太摊开双手，做了个沮丧的手势，但她已经没什么可说的了。

婚礼在婚姻登记处举行。我和托尔太太是证婚人。吉尔伯特穿着一套时髦的蓝色西装，看上去非常年轻，显然很紧张。这对任何男人来说都是一个艰难的时刻。可简却极其镇静，这一点实在叫人钦佩。她也许已经养成了上流社会女人经常结婚的习惯。她的面颊上只有一抹淡淡的红晕，说明在她平静的外表下隐藏着淡淡的兴奋。这对任何女人来说都是一个激动人心的时刻。她穿着一件银灰色天鹅绒长裙，我根据剪裁认出这衣服正是出自那位利物浦的裁缝之手，那位裁缝显然是个无懈可击的寡妇，简多年来一直都找她做衣服。但是，简屈服于这种轻浮的场合，戴了一顶饰有蓝色鸵鸟羽毛的大阔边礼帽。在她那副金边眼镜的衬托下，礼帽看来异常怪异。婚礼结束后，注册主管（这对新人的年龄竟然相差这么多，想必他多少也有些吃惊）和她握了手，送上了带着官腔的祝福，新郎微微红着脸吻了她一下。托尔太太接受了现实，心里却还是很别扭。她吻了简一下。然后，新娘期待地看着我。显然我也应该吻她。于是我吻了她。我们走出婚姻登记处的办公室，有很多人在那里看热闹，等着看这对新婚夫妇，我承认我这会儿有点儿不好意思。等我钻进托尔太太的汽车，才感觉好了很多。我们开车去维多利亚车站，送这对幸福的夫妇去乘两点前往巴黎的火车，简坚持在车站的餐厅吃结婚早餐。她说自己总是紧张，生怕不能及时赶到站台。托尔太太只是出于强烈的家庭责任感才来参加这次聚会，可惜没能让聚会在欢快的气氛中进行。她什么也没吃（我不能怪她，毕竟饭菜难以下咽，而且不管怎么说，我讨厌在午餐时喝香槟），说话声音很紧绷。但是简认真地看了一遍菜单。

“我一直都认为应该在启程之前好好吃一顿。”

她说。

我们为他们送完行，我开车送托尔太太回家。

“你猜他们的婚姻能维系多长时间？”她说，“六个月？”

“让我们往好处想吧。”我笑着说。

“别说傻话了。他们是不可能有好结果的。你难道不认为他娶她是为了钱？他们两个当然长久不了。我只希望她不会心碎，虽然那是她自找的。”

我笑了。托尔太太这话说得倒是充满慈悲，只是语气不善，我不由得怀疑她的真正意思。

“好吧，如果这段感情很快结束了，你就这样安慰她，‘我早就告诉过你会这样’。”我说。

“我向你保证我永远不会说这种话。”

“那你就可以得意地恭喜自己忍住了，没有说‘我早就告诉过你会这样’。”

“她又老又邋遢又迟钝。”

“你确定她很迟钝？”我说，“她话不多，这是事实，但她的每一句话都很有见地。”

“我这辈子从没听她开过玩笑。”

后来，吉尔伯特和简度完蜜月回来，我又一次到了远东，而且快两年都没回过家。托尔太太不爱写信，尽管我偶尔给她寄去一张明信片，也没有收到她的任何回信。不过我回到伦敦不到一个礼拜就遇见了她。我在外面吃饭，发现她坐在我旁边。当天举办的是一个盛大的派对，宾客大概有二十四个人，就像民谣里唱的那样，二十四只画眉鸟从馅饼里飞出来。我来得有些晚，周围人很多，我有点儿晕，根本没注意到谁在那里。但当我们坐下来，我环顾长桌边的客人，发现许多同桌客人都是名人，上过插画报纸。女主人特别喜欢那些严格意义上的名人，因此，这次派对可谓精彩纷呈，来的都是有头有脸的人物。我和托尔太太数年未见，寒暄了几句久别重逢的人都会说的客套话，然后，我问起简的情况。

“她很好。”托尔太太冷冷地说。

“她和她丈夫还好吗？”

托尔太太停了一会儿，从她面前的盘子里拿了一颗咸杏仁。

“看起来挺和美。”

“那么你猜错了？”

“我说过他们两个长久不了，现在我还是说他们两个长久不了。他们这样，是不符合人性的。”

“她幸福吗？”

“他们都很幸福。”

“我想，你不常和他们见面吧。”

“起初我经常见他们。但现在……”托尔太太稍稍噘了噘嘴，“简变得越来越自视高贵了。”

“你这话是什么意思？”我大笑着说。

“我想我应该告诉你，她今晚也来了。”

“来这里？”

我吓了一跳。我又环视了一下桌子。女主人风趣幽默，但我无法想象她会邀请一个小建筑师的年迈邋遢的妻子参加晚宴。托尔太太看出了我的困惑，她很精明，能看出我在想什么。她微微一笑。

“看女主人的左边。”

我放眼看过去。说来也怪，我刚一走进拥挤的客厅，就被坐在那里的女人的迷人外表吸引了。从她眼中闪烁的光芒，我觉得她好像认识我，但我很肯定我从未见过她。她并不年轻，头发是铁灰色的，剪得很短，浓密的鬈发贴着她那匀称的脑袋。她并没有试图把自己打扮得年轻，她既不涂口红，也不涂胭脂，更没有搽粉，所以在派对上很显眼。她的脸并不是特别漂亮，红红的，饱经风霜，但是，因为不施粉黛，所以有一种赏心悦目的自然美。她的脸和她白皙的肩膀形成了奇怪的对比。她的香肩堪称绝美，一个三十岁的女人绝对会为拥有这样的美肩而骄傲。她的礼服很特别，我从来没有见过比这更大胆的着装了，礼服黑黄相间，领口开得很低，搭配当时流行的短裙身，看起来很像化装舞会的礼服，要是别人穿在身上肯定惨不忍睹，但她穿起来却是那么合身，显得自然朴素。她还戴着一副单只眼镜，上面系着一条黑色宽丝带，给人一种古怪而不做作、奢侈而不炫耀的印象。

"你不会告诉我那是你小姑子吧？"我倒抽了一口气。

"就是简·纳皮尔。"托尔太太冷冰冰地说。

这时简开口说了什么。女主人转向她，露出了期待的微笑。坐在简左边的是一个男人，留着一头白发，有些秃顶，面相机敏而聪明，他急切地向前探着身子。坐在简对面的夫妇停止了交谈，聚精会神地听着。她说完之后，他们都猛地向后靠在椅背上，放声大笑起来。在桌子的另一边，一个男人对托尔太太说话，我认出那人是一位著名的政治家。

"你小姑子又开玩笑了，托尔太太。"他说。

托尔太太笑了。

"她真幽默啊。"

"我先喝点香槟，然后，看在老天的分上，你给我讲讲她的事吧。”我说。

现在来还原一下我听到的故事。蜜月之初，吉尔伯特带简去了巴黎的几家裁缝店，他不反对简根据自己的心意挑选几件“礼服”，但说服她按照他的设计做了一两件“连衣裙”。看来他在这方面很有天赋。他雇了一个聪明的法国女佣，简以前从未有过这样的经历。她自己缝补衣服，只有在需要“梳妆打扮”时，才会按铃叫女佣。吉尔伯特设计的衣服和她以前穿过的衣服大不相同，不过他一直小心翼翼，没有做出太离谱的设计。为了哄他开心，她说服自己穿他设计的衣服，而放弃了自己挑选的服装，尽管她自己也不是没有疑虑。当然，她不能把它们和她过去习惯穿的宽松衬裙搭配着穿，她有些焦虑，但还是把衬裙都扔掉了。

“请原谅。”托尔太太不屑地哼了一声，说道，“她只穿丝绸紧身裙，料子还那么薄。她这么大年纪，没有冻死也是奇迹了。”

吉尔伯特和法国女佣教她如何穿衣服，出乎意料的是，她学得很快。法国女佣对夫人的臂膀和肩膀赞不绝口，还说什么要是不把肩膀和手臂露出来，就太可惜了。

“不要着急，阿芳西娜。”吉尔伯特说，“下一批我为夫人设计的衣服，会充分展示出她的优点。”

简的眼镜太难看了。任谁戴金边眼镜都不会好看。吉尔伯特给她试了试玳瑁眼镜，但只能摇摇头。

“给年轻女孩子戴还不错。”他说，“你年纪大，不适合戴眼镜，简。”突然，他灵机一动，“哎呀，我知道了。你戴单只眼镜才好看。”

“吉尔伯特，那可不成。”

她看着他，见他像个艺术家一样兴奋，不禁微微一笑。他对她太好了，她希望尽力让他开心。

“我试试看吧。”她说。

他们去配眼镜，找到了一副尺寸合适的单只眼镜，当她高兴地把眼镜戴上，吉尔伯特鼓起掌来。就在这时，当着那个吃惊的店员的面，他吻了吻简的双颊。

“你看上去棒极了。”他叫道。

然后，他们去了意大利，在那里快乐地过了几个月，研究文艺复兴时期和巴洛克风格的建筑。简不仅习惯了新的打扮风格，甚至发现自己很喜欢新风格。起初，当她走进旅馆的饭厅，人们都转过身来盯着她看时，她还有些害羞，毕竟以前从来没有人抬过眼皮看她，但不久她就发现这种感觉还不赖。女士们会走到她面前，问她是在哪里做的衣服。

“你喜欢吗？”她一本正经地回答，“这是我丈夫为我设计的。”

“如果你不介意的话，我也想做一件一模一样的呢。”

简多年来确实过着平静的生活，但绝不缺乏女性的正常本能。她已经想好了如何回答。

“我很抱歉，但我丈夫很挑剔，他不会允许任何人模仿我的连衣裙。他想让我与众不同。”

她觉得别人听她说这话，一定会笑话她，但对方没有，她们只是说：

“我当然很理解。你确实是独一无二的。”

但她看到她们在心里记下她的衣服的样式，不知为什么，这让她很“不安”。这是她平生第一次没有穿别人都在穿的服装，她不明白为什么别人现在都想穿她穿的衣服。

“吉尔伯特，”她说，口气相当严厉，“下次你为我设计衣服时，我希望你能设计出别人无法模仿的式样。”

“要做到这一点，唯一的办法就是设计出只有你能穿的衣服。”

“你做得到吗？”

“可以，但需要你为我做一件事。”

“是什么？”

“把你的头发剪短。”

我想这是简第一次有些犹豫。她的一头长发十分浓密，她还是个小姑娘的时候，就以自己的秀发为傲。她经过了一番激烈的思想斗争，才把头发剪短。她这么做，真是豁出去了。对她来说，付出这么多并不是第一步，而是最后一步，但她还是这么做了。“我知道玛丽恩肯定认为我是个大傻瓜，我再也没脸回利物浦了。”她如是说。当他们在回程途中经过巴黎时，吉尔伯特带她去找了世界上最好的理发师。她从理发店走出来，头发已经变成了一头灰白鬈发，看起来是那么俏皮，又充满活力。皮格马利翁完成了他的杰作：加拉提亚活了。[1]

“是的。”我说，“但是这还不足以解释为什么简今晚会在这里，与公爵夫人、内阁大臣等显赫人物同席而坐，也不能解释为什么她坐在女主人的一边，而另一边坐着一位海军元帅。”

“简是个幽默大师。”托尔太太说，“你没看见她说什么都能把他们逗笑吗？”

1 皮格马利翁是古希腊神话中的塞浦路斯国王，善雕刻，他爱上了自己的雕刻作品加拉提亚。

现在完全可以确定托尔太太满心愤恨了。

“简写信告诉我他们度完蜜月回来了，我想我必须得请他们吃饭呀。我不太喜欢这个主意，但不这么做又不行。一方面，我很清楚这个聚会必定无聊透顶，我可不能让重要的朋友来受这份罪；另一方面，我又不想让简认为我没有有身份的朋友。你知道的，我举办宴会，客人从不超过八个，但那次我想如果我请十二个客人，情况会好一些。我一直忙着筹备，直到聚会那天晚上才见到简。她迟迟没有出现，让大家等着，而这正是吉尔伯特的聪明之处。最后她款款地出现了，我当时别提多吃惊了，在她的衬托下，在场的其他女宾看起来是那么邋遢、那么土气，她让我觉得自己像个化了大浓妆的老太婆。”

托尔太太喝了一点儿香槟。

“我是很想给你描述一下她当时穿的礼服。要是别人穿可就太难看了，可穿在她身上确实完美无缺。还有她的眼镜！我认识她三十五年了，从没见过她不戴眼镜。”

“但你知道她身材很好。”

“我怎么会知道？除了你第一次见她时她穿的衣服，我可没见过她穿过别的款式。你觉得她身材好？

她倒不是没有意识到她所引起的轰动，只是把这种场面当成了理所当然。一想起我举办的晚宴，我着实松了一口气。即使她这个人有点儿迟钝，但凭借她这身装扮，也不会有太大问题。她坐在桌子的另一头，我听到许多笑声。我还以为是其他人表现得很好，还挺高兴的，可是晚宴结束后，至少有三个男人走到我跟前，对我说我小姑子很幽默，我真的吃了一惊。他们还问我简会不会允许他们去拜访她。我整个人都蒙了。二十四小时后，今晚的女主人打电话给我，说她听说我小姑子在伦敦，还是个很风趣的人，问我能不能请简去吃午饭，她也好见见我这位小姑子。那个女人有一种永远不会出错的本能：没出一个月，人人都在谈论简。我今晚来这里，不是因为我和女主人相识二十年，也不是因为我请她吃过一百次饭，而是因为我是简的嫂子。”

可怜的托尔太太。她陷入这样的处境，肯定心里窝火。真是三十年河东三十年河西，尽管我禁不住感到好笑，我还是很同情她。

“人们永远无法抗拒那些能逗他们笑的人。”我说，试图安慰她。

“她可从来没把我逗笑过。”

桌边再次传来一阵狂笑，我估摸简又说了一件有趣的事。

“你的意思是说，你是唯一不觉得她有趣的人？”我笑着问。

“你有没有料到她这么幽默？”

“我得说没有。”

“她这么说话有三十五年了。我看到其他人都笑，我也只好跟着笑，毕竟我不想让自己看起来像个十足的傻瓜，但我并不觉得好笑。”

“就像皇帝的新衣。”我说。

这是一个愚蠢的玩笑，托尔太太严厉地向我指出了这一点。我只好换个说法。

“吉尔伯特来了吗？”我看着桌边的人问。

“吉尔伯特也在受邀之列，没有他陪着，她就不出门，但今晚他去了建筑师协会的晚宴。”

“我非常想和她重新认识一下。”

“晚饭后去跟她聊聊吧。她会邀请你去她的礼拜二派对的。”

“礼拜二派对？”

“她每周二晚上都在家举办聚会，你在那里能遇到所有你听说过的人。礼拜二派对是伦敦最好的派对。她一年就完成了我二十年来都没能做到的事。”

“你给我讲的事太不可思议了。她是怎么做到的？”

托尔太太耸了耸肩，她的肩膀很漂亮，但很胖。

“你要是能告诉我，我一定洗耳恭听。”她回答。

晚饭后，我想往简坐的沙发走去，但被人拦住了。过了一会儿，女主人走过来对我说：

“我必须把你介绍给今天的派对之星。你认识简·纳皮尔吗？她真的太幽默了，比你的喜剧有趣多了。”

我被带到简所坐的沙发边。吃饭时坐在她身边的那位海军上将仍然和她在一起。他一动不动，简跟我握了握手，把我介绍给海军上将。

“你认识雷金纳德·弗罗比舍爵士吗？”

我们聊了起来。她就是我从前所认识的那个简，还是那么简单、朴实无华，而且自然不造作，可是她那奇异的外表确实给她所说的话增添了一种独特的情趣。突然，我发现自己笑得浑身发抖。她说了一段话，说得合情合理、切中要害，但一点儿也不诙谐。她说话的方式和她透过眼镜向我投来的温和目光，使我完全无法抗拒。我感到轻松愉快。就在我要走开的时候，她对我说：

“如果你没有更好的事做，礼拜二晚上来看看我们。吉尔伯特见到你一定很高兴。”

“等他在伦敦待上一个月，就知道那可是礼拜二最好的去处了。”海军上将说。

于是，我礼拜二去了简的家，只是去得很晚。我承认见到宾客之后，我有点儿惊讶。来的有作家、画家、政治家、演员、贵妇和名媛，个个都有身份有地位。托尔太太说得对，这确实是一个盛大的聚会。自从斯塔福德庄园被卖掉以后，我在伦敦从来没有见过这样的场面。没有安排特别的娱乐项目。茶点很充足，但并不豪华。简文文静静的，好像玩得很开心。我看不出她在接待客人时有力不从心的地方，客人们似乎很喜欢待在这里。这场愉快的聚会直到凌晨两点才结束。从那以后，我经常见到她。我常去她家，每次出去吃午饭或晚饭，都少有碰不到她的时候。我本身也是个幽默的人，很想知道她在这方面有什么特别的天赋。模仿她是不可能的，她的风趣就像某些葡萄酒，原香原色最重要。她也不是出口成章、字字珠玑，也从来没有给出过精彩的回答。她不会口出恶言，反驳时也不会中伤别人。有些人认为，智慧的灵魂不在于勇力，而在于不得体的举止，但她从来没有说过一句会让维多利亚时代的人脸红的话。在我看来，她的幽默感都是她无意中表现出来的，并非提前设定。她的话像蝴蝶从一朵花飞到另一朵花，全凭兴之所至，既不追求方法，也没有任何意图。这取决于她说话的方式和她的长相。吉尔伯特为她设计的那种炫耀和奢侈的外表，使她掌握了其中的微妙之处，但她的外表只是其中的一个推动因素。现在，她当然是社交界的名人，只要她开口，人们就会发笑。他们不再奇怪吉尔伯特娶了一个比他大得多的妻子。他们看出简是一个不在乎年龄的女人，还觉得吉尔伯特是个非常幸运的年轻人。海军上将对我是这么评价她的，引用莎士比亚的话："年龄不能使她枯萎，风俗也不能使她的万千变化变得陈腐。"吉尔伯特为她如此成功而感到高兴。随着我对吉尔伯特了解的加深，我渐渐喜欢上了他。很明显，他既不是无赖，也不是想通过结婚发大财。他不仅为简感到无比自豪，而且真心实意地爱着她。他对她那么好，真的令人动容。他是一个非常无私、性情温和的年轻人。

"那么，你现在觉得简怎么样？"有一次他问我，语气中带着孩子气的得意。

"我不知道你们两个谁更出色。"我说。

"我什么都不是。"

"乱说。你该不会认为我是个傻瓜，看不出是你把简变成了现在这个样子，而且只有你能做到？”

“我只有一个优点，那就是我看到了别人用肉眼看不出来的东西。”他这么回答。

“你说她有潜质，可以变得光彩照人，这我能理解，可你究竟是怎么把她培养得这么幽默的？”

“但我向来都认为她说的话很有意思。她一直是个幽默的人。”

“你是唯一这么想的人。”

托尔太太相当高姿态地承认她错怪了吉尔伯特，还越来越喜欢他了。可是，虽然这段婚姻看起来和美，但她始终认为他们两个长久不了。我不得不嘲笑她。

“我从来没有见过这么恩爱的一对。”我说。

“吉尔伯特二十七岁了，现在正是漂亮女孩出现的时候。那天晚上在简家，你注意到雷金纳德爵士漂亮的小侄女了吗？简可是很注意他们两个呢，连我自己也挺纳闷儿。”

“我不相信简会害怕和别的女孩竞争。”

“等着瞧吧。”托尔太太说。

“你之前说他们撑不了六个月。”

“现在我说他们撑不过三年。”

我们总是希望别人十分肯定的观点是错的，这是人的天性。托尔太太过于自以为是了。她一向都觉得这对并不般配的夫妻走不到白头偕老的那一天，结果还真是正应了她的预言，只是我没有和她一样感到满意。命运很少以我们想要的方式给我们想要的东西，尽管托尔太太可以自吹说她是对的，但我想她终究还是错了，因为事情并没有像她所期望的那样发展。

有一天，我收到她的一个紧急口信，而且幸好我立刻就去见了她。仆人把我带进房间，托尔太太从椅子上站起，向我走来，如同豹子接近猎物时那么隐秘而快速。我看出她很兴奋。

“简和吉尔伯特分居了。”她说。

“不是真的吧？好吧，最后还是你说得对。”

托尔太太用一种我无法理解的表情看着我。

“可怜的简。”我低声说。

“可怜的简！”她重复了一遍，声音里充满了嘲笑，我听了只觉得十分震惊。

她费了很大的劲，才把发生的事情原原本本地讲了一遍。

她给我打电话叫我来之前，吉尔伯特刚走。吉尔伯特走进来的时候，脸色苍白，心情烦躁，她一眼就看出是出事了。他还没开口，她就知道他要说什么了。

“玛丽恩，简离开我了。”

她对他微微一笑，握着他的手。

“我就知道你会表现得像个绅士。要是人们认为是你离开了她，那对她就太可怕了。”

“我来找你，因为我知道你会同情我的。”

“我不怪你，吉尔伯特。”托尔太太非常和蔼地说，“这是迟早的事。”

他叹了口气。

“我也是这么想的。我不能指望一直把她留在身边。她太出色了，而我只是个普通人。”

托尔太太拍了拍他的手。他真的表现得很体面。

“到底出了什么事？”

“她要和我离婚。”

“简总说你想娶别的姑娘，她一定不会给你设置任何障碍。”

“你认为我做了简的丈夫以后，还会愿意再娶别人？”他反问。

托尔太太有些糊涂了。

“难道不是你离开了简吗？”

“我？我死都不会离开她的。”

“那她为什么要和你离婚？”

“离婚判决下来后，她就要嫁给雷金纳德·弗罗比舍爵士了。”

托尔太太尖叫起来，觉得头晕目眩，只好拿过嗅盐闻了闻。

“你为她做了这么多，她竟然这样对你？”

“我什么也没为她做过。”

“你的意思是说，你就甘愿这样被人白白利用吗？”

“我们在结婚前就约定好了，如果我们中的一个想要自由，另一个人不能横加干涉。”

“但这条规矩是为了你着想才定的，毕竟你比她小二十七岁。”

“现在得到好处的是她了。”他痛苦地回答。

托尔太太又是劝，又是争辩，吉尔伯特却坚持认为不应该限制简，她想做什么，他都必须答应。他离开之后，托尔太太沮丧不已。不过她把这次见面的情况原原本本地告诉了我，心里倒是舒坦了不少。她很高兴看到我也和她一样惊奇，至于我没有像她那样生简的气，她说这是因为我是男人，不讲道德。就在她依然非常激动的时候，门开了，管家带着简走了进来。简的连衣裙是黑白相间的，无疑很适合她目前并不明确的身份，而且是那么新颖别致，她还戴着一顶引人注目的帽子，我一见到她就倒吸了一口气。但她还是一如既往地温文尔雅、泰然自若。她走上前来，想要亲吻托尔太太，但托尔太太冰冷而高贵地退开了。

“吉尔伯特刚走。”她说。

“是的，我知道。”简笑着说，“是我叫他来见你的。我今晚去巴黎，我希望我不在的时候你能照顾照顾他。我担心他一开始会觉得孤单，如果有你照看他，我就放心多了。”

托尔太太紧握着双手。

“吉尔伯特刚刚告诉了我一件我几乎不敢相信的事。他告诉我，你要和他离婚，还要嫁给雷金纳德·弗罗比舍。”

“你不记得了吗，在我嫁给吉尔伯特之前，你还劝我找个同龄人？那位海军上将五十三岁了呢。”

“可是，简，你能有现在的一切，都要感谢吉尔伯特。”托尔太太气愤地说，“没有他，你什么都不是。没有他给你设计衣服，你哪有现在的风光！”

“他答应继续给我设计衣服。”简温和地回答。

“这么好的丈夫你去哪里找呀。他对你一向都很好。”

“我知道他一直很好。”

“你怎么能这么没心没肺？”

“可我从来没有爱过吉尔伯特。”简说，“我向来都是这么跟他说的。最近，我觉得自己需要一个同龄的男人做伴。我想我和吉尔伯特结婚的时间够久了。我和年轻人无话可谈。”她停顿了一下，冲我们露出了迷人的微笑，“我当然不会不管吉尔伯特。我都和雷金纳德商量好了。将军有个侄女正好适合他。我们一结婚，就请他们和我们一起去马耳他住，你知道的，将军马上就要当上地中海司令部的司令了。到时候如果他们相爱了，我一点儿也不奇怪。”

托尔太太轻轻地哼了一声。

“你有没有和将军商量好，如果你们中有人想要自由，另一方不能设置障碍？”

“我倒是这么提议了。”简平静地回答，“但将军说了，他很清楚谁是好女人，他不想娶别人，而如果有人想娶我，那他的旗舰上有八支十二英寸口径的大炮，他会在射程之内和对方谈谈这件事。”她透过眼镜看了我们一眼。即使生怕托尔太太生气，我也忍不住笑了起来，说：“我认为将军真是热情如火呢。”

托尔太太很生气，皱着眉头瞧了我一眼。

“我从来没觉得你有趣，简。”她说，“我一直不明白为什么你能把人们逗笑。”

“玛丽恩，我从来不觉得自己幽默。”简笑着说，露出她那洁白整齐的牙齿，“幸好我在人们认识到这一点之前就要离开伦敦了。”

“你的成功太惊人了，分享一下你的秘诀吧。”我说。

她转向我，脸上带着我非常熟悉的那种温和而朴实的表情。

“你知道，当我嫁给吉尔伯特并定居在伦敦时，人们开始一听我说话就觉得好笑，对此没有人比我更惊讶了。我三十年来一直都是这样说话的，从来没有人觉得有趣。我想一定是因为我的衣服，要不就是因为我剪了短发或戴了单只眼镜。后来我发现这是因为我说的都是实话。说真话是那么特别，以至于人们都认为那很幽默。总有一天会有人发现这个秘密，等人们习惯说真话，当然就不会觉得真话好笑了。”

“为什么只有我一个人不觉得好笑？”托尔太太问道。

简犹豫了一下，仿佛她是发自真心地在寻找一个令人满意的解释。

“亲爱的玛丽恩，也许是你即便看到了真相，也是茫然不知。”她温和地回答。

她的话无可反驳。我觉得简说话一向掷地有声。她确实很幽默。

毛姆

短篇小说全集

[英] 毛姆 著　姚锦清 刘勇军 译

第10册

三个圈经典文库

经典就读三个圈　导读解读样样全

江苏凤凰文艺出版社
JIANGSU PHOENIX LITERATURE AND ART PUBLISHING

目　录

上校夫人

故事发生在战争爆发前的两三年。

博雷克林上校夫妇正在吃早餐。餐桌很长，虽然只有夫妻二人，他们却在餐桌两端相对而坐。墙上挂着乔治·博雷克林祖先的画像——都是当时上流社会的画家画的，此时，那些祖先正俯视着他们。管家送来晨报，有几封上校的信、商务信函、《泰晤士报》，还有一个上校夫人艾薇的小包裹。乔治看过信，打开《泰晤士报》读起来。用完早餐，他们起身准备离开餐厅，乔治发现妻子还未打开包裹。

“是什么？”他问。

“几本书而已。”

“我帮你拆开好吗？”

“如果你愿意的话。”

他不喜欢把绳子剪断，费了好大劲才把绳结解开。

"都一样啊。"他打开包裹，"你要六本一模一样的书干吗？"他翻开其中一本书，"是诗歌啊。"然后他翻到扉页，嘴里念着，"《金字塔坍塌之时》，E. K. 汉密尔顿著。"伊娃·凯瑟琳·汉密尔顿是妻子的闺名。他看着妻子，露出惊讶的微笑。"艾薇，你写书了啊？真是个小滑头。"

"没想到你有兴趣。想要一本吗？"

"呃，你知道我对诗歌不是太感兴趣，但是——行吧，我想要一本，我会看的。我要先拿到书房，今天上午有很多事情要处理。"

他收起《泰晤士报》、信函和这本书便出去了。他的书房宽敞舒适，摆着一张大写字台、几把真皮扶手椅，四面墙上都挂着"狩猎的战利品"。书架上摆放着工具书，以及农业、园艺、钓鱼和射击等方面的书，还有研究上次战争的书。正是在上次战争中他赢得了一枚十字勋章和一枚优质服务勋章。婚前，他曾在威尔斯服役。那次战争结束后他就退役了，过上了乡绅生活，住在离谢菲尔德大约二十英里[1]外的一幢宽敞的房子里，

1 约等于三十二千米。——编者注

这房子是他的祖先在乔治三世时建造的。乔治·博雷克林有一座占地大约一千五百英亩[1]的庄园，他管理得很好。他是位太平绅士，尽忠职守，努力做好自己的分内之事。狩猎季节，他每周有两天时间骑马打猎。他是个神枪手，也是个高尔夫球手，虽然已经年过五十，但他依然可以坚持打完一场艰苦的网球比赛。他完全有理由说自己是个全能运动员。

最近他的体重一直在增加，但他依旧是个身材健美的男人。他个子高大，银白色的鬈发只有头顶上略显稀疏，仪表堂堂，肤色红润，湛蓝的双眼透着真诚。他热心公益，在许多地方组织担任主席。他还是保守党的忠实党员，身份符合他的阶层和地位。他认为自己有责任为庄园里的人谋福利，他知道艾薇是可以信赖的，她可以照顾病人、救助穷人，因此他内心很是满意。他在村子旁边建了一所村舍医院，并自掏腰包支付一名护士的工资。他只要求受到帮助的人在县级选举或大选中把票投给他支持的候选人。他很友好，对下级和蔼可亲，对佃户体贴周到，在邻近的贵族中很受欢迎。如果有人夸他是个大好人，他会很高兴，同时也会有点儿不好意

1 英制面积单位，1英亩约等于4047平方米。——编者注

思。这就是他一心想要成为的样子，他并不奢求更多称赞。

他没有孩子，这还真是不幸，他本可以做一位优秀的父亲，和蔼而不失威严。如果有儿子，他会把儿子培养成绅士该有的样子，送他们去伊顿公学读书，教他们钓鱼、射击和骑马。结果却是他的侄子做了继承人，这个侄子的亲生父亲在一次车祸中丧生了。他人倒还不坏，却不太像他父亲，不对，应该是差远了。你相信吗，他那愚蠢的母亲把他送进了一所男女同校的学校。艾薇也曾让乔治伤心失望。没错，她是一位淑女，自己也有点儿钱，把这栋房子打理得妥妥当当，是个很不错的女主人。村里的人都很崇拜她。嫁给他的时候，她还是个小可人，有着凝脂般的皮肤、浅棕色的头发、苗条的身材，身体也相当健康，还是个不错的网球运动员。乔治不明白，她怎么就生不出孩子。当然，她的青春已经一去不复返了，怕是快四十五岁了，皮肤暗沉，头发失去了往日的光泽，瘦得像根麻秆似的。她向来穿着整洁、得体，但她似乎并不怎么在意容貌，她不化妆，甚至不涂口红。在她打扮得漂漂亮亮去参加聚会时，还能看出昔日的风采，但在平时里——好吧，她是那种你根本不会注意的女人。当然，必须承认，她是个好女人、好妻子，不能生育不是她的错，但对于一个想要传宗接代的男人来说，这当然是个问题。她毫无活力可言，这就是症结所在。向她求婚时，他以为自己爱上了她，这份爱至少足够让一个男人想结婚，想安定下来，但随着时间的推移，他发现他们之间并没有什么共同语言。她不喜欢打猎，钓鱼亦让她感到厌烦。就这样，他们渐行渐远。客观地说，他得承认她从未打扰过他。她从未当众红过脸，他们从不争吵。她似乎觉得，丈夫抛开她自己行动是理所当然的。他现在偶尔会去伦敦，可她从不想和他同行。他在那交往了一个姑娘，不对，准确来说她也算不上姑娘，她应该有三十五岁了，但她金发碧眼、性感迷人。他只需提前打个电报，然后他们就会一起吃饭、看表演、共度良宵。当然，一个男人，一个健康的正常男人得让自己的生活有点儿乐趣。他会突然想到，如果艾薇不是那么好的女人，她可能会是一个更好的妻子；但这样的想法又让他觉得有点儿荒唐，自然也就不把它放在心上了。

乔治·博雷克林看完《泰晤士报》，为了体现自己的体贴，他按下响铃叫来管家把报纸拿给艾薇。然后他看了眼手表，十点半了，他和一个佃户要在十一点见面，还有半小时的空闲。

“不妨还是看看艾薇的书吧。”他自言自语道。

他笑着拿起书。艾薇在自己的起居室放了许多高雅的书，但他并不感兴趣，可既然这些书让她感到有趣，他也不反对她读。他注意到现在手里拿着的这本书不超过九十页。幸好不长。他赞同埃德加·爱伦·坡[1]的观点：诗歌就应该简短。但是，当他翻开书页，他注意到艾薇的诗歌有不押韵的长句，长短不一。他不喜欢这种诗句。他刚上学的时候——当时他还是个小孩子，他记得学过一首诗，开头是这样的：男孩站在燃烧的甲板上。[2]后来在伊顿公学又学了一首诗，那首诗是这样开头的：无情的国王，你必将灭亡。[3]再后来学的是《亨利五世》[4]。上学时，这些诗歌基本都是必学的，有一年半的必修课。他惊愕地盯着艾薇的书页。

“这算哪门子诗。”他说。

所幸，并非整本书都是这个样子。感谢上帝，这

1　埃德加·爱伦·坡（1809—1849），十九世纪美国诗人、小说家和文学评论家，美国浪漫主义思潮时期的重要成员。

2　出自英国诗人菲利西亚·赫门兹的作品《卡萨比安卡》。

3　出自英国诗人托马斯·格雷的作品《吟游诗人》。

4　英国剧作家莎士比亚以英格兰国王亨利五世生平为基础，于1599年创作的著名历史剧，着重描写百年战争期间的阿金库尔战役。

古怪的篇章中，总算有些短小的诗句，押韵且每行字数一样，还有几行三四个字的诗句，接着是十个或十五个字一行的诗句。其中有几页的标题仅仅写着“十四行诗[1]”，好奇心作祟，他还数了数行数，确实是十四行。他读了读。诗句似乎不错，但他不甚明白讲了些什么。他又自言自语念叨着：无情的国王，你必将灭亡。

“可怜的艾薇。”他叹了口气。

就在这时，他约好的那个佃户被领进书房，他放下手里的书，欢迎客人的到来。两人开始谈正事。

“艾薇，我看过你的书了。”两人坐下来吃午饭时他说，“非常不错。出版花了你不少钱吧？”

“没花钱，我很幸运。我把它寄给一家出版商，他们就采用了。”

“诗歌挣不了多少钱，亲爱的。”他用一贯温和且诚恳的语调说。

“是的，的确挣不了钱。早上班诺克找你有什么事？”

班诺克就是那个打断他读诗的佃户。

1 欧洲一种格律严谨的抒情诗体，最初流行于意大利，后传到欧洲各国。音律优美，以歌颂爱情、表现人文主义思想为主要内容。

“他想买一头纯种公牛，想让我提前支给他钱。他是个好人，我想给他。”

乔治·博雷克林发现艾薇不想谈论她的书，所以切换话题时他并没觉得愧疚。他很开心她在书的扉页用的是娘家的姓；虽然他认为没人会听说这本书，但他为自己与众不同的姓名感到自豪，如果哪个该死的穷酸文人在报纸上取笑艾薇的努力，他是不会喜欢的。

在接下来的几个礼拜，他认为不向艾薇提起任何有关她大胆写诗的问题是明智之举，艾薇也从来没有提及过。他们在这件事上倒是很默契，感觉像是会丢脸似的。但后来发生了一件怪事。他去伦敦出差的时候，带达芙妮出去吃晚饭——达芙妮就是先前提到的那位姑娘，他只要进城就会和她一起缠绵几个小时。

“哇，乔治。”她说，“大家都在讨论的那本书是你太太写的吗？”

“你到底想说什么？”

“是这样的，我认识一个评论家朋友，有一天晚上他带我出去吃饭时，手里拿着一本书。‘带了什么？给我读的？’我说，‘什么书来着？’‘哦，我觉得这本书不合你的胃口。’他说，‘是本诗集，我最近给它写评论来着。’‘我确实不喜欢诗歌。’我说。‘我从没看过这么销魂的诗。’他说，‘卖得很火，而且写得很好。’”

“这本书的作者是谁？”乔治问道。

“一个叫汉密尔顿的女人。我朋友告诉我这不是她的真名，她的真名叫博雷克林。‘有意思。’我说，‘我认识一个叫博雷克林的男人。’‘是个陆军上校。’他说，‘住在谢菲尔德附近。’”

“我希望你不要和你的朋友谈论我。”乔治有点儿生气，皱着眉头说。

“别激动嘛，亲爱的。你把我当什么了？我只是说，‘不是同一个人’。”达芙妮说着，咯咯地笑起来，“我朋友说：‘大家都说博雷克林是个不折不扣的老顽固。’”

乔治倒是很有幽默感。

“你可以和他们说，可不止是个老顽固呢。”他笑着说，“要是我的妻子写了本书，我肯定是第一个知道的，不是吗？”

“说得有理。”

总之，达芙妮对这件事并不感兴趣，上校开始讲别的事情，她就把这回事抛诸脑后了。博雷克林也忘了这件事。他断定这并不能说明什么，那个愚蠢的评论家一定是在开达芙妮的玩笑。想到她被告知这本书很火就拿起来看，结果发现只是一些长短不一的胡言乱语，他就觉得好笑。

他是几家俱乐部的会员。第二天，他想在圣詹姆斯街道的一家餐厅吃午餐，并打算下午早些时候坐火车回谢菲尔德。进入餐厅后，他在一张舒服的扶手椅上落座，喝着一杯雪莉酒，这时候一位老友走了过来。

“嘿，老伙计，最近怎么样？”老友问道，“成了名人的丈夫了，感觉如何？”

乔治·博雷克林看着这位朋友，觉得他的眼中闪过一丝嘲笑。

“我不知道你在说什么。”他回答说。

“别装了，乔治。我们都知道E. K. 汉密尔顿是你太太。很少有诗集能这样成功。跟你说，亨利·达什伍德要和我一起吃午餐。他想见见你。”

“亨利·达什伍德是什么人，他凭什么要见我？”

“天哪，亲爱的伙计，你一天到晚在乡下都忙什么呢？亨利是国内最好的评论家。他给艾薇的书写了精彩的评论，你是说她没给你看？”

没等乔治回答，朋友就叫来了一个人。一个高高瘦瘦的男人，额头突出，留着胡须，鼻子长长的，有点儿驼背，正是那种乔治看一眼就不会喜欢的人。相互引见后，亨利·达什伍德坐了下来。

“博雷克林夫人在不在伦敦？我很想见见她。”亨利·达什伍德说。

“不在，我妻子不喜欢伦敦，她更喜欢待在乡村。”乔治生硬地说。

“她就我的评论给我写了一封很客气的信，我很高兴。你知道，我们评论家不怎么受待见，反而会被唾骂。我只是单纯被她的书迷住了，那么新颖、现代，又不晦涩。她的自由诗和古典诗都不受拘束。”然后，因为自己是个批评家，他认为还是应该指摘一二，“有时候，她的音韵方面还不完美，但艾米莉·狄金森也有这个缺陷。她的一些小篇幅抒情诗颇有几分兰德[1]的味道。”

在乔治·博雷克林听来，这些话都是胡扯。这个男人不过是个喜欢卖弄学问的家伙，叫人生厌。但是上校也是个有礼貌的人，他的回答很得体。亨利·达什伍德就像什么都没听到似的，接着往下说。

---

1 瓦特·兰德（1775—1864），英国作家、诗人，出身贵族，钟情自然，与桂冠诗人华兹华斯同时代。

“但是，这本书之所以这么与众不同，是因为每一行都洋溢着激情。眼下，多数年轻诗人写的诗都毫无生气可言，都是冷酷、迟钝的书呆子，但在这本书里，你能看到赤裸、率直的激情。当然了，这种深沉、真挚的情感居然是个悲剧——啊，我亲爱的上校，海涅[1]说诗人是在巨大的痛苦中创造诗歌的，这句话说得太对了。你知道，当我一遍又一遍地读那些令人心碎的诗句时，我时常想起萨福。”

乔治·博雷克林忍无可忍，站了起来。

“就这样吧，很高兴您说了这么多关于我妻子那本小书的好话。我相信她一定会很开心。但我必须走了，我要去赶火车，在那之前我还想吃口午餐。”

“该死的白痴。”他往楼上的餐厅走去，嘴里生气地嘟囔着。

他回家刚好赶上晚餐。艾薇睡了之后他去书房找她的那本书。他觉得应该再看一眼，看看书里到底写了什么让他们这么大惊小怪，但他没找到。艾薇一定把它拿走了。

1　海因里希·海涅（1797—1856），德国抒情诗人和散文家，被称为“德国古典文学的最后一位代表”。

“傻瓜。”他喃喃地说。

他跟她说过，他觉得这书写得很好。你还指望一个男人说出别的什么呢？好吧，没关系。他点燃烟斗，开始看《野外》杂志，直到看得累了。但大约一周后，他不得不去谢菲尔德待一天，当时他正在俱乐部吃午饭，快吃完的时候哈沃瑞尔公爵进来了。这位可是当地的大富豪，上校当然认得他，但他们之间的交情也仅限于打个招呼而已。当公爵在他的桌前停下来时，他感到很惊讶。

“我很遗憾，你太太不能来和我们共度周末。”公爵说道，带着一种羞涩的真诚，“我们请来了不少人呢。”

乔治大吃一惊。他估摸是哈沃瑞尔夫妇邀请他和艾薇一起来过周末，但是艾薇拒绝了，还对他只字未提。他只得镇定地说，自己也很遗憾。

“希望下次可以如愿。”公爵愉快地说完就走了。

博雷克林上校很生气，回到家就对妻子说：

“听说我们被邀请去哈沃瑞尔家是怎么回事？你为什么要说我们去不了？我们从未被邀请过，全郡最好的狩猎场就在他家呢。”

“我没想到这点，我以为去了只会让你感到厌烦。”

“该死。你至少应该问问我是否愿意去啊。”

“抱歉。”

他仔细地打量着妻子。她的表情中有一种让他捉摸不透的东西。他皱起了眉头。

“我想我总该被邀请了吧。”他喊道。

艾薇的脸有点儿发烫。

“呃，事实上没有。”

“要我说他们只邀请你，不邀请我，也太不懂礼数了。”

“我想他们是觉得你不喜欢这种聚会。你知道，公爵夫人很喜欢作家之类的人。她邀请了评论家亨利·达什伍德，出于某种原因，亨利·达什伍德想见见我。”

“你没接受可真是太好了，艾薇。”

“至少，这点事我还是能替你想周全的。”她笑了，犹豫了片刻说，“乔治，我的出版商想在月底的某一天为我举办一个小型晚宴，当然，他们希望你也能出席。”

“虽然我觉得这种晚宴不适合我，但你要是愿意，我也可以和你一起去伦敦，不过我会另外找个人吃饭。”

此人就是达芙妮。

“我想晚宴会很无聊，但他们还挺重视的。晚宴第二天，买我书的美国出版商要在凯莱奇酒店举办一个鸡尾酒会。你要是不介意的话，我希望你能来。”

“听着无聊透了，但你真想我去，我会去的。”

“你真好。”

乔治·博雷克林被鸡尾酒会弄得晕头转向。参加的人很多，其中一些人看上去并不是那么差劲，有些女人打扮得也很体面，但在他看来，男人们都相当糟糕。这没什么出奇的，他以E. K. 汉密尔顿的丈夫博雷克林上校的身份被介绍给每一个人，男人们似乎没有什么要对他说的，但女人们却有说不完的话：

“你一定很为你太太骄傲吧。这本书很精彩，不是吗？你知道吗，我坐着一口气就读完了，根本就放不下，一遍读完了，我就从头开始又读一遍。我简直太激动了。”

英国出版商对乔治说：

“二十年来，我们还没有哪本诗集有过这样的成就，我从没见过这么好的评论。”

美国出版商对乔治说：

“这本书写得太棒了，肯定会在美国引起轰动，你就等着瞧吧。”

美国出版商给艾薇送了一大束兰花。真是太荒唐了，乔治心想。乔治和艾薇一到酒会，人们就冲着艾薇一拥而上。很明显，他们对她说的都是恭维话，她愉快地笑了笑，回一两句感谢的话。她有些激动，脸上稍稍泛着红晕，但似乎一点儿也不紧张。尽管乔治认为整件事就是场闹剧，但还是注意到妻子可以应对自如，这点他还是认可的。

“好吧，有一件事可以肯定。”乔治自言自语道，“看得出她是位淑女，比任何一个在场的人都要端庄大方。”

他喝了很多鸡尾酒。有一件事让他很困惑，他总感觉，自己被引见的时候，别人看他的眼神很古怪，他不太明白那是什么意思。而且，有一次他经过两位坐在沙发上的女士身边时，感觉她们在议论自己，他过去后，几乎可以肯定她们在窃笑。他很高兴终于挨到晚会结束了。

坐在回酒店的出租车上，艾薇对乔治说：

“你太棒了，亲爱的，你刚刚引起了不小的轰动呢，那些姑娘简直被你迷得团团转，她们都觉得你长得很帅。”

“姑娘？”他悻悻地说，“那明明都是一些老巫

过了。”虽然这位年轻人显得很有教养，但说话带点儿伦敦口音，所以乔治本能地认为自己高他一等。“故事是大家喜欢的类型。带点儿色情，你知道，结局却很不幸。”

乔治皱了皱眉头。他的结论是这个年轻人没有读出精髓。没有人告诉他这本书里有什么故事，他阅读评论的时候没看到类似信息。年轻人接着说：

“当然，这部作品恐怕只会昙花一现，如果你懂我的意思。我是这么看的，她的灵感来自个人经历。就像豪斯曼[1]写出诗集《什罗普郡的少年》一样，除此之外，他再也写不出别的东西了。”

“多少钱？”乔治冷冷地问道，想打断他的唠叨，“不用包起来，我把它塞进口袋就行了。”

十一月的早晨有些阴冷，他穿着厚厚的大衣。

乔治在车站买了晚报和杂志，和艾薇舒舒服服地坐在头等车厢正对面的角落里看书。五点，他们一起去餐车喝茶聊天。到站以后，他们坐上提前等候他们的车回家。各自沐浴更衣、一起吃晚饭，然后艾薇说自己太

1 阿尔弗雷德·豪斯曼（1859—1936），英国著名悲观主义诗人。——编者注

累了，便去睡觉了。走之前，她吻了吻他的前额，这是她的习惯。然后他走进大厅，从大衣口袋里掏出艾薇的书，走进书房开始读起来。他不太擅长读诗，虽然他全神贯注地读着，一个字一个字地读，却不怎么看得明白。然后他又从头开始，读了一遍。他越读越觉得不舒服，但他并不是愚蠢的人。读完时，他已经很清楚书里说了什么。这本书的一部分是自由诗，一部分是传统的韵律诗，但它所讲述的故事是前后连贯的，即便是智力平平的人也能一目了然。故事讲述了一位已婚老妇人和一位年轻男子之间一段激情四溢的恋情。乔治·博雷克林很容易就弄明白了故事的发展，就像做简单的加法运算那么容易。

诗集采用第一人称，从青春已逝的女主人公突然明白男主人公（一位年轻男子）爱上了她而惊喜地颤抖开始。她迟迟不敢相信，她觉得这是幻觉。当她突然发现自己也深深地爱上了他时，她吓坏了。她告诉自己这太荒唐了：他们二人年龄相差太大，如果放着这感情不管，听之任之，那么除了悲伤，她什么也得不到。她试图阻止他说出来，但这一天还是来了，他向她表达了爱意，还逼迫她也说出爱他的话，求她和自己一起私奔。她不能离开丈夫、离开家。她已经上了年纪，而他还很年轻，两人又能憧憬过上什么样的生活呢？她怎么能指望他的爱会天长地久？她乞求他可怜可怜她。但他的爱是那么冲动，他想要她，一门心思想得到她；她在颤抖、担心，又在渴望，终于还是向他屈服了。然后二人过了一段无比快活的幸福时光。这个世界，这个单调、乏味的世界的每一天开始闪着荣光。情歌从她的笔下溢出。女人崇拜情人年轻、刚健的身体。读到女人称赞情人那宽阔的胸膛、纤细的侧腹、健美的腿部和平坦的小腹，乔治的脸红到了耳根。

销魂，达芙妮的朋友是这样说的。他说的一点儿也没错，真恶心。

书里还有些伤感的小片段，男主人公必须离开的时候，她在哀叹余生将是多么空虚，最后她只能大呼，所遭受的一切都是值得的，因为她曾经拥有过一段极乐的时光。她在书中描写了他们一起度过的漫长而揪心的那些夜晚，还有他们在彼此臂弯里昏昏入睡时的那份慵懒；她还写到他们被激情冲昏头脑，冒着重重危险，他们屈服于它的召唤时，那种短暂的偷欢是何等的妙不可言。

她原以为这段恋情进行几个礼拜也就结束了，但它竟奇迹般地持续了很久。其中一首诗提到，三年过去了，他们心中的爱却丝毫没有减少半分。他似乎一直在催促她和他远走高飞，走得越远越好。去意大利的一座山城、去希腊的一座岛屿或者去突尼斯一座城墙环绕的城市，这样他们就能永远在一起了。而在另一首诗中，她又恳求他顺其自然。他们的幸福飘摇不定。也许，正是因为他们爱的路上困难重重，而且相会极少，所以他们的爱情才能长久保持着最初的那份迷人的热情。后来，那个年轻人突然死了。乔治读不出年轻人死亡的时间、地点和方式。接着是一声长长的、令人心碎的痛苦呼喊，她不能沉浸在悲伤之中，悲伤必须要隐藏起来。尽管她的生命之光已经熄灭，尽管已被痛苦折磨得向命运低头，但她必须像以前一样做事，一样快乐地生活、举办宴会、外出吃饭。最后一首诗有四个小节，作者悲痛欲绝，只得听天由命，她感谢主宰人类命运的黑暗力量，她至少有一段时间有幸享受过可怜的人类所能体验的极致快乐。

直到凌晨三点，乔治·博雷克林才把书放下。在他看来，他似乎在每一行诗里都能听到艾薇的声音，他一次又一次地听到她使用过的短语，有些细节他和她一样熟悉：毫无疑问，这是她在讲述自己的故事。她曾经有过一个情人，而这个情人已经死了，这再明显不过了。他没有那么生气，也没有那么沮丧和憎恶。他是有些失望、害怕，但最大的感受还是惊愕。同样不可思议的是，艾薇竟会有一段风流韵事，而且是一段狂热的恋情，就像他在书房的壁炉上玻璃柜里的鳟鱼——那可是他钓到的最好的鳟鱼——竟突然会摇尾巴了一样。他现在才明白在俱乐部和他说话的那个人为什么会是那种“有趣”的眼神；他明白了为什么达芙妮在谈论这本书的时候，似乎在享受一个私密的笑话；他明白了在鸡尾酒会上他经过那两个女人时，她们为什么会咯咯发笑了。

他出了一身汗，突然勃然大怒，跳了起来，想去叫醒艾薇，严厉地要求她解释一番。但他在门口停了下来。毕竟，他有什么证据呢？就凭一本书？他想起曾对艾薇说过，他觉得这本书很好。是的，当时他根本没看，只是假装自己读过了。如果连这一点都承认了，那他看起来一定是个十足的傻瓜。

“我可得小心点儿。”他咕哝道。

他决定再等上两三天，好好想想这件事，然后再决定该怎么做。他上床去睡觉，但久久不能入眠。

“艾薇。”他不断自言自语，“艾薇，怎么偏偏是你呢？”

第二天早上，夫妻二人一起吃早餐时跟平日里没什么不同。艾薇和往常一样，安静、端庄、自持，虽已到中年，却从不花费心思打扮，让自己看上去比实际年龄年轻，而且她身上早已没有他所说的女性魅力了。他看着她，就像好多年没见过她一样。她像往常一样平静安详，淡蓝色的眼睛看不出任何烦恼，坦率的脸上没有一丝内疚的表情。她随口拉着家常。

“在伦敦忙碌了两天，回到乡下真是太好了。早上你有什么事？”

真是教人捉摸不透。

三天后，他去见律师。亨利·布兰是乔治的老友兼律师。他的住处离乔治家不远，多年来他们还在彼此的猎场打猎。他每周有两天的身份是乡村绅士，其余五天则是谢菲尔德一位忙碌的律师。他又高又壮，活力十足，笑起来特别爽朗，说明他从内心还是喜欢被人们当成运动员和大好人的，偶尔才想起他还是个律师。但他也精于世故。

“哇，乔治，什么风把你吹来了？”上校被引进办公室的时候，他大声说，“在伦敦玩得开心吗？下个礼拜我要带我太太去住几天，艾薇好吗？”

“我来找你就是为了艾薇的事。”博雷克林说，疑惑地看了一眼律师。

“你看过她写的书了吗？”

最近几天乔治都很不安，变得更加敏感了。他觉察到律师的表情发生了微妙的变化——好像突然提高了警惕。

“是的，我读过了。非常成功，不是吗？试想一下，艾薇竟然进军诗歌界了，奇迹真是无处不在啊！”

乔治·博雷克林忍不住想发脾气了。

“这让我看起来像个十足的大傻瓜。”

“哦，乔治，你胡说什么呢！艾薇写书并没有坏处，你应该为她骄傲。”

“别瞎扯了。写的是她自己的故事。你知道，其他人也知道。我估摸着就我一个人不知道她的情人是谁了。”

“老伙计，世上还有一种叫想象力的东西。我们有十足的理由认为整个故事都是虚构的。”

“喂！亨利，咱俩相识半辈子了，一起经历风风雨雨。跟我说实话，你能看着我的眼睛告诉我，你相信这个故事是虚构的吗？”

亨利·布兰坐在椅子上不安地挪了挪身体。老乔治的声音让他心烦意乱。

“你没有权力问我这样的问题，去问艾薇吧。”

“我不敢。”乔治非常痛苦，停顿片刻后回答道，“我很害怕她告诉我真相。”

接着是一阵尴尬的沉默。

“那家伙是谁？”

亨利·布兰直视着乔治的眼睛。

“我不知道，就算我知道，我也不会告诉你。”

“你个浑蛋。你难道不明白我现在的处境吗？你觉得被人玩得团团转很有意思吗？”

律师点了根烟，默默地吸了一会儿。

“我不知道能为你做些什么。”最后他说。

“我想，你有私人侦探。我要你让他们去查这件事，把一切都弄清楚。”

“让侦探去查自己妻子可不是君子所为，老伙计。而且，即便艾薇确实有过一段艳遇，那也是很多年前的事了，我想什么都查不到了。他们似乎做事很小心、很隐秘。”

“我不在乎，你就让侦探去查吧，我想要真相。”

“不行，乔治。要是你下定决心非做不可，那你最好另请高明。而且，你看，就算你找到艾薇不忠的证据，你又打算怎么办呢？离婚吗？就因为她十年前和别人私通过？那你太傻了吧！”

“无论如何，我得跟她摊牌。”

“那你现在就可以跟她说啊，其实你跟我一样明白，如果说了，她就会离开你。你希望她这样做吗？”

乔治不悦地看了律师一眼。

“我不知道。我一直认为，她是我的好妻子。她把家管得妥妥当当的，仆人也从来没给我们捅过什么乱子；她把花园打理得漂漂亮亮的；她和村里所有人都相处得很好。但是，我也有自尊啊。我都已经知道她对我这么不忠了，我还怎么和她继续一起生活呢？”

“你对她就一直很忠诚吗？”

“你知道的，还是有不忠的时候。毕竟，我们已经结婚近二十四年了，而且艾薇从来都不喜欢床笫之事。”

律师微微扬起眉毛。但是乔治一心只在自己说的话上，没有注意到。

“我不否认我偶尔会找点儿乐子。可是男人需要乐子，女人就不一样了。”

“只有我们男人会这么说。”亨利·布兰淡淡一笑。

“打死我也不相信艾薇这样的女人会出轨。我的意思是说，她那么挑剔，又不怎么说话。她究竟为了什么要写那本书？”

“我想，那次经历让她非常痛苦，写出来反而是一种解脱。”

“好吧，如果她非写不可，为什么不用笔名呢？”

“她用的娘家的姓啊。我想她觉得这就足够了，而且如果那本书没有取得这么大的成功，署这个名字确实也没什么问题。”

乔治·博雷克林和律师面对面坐着，中间隔着一张桌子。乔治的胳膊肘支在桌子上，用手托着脸，一想到这点不由得皱起了眉头。

“真讨厌，不知道那是个什么样的家伙。你甚至不知道他是不是绅士，我是说，据我所知，他可能是农场工人，也可能是律师事务所的职员。”

亨利·布兰尽量憋着不笑出声来，回答的时候眼里都是和蔼、宽容的神情。

“我很了解艾薇，我认为没有你说的这种可能。不论如何，我可以确定他不是我办公室的职员。”

“这对我是个打击。”上校叹了口气，“我自认为她是喜欢我的，除非她恨我，否则她不可能写那本书。”

“不，我不相信，我不认为她会恨谁。”

“你别假装说她爱我了。”

“没有假装。”

“是吗，那她对我是什么感觉？”

亨利·布兰靠在转椅上，若有所思地看着乔治。

“也许是冷漠。”

上校微微打了个寒战，脸涨得通红。

“话说回来，你也不爱她，对吗？”

乔治·博雷克林没有正面回答。

“没有孩子对我来说是个沉重的打击，我是对她有点儿失望，但我从来没有让她看出来。我一直对她很好。在合理的范围内，我对她非常尽责。”

律师用一只大手捂住嘴，遮住微笑时颤抖的嘴唇。

“这对我来说是个可怕的打击。”博雷克林继续说，“都该死，即便在十年前，艾薇也不是楚楚可怜的女人，天知道，反正没什么看头，说长得丑都不过分。”他深深地叹了一口气。“要是你是我，你会怎么做？”

“什么都不做。”

乔治·博雷克林挺起身子坐得笔直，他望着哈利[1]，脸上严肃的表情像极了当年检阅部队时的表情。

---

1 亨利·布兰的昵称。

“我决不能就这么算了。这下我成了大家的笑柄，再也抬不起头了。”

“别胡说。”律师厉声说，然后又用和蔼的语气说，“听着，老伙计，那个人已经死了，这是多少年前的事了。忘了吧。去和人们谈谈艾薇的书吧，好好夸夸，告诉他们你很为她自豪。让他们知道你对她很有信心，你知道她绝不会对你不忠。世界变化太快，人的记忆是很短暂的。他们很快就不记得了。”

“可我忘不掉。”

“你们都不再年轻了。她对你的意义可不单单是你想的那样，离开她，你会非常孤单的。你忘不了，我认为没什么要紧的。如果你的榆木脑袋能发现艾薇比你想象的好，那就行了。”

“该死的，你说的好像是我的错一样。”

“不是，我没说这是你的错，但我也不确定是不是艾薇的错。我想她并不想爱上这个男孩，你还记得结尾的那些诗句吗？它们给我的感觉是，虽然她为他的死伤心欲绝，但她似乎莫名地欢迎这种结局。她自始至终都明白他们之间的关系是多么脆弱。那是他的初恋，他死的时候正值热恋中，却不知道爱情转瞬即逝；他只品尝到了爱情的幸福和美丽。她虽然是那样悲切，但想到他再也不用被爱情折磨，反而感到些许安慰。”

“你说的这些有点儿超出我的理解范围了，老兄。我多少明白你的意思了。”

乔治·博雷克林不悦地盯着桌上的墨水瓶。他没有说话，律师用好奇而又同情的眼神看着他。

“你知道，她需要多大勇气才能从不表露自己的不幸吗？”律师温柔地说。

博雷克林上校叹了口气。

“我很受伤，但我想你是对的。覆水难收，而且如果我小题大做的话，只会使事情变得更糟。”

“所以呢？”

乔治·博雷克林可怜兮兮地笑了笑。

“我接受你的劝告，什么都不做。就让他们拿我当傻子吧，让他们见鬼去吧。事实上，没有艾薇我不知道该怎么办。但我得告诉你，有一件事我到死都不会明白：那家伙究竟看上她哪点了？”

100
100

凑满一打

我喜欢埃尔瑟姆这个英格兰南部的海滨胜地，它离布莱顿不远，颇有几分乔治时代晚期小镇的魅力，让人身心舒畅。它不是很吵闹，也不太花哨。十年前，我常去那里，不时还能见到一幢老房子，看着有些招摇，却一点儿也不令人生厌（就像一个出身名门的没落贵妇人，对自己的出身表现出遮遮掩掩的自豪，你是不会生气的，反而觉得有趣）。房子建于欧洲第一绅士[1]统治时期，一个家道衰落的朝臣很可能在这里度过了垂暮之年。大街上弥漫着慵懒的气息，

1　这里指乔治四世（1762—1830）。统治期间，他在政治上的贡献寥寥无几，但他很有品位、追求时尚，举止温文尔雅，因此获此称号。

医生的汽车显得有点儿突兀。主妇们悠闲地做着家务。她们跟肉贩闲聊着，盯着他从无角短毛羊身上切下一块最好的脖子肉；她们向杂货店老板亲切询问老板娘的近况，等着他把半磅茶和一包盐放进自己的网兜里。我不知道埃尔瑟姆是否时髦过，至少当时不怎么时髦，但在那里生活体面，经济实惠。这里住着上了年纪的妇人，有老姑娘，也有老寡妇，还有印度平民和退休士兵。他们都在期盼八九月份，那时候会有很多人来度假，想到人太多也不免哆嗦几下。但他们还是很乐意把房子租给游客，收了租金，他们就可以在瑞士某个廉价小旅馆过几个礼拜世俗的日子。那时候的埃尔瑟姆，出租房里住满了人，穿着运动夹克的年轻人在海滩上闲逛；哑剧男丑角在海滩上表演；海豚酒吧的台球室里，晚上十一点还能听到台球碰撞的声音。我从没见过如此热闹的埃尔瑟姆，我只在冬天来这里。海滨的每一座房子都有上百年历史，弓形窗子、灰泥墙，一个个都挂着公寓出租的标志。海豚酒店只有一个侍从接待客人，剩下的都是擦鞋的小童。每天十点，门房都会走进吸烟室盯着你看，你就知道该起身去睡觉了。埃尔瑟姆是一处安静的地方，海豚酒店也是一家舒适的旅馆。想起摄政王[1]和菲茨赫伯特夫人[2]不止一次开车到这家酒店的餐厅来喝茶，我心中不免觉得愉悦。大厅有一封装裱好的萨克雷先生[3]的来信，他在信里预定了一间有客厅和两间朝海的卧室的房子，还让酒店派一辆马车去车站接他。

那是战后第二年还是第三年的十一月，因为得了重流感，我去埃尔瑟姆休养。到的时候已经是下午了，我归置好行李后，就去海边散步。天阴沉沉的，平静的大海寒冷而灰暗。几只海鸥在海岸上空低飞。帆船被远远地拉到满是小石子的沙滩上，桅杆已经卸下准备过冬。破旧的洗澡间一间挨着一间连成一长排。镇议会在沙滩上隔段距离布置了长凳，这会儿都空着，只有几个人迈着大步走来走去锻炼身体。我在路上碰到一位鼻子通红的老上校，他穿着高尔夫球裤，步履沉重，后面跟着一只小猎犬；两位年长的女士，穿着短裙和厚实的鞋

1　即乔治四世。

2　乔治四世的情妇，比乔治四世大六岁，据说二人曾秘密结婚，但乔治四世为了能从父亲乔治三世手里获取金钱清还债务，被迫发表申明否认和菲茨赫伯特夫人的关系。

3　威廉·梅克比斯·萨克雷（1811—1863），英国作家，与狄更斯齐名，代表作为《名利场》。

子，还有一个相貌平平、头戴奥桑特[1]的女孩。这海滩以往可没有这么萧条。招待所看起来像邋里邋遢的老姑娘，在等待永远不会回来的情人，就连好客的海豚酒店也显得冷清。我的心情有些沉重，生活似乎一下子就乏味至极。我回到旅馆，拉上客厅的窗帘，拨了拨炉火让它烧得更旺，拿起一本书想驱散忧愁。到更衣用餐的时间，我的心情愉悦了不少。我走进咖啡厅，发现旅馆的客人已经就坐，随意扫了一眼，发现一位中年女士独自坐着，两位面部通红的秃顶老年绅士（可能是高尔夫球手）自顾自地吃着东西，有些闷闷不乐。此外，咖啡厅的弓形窗下还坐着三个人，他们让我有点儿惊讶，很快便引起了我的注意。三个人中有一位上了年纪的绅士和两位女士，其中一位女士年龄不小了，可能是这位绅士的夫人，另一位年轻一些，可能是他的女儿。最开始是这位老太太引起了我的兴趣。她穿着一件宽松的黑色丝绸连衣裙，戴着一顶黑色蕾丝帽，手腕上戴着分量不轻的金镯子，脖子上挂着一条粗粗的金项链，项链上还吊着一个很大的金盒式挂坠，胸口别着一枚醒目的金胸针。我不知道现在还有人这样穿戴。经过二手珠宝店和

1　头巾形帽子。

当铺时，我经常会驻足一会儿，看看这些奇怪的老物件，结实、昂贵，却丑得出奇，我会忍不住笑出来，但想起这些首饰的女主人早已离世，我不免感到些许哀伤。这些物件代表着一个时代，裙撑和荷叶边取代了裙衬，套叠式平顶帽代替了阔边女帽。当时的英国人喜欢结实、漂亮的物品。他们礼拜天早上去教堂，做完礼拜后在公园散步。他们举办宴会要准备十二道菜式，主人亲自切牛肉和鸡肉；晚饭后，能弹琴的女士会演奏几曲门德尔松[1]的《无言歌》[2]，中音醇厚的男士则会唱一首古老的英国民谣。

起初那个年轻一点儿的女士背对着我，我只能看到她苗条、年轻的身形，一头棕色的头发明显精心梳理过。他们三人低声说着话，过了一会儿，她转了一下头，我才看到她的侧脸，简直惊为天人！笔挺的鼻梁十分精致，脸颊的线条雕琢精美，梳着亚历山德拉王后[3]的发式。用完晚餐，这三人便起身，老妇人目视前方，

---

1 门德尔松（1809—1847），德国犹太裔作曲家，德国浪漫乐派代表之一，享年三十八岁。

2 门德尔松首创的乐曲，共五十二首，没有歌词，仅凭乐器表达出唱歌的感觉。

3 丹麦国王克里斯蒂安九世与王后路易斯的大女儿，英国国王爱德华七世的妻子。

径直离开咖啡厅，年轻女士紧随其后。这时我才惊奇地发现，这位年轻女士也不怎么年轻了，足有五十来岁。她的连衣裙款式简单，并不花哨，长度比当时流行的更长些，剪裁也有点儿过时，我敢说腰部的线条设计比时兴的更凸显身材，但那确是女孩子穿的连衣裙。她身材高挑、双腿修长，且举止优雅，像丁尼生[1]诗歌里的女主角。这只鼻子我以前见过，那是希腊女神才有的，她的嘴巴很漂亮，眼睛又大又蓝。她的皮肤包着骨头，显得有些紧绷，额头和眼睛周围都能看见皱纹，但年轻时她的皮肤一定柔软、富有弹性。她能让你想起阿尔玛·塔德玛[2]曾经画过的那些五官端正、精致的罗马女士，尽管她们穿着古典服装，却依然能明显感到她们是英国人。这种冷峻的完美，我已有二十五年没有见过了，就像隽语[3]一样消亡了。我就像一个考古学家，发现了一尊埋藏多年的雕像，实在没料到就这样发现了过去一个时代的残存，我激动不已。因为消亡得最彻底的

1　阿尔弗雷德·丁尼生（1809—1892），英国诗人。
2　阿尔玛·塔德玛（1836—1912），英国皇家学院派画家中的世俗装饰大师。以饱含情韵的笔触描绘着梦幻般的古典世俗题材，并使得这种题材创作发展成为维多利亚时代艺术的中心。
3　指希腊风格的警句。

其实就是昨天。

那位绅士跟着两位女士一起站起来，待二人离开后又坐下。侍者给他端上一杯浓郁的波尔图葡萄酒。他闻了闻，抿了一口，在舌间品味了一番才咽下。我仔细观察了一番。他个子不高，比他那高大的妻子矮了不少，略微有点儿发福却不显得臃肿，一头卷曲的银发泛着光泽。脸上布满了皱纹，隐隐地透漏着一丝幽默。他嘴唇紧闭，下颚棱角分明。就当前的观念来看，他的衣着有些浮夸，黑绒夹克、低领折边衬衫、大黑领带、宽松的晚礼服裤，看上去倒像是戏服一样。他缓缓地品尝完葡萄酒，便起身信步离开咖啡厅。

我好奇地想知道这三个与众不同的人是谁，再经过大厅的时候就瞟了一眼访客簿。我看到上面的字体出自某位女性之手，这种笔法棱角分明，大约是四十年前时髦学校教授的。这几个人名字分别是：埃德温·圣克莱尔先生、埃德温·圣克莱尔夫人和波切斯特小姐。地址则是：伦敦市贝斯沃特区莱因斯特广场68号。这一定就是那几位让我非常感兴趣的人了。我问酒店女经理圣克莱尔先生是谁，她说她觉得是城里一位了不起的人。我走进台球室，打了一会儿台球，就上楼了。经过休息厅的时候我看到那两个红鼻子绅士在读晚报，那位中年女士正对着一本小说打瞌睡。我感兴趣的那三个人在角落落座。圣克莱尔太太在织毛衣，波切斯特小姐忙着刺绣，圣克莱尔先生正压低声音朗读，却依然能听得见。经过他身旁的时候，我看见他读的是《荒凉山庄》[1]。

第二天大半时间我都在读书、写作，就下午出去散了一会儿步，返回途中在海滩上的一个便民长凳上小坐了一会儿。天气不像前一天那么冷了，空气也很宜人。我没什么事情可做，就看着一个身影从远处向我走来。那是个男人，当他走近时，我才看清他是个穿着寒酸的小个子男人。他穿着一件单薄的黑色大衣，戴着一顶略显破旧的圆顶礼帽。他走路时双手插兜，看上去很冷。从我身旁走过时他看了我一眼，没走几步，他放缓了脚步，然后停下转过身来。等他折回我坐着的长凳这里，他从口袋掏出一只手，碰了碰帽子以示致敬。我注意到他戴着的黑手套也很破旧，便猜想他是一个生活拮据的鳏夫，也许跟我一样得了流感，嗓子坏了，来这里修养。

“先生，打扰一下。”他说，“可以借我一根火柴吗？”

1　作者狄更斯，情节错综复杂，揭露英国法律制度和司法机构的黑暗。

“当然了。”

然后，他就在我旁边坐了下来。我把手放进兜里找火柴，他则找他的烟，掏出一小包黄金叶的烟盒，然后脸就沉了下来。

“哎呀，哎呀，真烦人！我的烟都抽完了，一根也没剩下。”

“抽我的吧。”我笑着说。

我掏出烟盒，他自己动手取了一根。

“烟盒是金的吗？”他问，在我合上的时候敲了一下，“真是金子做的啊？这玩意儿在我这里可留不住，我有过三个，都被偷了。”

他一脸愁容盯着自己那双急需修补的靴子。他身材干瘪，长着细长的鼻子和淡蓝色的眼睛。他的皮肤发黄，身上布满了皱纹。我看不出来他多大岁数，可能已经三十五岁了，兴许六十岁也说不定。他是个普通得不能再普通的人。虽然明显看得出他很穷，但他把自己收拾得干净利落。他是个要面子的人，也在意自己的体面。不，我不认为他的嗓子坏了，他可能是个律师事务所的办事员，最近刚刚埋葬了妻子，被宽厚的雇主送到埃尔瑟姆，让他从悲痛的打击中缓过来。

“你会待很久吗，先生？”他问我。

“十来天吧，最多两个礼拜。”

“你第一次来埃尔瑟姆吗，先生？”

“以前来过。”

“我很熟悉这里，先生。我自诩很少有哪个海滨胜地是我没去过的，但都比不上埃尔瑟姆，先生。来这里的人都是很体面的人，不会大吵大闹，也不粗俗，你明白我的意思吧。埃尔瑟姆留给我的都是美好的回忆，先生。过去我很了解埃尔瑟姆，我的婚礼就是在圣马丁岛教堂举行的，先生。”

“是吗？”我提不起精神。

“在这段婚姻里我们很幸福，先生。”

“为你们感到高兴。”我答道。

“这段婚姻持续了九个月。”他若有所思地说。

当然这话听上去有点儿诡异。其实我之前就清楚地预见他会向我讲述他的婚史，但我本来没有特别热切地期待；不过听他这么一说，虽然我的内心没到按捺不住的境地，但也有些好奇想听他讲讲事情的发展动向。他只是叹了口气，没有继续说下去，最终我打破了沉默。

“这周围好像没有多少人。”我说。

“我就喜欢这样，不喜欢人多。就像我刚才说的，我想我在一个个海滨胜地待了这么多年，却从不会在旺季去，我喜欢冬天去。”

“不觉得有点儿凄凉吗？”

他转向我，一只戴着黑色手套的手搭在我胳膊上。

“是有些凄凉。但也正因为如此，哪怕只有一缕阳光也让人特别愉快。”

在我看来，这完全是句废话，就没有接茬。他将手收回去，站了起来。

“就这样吧，我不能耽误你太久，先生。很高兴认识你。”

他摘下那顶脏兮兮的帽子致意，慢步离去。这时天开始冷了起来，我想该回海豚酒店了。我刚走到海豚酒店宽阔的台阶上，一辆两匹瘦马拉着的四轮马车开了过来，圣克莱尔先生从车上下来了。他戴着一顶帽子，那帽子说是圆顶礼帽吧，又有点儿像高顶礼帽。他先后把妻子和侄女扶下车。行李员跟着他们把地毯和坐垫搬进酒店。圣克莱尔先生付钱给司机时，我听到他告诉司机明天还按老时间来。我想圣克莱尔一家每天下午都要乘坐马车出去兜风。如果知道了他们三人都没坐过汽车，我也不会感到惊讶。

酒店女经理告诉我，他们喜欢独来独往，从不主动结识酒店里的其他客人。我的想法像脱缰野马，我开始细细观察他们的一日三餐。早上，圣克莱尔夫妇在酒店台阶顶部坐下，圣克莱尔先生看《泰晤士报》，圣克莱尔太太做针织。我怀疑圣克莱尔夫人这一生都没读过报纸，因为他们除了《泰晤士报》什么也没带，而圣克莱尔先生每天都带着它去城里。大约十二点的时候，波切斯特小姐会加入他们。

“散步感觉怎么样，埃莉诺？”圣克莱尔太太问。

“挺好的，格特鲁德婶婶。”波切斯特小姐答道。

我明白了，圣克莱尔太太每天中午要出去兜风，而波切斯特小姐每天早晨要出去散步。

“亲爱的，等你把这一行织完，”圣克莱尔先生瞟了一眼妻子手里的针织活儿说，“我们可以在午餐前去健健身。”

“那太好了。”圣克莱尔太太回答道，收起手里的活儿交给波切斯特小姐，“埃莉诺，你要是上楼的话，可以帮我拿上去吗？”

“当然啦，格特鲁德婶婶。”

“散步有点儿累吧，亲爱的？”

“我可以在午餐前休息一会儿。”

波切斯特小姐走进酒店，圣克莱尔夫妇并排沿海岸缓缓走着，走到某个地方，又缓步折回。

在楼梯上遇到其中一人时，我鞠了一躬，也确实得到了礼貌的回敬，只是那人面无笑容。次日上午，我冒昧地说了声“日安”，依旧没有得到回应。看来我永远都没有机会和他们三人说话了。但不久我就觉得圣克莱尔先生会时不时瞥向我，我想着，他应该是听到我的名字了，便想象着他可能对我也有些好奇，但可能也只是我一厢情愿罢了。过了一两天，我在房间坐着，行李员进来了，给我捎来一个口信。

“圣克莱尔先生问候您，您能把《惠特克年鉴》[1]借他一用吗？”

我有点儿惊愕。

“他怎么知道我有《惠特克年鉴》？”

“是这样的，先生，酒店女经理告诉他您是一位作家。”

我看不出这二者之间有什么联系。

“转告圣克莱尔先生，我很抱歉，我没有《惠特克年鉴》，但如果我有的话，我一定很乐意借给他。”

机会来了。到现在为止，我满心渴望再走近一步，

1　由英国出版家约瑟夫·惠特克于1868年创刊，被誉为英国最好的年鉴。内容包括天文地理、世界各国基本情况和科学知识等。

了解这些与众不同的人。我不时会在亚洲腹地遇到某个孤独的部落，他们住在一个都是外国人的小村庄里。没有人知道他们是怎么到那儿的，也没人知道他们为什么在那个地方定居。他们过着自己的生活，说自己的语言，和邻居没有任何交流。他们是被自己的国家横扫整个大陆之时遗留下的人的后代，还是一些曾经统治过帝国的伟人的没落余众，无人知晓。他们的存在就是一个谜。他们没有未来，也没有历史。我看着这个奇怪的小家庭，就像看着这些部落一样。他们所处的时代已经一去不复返了，让我想起父亲读过的一本悠闲的老式小说中的人物。他们是八十年代的人，之后就一直停留在那个年代，没有前进。他们竟然可以把这四十年过得像世界静止了一般，太不可思议了！他们把我带回童年时代，让我想起了那些死去多年的人。我不知道，是否仅是这种距离感让我觉得他们比现在的任何人都更独特。当时要是哪个人被形容“真有个性”，天哪，那可不是随便说说而已。

因此，那天晚饭后，我走进休息厅，大胆地跟圣克莱尔先生讲话。

“很抱歉，我没有《惠特克年鉴》。”我说，“不过，我其他的书如果您觉得有哪本能用得上，我很乐意借给您。”

圣克莱尔先生显然吃了一惊。两位女士专心做着各自的事情。对话陷入了尴尬的沉默。

“没关系，我听女经理说您是位小说家。”

我绞尽脑汁也没明白。显然，我的职业和《惠特克年鉴》之间有某种联系。

“以前，特罗洛普先生[1]经常和我们一起在林斯特广场吃饭。我记得他说过，对小说家最有用的两本书是《圣经》和《惠特克年鉴》。”

“我知道萨克雷曾在这家酒店住过。”我很担心对话就这么断了。

“虽然萨克雷先生曾不止一次与我已故的岳父萨金特·桑德斯先生一起吃过饭，但我一直都不太喜欢他。在我看来，他有点儿太愤世嫉俗了，我侄女到现在也没读过他的《名利场》。”

听到自己被人提及，波切斯特小姐微微红了脸。侍者端来咖啡，圣克莱尔太太转向她的丈夫。

“亲爱的，这位先生或许可以赏光和我们共饮咖啡

1　安东尼·特罗洛普（1815—1882），英国作家，代表作有《巴彻斯特养老院》和《巴彻斯特大教堂》等。

呢。”

虽然没有直接问我，我还是迅速回答说：“非常感谢。”

我随即坐了下来。

“特罗洛普先生一直是我最喜爱的小说家。”圣克莱尔先生说，“他是个纯粹的绅士。我很欣赏查尔斯·狄更斯，但他跟绅士可不沾边。据我所知，如今的年轻人觉得特罗洛普先生有点儿粗俗。我侄女波切斯特小姐更喜欢威廉·布莱克[1]的小说。”

“我好像一本都没读过。”我说。

“啊，我知道了，你跟我一样，也跟不上时代。我侄女曾劝服我读罗达·布劳顿小姐[2]的一本小说，可我连一百页都没看完。”

“我可没说过我喜欢她的书，埃德温叔叔。”波切斯特小姐辩解道，她的脸再次红了，“我就是告诉你这本书写得挺露骨的，每个人都在谈论。”

“我很确定，这不是你格特鲁德婶婶希望你读的那

1　威廉·布莱克（1757—1827），英国浪漫主义诗人、版画家，英国文学史上最重要的诗人之一。主要著作有诗集《纯真之歌》《经验之歌》等。

2　罗达·布劳顿（1840—1920），英国小说家。

类书，埃莉诺。”

“我记得布劳顿小姐跟我说过，她年轻的时候，人们嫌她的书太露骨了，等她老了，他们又说太保守了，这就不好办了，因为四十年来她的写作风格从没变过。”

“这样啊，你认识布劳顿小姐吗？”波切斯特小姐第一次跟我讲话，“太有意思了，你知道奥维达[1]吗？”

“亲爱的埃莉诺，下一个人你要问谁呢？我确定你从没读过奥维达的任何作品。”

“才不是呢，埃德温叔叔，我读过她的《两面旗之下》，非常喜欢。”

“你太让我意外了。真不知道现在的女孩子会变成什么样。”

“你总说等我到了三十岁，就会给我完全的自由，我读什么都可以。”

“亲爱的埃莉诺，自由和放纵是不一样的。”圣克莱尔先生说着露出一丝微笑，让自己的指责听上去不那么刺耳，却也听得出很严肃。

我不知道在叙述这段话时，有没有把它留给我的那

1　奥维达（1839—1908），英国维多利亚时代著名作家。

种既迷人又老派的印象表达清楚。我整晚都在听他们讨论十八世纪八十年代初期的堕落，我很想好好看看他们在伦斯特广场那座宽敞的大房子。我应该能认出红色锦缎盖着的一套家具，每一件都僵硬地立在客厅指定好的位置；装满德累斯顿瓷器的橱柜会让我想起我的童年。因为客厅只会在聚会的时候启用，他们习惯坐在餐厅，餐厅铺着土耳其地毯，摆着一个装满银质器皿的大型红木餐具柜。墙上挂着几幅画，都是十八世纪八十年代曾让汉弗莱·沃德夫人和她的叔叔马修在学院赞不绝口的作品。

第二天早上，我在埃尔瑟姆后面一条漂亮的小路上散步，遇到了同在散步的波切斯特小姐。我本想和她一起走一段，但仔细一想，一个五十多岁的老姑娘和我这个年纪的男人单独相处多有不妥。我从她身边走过时，她向我鞠躬，脸涨得通红。在她身后几步，我遇到了那个曾在海滩上聊过几句的滑稽小个子男人，他还是衣着寒酸，戴着黑手套。他碰了碰自己那顶老旧的圆礼帽。

“不好意思，先生，能借我一根火柴吗？”他说。

“当然。”我回答，“但是恐怕我现在身上没有带烟。”

“请允许我请您抽一根我的吧。”他说着，掏出了纸烟袋，里面却是空的，“天哪，天哪，我也一根都没有了。怪了，这也太巧了。”

他继续往前走了，我有一种感觉，他好像略微加快了脚步。我开始对他产生怀疑了，但愿他不会去骚扰波切斯特小姐。有那么一瞬间，我想折回去跟上他，但最终还是没有。这个小个子男人也算得上是文明人，我不信他会做出什么让独行女性讨厌的事。

当天下午我又见到他了。当时我在海边坐着，他朝着我的方向来了，步子不大，走几步歇一歇。空气中吹着风，他看上去就像一片干枯的叶子正随风飘动。这次他没有犹豫，直接在我身旁坐下。

“又见面了，先生。世界真小啊。如果方便的话，可否允许我在这儿休息几分钟，我有点儿累了。”

“这是公共长凳，你跟我一样有权就座。”

我没等他问我借火柴，就立刻递给他一支香烟。

“你真是太客气了，先生！我得控制自己每天抽多少烟，但每一支我都很享受。随着年龄的增长，生活的乐趣却随之减少。但我的经验是，那些所剩不多的更让人享受。”

“这样想来倒是让人宽慰。”

“不好意思，先生，冒昧地问一句，您是否就是那位著名作家？”

“我确实是个作家。”我回答道，“但你怎么知道我有没有名气？”

“我在画报上见过您的画像。我想你还没有认出我吧？”

我又端详了他一会儿。这个瘦弱的小个子男人，穿着的黑衣服虽然破旧却也整洁，长鼻子，一双水汪汪的蓝眼睛。

“我还真没认出来。”

“我敢说我变了。”他叹了口气，“曾经，英国所有的报纸上都有我的照片。当然了，那些摄影记者从来都拍不好，我向你保证，先生，要不是在照片下面有我的名字，有些照片我怎么也猜不到居然是我。”

他沉默了一会儿。潮水已经退去，碎石滩外露出一段黄泥。防波堤有一半埋在泥里，外面的一半就像史前动物的脊骨一样。

“先生，想必当作家很有趣吧。我常想自己也有很多写作的机会，时不时也会阅读不少书，只是最近没有坚持。主要是我的眼睛没有以前那么好使了，我想要是我试着写的话，我也能写本书出来。”

“他们都说每个人都能写书。”我回答说。

“我可写不了小说，你知道的。我不太喜欢小说，我更喜欢历史之类的题材。回忆录也可以考虑。如果有人值得我花时间，我不介意写一本关于我的回忆录。”

“回忆录现在很流行。”

“有我这种经历的人可没有几个。不久前，我确实给一家周末报纸写过信，表示可以写写我的回忆录，但没有收到回复。”

他盯着我看了半天，细细地打量了我一番，露出一副正派的样子，像是无论如何都不会问我讨要半克朗[1]的人。

“所以，先生你不知道我是谁，对吗？”

“说实话，我真不知道。”

他似乎沉思了一会儿，然后把部分在手指上的黑色手套抚平，又看了几眼手套上的一个洞，然后抬头望着我，有些不好意思。

“我是大名鼎鼎的莫蒂默·埃利斯。”他说。

“呃？”

除此之外我不知道还能发出其他什么声音来表达感叹，因为我坚信此前从没听过这个名字。看到他脸上露

1 英国早期货币，1克朗等于5先令，1英镑等于20先令。

出失望的表情，我也有点儿尴尬。

“莫蒂默·埃利斯。”他重复了一遍，“别告诉我你不知道。”

“恐怕我只能这么说了，我常在国外。”

我想不出他是因何出名的。我把各种可能性都想了个遍。在英国，只有当运动员才可能让一个人真正出名，但他看上去不大可能是运动员；说是信仰治疗师或一流台球运动员倒有几分可能。当然也不会有这么默默无闻的在野内阁部长，他可能曾在某个已不复存在的行政机构担任贸易委员会的副主席。但他一点儿政治家的样子都没有。

“名气也就这么回事。”他悻悻地说，“你怎么会不知道我呢，我好几个礼拜可都是英国谈论最多的人。看着我，你一定在报纸上见过我的照片，我是莫蒂默·埃利斯。”

“不好意思。”我摇了摇头说。

他停顿了一会儿，给我时间回想。

“我就是那个著名的重婚主义者。”

一个严格意义上对你来说完全不认识的人，告诉你他是大名鼎鼎的重婚者，你让我如何回复他呢？我得承认，我这个人其实有点儿自负，以为自己绝不会接不上话茬，可是眼下我却无言以对了。

“我有过十一位妻子，先生。”他继续说。

“大多数人觉得一个妻子就够应付得了。”

“啊，这需要练习。你要是有过十一位妻子，对女人便无所不知了。”

“那你怎么不继续找下一个呢？”

“你看看，我就知道你会这么说。看到你的那一刻，我就告诉我自己，你是个聪明人。先生，你知道吧，这件事一直让我耿耿于怀。‘十一’确实是个有趣的数字，不是吗？总感觉少了点什么。谁都有可能娶过三个妻子，‘七’这个数字也不坏，他们都说‘九’能带来好运，‘十’就更没有问题了。可‘十一’呢！这件事一直让我无法释怀，要是我能凑满一打，我将再无他求。”

他解开上衣的扣子，从里面的口袋里掏出一本鼓鼓囊囊、油腻腻的小笔记簿，又从笔记簿里抽出一大堆剪报，皱皱巴巴的又破又旧。他选了两三张摊开。

“现在你看看那些照片。我就问你，像我吗？这对我就是一种侮辱，岂有此理，单看这些照片你会以为我是个罪犯。”

简报的篇幅都长得吓人。助理编辑认为莫蒂默·埃利斯很有新闻价值。一份剪报的标题是“一个不停结婚的男人”，另一份的是“无情的恶棍受到了惩罚”，还有一份则是“卑鄙的流氓遭遇滑铁卢”。

“都不是什么好话啊。”我低声说。

“我从不关注报纸上说了什么。”他耸了耸瘦弱的肩膀答道，“这样的期刊我见得多了，我不怪他们，要怪就怪法官，他对我很凶，但对他也没好处，告诉你吧，他不到一年就死了。”

我仔细看了看手里的那份报道。

“上面说他给你判了五年。”

“照我说，这太不要脸了。看看这儿是怎么写的。”他用食指指了指。

“‘三位受害者恳求从轻发落。’这表明了她们对我的看法，就这样他们依然判了我五年。看看他叫我什么，‘无情的恶棍’——说我吗？我可是有史以来最善良的人，‘社会的害虫，对公众不利的人’。他说他要是有权利，非得动用九尾鞭抽我不可。他给我判了五年，我倒不是十分介意，虽然你永远都不会听到我抱怨说这太过分了，但是，我想问问你，他有权这样对我讲话吗？他没有，我永远都不会原谅他，活到一百岁也不会。”

这位重婚者的脸涨得通红，无神的双眼一下子充满了怒火。这个话题戳到了他的痛处。

“我可以看看吗？”我问他。

“给您就是想让您看的，先生。如果看完了，您还不认为是人们冤枉了我，那我就看错你了。”

我把这些剪报一一看完，才明白莫蒂默·埃利斯为什么了解那么多英国海滨胜地。这些地方可都是他的猎场。他会采取这样的办法，旺季结束就到某个海滨，住在某间空出来的寄宿公寓。很明显，他用不了太久就能结识某位女性，不是寡妇就是未婚的老姑娘。我注意到这些女人初识他时通常在三十五到五十岁之间。她们在证人席上说，是在海边第一次见到他的。他一般在两个礼拜内就会求婚，不久就会结婚。他以某种方式诱使她们把积蓄交给他，几个月后他打着去伦敦出差的幌子，离开她们再也没有回来，只有一位后来见过他一次，其他人都是出庭做证时才在被告席上再次看到他。这些女性可都不是随便的人。有医生的女儿、牧师的女儿，一个寄宿公寓的管理员、一个旅行推销员的遗孀，还有一个退了休的裁缝。她们中多数人的财产从五百镑到一千镑不等，但无论多少钱，这些误入歧途的女人都被骗得一分不剩。有几位讲述了她们被骗得身无分文的悲惨故事，但所有人都承认他是个好丈夫。不仅有三个人请求宽恕他，还有一个人在证人席上说，如果他愿意回心转意，她愿意接纳他。他注意到我在读这篇报道。

“这个女的挺适合我的。”他说，“这一点毫无疑问。但我说过，过去的就让它过去吧。我承认我喜欢最好的羊脖子上的肉，但是，我可不喜欢凉了的烤羊肉。”

因为出了点意外，莫蒂默·埃利斯才没能和第十二位夫人完婚，凑满一打的愿望也就落空了。在我看来，他这么想凑满一打是想寻求对称吧。他本来和一位叫哈伯德的小姐订婚了——他向我吐露说，她有两千英镑的战时公债——而且结婚公告都已经宣读完了，但这时候他的一位前妻看见了他，询问情况后，就和警察联系了。于是，就在第十二次婚礼的前一夜，他被捕了。

“她是个坏女人，绝对是。”他告诉我，“她把我骗得好惨。”

“她做什么了？”

“是这样的，某年十二月的一天，我在伊斯特本的码头遇见了她。她在谈话中告诉我，她以前是做女帽生意的，现在退休了。她说她赚了一大笔钱，具体数额她不肯透露，但她让我觉得怎么着也有一千五百英镑的样子。然后我就跟她结婚了，说出来你都不信，我那时候才发现，她连三百英镑都没有。就是她把我告发的，我跟你说，我从没有责怪过她。许多男人发现自己被愚弄后，都会大发雷霆。我甚至从来都没有向她表明我很失望，我只是默默地离开了而已。”

“顺带拿走了那三百英镑吧，我猜。”

“别这样，先生，说话要公平一点儿。”他用受伤的语气回答，“你总不能指望三百英镑过一辈子吧，而且我跟她结婚几个月后她才说出真相。”

“原谅我这么问。”我说，“别误会，我的问题不是想贬损你的魅力，但是，这些女性跟你结婚图什么呢？”

“因为我求婚了啊。”他显然被我的问题惊着了。

“那就从没有人拒绝过你吗？”

“非常少。我整个婚姻生涯也不超过四五个吧。当然，没有十足把握不会贸然求婚的，自然也有竹篮打水的时候。你不能指望每次都能成功，你知道我想说什么，有时候讨好一个女人会花上我好几个礼拜，到头来才发现是白费工夫。”

我一时有点儿语塞，但很快我就注意到，这位朋友表情丰富的脸上洋溢着灿烂的笑容。

“我知道你想说什么。”他说，“你觉得我的长相一般，但你不知道我在她们眼中的样子。这就是阅读小说和看电影的结果。你以为女性想要什么？牛仔那样的？或者老西班牙的浪漫情怀？要有传神的眸子、橄榄色的皮肤，还得擅长跳舞？您都把我逗乐了。”

“我很荣幸。”我说。

“你结婚了吗，先生？”

“结了，但我只有一个妻子。”我回答说。

“你不能就这样下结论。你总不能只凭一个例子就得出结论吧，你知道我想说什么。现在，我问你，如果你只养过一只斗牛梗，那么你对狗的了解能有多少呢？”

又是个反问句，但我确信不需要回答。他停了一会儿，给我时间思考，然后继续说：

“你错了，先生。而且错得很离谱。她们可能会喜欢上英俊的小伙子，但不会嫁给他。她们并不在乎外表。”

“道格拉斯·杰罗德，他的才情有多高，长相就有多丑，他过去常说，如果给他十分钟和一位女性聊天，他能把房间里最英俊的男人比下去。”

“女人们才不稀罕什么天才。她们不喜欢风趣的男人，认为那不严肃；也不喜欢太帅的，认为那不够庄重。这就是她们想要的，她们只想要个严肃庄重的男人。安全感第一，感官感受第二。我或许看着不帅气，也不风趣，但相信我，我有所有女人想要的东西：稳重。我让我的每个妻子每天都过得很开心就是最好的证明。”

“三个请求宽恕你，一个愿意重新接受你，这也确实证明了你很厉害。”

“你不知道，我在监狱的时候，一想起这事就发愁。我怕我刑满释放的时候她会在监狱门口等我，我就对典狱长说：‘看在上帝的份上，先生，你把我偷偷送出去吧，这样就不会有人看见我了。’”

他又捋了捋手套，目光再次落在食指的破洞上。

“住在寄宿公寓里就这样，先生。没有女人照顾，男人怎么可能总是干净清爽呢？我结了那么多次婚，没有老婆的日子真是没法过。有些男人不喜欢婚姻生活，我理解不了他们的心理。事实是，除非你全身心投入，否则你不可能把事情做得很好。我喜欢做一个丈夫。做讨女人喜欢的小事对我来说并不难，但有些男人就受不了。就像我刚说的，女人需要的是关注。我每次外出都会给老婆一个吻，回来的时候也是，一次都不会落下。

我很少回家的时候不给她带些巧克力、花什么的，我从不吝惜这笔花销。”

“那是自然，你花的可是她们的钱。”我插了一句。

“那又怎样？重要的不是花了谁的钱，而是你所倾注的感情。女人最在意的是这个。我不是夸自己，但我必须说一句，我是个好丈夫。”

我漫不经心地翻了翻我手里关于审判的报道。

“我来说说让我觉得最不可思议的是什么。”我说，“这些女人都是体面人，也不是什么都不懂的小姑娘，为人低调、正派。然而，她们都不打听打听，才见了几面就随便跟你结婚了。”

他煞有介事地把一只手搭在我的胳膊上。

“啊，这你就不懂了，先生。女人都渴望结婚，无论老少、高矮，不管皮肤是黑还是白，她们都有一个共同点——渴望结婚。不妨告诉你，我都是在教堂和她们结婚的，只有在那里结婚她们才会有安全感。你觉得我长相不好，说实话，我也从没觉得自己有多好看。但即便我只剩一条腿，背也驼了，也有很多女人都想嫁给我。这是女人的一种嗜好，是她们的通病。其实，就算第二次见面我就求婚，她们当中也很少有人会拒绝，只不过我喜欢想清楚了再表态。后来事情暴露了，闹翻了天，就因为我结过十一次婚。十一次怎么了？这有什么，连一打都不够。我要是想结婚，结三十次都没问题。跟你说吧，先生，只要想到我放弃了那么多次机会，我就为自己的节制感到诧异。”

“你说过喜欢读史书。”

“是的，这句话是沃伦·黑斯廷斯[1]说的，是吗？第一次看到这句话的时候，我就被震撼到了，它就像我的手套一样，简直是为我量身打造的。”

“你从不觉得无休止地追求异性也很单调吗？”

“先生，是这样的。我认为自己是个逻辑思维清晰的人，看到相同的原因总能产生一样的结果，我就无比开心，你明白我的意思吧。给你举个例子，和一个从未结过婚的女人在一起，我总是装成一个鳏夫。这招很管用。你知道的，老处女喜欢了解婚姻。但要是和寡妇在一起，我总说自己是单身汉——寡妇总担心结过婚的男人知道的太多。”

我把剪报还给他，他仔细叠好，放回油腻腻的小记事簿里。

1　沃伦·黑斯廷斯（1732—1818），英国殖民官员，首任驻印度孟加拉总督。

“你知道，先生，我一直觉得法官对我的审判并不公平。看看他们都是怎么说我的：社会的害人虫，无耻的恶棍，卑鄙的流氓。你现在看着我，我问你，我看起来像那种人吗？你了解我，你可以评判我的品格，我把自己的情况都告诉你了，你认为我是一个坏人吗？”

“我和你才刚认识啊。”我觉得自己的回答很机智。

“我想知道法官、陪审团，还有民众，是否有人曾站在我的角度想过这个问题。我被带上法庭的时候，民众嘘我，警察只好出面，我才免受攻击。这些人到底有没有想过我为这些女人付出了多少？”

“你拿走了她们的钱。”

“钱我当然要拿走，我和其他人一样也得活着。但我付出了什么才换来她们的钱？”

又来一个反问句，他望着我，期待着我的答案，但我沉默不语。其实我也不知道该怎么回答。他提高嗓音，字字分明，我看得出来他是认真的。

“让我来告诉你我给了她们什么。是浪漫。看看眼前这个地方。”他伸出双臂在胸前合成圆形，像是在拥抱大海和地平线，“英国有上百个这样的地方，看这大海和天空，这寄宿公寓、码头和海岸。你的心不会死吗？肯定死得透透的了。对于你来说，累倒了就来这里待上一两个礼拜就很好。但是想想这些女人吧，她们一年到头都生活在这里。她们没有机会去外面看看，也几乎不认识什么人，她们所有的钱也不过刚好够维持生活，除此之外，一无所有。我不知道你是否明白这样的生活有多糟。她们的生活就如同这海岸一样，就是一条长长的水泥小路，从一个海滨胜地通往下一个。即便在旺季，她们也得不到什么。她们被冷落在一旁，倒不如死了。然后，我来了。不瞒你说，要是哪个女性不乐意承认自己三十五岁了，我是不会主动接近的。我会让她们感受到爱。因为她们很多人从没体会过男人从背后帮她们扣扣子的感觉，也从不知道在黑暗中坐在长凳上时被男人的胳膊搂着腰是什么滋味。我的出现给她们带来了改变，让她们不再觉得生活平淡如水。我重新让她们感到骄傲。她们被冷落，我悄悄走到她们身边，给她们温暖。我就是她们死气沉沉的生活中的一缕阳光。难怪她们会欣然接受我，也难怪她们希望我回到她们身边。唯一骗了我的就是那个女帽商，她说自己是寡妇，但我个人认为她根本就没有结过婚。你说我对她们做了下流的事，为什么要这么说呢，我明明是给这十一个生命带去了幸福，让她们感受到生活的魅力，而这些于她们而言本来是再也指望不上了的。你说我是恶棍、无赖，那你就错了。我是一个博爱主义者。尽管他们关了我五年，但他们也应该给我颁发皇家人道协会[1]的勋章。”

他掏出自己那包一支烟也没有的黄金叶烟盒，愁眉苦脸地摇了摇头。我把我的烟盒递给他，他一言不发地取出一根。我静静地看着眼前这个大男人被情绪折磨得难以自持。

“我就问你，我得到什么了？”过了一会儿，他又说，“有饭吃，有地方住，还有买烟的钱。但我一分钱都没有存下，证据就是，如今我不再年轻了，口袋里却连半克朗都没有。”他斜着瞄了我一眼，“我竟落魄到如此境地。一直以来我都自食其力，从未找朋友借过钱。先生，我不知道您能否借我一点儿钱。说实话这很丢脸，但现在的情形是，如果你能借给我一英镑，那真是帮了我大忙了。”

也是，这个重婚者给我的娱乐一英镑就能买到，早就物超所值了。我伸手去拿钱包。

“我很乐意。”我说。

---

1 1777年在英国伦敦成立，宗旨是：保护勤劳的人们免于遭受无法避免的突发事件带来的致命性后果，使缺乏经验的青年人免于在娱乐时发生危险，使那些忧郁症患者免于自我毁灭的严重后果。

他看着我掏出来的钞票。

“我猜你是不是可以借给我两英镑，先生？”

“我想没问题。”

我递给他两张一英镑的钞票，他接过去的时候叹了口气。

“你不知道对于一个习惯了舒适家庭生活的人来说，不知道去哪里过夜意味着什么。”

“有件事我希望你能告诉我。”我说，“希望你不要觉得我愤世嫉俗，只是一直以来我都以为，几乎所有女性都认为‘给予比获取更有福分’这个准则只适用于男性。你是怎么说服这些体面的女人那么信赖你，把她们所有积蓄都托付给你的？毕竟她们都是节俭的人。”

他那张不起眼的脸笑了笑，似乎被逗乐了。

“是这样的，先生，你知道莎士比亚说过“野心过头[1]”的话吧，和这是一回事。你告诉一个女人，如果她愿意让你理财，你能在半年内让资金翻番，她会立马把钱都给你。贪念，就是这么回事。除了贪念，其他的一概都不是原因。”

---

1 语出《麦克白》：“可是我那跃跃欲试的野心，却不顾一切地驱着我去冒颠踬的危险。”

从这个有趣的无赖回到体面的圣克莱尔夫妇和波切斯特小姐身边，回到有薰衣草和衬裙的世界，这反差极其强烈，很能刺激食欲（好比辣酱配冰激凌）。我现在每天晚上都和他们在一起。两位女士一离开，圣克莱尔先生就朝我餐桌的方向致意，请我和他一起喝杯波尔图葡萄酒。喝完酒，我们去大厅喝咖啡。圣克莱尔先生喜欢喝杯陈年白兰地。我和他们一起度过的这一个小时简直太无聊了，但反而格外吸引我。女经理告诉他们我写过剧本。

“亨利·欧文爵士[1]还在学院剧场的时候，我们常去看演出。”圣克莱尔先生说，“我曾经有幸见过他一次。埃弗拉德·米莱斯爵士带我去加里克俱乐部用晚餐，把我引见给欧文先生，当时他还没有封爵。”

“告诉他欧文先生跟你说什么了。”圣克莱尔太太说。

圣克莱尔先生摆出一副表演的样子，像模像样地模仿了一回亨利·欧文。

“‘圣克莱尔先生，你还真长着一张演员的脸。

1 亨利·欧文（1838—1905），英国演员和导演。1895年成为第一位受封爵士的演员。

你要是想登台表演，来找我，我可以给你戏份。’”说完，圣克莱尔先生又恢复了本来的样子，“这足以让一个年轻人头脑发热。”

“但你并没有被冲昏头脑。”我说。

“我不否认，如果当时不是那样的处境，也许我会允许自己接受诱惑，但我得考虑我的家人。我要是不做生意，会伤透我父亲的心。”

“怎么说？”我问。

“我是个茶商，先生。我的公司是全伦敦城最古老的一家。四十年来，我用尽浑身解数，说服我的同胞戒掉喝锡兰茶的习惯，重新爱上我年轻时人人都喝的中国茶。”

他一生都在劝说公众购买他们不想要的东西，他的这个特点倒让我觉得很有魅力。

“但是，我丈夫年轻的时候参加过不少演出，人们都说他很聪明。”圣克莱尔太太说。

“都是莎士比亚的戏剧，你知道，有时候也演《造谣学校》[1]，我绝不会接垃圾剧本。这都是过去的事了。

1　英国作家谢立丹（1751—1816）1777年创作的剧本。剧中施尼威尔夫人等一群贵族男女以造谣生事为乐，专门破坏别人的名誉和家庭幸福。施尼威尔夫人的家就成了一所“造谣学校”。

我有表演天赋，或许白白浪费很可惜，但现在太晚了。出席宴会时，女士们有时候会怂恿我背诵几段《哈姆雷特》的独白。也就只能这样了。”

哎呀呀！光是想想那些晚宴就让我浮想联翩，我想知道自己是否也可以被邀请去参加一次。圣克莱尔太太似笑非笑，一半惊讶，一半拘谨。

“我丈夫年轻的时候可是有些放荡不羁。”她说。

“我是放荡不羁过，我认识很多画家和作家，像威尔基·柯林斯[1]，甚至还认识一些给报纸撰稿的人。瓦茨[2]给我夫人画过一幅肖像，我也买过一幅米莱斯[3]的画。我认识一些拉斐尔前派[4]艺术家。”

“你有罗塞蒂[5]的画吗？”我问。

---

1 威尔基·柯林斯（1824—1889），英国侦探小说家，主要作品有《白衣女人》等。

2 乔治·弗雷德里克·瓦茨（1817—1904），英国画家、雕塑家，代表作有《希望》《爱神与死神》等。

3 约翰·埃弗里特·米莱斯（1829—1896），英国画家，代表作有《释放令》《盲女》等。

4 1848年在英国兴起的美术改革运动。最初是由三名年轻的英国画家亨特、罗塞蒂和米莱斯组织发起的一个艺术团体，目的是改变当时的艺术潮流，反对米开朗基罗和拉斐尔时代之后偏向机械论的风格主义画家。

5 但丁·加百利·罗塞蒂（1828—1882），英国拉斐尔前派重要代表画家。

“没有。虽然我欣赏他的天赋，但他的私生活我实在无法苟同。要是哪个艺术家，我不愿请到家里用餐，那肯定不会买他的画。”

波切斯特小姐看了看手表说：“埃德温叔叔，你今晚不给我们读书了吗？”听到这话我脑子晕乎乎的。

于是我便离开了。

一天晚上，我和圣克莱尔先生一起喝葡萄酒时，他给我讲了波切斯特小姐悲惨的故事。波切斯特小姐与圣克莱尔太太一位当律师的外甥订婚后，却发现他和洗衣女工的女儿有私情。

“真是太糟糕了。”圣克莱尔先生说，“太糟糕了。我侄女只好选择了唯一可行的路，她把他的戒指、信件和照片悉数还给了他，说她永不会嫁给他。她恳求他和那个被他伤害了的年轻女子结婚，还说她会把对方当成妹妹。这件事伤透了她的心，从那以后她再也没有喜欢过任何人。”

“那他和那个年轻人结婚了吗？”

圣克莱尔先生摇了摇头，叹了口气。

“没有，我们都看错他了。我亲爱的妻子一想到她的外甥竟会做出这样不体面的事来，就感到痛心。过了一段时间，我们就听说他和一位身居高位的年轻女士订了婚，她有一万英镑财产。我认为我有责任给这位女士的父亲写封信，告诉他事情的真相。但他的回信真是傲慢至极，他说他宁愿女婿在婚前有情妇也不愿婚后有。”

“然后呢？”

“他们还是结婚了，现在，我妻子的外甥是英国高等法院的法官之一，他的妻子成了贵族夫人。但我们一直都没同意见他们，我妻子的外甥被封爵时，埃莉诺建议我们邀请他们共进晚餐，但我妻子说他永远都别想登我们家的门。我支持她。”

“那洗衣女工的女儿怎样了？”

“她找了个门当户对的人结婚了，在坎特伯雷开了一家小旅馆。我侄女本来也不怎么富裕，但她倾其所有帮助那个女人，还做了她第一个孩子的教母。”

可怜的波切斯特小姐，成了维多利亚时代道德祭坛上的牺牲品。她认定自己的行为很高尚，恐怕这种想法是她能从中获得的唯一好处了。

“波切斯特小姐长相出众。”我说，“她年轻的时候一定非常漂亮。真奇怪，她怎么没有嫁给别人。”

“波切斯特小姐是公认的大美人。阿尔玛·塔德玛很欣赏她，还邀请她去给他的画作当模特，不过，我们自然没让她去。”听圣克莱尔先生的语气，阿尔玛的提议让他的自尊心受到伤害。“不是的，波切斯特小姐除了那个表哥谁都不喜欢。她虽从不提及他，两个人也三十年没见过面了。但我确信，她还爱着他。她是个真性情的女子，亲爱的先生，她这一生，只爱一个人。或许我很遗憾，她被剥夺了婚姻和做母亲的喜悦，但我很钦佩她的忠诚。”

但是女人心海底针，要是哪个男人认为女人一生只会为一个男人停留，那他就太轻率了。埃德温叔叔，太轻率了。你认识埃莉诺很多年了，自从她母亲的身体一日不如一日，最后离世，埃莉诺沦为孤儿，你就把她带到你在林斯特广场那个舒适的甚至豪华的家里，她当时不过是个孩子；但是，说真的，埃德温叔叔，你真的了解埃莉诺吗？

就在圣克莱尔先生向我讲述这个感人的故事，解释了波切斯特小姐一直没有嫁人的原因的第三天，我下午打完高尔夫球回到酒店，女经理走到我跟前来，显得很不安。

“圣克莱尔先生问候您。您现在能否马上到二十七号房去一趟？”

“当然可以，不过怎么了？”

“哦，是出了点儿烦心事儿，还挺罕见的。他们会告诉你的。”

我敲了敲门，然后听到一句“请进，请进”。这让我想起圣克莱尔先生可能曾在伦敦最优雅的业余剧团扮演过莎士比亚的角色。我走进房间，看见圣克莱尔太太在沙发上躺着，一张浸满古龙水的手帕搭在额头，一瓶嗅盐拿在手里。圣克莱尔先生站在壁炉前，看样子是要霸占整个壁炉。

“非常抱歉，用这种无礼的方式请你来。但是我们现在非常痛苦，我们认为你也许对这件事有所了解。”

看得出来他很不安。

“发生什么事了？”

“我们的侄女波切斯特小姐，私奔了。今天早上她给我妻子留言说她的头痛又发作了。每次她头痛发作的时候，都喜欢一个人待着，中午我妻子去看能否帮助她做点什么，才发现早已人去楼空。她的行李箱打包好了，银饰化妆盒不见了。枕头上放着一封信，她在信里告诉我们她的轻率之举。”

“我很抱歉。”我说，“但我不知道我能为你们做些什么？”

“在我们印象中，你是她在埃尔瑟姆唯一认识的绅士。”

我突然明白了他的意思。

“我没有和她私奔。”我说，“我已经结婚了。”

“我现在看到了，你没有和她私奔。一开始我们想也许是你……但如果不是你又会是谁呢？”

“我确定我不知道。”

“把信给他看看吧，埃德温。”圣克莱尔太太瘫在沙发上说。

“格特鲁德，你别动，腰会疼的。”

波切斯特小姐有头痛病，圣克莱尔太太有腰痛病。那圣克莱尔先生呢？我愿意赌五英镑，圣克莱尔先生有痛风病。他把信递给我，我用稍显怜悯的语气读了一遍。

亲爱的埃德温叔叔、格特鲁德婶婶：

你们收到这封信的时候，我应该已经离开了。今天早上我要和一位对我非常重要的绅士结婚。我知道我这样逃跑是不对的，不过我担心你们会竭力给我的婚姻设置障碍。因为什么都不能让我改变想法，所以我认为什么都不告诉你们才能拯救我们所有的不幸。我的未婚夫性格孤僻，因为他长期生活在热带国家，健康状况也不是很好，他认为我们应该悄悄结婚。如果你们知道我有多幸福，我希望你们能够原谅我。请把我的箱子寄到维多利亚车站行李部。

爱你们的侄女，

埃莉诺

“我永远都不会原谅她。”我把信还给他的时候，圣克莱尔说，“她再也别登我家的门，格特鲁德，我不许你在我耳边提起埃莉诺这个名字。”

圣克莱尔太太轻轻抽泣起来。

“你会不会太冷酷了？”我问，“波切斯特小姐为何就不能结婚？”

“在她这个年纪。”圣克莱尔先生生气地答道，“太可笑了，我们会成为伦斯特广场上每个人的笑柄。你知道她多大了吗？五十一了！”

“五十四。”圣克莱尔太太哽咽着说。

“我曾视她为掌上明珠，她就像我们的女儿一样，这么多年了，她都是老姑娘了。她还在考虑婚姻的事，我认为这绝对不合适。”

“我们一直把她当成小姑娘，埃德温。”圣克莱尔太太央求道。

“跟她结婚的那个人是谁？这就是赤裸裸的欺骗，她一定是在咱们眼皮底下和他搞到一起的。她甚至不把他的名字告诉我们，我担心可能出现了最坏的情况。”

一个念头在我脑海里闪过。那天早晨，吃完早饭，我出去买香烟，在烟草店我碰到了莫蒂默·埃利斯，我有好几天没见着他了。

“你今天看起来很清爽。”我说。

他的靴子已经修好，擦得油黑发亮，帽子也刷洗过了，他穿着干净的衬衣，戴了双新手套。我以为他把我给的两英镑派上了大用场。

“今天早上我得去伦敦出差。”他说。

我点了点头就离开了商店。

我还记得两周前在村子里散步的时候曾遇见过波切斯特小姐，在她身后几步，又碰上了莫蒂默·埃利斯。有没有可能他们本是走在一起的，看到我时他才拉开了几步？天哪，我全明白了。

“我记得你们说过波切斯特小姐自己有些钱。”我说。

“没多少，也就三千英镑。”

现在我可以确定了。我面无表情地看着他们，突然，圣克莱尔太太大叫一声，跳起来。

“埃德温，埃德温，要是他没娶她怎么办？”

听了这话，圣克莱尔先生用手摸着头瘫倒在椅子上。

“这简直是奇耻大辱，我活不成了。”他呻吟着说。

“别担心。”我说，“他一定会娶她的，这是他的一贯作风，而且他们会在教堂结婚。”

但他们压根不关心我的话。我猜他们可能以为我在胡言乱语。现在，我有十足的把握，莫蒂默·埃利斯终于实现了自己的野心。波切斯特小姐帮他凑满了一打。

人性的因素

我每次来罗马似乎都是淡季。八九月份的时候，我时常会在去某地的途中到罗马住上几日，重访一些去过的地方，看一些看过的画作。它们跟过去有着千丝万缕的联系，所以深得我的喜爱。那时天气非常炎热，城里的人终日在科尔索大街来回闲逛。国家咖啡馆的小桌子旁坐满了人，他们一待就是好几个钟头，每个人前面都放着一个空咖啡杯和一杯水。你会在西斯廷小教堂看到一些脸晒得通红的金发德国人，他们穿灯笼裤，衬衫的领口开着，准是背着背包从意大利满是尘土的道路上走来。圣彼得教堂时常有一小群虔诚的信徒，他们风尘仆仆，却十分热切，从遥远的国度来此朝圣（旅行费用都涵盖在内）。他们归一位神父管，说奇怪的语言。广场旅店很凉爽，适合休息。空旷、昏暗的公共休息厅十分安静。到了下午茶时间，一个风度翩翩的年轻军官同一位明眸善睐的女士坐在休息室里喝着冰柠檬茶，他们亲昵地交谈着，声音虽小，节奏却很流畅，丝毫没有给人疲惫的感觉。你回到自己房间看书，写信，两个小时下来后，发现他们还在交谈。晚饭前，有几个人悠闲地进了酒吧，但大多时候那里都是空荡荡的，酒保有时间会给你讲他远在瑞士的母亲和他在纽约的经历，而你则会和他谈生命、爱情和昂贵的酒价。

这一次，我也发现旅馆里的客人很少。接待员把我带到我的房间，还说旅店已经客满了。但当我洗完澡换好衣服回到楼下的大厅时，我熟识的电梯操作员告诉我，旅馆里只住了十来个人。天气很热，我这次在意大利旅行了很久，现在很累，便决定在旅馆里安安静静地吃个饭，早点睡觉。我走进宽敞明亮的餐厅时已经很晚了，但只有三四张桌边有人用餐。我满意地环顾四周。在一个对你来说并不陌生的大城市里，独自一人待在一个空荡荡的大旅馆，真是相当惬意。这给人一种愉快的自由感。我感到我的精神之翼喜悦地颤动了几下。我在酒吧里待了十分钟，喝了一杯干马提尼，又点了一瓶上好的红酒。我累得四肢发沉，但我的灵魂对食物和美酒做出了快乐的回应，我只觉得特别轻松。我喝了汤，吃了鱼，脑子里充满了愉快的想法。我为我当时正在创作的小说构思了一些零星的对话，想象着各个人物的活动。我念叨着小说里的句子，它的味道比葡萄酒还要甘美。我开始思考，要把想象中的那个人描述出来，让读者见到你所见的那个人，真的很困难。对我来说，这一直是创作小说最困难的一部分。当你逐一描述一个人物的面部特征，读者真正得到的是什么？我想他们什么也看不到。然而，一些作家会描写某个突出的特点，比如邪恶的微笑或狡黠的眼睛，并对此加以强调，这个办法虽然有效，但也只是回避了这个问题，并没有将其解决。我向四周看了看，不知道该如何描述坐在其他桌边的人。有一个男人独自坐在我对面，为了练习，我问自己应该怎样描写他。他是个瘦高个儿，我认为用四肢柔软灵活这个说法形容他很合适。他穿着一件晚礼服和一件硬胸衬衫。他有一张相当长的脸和一双浅色的眼睛，留着一头浅色稀疏的鬈发，太阳穴处光秃秃的，没有头发，而这为他的额头增添了几分贵气。他相貌平平，嘴和鼻子十分普通，胡子刮得很干净，天生白皙的皮肤晒得很黑。从外表看来，他挺有学问的，只是略有些平庸。他看上去好像是个律师或大学教师，看起来似乎打高尔夫球打得很好。我觉得他很有品位，博览群书，在切尔西的午宴上，他会是一位非常讨人喜欢的客人。但是，我确实想象不出如何用几行字就把他描绘得生动、有趣、准确。也许最好抛弃其他，专门写他所具有的那种相当疲乏的特点，毕竟这是他给人印象最深刻的一点。我看着他沉思。突然，他向前倾了倾身子，冲着我僵硬但彬彬有礼地微微鞠了一躬。我有个可笑的习惯，一吃惊就脸红，现在我感觉到我满脸通红。我真的被吓到了。我盯着他看了好几分钟，好像他是个傻瓜。他一定认为我非常粗鲁。我尴尬地点点头，把目光移开。幸运的是，这时服务员为我端来了饭菜。据我所知，我是第一次见到这个人。我问自己，他鞠躬，是因为我一直在瞧他，使他认为他在什么地方见过我，还是因为我真的认识他，却完全不记得了。我并不擅长记住人的样貌，在这件事上，我也情有可原，毕竟他长得太普通了。到了晴朗的礼拜天，在伦敦周围的每一个高尔夫球场上，都能看到十几个这样的人。

他比我先吃完饭，然后站起来，在出去的时候停在我的桌旁。他伸出手来。

“你好。”他说，“你刚进来的时候我没认出你，并不是假装不认识你。”

他的声音很好听，只有牛津大学才能培养出这种语调，而许多从未到过那里的人也都纷纷模仿这种口音。很明显，他认识我，也很明显，他不知道我不认识他。我也站了起来，他比我高得多，只能俯视我。他有点儿无精打采，微微弯下身子，这更让我觉得他隐隐带着一丝歉意。他有点儿居高临下的优越感，同时又有点儿腼腆。

“要不要和我一起喝咖啡？”他说，“就我一个人。”

“我很乐意。”

他走开，而我仍然不清楚他是谁，也记不起我在哪里见过他。我注意到他有一点很奇怪。在我们短短交谈那几句话的时候，在我们握手的时候，在他点头离开的时候，他脸上连一丝微笑都没有。我更仔细地观察他，发现他也有他英俊的地方。他五官端正，灰色的眼睛很漂亮，身材也很匀称，但我觉得他这个样子很无趣。要是换作傻女人，可能会说他很讨人喜欢。他会让你想起伯恩–琼斯[1]笔下的骑士，虽然他的块头比较大，而且也

1　爱德华·伯恩–琼斯（1833—1898），英国画家、图书插画家、彩色玻璃和马赛克设计师。

没有迹象表明他患有折磨人的慢性结肠炎。你会觉得他穿化装舞会的服装很好看，可等你亲眼看到他穿那种衣服，才会发现他有多可笑。

过了一会儿，我吃完饭，走进休息室。他坐在一张大扶手椅上，看见我进来，他叫来了侍者。我坐了下来。服务员走过来，他点了咖啡和餐后甜酒。他的意大利语讲得很好。我琢磨着怎样才能在不冒犯他的情况下问清楚他是谁。人们要是发现对方没认出自己，总是感到有点儿不安，他们都觉得自己非常重要，一旦发现他们对别人来说是多么微不足道，就会深感震惊。不过，听到他那口流利的意大利语，我终于想了起来。我不仅记起了他是谁，也想起我不喜欢这个人。他叫汉弗瑞·卡拉瑟斯，在外交部担任要职，不过我不清楚他负责什么部门。他曾在不同的大使馆工作过，我猜想他之所以能说得一口流利的意大利语，是因为他曾旅居罗马。我真愚蠢，没有立刻看出他是干外交这一行的。他身上具有这个职业的所有特征。他那彬彬有礼之中还带着几分高傲，这都是精心设计出来的，为的是博取公众的支持。他还很冷漠，这是因为他很清楚外交官并不是普通人，但因为其他人不明白外交官的特别，他便会不安和害羞。我认识卡拉瑟斯很多年了，但很少和他见面。午餐聚会时，我只与他寒暄两句；在歌剧院，他也只是对我冷冷地点头致意。人们都认为他很聪明，他当然是个有教养的人。他说的话都很有道理。我之前没想起他是谁，简直不可原谅，毕竟他最近成了一个非常有名的短篇小说作家。他的小说首先发表在由好心人士时不时创办的杂志上，这些杂志是为了给聪明的读者提供一些值得注意的好文章，等到没人关注、不畅销时，这些杂志就消失了。杂志的发行量很少，但通过这些印刷精美的杂志，卡拉瑟斯引起了极大的关注。后来，他的小说正式出版，书一经上市就引起了轰动。我很少在周报上看到如此一致的赞扬。很多报纸都专门开专栏称赞该书，《泰晤士报》的文学副刊并没有将对这本书的书评与对一般小说的书评放在一起，而是和一位杰出政治家的回忆录并列。评论家们声称汉弗瑞·卡拉瑟斯是夜空中的一颗新星。他们称赞他的卓越与敏锐，他微妙的讽刺的语言艺术和他的洞察力。他们称赞他的风格，他的美感和小说的氛围。他们说，总算有一位作家把短篇小说写得这么好，让并不擅长此类创作风格的英语国家在这方面扬眉吐气了一回，还说他的书是一部英国人引以为傲的作品，能与芬兰、俄罗斯和捷克斯洛伐克的最佳同类作品相媲美。

三年后，汉弗瑞·卡拉瑟斯出版了他的第二本书，评论家们对这段间歇期表示满意，称他不是那种为了钱而出卖自己天赋的雇佣文人！评论家们经过这段时间都冷静了下来，于是这本书得到的赞美不如他的第一本书多，但依然反响热烈，足以使那些靠笔杆子养活自己的普通作家高兴了。毫无疑问，他在文坛获得了稳固的地位和很高的名声。他最受好评的小说是《剃须拖把》，所有最好的评论家们都指出，作者仅用三四页纸的篇幅，就能以生动精彩的语言描写出了理发师助理的悲惨灵魂。

他最著名的小说，也是他篇幅最长的一部作品，名叫《周末》。他的第一本书就是以这篇小说题目命名的，讲述了一些人的冒险经历。这些人周六下午离开帕丁顿车站，与朋友们住在塔普洛，周一早上返回伦敦。这个故事情节微妙，以至于很难确切地知道发生了什么。其中一个年轻人是某位内阁大臣的政务次官，差点儿向准男爵的女儿求婚，但他最终没有这么做。另外两三个人到河上划船。他们都用隐晦的方式说了许多话，但没有一个人把话说完。书中用省略号和破折号非常微妙地表示他们想要表达的意思。书中有很多关于花园里的花的描写，还刻画了雨中泰晤士河的美丽景色。这一切都是通过书中那位德国家庭教师的眼睛看到的，大家都认为卡拉瑟斯用相当有趣的幽默手法，表达了家庭教师所见到的一景一物。

汉弗瑞·卡拉瑟斯的两本书我都读过。我认为了解同时代的作家在写些什么，是一个作家的工作之一。我非常愿意学习，还以为会在卡拉瑟斯的书里发现一些对我有用的东西，结果却大失所望。我喜欢有开头、中间和结尾的故事。我喜欢故事有寓意。我认为他书中的氛围很好，但只有氛围而没有其他东西，这就好像只有画框没有画一样，于我而言没有多大意义。但也许是因为我自身的缺陷，我看不到汉弗瑞·卡拉瑟斯的优点，如果我刚才在描述他最成功的两部小说时兴致寥寥，那可能是因为我的虚荣心受到了刺激。我十分清楚，在汉弗瑞·卡拉瑟斯看来，我就是个名不见经传的作家。我确信他从来没有读过我的作品。我的书很受欢迎，这足以使他相信他没有必要把注意力放在我身上。有那么一段时间，在他引起如此大的轰动后，他自己好像也要面对那样的耻辱，但很快，公众似乎根本理解不了他那些深奥的作品。我们永远无法判断知识界的规模有多大，但我们可以相当清楚地看出，有多少知识分子愿意出钱资助他们珍视的艺术。有些戏剧质量过高，不能吸引商业剧院的主顾，但可以吸引一万名观众，而那些读者很难理解的书能卖出一千二百本。尽管知识分子对美非常敏感，但他们却更喜欢去商业剧院，更喜欢从图书馆里借书看。

我相信卡拉瑟斯并没有为这些事苦恼。他是个艺术家，也是外交部的一名职员。他已经是一名知名作家了，他对俗人不感兴趣，再说了，如果他的书卖得好，说不定还可能毁了他的事业。我猜不出是什么原因使他邀请我喝咖啡。他的确只有一个人，但是我觉得他会满足于与自己的思想为伴，而且，我绝不相信他会认为我能说出引起他兴趣的话。尽管如此，我还是看出他在尽最大努力装出和蔼可亲的样子。他提起了我们上次见面的地方，我们聊了一会儿我们在伦敦都认识的朋友。他问我为什么在这个季节来罗马，我解释了一下。他主动透露他是那天早晨从布林迪西过来的。我们的谈话进行得并不轻松，我打定主意，只要有机会，我就礼貌地起身离开。但不久，我莫名其妙地产生了一种奇怪的感觉——他看出了我的心思，就拼命不让我找到这样的机会。我很惊讶，便开始琢磨其中的缘由。我注意到每当我停顿不说话时，他就会提出新话题。他想找一些我感兴趣的话题，好留住我。他竭力使自己显得亲和。他当然不会孤独，他是个外交官，自然认识许多人，他本可以找那些人陪他度过这个晚上。我奇怪的是他为什么没在大使馆吃饭，即使是夏天，那里也一定有他的熟人。我还注意到他一直没笑过。他说起话来很急切，好像害怕出现哪怕是片刻的沉默，而他的声音能阻挡他的大脑去想某件折磨着他的事。这可真是怪事一桩。我不喜欢他，而且和他在一起多少使我感到厌烦，但我还是不禁对他产生了一点儿兴趣。我用锐利的目光看了他一眼。我不知道是不是我看错了，在他那浅色的眼睛里，我看到了一只遭到追捕的狗才有的那种畏缩神色，尽管他的五官端正，表情彬彬有礼，但看得出来，他的内心正在经受着痛苦的煎熬。我被搞糊涂了。我脑子里闪过十几个荒唐的念头。我并不特别同情他，我就像一匹老战马，一嗅到战争气息就来了精神。我刚才还觉得很累，但现在我变得警觉起来。我的感觉伸出了触角。我突然注意到他脸上的每一个表情和他的每一个手势。我起初还以为他是在写剧本，想听听我的意见，现在我可不这么想了。说来也怪，这些文人雅士总是屈服于舞台脚灯的魅力，而在他们眼里，我们这样的人就像工匠，他们虽然对我们的能力不屑一顾，却并不反对从我们这里收获一些技巧。不，不是那样的。一个男人只身在罗马，又有一双发现美的眼睛，是很容易陷入困境的，我问自己卡拉瑟斯是不是遇到了什么麻烦，想摆脱却又摆脱不掉，还偏偏不能去大使馆寻求帮助。我早就注意到，这个理想主义者有时在情欲这件事上是很轻率的。他去寻找爱情的地方，有时会有警方突袭。我在心里窃笑。当自命不凡的人陷入为难的境地，连神也会发笑。

突然，卡拉瑟斯说了些令我震惊的话。

“我非常不开心。”他低声说。

他毫无预兆地说出了这句话。他显然是认真的，他有些上气不接下气，像是在哽咽。我无法形容听到他说这句话时我是多么震惊，这种感觉就好像当你拐过街角，突然迎面吹来一阵大风，把你吹得喘不过气，差点儿就倒在地上。这太出乎意料了。毕竟我对眼前这个人并不了解。我们不是朋友。我不喜欢他，他也不喜欢我。我从来没有把他看作一个实实在在的人。令人惊奇的是，一个如此自制、如此彬彬有礼、习惯了文雅社会习俗的人，竟然向一个陌生人坦白心声。我天生沉默寡言。无论我遭受了什么痛苦，我都不会把我的痛苦告诉别人，那样我会感到羞愧。我不禁打了个哆嗦。他的软弱激怒了我。一时间，我满腔怒火。他竟敢把他灵魂的痛苦强加给我？我真想大声问他：

“那和我有什么关系？”

但我没有这么说。他蜷缩着坐在大扶手椅上。他那庄严高贵的面容，使人想起维多利亚时代一位政治家的大理石雕像，此刻却奇怪地皱成一团，脸也耷拉下来，看上去像是要哭了。我犹豫了，动摇了。他刚才说话时我的脸通红，现在我感觉我的脸变得刷白。他挺可怜的。

“非常抱歉。”我说。

“我和你说说这件事，你介意吗？”

“不介意。”

现在可不是多话的时候。我想卡拉瑟斯大概四十岁出头，体格健壮，拥有运动员的身材，举止间透着自信。现在，他看上去老了二十岁，干瘪得出奇。他使我想起了我在战争中见过的死去的士兵，死亡让他们变得很渺小。我有些尴尬，只得把目光移开，但我觉得他的眼睛在寻找我的目光，于是我把脸转回去。

“你认识贝蒂·韦尔顿–伯恩斯吗？”他问我。

“几年前我常常在伦敦见到她，最近没见过。”

“她现在住在罗兹岛。我刚从那里来。我一直和她待在一起。”

“啊？”

他犹豫了。

“恐怕你会觉得我这样跟你说话太奇怪了。但是我实在没有办法了。如果我不找个人聊聊，我会发疯的。”

他之前点了一杯双份白兰地咖啡，现在叫来服务员，又点了一杯。休息室里只有我们两个人。我们之间的桌上有一盏带灯罩的小灯。这里是公共场所，他说话的声音很低。这个地方给人一种奇怪的亲密感。我不能把卡拉瑟斯对我说的话逐一复述出来，毕竟我根本记不住，我用我自己的方式来讲更方便。有时他连一句话也说不出来，我只好猜测他的意思。有时他自己也不明白自己的意思，在我看来，从某种程度上来说，我比他看得更清楚。贝蒂·韦尔顿-伯恩斯很有幽默感，可他一点儿幽默感也没有。我看出了许多他没有注意到的事。

我见过她很多次，但我对她的了解主要是从别人那里听来的。她年轻时在伦敦的小圈子里引起了很大的轰动，当时，在我见到她本人之前，就听说过许多关于她的事。我第一次见她，是战后不久在波特兰区的一个舞会上。那是她名声最响亮的时候。你随便打开一份画报，都能看到她的画像，而她那疯狂的恶作剧则是人们谈话的中心内容。那一年，她二十四岁。她的母亲早已去世，她的父亲圣埃尔斯公爵年事已高，手头没几个钱，一年中的大部分时间都住在他的康沃尔郡的城堡里，她和一个寡居的姑妈住在伦敦。战争爆发时她去了法国。那时她十八岁，在基地医院做护士，后来负责开车。她参加过戏剧巡演，为士兵演出。回国后，为了做慈善，她在舞台上扮静态画面，举行慈善拍卖，在皮卡迪利大街卖国旗。她不管干什么都被广泛宣传，她每做一件事，都会留下无数照片。我想她一定非常开心。但是，战争结束了，她更是尽情享乐。那时每个人都有点儿不知所措。年轻人摆脱了五年来一直压迫着他们的负担，便开始纵情于一场又一场疯狂的冒险。

贝蒂也是其中一员。有时，出于这样或那样的原因，他们的故事被刊登在报纸上，她的名字永远出现在标题里。那个时候，夜总会刚刚开始兴盛，成为她每天晚上必去的地方。她过着忙碌而欢乐的生活。只能用老套的词语来描述这种生活，因为这种生活本身就很老套。说来也怪，英国公众就是偏爱她，只要是在不列颠群岛，一提起贝蒂小姐的大名，简直无人不知无人不晓。她去参加婚礼，女人们围着她。在首演之夜，楼座里的观众都为她鼓掌，她就像一个受欢迎的女演员。女孩们模仿她的发型，肥皂和面霜的制造商付钱买她的照片为产品做广告。

当然，那些无趣又古板的人，那些对旧秩序念念不忘并为之感到遗憾的人，对贝蒂可没有好感。他们嘲笑她经常出现在聚光灯下，说她动不动就吹嘘自己，说她淫荡、好酒，还说她抽烟太多。我得承认，根据我听到的她的那些事，我实在对她这个人提不起好感。我瞧不起有些女人从战争中取乐，还借此成为人们关注的焦点。我厌倦了报纸上刊登的人物照片，照片上的人或在戛纳漫步，或在圣安德鲁斯打高尔夫球。我一直觉得这些所谓的“聪明的年轻人”非常乏味。在旁观者看来，这种恣意享乐的生活是那么枯燥和愚蠢，但道德家若是对其进行严厉的评判，就太不明智了。若是气这些年轻人过这种生活，气他们像一窝小狗漫无目的地到处乱跑打滚，追逐自己的尾巴，那就太荒唐可笑了。如果它们糟蹋了花坛，打碎了瓷器，还是宽容地原谅吧。有些小狗不够机灵就被淘汰了，其余的狗长大后就会很听话，讨人喜欢。他们之所以无法无天，是因为青春的活力罢了。

活力是贝蒂最突出的特点。她浑身洋溢着生命的冲动，光芒四射，使你眼花缭乱。我想我永远也不会忘记我第一次在晚会上见到她时，她给我留下的印象。她像极了酒神巴克斯的女祭司。她尽情地跳舞，逗得你哈哈大笑，一看就知道她沉迷音乐，享受年轻的肢体做出的动作。她的头发是棕色的，由于动作有力，头发显得有些凌乱。她的眼睛是深蓝色的，如同凝脂一样的皮肤泛着玫瑰色。她很漂亮，但没有美人的冷漠。她经常大笑，就算没有大笑，嘴角也挂着一丝浅浅的笑意，她的眼睛闪烁着快乐和生命的光芒。她如同众神农场里的挤奶女工。她具有人类的力量和健康，可是她举止独立，高贵而坦率，颇具贵气。我不知道该怎样表达她给我的印象，虽然她那么单纯，那么自然，但她一点儿也没有觉察到自己的优势。我想，要是有机会，她一定会摆出一副高贵的派头来。她对每个人都很有吸引力，尽管她自己并没有意识到，但在内心深处，她觉得世界上其他的人都不重要。我理解为什么伦敦东区的女工们崇拜她，为什么数十万人只看过她的照片，就认为她是自己的好朋友。我被介绍给她认识之后，我们聊了几分钟。看到她对我那么感兴趣的样子，我真是受宠若惊。你很清楚她见到你并不像她表现出来的那样高兴，她听到你说的话其实也没有那么开心，但是你依然认为她吸引力十足。她有一种天赋，能够跳过初识时尴尬的阶段，虽然你认识她还不到五分钟，但她可以让你觉得你已经认识她一辈子了。过了一会儿，有人把她从我身边拉走去跳舞，她急切又幸福地投入舞伴的怀抱，她刚才在我身边的椅子上坐下时也是这样。两周后，我在一个午餐时间遇见她，惊奇地发现她还清楚地记得我们在舞会上都谈了些什么，当时是那么喧闹，而且我们只聊了十分钟。她确实是一个很有社交风度的年轻女子。

我向卡拉瑟斯提起了这件事。

“她可不傻。”他说，“没几个人知道她有多聪明。她写过不少出色的诗歌。因为她太无法无天，太鲁莽，又从来不在乎任何人，人们才会认为她没有头脑。事实根本不是这样的。她的脑子好使得很。你绝对想不到她会有时间看那么多书。我想没有人比我更了解她的那一面。周末我们常一起去乡下散步，在伦敦我们开车去里士满公园散步、聊天。她喜欢花、树和草。她对一切都感兴趣。她懂得很多，是个非常理智的人。不管是什么话题，她都能聊。有时我们在夜总会见面，她喝下一两杯香槟就醉了，那时候，她就成了派对的生命和灵魂，每到这个时候，我都不禁会想，别人如果知道我们几个小时前进行了那么深刻的谈话，该有多么惊讶。这是一个不同寻常的对比。她的身体里似乎有两个完全不同的女人。”

卡拉瑟斯说这些话的时候，脸上连一丝笑容都没有。他语气哀怨，就像在说有个人过早地死去，离开亲朋好友，再也不能与他们快乐地生活在一起。他深深地叹了口气。

“我疯狂地爱上了她。我向她求了六次婚。我当然知道自己不可能成功。我只是外交部的一个小职员，但是我控制不了我自己。她拒绝了我，但每一次都没有伤害我。这对我们的友谊没有任何影响。你知道的，她真的很喜欢我。我给了她一些别人给不了的东西。我一直认为她喜欢我超过喜欢其他人。我为她疯狂。”

“依我看，为她疯狂的人可不少。”我不得不说些什么，只好接了这么一句。

“当然有很多人。她经常收到情书，写信的都是她从未见过或听说过的男人，这些人中有非洲的农民、矿工和加拿大的警察等。各种各样的人向她求婚。她可以嫁给任何她喜欢的人。”

“听说还有皇室成员向她求婚。”

“是的，她说她受不了那种生活。后来，她嫁给了吉米·韦尔顿–伯恩斯。”

“这件事让所有人都大吃了一惊。”

“你认识他吗？”

“不认识。我可能见过他，但没什么印象。”

“他是不会给你留下印象的。他是世上最不起眼的人了。他父亲是北方的一个大制造商，在战争期间赚了很多钱，买了一个男爵爵位。他这个人上不了台面。吉米和我同在伊顿公学上学，他们努力想把他培养成一个绅士。战后，他在伦敦很活跃，热衷于举办派对。从来没有人注意过他，他只是负责付账而已。他真的很讨人厌，为人古板，客套得叫人不舒服。他做什么都怕出错，所以和他在一起，让人感觉很不舒服。他总是把自己的衣服穿得像是第一次穿一样，而且那些衣服都太小了。”

一天早晨，卡拉瑟斯没有任何准备地翻开《泰晤士报》，垂下眼帘看时尚圈的新闻，这时候，他读到了一则婚讯：圣埃尔斯公爵的独生女伊丽莎白和约翰·韦尔顿-伯恩斯爵士的长子詹姆斯，即将喜结良缘。他看得目瞪口呆，连忙给贝蒂打电话，向她求证。

“当然是真的。”她说。

他震惊得一时说不出话来。贝蒂继续说：

“他今天要带家人来吃午饭，与我父亲见个面。到时候肯定挺没意思的。你请我去克拉里奇酒店喝杯鸡尾酒吧，给我壮壮胆，好吗？”

“什么时候？”他问。

“一点。”

“好吧。到时候见。”

她进来时，他早就到了，正在等她。她走起路来仿佛带着春天的气息，她那热切的双脚渴望着舞动起来。她微笑着，眼睛里闪烁着喜悦的光芒，因为她还活着，这个世界是一个如此令人愉快的地方。当她进来时，认出她的人都在低声议论。克拉里奇酒店的休息室气派不凡，但有些严肃，而卡拉瑟斯真的觉得贝蒂给这个地方带来了阳光和鲜花的香味。他甚至没有心情先客套几句。“贝蒂，你不能这样做。”他说，“这根本不可能。”

“为什么？”

“他那个人可不怎么样。”

“我倒不这么认为。我觉得他相当不错。”

一个服务员走过来为他们点菜。贝蒂用她那双美丽的蓝眼睛望着卡拉瑟斯，她的眼眸中流露出愉快又温柔的神情。

“他只是个讨厌的暴发户，贝蒂。”

“别犯傻了，汉弗瑞。他和其他人一样好。我看你可真够势利的。”

“他是那么乏味。”

“不，他只是不爱说话而已。我知道自己并不想要一个太聪明的丈夫。想必他会成为一个很好的衬托。他长得很帅，也很有礼貌。”

“老天，贝蒂。”

“别说傻话了，汉弗瑞。”

“你打算假装你爱上了他？”

“我想这样会更委婉些，你说呢？”

“你为什么嫁给他？”

她冷冷地看着他。

“他有很多钱。而我都快二十六岁了。”

话说到这里，再多说也无益。他开车送她回她姑妈家。贝蒂举办了一场盛大的婚礼，在通往威斯敏斯特区圣玛格丽特大教堂的路上，人们站得密密麻麻，几乎所有的皇室成员都送来了礼物。他们找她公公借了游艇，在上面度了蜜月。卡拉瑟斯申请去国外工作，并被派去了罗马（我猜得不错，他这才说得一口流利的意大利语），后来又被派往斯德哥尔摩。他在那里当上了参赞，还创作出了他的第一部小说。

也许贝蒂的婚姻让英国公众失望了，他们对她的期望要高得多，但也许只是因为作为一个年轻的已婚女性，她不再满足大众对浪漫的幻想，很明显，她很快就失去了公众的青睐。能听到的关于她的消息逐渐变得少之又少。婚后不久就有传言说她怀孕了，不久又说她流产了。她并没有退出社交圈，我想她依然与朋友们见面，但她的活动不再引人注目。当然，在那些粗俗的集会上，她很少再出现了。每逢这样的场合，沾沾自喜的贵族与三流艺术家会一起把酒言欢，夸自己既聪明又有教养。人们说她安定下来了。他们想知道她和她丈夫相处得如何，打听后就断定这对夫妇相处得不太好。很快便有吉米酗酒的流言传出。一两年后，有人听说他得了肺结核。韦尔顿–伯恩斯夫妇在瑞士度过了几个冬天。后来，他们分居的消息传开了，贝蒂去了罗兹岛居住。她选这个地方有些奇怪。

“那地方太无聊了。”她的朋友们说。

一些朋友不时去陪她同住，回来都说岛上风景很美，生活也很悠闲，是一个非常宜人的地方，自然也很寂寞。贝蒂那么聪明，那么有活力，却满足于住在那里，这似乎很奇怪。她买了一所房子，只认识几个意大利官员，实际上那里也没有多少人让她去结交。但她似乎非常快乐。去看她的人都搞不懂她为什么会这样。但是，伦敦的生活是忙碌的，人们的记忆也是短暂的。人们不再关心她，把她忘了。后来，也就是我在罗马见到汉弗瑞·卡拉瑟斯的前几周，《泰晤士报》刊登了准男爵二世詹姆斯·韦尔顿–伯恩斯爵士的死讯。他弟弟继承了他的头衔。贝蒂没有生过孩子。

贝蒂婚后，卡拉瑟斯依然与她见面。他每次来伦敦，他们都一起吃午饭。虽然很长时间没见过面，但她依然能把友谊重新建立起来，仿佛时间没有中断，所以他们每次见面都不会有陌生感。有时她问卡拉瑟斯什么时候结婚。

“你的年纪不小了，汉弗瑞。你最好赶快结婚，不然就只能娶老处女了。”

“你觉得结婚是好事？”

这么说很无礼，虽然他和别人一样，也听说过她和丈夫的关系并不和美，但她的话激怒了他。

“总的来说，婚姻挺好的。我想，一段不美满的婚姻或许比没结过婚好。”

“你很清楚我是不会结婚的，你是知道原因的。”

“亲爱的，你不会假装还爱着我吧？”

“我是。”

“你真是个傻瓜。”

“我不在乎。”

她朝他微笑。她的眼睛总是带着那种半开玩笑半温柔的神情，他见了，心里涌起一种夹杂着幸福的痛苦。

有趣的是，他几乎可以压制住这种感觉。

“你真好，汉弗瑞。你知道我很爱你，但即使我恢复了自由身，我也不会嫁给你。”

在她离开丈夫去罗兹岛生活以后，卡拉瑟斯就没再与她见过面了。她从未去过英国，不过他们经常通信。

他提出去罗兹岛住几天，但她认为他还是不去为好。他明白她为什么这么说。大家都知道他疯狂地爱上了她，也知道他现在依然疯狂地爱着她。他不清楚韦尔顿-伯恩斯夫妇究竟是在什么情况下分开的。可能是因为他们感情不和。贝蒂说不定觉得卡拉瑟斯上岛，会给她的名声造成影响。

“我的第一本书出版时，她给我写了一封让我很感动的信。你知道的，我的那本书是献给她的。她很惊讶我竟写得这么好。她很高兴每个人都夸奖我的书。我认为能让她快乐，就是我那本书最有用的地方。你知道的，说到底我也不是职业作家，我不太重视文学上的成功。”

我心想，他真是个傻瓜，是个骗子。难道他以为我没有注意到，他在自己的书受到好评时那副得意扬扬的样子？我并不怪他有这种感觉，没有什么比这更可以被原谅的了，只是不明白他为什么要费那么大的劲否认这一点。但毫无疑问，他喜欢自己名气大，主要也是贝蒂的缘故。他现在有了成就可以献给她。他现在不仅可以把自己的爱奉献给她，还可以把显赫的名声献给她。贝蒂不再年轻，她已经三十六岁了。她的婚姻出了问题，她又旅居国外，所以情况和以前不一样了，她身边不再环绕着追求者，她失去了公众的追捧，头上的光环也就不在了。他们之间的距离不再是不可逾越的了。这些年来，只有他一个人始终忠于她。如果她继续把她的美貌、智慧和社交风度埋在地中海一角的一个小岛上，那也太荒谬了。他知道她喜欢他。他长久以来对她的忠诚必然会打动她。他知道，他现在能给她的生活对她而言一定有吸引力。于是，他决定再一次向她求婚。他能在七月底休假，便写信告诉她要到希腊群岛去度假，如果她乐意见他，他就去罗兹岛住上一两天，因为他听说意大利人在那里开了一家很好的旅馆。他提议的时候非常谨慎。他在外交部受过训练，知道不可以鲁莽行事。他从来就不愿意把自己置于一个必要时不能巧妙退出的境地。贝蒂给他发了一封电报。她说，他能来罗兹岛真是太好了。他当然要来，跟她在一起住上至少两个礼拜，他还要发电报通知她乘坐哪一班船。

卡拉瑟斯在布林迪西乘坐的那艘船终于驶进罗兹岛

的港口时，他兴奋极了。太阳刚刚出来，港口是那么整洁漂亮。他整晚几乎没有合眼，于是很早就起来了。他看见小岛在晨曦中巍然耸立，渐渐显现出来，太阳从夏日的海面升起。他乘坐的船抛锚，与此同时，很多小船纷纷驶了过来。舷梯放了下去。汉弗瑞身体探出栏杆，看着医生、港口官员和旅店的信使蜂拥而至。他是船上唯一的英国人。一看就知道他是外国人。一个人上了甲板立即向他走来。

“是卡拉瑟斯先生吗？”

“是的。”

他正要笑着伸出手，随即却发现那个和他说话的人也是英国人，但并不是一个绅士。如此一来，他虽然保持着彬彬有礼的态度，但下意识地有些生硬。卡拉瑟斯自然没有告诉我这一点，但我仿佛能非常清楚地看到当时的一幕，因此能毫不犹豫地描述出来。

“夫人希望你不要怪她不来接你，船来得太早了，离我们住的地方有一个多小时的车程。”

“我当然不介意。夫人还好吗？”

“是的，谢谢。行李准备好了吗？”

“好了。”

“告诉我哪些是你的行李，我去找人送上小船。通关不会有问题的，我都安排好了，然后我们上路。你吃过早饭了吗？”

“吃过了，谢谢。”

这个男人说话没有贵族的口音。卡拉瑟斯想知道他是谁。而且，不能说这个人没礼貌，但他确实有点儿唐突。卡拉瑟斯知道贝蒂很有钱，也许他是她的经理人。他看上去很能干，这会儿，他用流利的希腊语给搬运工下了指示。他们上小船后，船夫们提出加钱，他说了什么，逗得他们哈哈大笑，满意地耸了耸肩，没再提加钱的事。行李未经检查就通过了海关，汉弗瑞的向导与官员们握手，然后，他们来到一个阳光明媚的地方，一辆黄色的大轿车停在那里。

“你开车送我？”卡拉瑟斯问。

“我是夫人的司机。”

“明白了。恕我不知道内情。”

这个人的穿着打扮可不像司机。他光着脚，穿着白色粗布裤、帆布鞋、白色网球衫，没打领带，领口敞开，还戴着一顶草帽。卡拉瑟斯皱起了眉头。贝蒂不应该让她的司机打扮成那样开车。不过他必须在天亮前起床，而且开车去别墅的路上看起来很热。也许在一般情况下，他是穿制服的。卡拉瑟斯穿着袜子，身高六英尺一英寸[1]，虽然这个人没有卡拉瑟斯高，但也并不矮。他肩膀宽阔，体格健壮，所以看上去很结实。他谈不上肥胖，只是略微有些胖，就好像他食欲旺盛，吃得很多。他还很年轻，也许三十岁，也许三十一岁，有些发福，而且肯定会越来越胖。现在他看来就是个大块头。他的脸很宽，晒得黝黑，鼻子又短又宽，面相有点阴沉，还留着金黄色的小胡子。奇怪的是，卡拉瑟斯隐约觉得这人有些面熟。

"你跟夫人很久了吗？"他问。

"从某种意义上说是的。"

卡拉瑟斯变得更严厉了。他不太喜欢司机说话的态度。他不明白司机对自己说话的时候为什么不用"先生"。想必是贝蒂太骄纵他了，毕竟她在这类事情上的确有点儿粗心大意。但这么做真的不合适，等有机会他就提醒她。他们的目光对视了片刻，他可以肯定，司机的眼睛里闪过一丝笑意。卡拉瑟斯有些不明所以，他想不出自己有什么可笑的地方。

"想必那里就是古老的骑士之城吧。"他指着带有城垛的城墙，冷冷地说。

1　约1.8米。——编者注

“是的。夫人会带你去参观的。在这个季节，我们这里来了很多游客。”

卡拉瑟斯希望能表现得和蔼可亲。他想，如果他主动提出坐在司机旁边，而不是一个人坐在后面，会显得更为亲切，他刚要这么提议，却已经失去了主动权。司机叫搬运工把卡拉瑟斯的行李放在后座，他自己坐到驾驶座上说：

“上来吧，我们出发了。”

卡拉瑟斯在他旁边坐下，他们沿着海边一条白色的道路向前驶去。几分钟后，他们来到了开阔的田野，两个人都没有说话。卡拉瑟斯拿出了威严的姿态。他觉得这个司机有点儿自来熟，但他不愿意给他这样的机会。他自认气场很足，可以让不如他的人在他面前安分守己。他带着讥讽的神情想，过不了多久，司机就会叫他“先生”了。但是早晨的天气十分舒爽，白色公路的两侧种着橄榄树，他们不时从农舍之间穿过。农舍有着白色的墙壁和平坦的屋顶，带有一种令人神往的东方风格。而且，贝蒂在等他。他心中充满了爱意，不由得对所有人都很友好，他给自己点了一支烟，他想如果给司机也来一支，那会显得十分慷慨。毕竟，罗兹岛离英国很远，这个时代流行民主。司机接受了礼物，停车把烟点着。

“你带了吗？”他突然问道。

“带什么？”

司机的脸沉了下来。

“夫人给你打了电报，要你带两磅普雷尔海军蓝烟丝。所以我才和海关的人商量好，不用检查你的行李。”

“我没接到电报。”

“该死！”

“夫人要两磅烟丝干什么？”

卡拉瑟斯这话说得很傲慢。他不喜欢司机大声嚷嚷。那家伙斜睨了他一眼，卡拉瑟斯从他的眼神里看出了一丝无礼的意味。

“这里买不到。”他简单地说。

司机扔掉了卡拉瑟斯给他的埃及香烟，看上去非常恼怒，然后，他们再次出发。司机沉着一张脸，没再说什么。卡拉瑟斯觉得自己就不该尝试与这个人交好。在余下的旅途中，他没有再理会司机。他拿出了在大使馆担任秘书时对付来求援的英国公众所使用的冷淡态度。车子向山上开了一段时间，随后沿一堵又长又矮的墙开到一扇开着的门前。司机把车开了进去。

“到了吗？”卡拉瑟斯大声问道。

“五十七分钟开了六十五公里。”司机说，他突然笑了起来，露出一口洁白整齐的牙齿，“路况这么不好，这速度可以了。”

他按了下喇叭，那声音听起来很刺耳。卡拉瑟斯激动得上气不接下气。他们沿着一条窄路穿过一片橄榄树林，来到一所低矮且格局不规则的白房子前。贝蒂站在门口。他跳下汽车，吻了吻她的双颊。他一时说不出话来。但他下意识地注意到门口站着一位穿着白粗布裤子的老管家和几个身着当地传统白色及膝裙的男仆。这些人打扮整洁，看起来十分古雅。无论贝蒂允许她的司机做什么，很明显，这所房子是按照与她的身份相称的文明风格来管理的。贝蒂领他穿过门厅，这里很大，墙壁刷成白色，他隐约看到了一些漂亮的家具，然后，他们走进客厅，这里同样又大又矮，墙壁也被刷成白的，他立刻就感受到舒适和豪华的氛围。

“你先来观赏一下从房子里看到的风景吧。”她说。

“我要做的第一件事就是看你。”

她穿着一袭白衣。她的胳膊、脸和脖子都晒得黝黑，她的眼睛比他以往见过的更蓝了，牙齿异常洁白。她看上去状态非常好，整个人整洁利落，留着波浪鬈发，指甲修剪得很整齐。他还曾担心她在这个浪漫的小岛上过的生活太安逸，会因此变得不修边幅。

“说真的，贝蒂，你看上去像十八岁。你是怎么做到的？”

“因为我很幸福。”她笑了。

听到她这样说，他一时感到心痛不已。他不希望她太幸福，他希望她的幸福由他来给予。但现在她坚持要带他去阳台。客厅里有五扇长窗，窗外就是阳台，阳台外面，橄榄树覆盖的陡峭小山延伸向大海。下面的一个小海湾里有一条白色的小船，在平静的水面上投下倒影。在远处的一座小山上有一座希腊村庄，村里都是白色的房子，村庄的后面是一座巨大的灰色峭壁，上面耸立着一座中世纪城堡的城垛。

“那是骑士的据点之一。”她说，“今晚我带你去那儿转转。”

景色美到令人屏息凝神。四周十分安静，却弥漫着一种奇特的生活气息，不会使你沉思，却能叫你活跃起来。

“烟草带来了吧？”

他听了这话有些吃惊。

“没有。我没收到你的电报。”

“但我给大使馆发了电报，也给埃克塞尔西奥旅店发了电报。”

“我住的是广场旅店。”

“糟糕！艾伯特会生气的。”

“艾伯特是谁？”

“开车接你来的那个人。他只喜欢普雷尔海军蓝烟丝，但在这里买不到。”

“是那个司机啊。”他指着他们下面闪闪发光的小船说，“那是你和我说过的游艇吗？”

“是的。”

那是贝蒂买的一条大划艇，船挺漂亮的，装有马达辅助装置。她就是乘坐这艘船游览希腊群岛的。她去过最北边的雅典，去过最南边的亚历山大。

“如果你能抽出时间，我们就开船带你去玩。”她说，“你应该看看科斯。”

“谁替你开船？”

“我当然有船员了，但出力最多的还是艾伯特。他对马达之类的东西很在行。”

他不知道为什么听到她又谈起那个司机，他会隐隐感到不舒服。卡拉瑟斯不知道她是不是太依赖艾伯特了。给仆人太多的自由可不应该。

“你知道吗？我总觉得以前在什么地方见过艾伯特，可就是想不起他是谁。”

贝蒂灿烂地笑了笑，眼睛闪闪发亮，脸上突然现出愉快的神情，看起来是那么坦率讨喜。

“你应该记得他的。他是露易丝姑妈的二管家。他给你开门肯定有几百次了。”

贝蒂在结婚前一直和露易丝姑妈住在一起。

“是他吗？我想我一定没仔细留意过他。他怎么会在这儿？”

“他是从我们家里来的。我结婚时他想和我一起走，我答应了。他曾给吉米当过一段时间的贴身男仆，后来我把他送到了汽车厂做工，他对汽车很着迷，最后我请他当我的司机。我不知道现在没有他我该怎么办。”

“你不认为过分依赖仆人是个错误吗？”

“我不知道。我从来没有想过这个问题。”

贝蒂带他看了为他准备好的房间，他换好衣服后，他们漫步到海滩上。一条小船在等着他们，他们乘小船到划艇那儿，还在那里游了个泳。海水很暖和，他们在甲板上晒太阳。划艇很宽敞，既舒适又豪华。贝蒂带他在船上转了转，他们看到艾伯特正在修理发动机。他穿着肮脏的工作服，双手都是黑的，脸上沾满了油渍。

“怎么啦，艾伯特？”贝蒂说。

他站起身来，恭恭敬敬地面对着她。

“没什么，夫人。我只是随便看看。”

“艾伯特在这个世界上只爱两件事。一个是汽车，另一个是划艇。是吧，艾伯特？”

她给了他一个愉快的微笑，艾伯特那相当冷淡的脸上露出了喜色。他一笑，那口洁白整齐的牙齿便露了出来。

“是的，夫人。”

“你知道，他睡在船上。我们在船尾为他安排了一间很漂亮的船舱。”

卡拉瑟斯很快就适应了岛上的生活。贝蒂从被阿卜杜勒·哈米德流放到罗兹岛的一名土耳其巴夏[1]手中买下了这处房产，并在这幢风景如画的房子边上又盖了一个侧室。她用周围的橄榄树林造了一个野生花园。园子里种着迷迭香、熏衣草、水仙、她从英国带来的金雀花和岛上著名的玫瑰。她告诉卡拉瑟斯，到了春天，地

1 旧时奥斯曼帝国和近代埃及王朝的大行政区地方官或其他高官。

上就会长满海葵。但是，当她带着他参观她的房屋，讲述她的计划和她想做的改变时，卡拉瑟斯不禁感到有些不安。

“你说得好像要在这儿住一辈子似的。”他说。

“也许是的。”她微笑着说。

“胡说八道！你还这么年轻。”

“我快四十岁了，老伙计。”她淡淡地回答。

他很满意地发现贝蒂有一位出色的厨师，他觉得和她在富丽堂皇的餐厅里吃饭很得体。这里摆放着意大利家具，有威严的希腊男管家和两个穿着华丽制服的英俊男仆伺候，这使他感到很满意。这所房子布置得很有品位，房间里没有多余的物件，但每一件摆设都很精致。贝蒂过着相当富裕的生活。在他到达的第二天，总督带着几名工作人员过来吃饭，贝蒂把宴会办得十分气派。总督走进房子，两侧站着穿着硬挺衬裙和绣花上衣、戴着天鹅绒帽子的漂亮仆役，活像两队护卫队。卡拉瑟斯喜欢这种豪华的风格。宴会很热闹。贝蒂的意大利语很流利，卡拉瑟斯的意大利语则堪称完美无瑕。总督办公室里的年轻军官们穿着制服，显得异常潇洒。他们对贝蒂很关心，她对他们也很友好，还会揶揄他们几句。晚饭后，留声机播放音乐，他们一个接一个地和她跳舞。

他们走后，卡拉瑟斯问她：“他们都疯狂地爱上你了吧？”

“这我可不知道。他们偶尔暗示要和我永远在一起，但听我婉言拒绝后，他们也接受了，没有不痛快。”

这些人都构不成威胁。年轻的吧，不成熟；不那么年轻的，则是又胖又秃。不管他们对她有着怎样的感情，卡拉瑟斯都不相信贝蒂会委屈自己，找一个意大利中产阶级。但一两天后，一件奇怪的事情发生了。他正在自己的房间里换衣服准备吃晚饭，就听到外面走廊里有一个男人的声音，他听不清说了什么，也听不出说的是哪种语言，然后突然响起了贝蒂的笑声。那笑声太迷人了，荡漾着快乐的涟漪，与年轻姑娘的笑声无二，充满了狂热与欢乐，极富感染力。但是她能和谁一起笑呢？和仆人一起，是不会这么笑的。笑声中有股奇怪的亲密感。卡拉瑟斯在一阵笑声中听出这么多信息，似乎有些奇怪，但必须记住一点，那就是卡拉瑟斯非常敏感。他的小说就是以这样的细腻而著称。

过了一会儿，他们在阳台上见面。他调了一杯鸡尾酒，想把事情打听清楚。

“刚才你在笑什么？有人来过吗？”

“没有。”

她看着他，满脸的诧异。

“我还以为来了一个意大利军官呢。”

“不是。”

岁月的流逝当然对贝蒂产生了影响。她是很漂亮，但她的美丽是成熟的。她一向信心十足，但现在的她多了一分平和，她的平和是她的一个特征，就像她的蓝眼睛和眉间的坦率一样，构成了她的美。她似乎与世界和平相处。待在她的身边，你会感觉非常平静，正如你在橄榄丛中，凝望着酒红色的大海。虽然她跟以前一样快活风趣，可是从前只有他一个人了解的那种一本正经的态度，现在却展现在所有人的面前。再也不会有人指责她是个草包了，是个人就能看出她具有美好的品格。她甚至还那么高贵。这在现代女性身上并不常见。卡拉瑟斯觉得她有些复古，她使他想起了十八世纪的贵妇。她一向对文学情有独钟，她年少时写的诗优美动听。听她说起她正在做一些与历史有关的工作，他与其说感到惊讶，不如说是很感兴趣。她正在收集有关罗兹岛圣约翰骑士团的资料。这其中涉及很多浪漫的事件。她带卡拉瑟斯进城参观庄严的城垛，他们还一起在简朴而庄严的建筑物里漫步。他们徜徉在寂静的骑士街上，两侧是漂亮的石头外墙，以及让人想起逝去的骑士精神的巨大盾形纹章。贝蒂在那里给了他一个惊喜。她买了一所旧房子，精心地将房屋复原。当你走进这个有着石雕楼梯的小庭院时，仿佛回到了中世纪。房子里有一个有围墙的小花园，里面有一棵无花果树，还种着玫瑰花。院子很小，却私密而安静。古代的骑士与东方接触时间久了，学到了东方的隐私观念。

“我在别墅住腻了就会到这里待上两三天，在外面野餐。有时身边没有人围着，也是一种解脱。”

“但你不是一个人在这里吧？”

“基本上只有我一个人。”

房子里有一间陈设简朴的小客厅。

“这是什么？”卡拉瑟斯微笑着指着桌上的一份《体育时报》说。

“那是艾伯特的。我想他去接你时把报纸落在这里了。每个礼拜都有《体育时报》和《世界新闻报》送来给他。他就是这样了解这个伟大世界的。”

她宽容地笑了笑。客厅旁边是一间卧室，里面除了一张大床什么也没有。

“这房子以前是一个英国人的。这也是我买房子的部分原因。那人是古尔斯·奎恩爵士，我的一个祖先娶了他的表妹玛丽·奎恩。他们都是康沃尔郡人。”

贝蒂发现，不懂拉丁文就看不懂中世纪的文献，也就无法继续收集历史资料，于是她开始学习这门古典语言。她费了好大的劲儿才掌握了一些语法知识，然后一边对照译本，一边阅读她感兴趣的作家的作品。这是一种非常好的学习语言的方法，我经常疑惑学校为什么不用这个法子，如此一来，就没必要没完没了地翻字典查找词义了。九个月后，贝蒂能像我们大多数人读法语一样流畅地读拉丁语。在卡拉瑟斯看来，这个可爱、聪明的女人如此认真地对待她的工作，似乎有点儿好笑，但他还是被感动了。他想把她抱在怀里吻她，不是把她当作女人，而是当成一个早熟的孩子，却突然被她的聪明迷住了。但后来他开始琢磨她对他说的话。他当然是一个非常聪明的人，不然也不可能获得他在外交部所担任的职位。要说他的那两本书没价值，就纯属愚蠢，没有价值怎么会引起这么大的轰动？如果我把他形容得有点儿傻，那只是因为我不喜欢他，就算我嘲笑他的小说，也只是因为我觉得这类小说相当愚蠢。他机智，有洞察力。他深信只有一种方法可以赢得她的芳心。贝蒂有着明确的计划，把日子过得有滋有味。她在罗兹岛的生活是那么井然有序，那么完整，那么令人满意，但也正因为如此，才可以消除这种生活对她的影响。他的机会就是唤起她内心深处英国人特有的躁动不安。于是他与贝蒂谈起英国的伦敦、他们共同的朋友，以及他在文坛成名后结识的画家、作家和音乐家。他谈到了在切尔西举行的波希米亚聚会，谈到了歌剧，谈到了去巴黎参加化装舞会、去柏林看新戏。他试图唤起贝蒂的想象力，于是大谈丰富而轻松、多姿多彩而又高度文明的生活。他试图使她感到她自己正停滞在一潭死水里。世界在匆匆前进，从一个新鲜有趣的阶段进入另一个阶段，而她却站着不动。他们生活在一个激动人心的时代，她却错过了一切。他当然没有把这事告诉她，他要让她自己去推断。他有趣又活泼，能清楚地记得好故事，他异想天开又快活。我知道在我的叙述中，汉弗瑞·卡拉瑟斯并不聪明，就像我没有把贝蒂形容得很聪明一样。读者必须相信他们都很优秀。人们都觉得卡拉瑟斯是个风趣的人，而这已经算是成功了一半，人们愿意觉得他很有趣，他们发誓他说的话很了不起。当然，他的机智仅限于交际方面，需要特定的对象才能理解他的暗示，分享他那独特的幽默感。舰队街有二十来位记者，能彻底打败社会上最有名的人物，聪明是他们的工作，机智是他们的日常。报纸上常见的社交美人儿，没几个能在周薪三英镑的歌舞团里找到工作。对业余选手的评判必须宽容。卡拉瑟斯知道贝蒂喜欢和他在一起。他们一起笑得很开心。日子转瞬即逝。

“你走后我会非常想念你的。”她坦率地说，“你能来真是太好了。你真是个好人，汉弗瑞。”

“你才发现吗？”

他在心里鼓励了自己一下。他的策略是正确的。看到他那简单的计划实施得那么顺利，是件有趣的事。就像施咒语一样。粗俗的人可能会嘲笑外交部，但毫无疑问，外交部教会了他如何与难相处的人打交道。现在他需要做的是选择一个好时机。他觉得贝蒂从来没有像现在这样爱他。他准备等到快走的时候再表白。贝蒂是多愁善感的人。他要走了，她会很舍不得。没有他，罗兹岛会显得很无趣。他走后，她和谁说话呢？晚饭后，他们经常坐在阳台上看满天星斗下的大海，暖和的风吹着，夹杂着淡淡的香味。他要在他离开的前夕向她求婚。他深信她会接受他。

他在罗兹岛待了一个多礼拜，一天早晨，他上楼时正好看到贝蒂走过走廊。

“你还没带我参观你的房间呢，贝蒂。”他说。

“是吗？那现在进来看看吧。我的房间很漂亮。”

她转过身来，他跟着她走了进去。她的卧室在客厅的上方，几乎和客厅一样大。房间里的陈设是意大利式的，按照现在的装饰风格，这里一点儿也不像一间卧室，倒像是起居室。墙上挂着精致的镶板，还摆着一两个漂亮的柜子。床是威尼斯风格的，上着精美的漆。

“对一个寡妇来说，这张床的尺寸惊人啊。”他开玩笑地说。

“床是很大，但太好看了，我没忍住就买了，可是花了一大笔钱呢。”他的目光落在床边的床头柜上。上面有两三本书、一盒香烟和一个烟灰缸，一支石楠烟斗摆在烟灰缸上。太奇怪了！贝蒂在床边放个烟斗干什么？

“来看看这个意大利箱子。上面的图案好不好看？我找到它的时候，激动得都要哭了。”

“我想这个箱子也不便宜吧。”

“我不敢告诉你我花了多少钱。”

他们离开房间时，他又看了一眼床头柜。烟斗不见了。

贝蒂的卧室里竟然有烟斗，这真奇怪，她自己当然不抽烟，如果她抽的话，她也不会瞒着别人，不过当然有十几个合理的解释。也许是她送给别人的礼物，送给那些意大利人甚至是艾伯特。他没能看到烟斗是新的还是旧的，或者那个烟斗只是个样子，贝蒂会让他带回英国，买同样款式的寄给她。他琢磨了片刻，但没想明白，同时也觉得有趣，但很快就把这件事抛到脑后了。那天他们要去野餐，便带着午餐出门了，贝蒂亲自开车。他们计划在他离开的前几天坐船去玩，带他去看看帕特莫斯岛和科斯岛，所以艾伯特一直忙着维护帆船的引擎。他们度过了美好的一天。他们参观了一座废弃的城堡，爬上一座生长着水仙花和风信子的大山，回来的时候都累坏了。晚饭后不久他们就分开了，卡拉瑟斯上床睡觉。他读了一会儿书就关了灯，但睡不着。睡在蚊帐里面很热。他在床上翻来覆去。过了一会儿，他想到山脚下的小海滩那儿游个泳。步行用不了三分钟就能到。他穿上帆布鞋，拿了条毛巾。一轮圆月挂在空中，他透过橄榄树的缝隙看到月光洒在海面上。但是，他并不是唯一一个认为在这样一个月夜游泳会很惬意的人。他还没走到海滩上，就听到了说话声。他有点儿恼怒地嘟囔着，心想肯定是贝蒂的仆人在游泳，他又不能去打扰他们。橄榄树一直延伸到水边，他站在林子里不知该进该退。这个时候，他听到一个声音，吓了一跳。

“我的毛巾呢？”

这人说的是英语。一个女人从水里走出来，在水边站了一会儿。一个男人走出黑暗，只在下半身裹着一条毛巾。那个女人是贝蒂，浑身一丝不挂。男人把浴衣披在她身上，使劲地把她擦干。她靠在他身上，穿好鞋子。为了支撑她，他把胳膊搭在她的肩膀上。这个男人正是艾伯特。

卡拉瑟斯转身向山上飞奔而去。他跌跌撞撞地跑着，根本不辨方向。有一次他差点儿摔倒。他像一头受伤的野兽一样喘着粗气。他回到房间，一下子扑倒在床上，握紧拳头，一阵干涩而痛苦的呜咽撕裂了他的胸膛，他的眼泪夺眶而出。他整个人进入了一种歇斯底里的状态。他现在全明白了，他看得那么真切，一切清晰得像在暴风雨的夜晚，一道闪电把一幅令人难堪的景象照得清清楚楚。那个男人给她擦干身子的样子，她倚着他的样子，都表示他们并不是偶尔偷情，而是一直都那么亲密。那个床边的烟斗，可知他们过着如同夫妻一般的生活，这简直叫人恶心。可以想象一个男人临睡前躺在床上，一边看书，一边抽烟斗。还有《体育时报》！所以她才会在骑士街买了一所小房子，这样他们就可以亲亲密密地在一起待上两三天。他们就像一对老夫妻。汉弗瑞问自己这可恨的关系持续了多久，跟着，他突然想明白了，他们必定在一起很多年了。十年，十二年，十四年，在那个年轻的男仆刚来伦敦的时候，他们肯定就好上了，那时他还很年轻，很明显主动的人并不是他。在那些年里，她是英国公众的偶像，每个人都崇拜她，她可以嫁给任何她喜欢的人，但她在姑妈家一直和这个二管家生活在一起。她婚后也带着他一起。她为什么要出乎所有人的意料，嫁给那么一个人呢？还有那个小产的孩子。当然，这就是她嫁给吉米·韦尔顿–伯恩斯的原因，因为她有了艾伯特的孩子。无耻，无耻！后来，吉米的身体垮了，她唆使杰米接受艾伯特当贴身男仆。吉米知不知道这件事，有没有过怀疑？他患上肺结核是因为酗酒，但他为什么酗酒？也许他怀疑的事是如此丑陋，以至于他根本无法面对。她离开吉米就是为了和艾伯特生活在一起，她在罗兹岛定居也是为了和艾伯特生活在一起。艾伯特修理马达弄得满手污渍，指甲都是断的，他长得又矮又壮，活像一个面色红润、孔武有力的屠夫。艾伯特不年轻了，甚至已经开始发胖，他没有受过教育，举止粗俗，说起话来是那么粗鲁。艾伯特，艾伯特，她怎么能这样？

卡拉瑟斯站起来喝了点水。他瘫坐在椅子上。他不能忍受那张床。他一根烟一根烟地抽着。到了早上，他已经颓废得不像样了。他根本没有睡着。他们给他送来了早餐，他喝了咖啡，但什么也没吃。不一会儿，有人轻快地敲了他的门。

“去游泳吗，汉弗瑞？”

听到那欢快的声音，他登时觉得脑袋嗡嗡直响。他鼓起勇气，打开了门。

“不去了。我觉得不太舒服。”

她看了他一眼。“亲爱的，你的气色很不好。怎么啦？”

“我不知道。可能是阳光晒得太多了。”

他的声音死气沉沉，他的眼神里充满哀怨。她更仔细地瞧着他。她一时什么也没说。他发现她的脸色像是有些发白。他知道真相了。接着，她的眼里闪过一丝嘲弄的笑意，她觉得眼前的情况滑稽可笑。

“真可怜，去躺一会儿吧，我派人给你送点阿司匹林来。也许午餐时你会感觉好些。”

他躺在黑暗的房间里。只要可以离开这里，他什么都愿意做，这样他就不必再看到她了，但这是不可能的，要到周末才有船靠岸罗兹岛，将他送回布林迪西。他现在被困在了岛上。第二天，他们要到别的岛上去。在那里，他是不可能从她身边逃开的，而且，在划艇上，他们更是一整天都要形影不离。他无法面对。他太难堪了。但她并不感到羞耻。就在她明白他知道真相的时候，她竟然笑了。她一定会亲口把这一切都告诉他。他受不了了。这太过分了。毕竟，贝蒂不能肯定他是否知道，充其量只能猜测，如果他表现得好像什么事都没发生过，如果在午饭时，在剩下的日子里，他像往常一样快活，她就会认为自己弄错了。知道他现在所了解的一些就够了，他不愿意忍受从她嘴里听到这个可耻的故事，那简直就是奇耻大辱。但在午餐时，她一上来就这么说：

“真烦人。艾伯特说马达出了毛病，我们不能坐船出去了。我不敢在每年的这个时候挂帆出海。我们可能这一个礼拜都不能出门了。”

她语气轻松，他也同样漫不经心地回答。

“那就太遗憾了，不过无所谓。这里太美了，我真的不想离开。”

他告诉她吃了阿司匹林后感觉好多了。对希腊管家和两个穿着白色及膝裙的仆人来说，他们聊天和平常一样愉快。那天晚上，英国领事来吃晚饭，第二天晚上又来了几位意大利官员。卡拉瑟斯数着日子过，每个小时都漫长无比。但愿离开的那一刻能早点到来，那样他就能上船，摆脱每时每刻都在困扰着他的恐惧！他只觉得越来越累。但贝蒂如此冷静，有时他问自己，她是否真的知道他得知了她的秘密？难道正如她所说，船是真的坏了，而不是像他以为的，只是一个借口？接连不断有客人到访，使他们不能单独在一起，是偶然的吗？对一个处世圆滑的人而言，最糟糕的事莫过于，你不知道其他人是真心为之，还是只是在耍心机。他看着她是那么轻松平静，那么快乐，他不能相信事实竟是如此丑陋。然而，一切都是他亲眼所见。还有未来。她的未来会怎样？想想都觉得可怕。这桩丑闻迟早会传出去。想想贝蒂吧，她将沦为笑柄。她竟然屈从于一个粗俗而平凡的人，所有人都会不待见她，而随着年龄的增长，她将失去美貌，那个男人还比她小五岁。总有一天，那男人会找情妇，也许找的就是她的女仆，和她的女仆在一起，他会觉得很自在，那是他和这位贵妇人在一起时从来没有过的感觉。如果是这样，贝蒂会怎么做？那她得准备忍受多大的耻辱啊！他可能会虐待她，还可能打她。

卡拉瑟斯绞着双手。忽然，他想到一个主意，心中随即充满了痛苦的兴奋，他甩开这个念头，但它马上又回来了，不肯放过他。他必须救她，那么久以来，他全身心地爱着她，他不能由着她堕落下去。他心中涌起一股自我牺牲的激情。尽管发生了这么多事，尽管他的爱现在已经死了，他对她几乎产生了一种厌恶，他还是要娶她。他阴森地笑了。他的生活到时会是什么样子？他不在乎。他自己怎么都无所谓。这是唯一能做的事。他感到异常振奋，但又非常谦卑。一想到人类竟能达到这么高的思想境界，他不由得心怀敬畏。

他的船定于礼拜六起航，礼拜四那天，来用餐的客人们离开后，他说：

“希望我们明天能单独在一起。”

“事实上，我请了几个埃及人来这里避暑。有一位是前埃及总督的妹妹，人挺聪明的。我相信你会喜欢她的。”

“明天是我在这里的最后一个晚上。我们不能独处吗？”

她看了他一眼。她的眼睛里有一种淡淡的笑意，但他却很严肃。

“如果你喜欢。我可以推迟。”

“那就推迟吧。”

他一大早就要出发，行李也收拾好了。贝蒂告诉他不要穿正式服装，但他回答说他喜欢这么穿。他们最后一次面对面坐下来吃饭。餐室里开着带有灯罩的灯，整个地方看起来光秃秃的，十分正式，但是夏夜从敞开的大窗户里涌进来，给人一种庄重而丰富的感觉。房间里感觉就像一个女修道院里的食堂，一位贵夫人隐居在修道院里，在不太严峻的环境中虔诚地度过余生。他们在阳台上喝咖啡。卡拉瑟斯喝了两杯利口酒。他感到非常紧张。

“贝蒂，亲爱的，我有话对你说。”他开始说。

“是吗？如果我是你，我就不会说。”

她的声音很轻。她保持平静，机敏地注视着他，但她的蓝眼睛里闪过一丝笑意。

“我一定要说。”

她耸了耸肩，没有说话。他意识到他的声音有点儿颤抖，他在生自己的气。

“你知道我疯狂地爱你爱了很多年。我都不知道向你求婚求了多少次了。但是，事情会变，人也会变，不是吗？我们都不像以前那么年轻了。你现在愿意嫁给我吗，贝蒂？”

她冲他微微一笑，她的微笑总是那么迷人，那么亲切坦率，仍是那么纯真。

“你真好，汉弗瑞。你能再次向我求婚，真是太好了。我说不出我有多感动。但你知道，我是个喜欢遵循习惯的人，而我已经习惯了对你说‘不’，我是不会改变的。”

“为什么？”

他的语气里有一种咄咄逼人的意味，几乎有些骇人，她飞快地看了他一眼。她突然气得脸色发白，但她立刻控制住了自己。

“因为我不愿意。”她笑着说。

“你要嫁给别人吗？”

“我？不。当然不是。”

有那么一会儿，她挺直了腰板，仿佛一股祖传的自豪感席卷了她的全身，然后她大笑起来。不过，她究竟是对自己脑子里闪过的这个念头感到好笑，还是为了汉弗瑞的求婚而发笑，那就不得而知了。

“贝蒂，我恳求你嫁给我。”

“不可能。”

“你不能再过这种生活了。”

他说这话时传递出了心中所有的痛苦，他的脸绷得紧紧的，痛苦不堪。她亲切地笑了笑。

“为什么不能？别那么傻了。汉弗瑞，你知道我喜欢你，可你也太婆婆妈妈了。”

“贝蒂！贝蒂！”

难道她没有看出他是为了她好才向她求婚？他这么说，不是出于爱，而是因为人类的怜悯和耻辱。她站了起来。

“别太累了，汉弗瑞。你最好去睡觉，你还得早起呢。我明天早上不能送你了。再见，祝你一帆风顺。你能来真是太好了。”

她吻了他的双颊。

第二天，由于八点要上船，卡拉瑟斯一早就动身了，他发现艾伯特在车里等他。他穿着背心、粗布裤，戴着一顶贝雷帽。卡拉瑟斯的行李在后座。他转向男管家。

“把我的包放在司机旁边。”他说，“我坐后面。”

艾伯特没有说话。卡拉瑟斯上车后，车子开动了。他们到达港口时，搬运工跑了上来。艾伯特下了车。卡拉瑟斯俯视着他。

“你不必送我到船上。我一个人就能安排好。这是给你的小费。”

他给了他一张五英镑的钞票。艾伯特脸红了，他吃了一惊，他本想拒绝，但不知道如何拒绝，多年为仆的经历占了上风，也许连他自己都不知道自己在说什么。

“谢谢你，先生。”

卡拉瑟斯草草地点了点头就走了。他强迫贝蒂的情人叫他“先生”。这就仿佛他在她微笑的嘴上打了一拳，冲她说了恶毒的咒骂。他感觉很满足，却也很痛苦。

他耸了耸肩，我可以看出，即使是这个小小的胜利，现在看来也是白费力气。我们沉默了一会儿。我无话可说。然后他又说了起来。

“我敢说，你一定觉得我把这一切都告诉你很奇怪。我不在乎。你知道，我觉得好像什么都不重要了，好像这个世界上再也没有正派的人了。天知道，我不嫉妒。除非心里有爱，否则怎么嫉妒得起来，而我的爱早就消失了。我的爱在一瞬间被消磨殆尽。我可是爱了这么多年。我现在一想起她就感到害怕。一想到她那难以启齿的堕落，我整个人都崩溃了，难过得要命。”

有人说，奥赛罗杀死苔丝狄蒙娜[1]并不是出于嫉妒，而是因为痛苦，因为曾被他视为天使的人竟然是那么肮脏，那么一无是处。终使他那颗高贵的心破碎的，是道德的沦丧。

“我以为这世上没有比她更好的人。我是那么爱

1　莎士比亚《奥赛罗》中的人物。

她。我欣赏她的勇气和坦率，她的智慧和她对美的热爱。最后，才发现她只是个骗子。”

“我对此有些怀疑。你认为我们所有人都是一模一样的吗？你知道我为什么吃惊吗？我应该说，艾伯特只是她的工具，是她接触俗世的工具，这样一来，她的灵魂才可以自由地漫游天际。也许仅仅因为他的地位比她低得多，她才可以在同他的关系中体会到一种自由，这正是她与同阶级的男人在一起所缺乏的。人的想法都是很奇怪的，灵魂可以高高飞翔，肉体则在阴沟里打滚。”我说。

“别胡说八道了。”他生气地回答。

“我可不这么认为。也许我说得词不达意，但道理就是这个道理。”

“这对我很有好处。我心碎了，完蛋了。”

“瞎说。你为什么不就此写一篇小说呢？”

“我？”

“你知道，这就是当作家的好处了。作家可以把一些不开心的事都写进故事里，然后从中寻找到特别的安慰和解脱。”

“那太可怕了。贝蒂是我的一切。我不能做这样无礼的事。”

他停顿了一会儿，我看见他在沉思。看得出来，尽管我的建议使他感到恐惧，但有那么一刻，他还是站在作家的立场上思考这件事。他摇摇头。

“不是为了她，是为了我。毕竟我还懂得自尊。再说了，也没什么可写的。”

毛姆

短篇小说全集

[英] 毛姆 著　姚锦清 刘勇军 译

第9册

三个圈经典文库

经典就读三个圈　导读解读样样全

江苏凤凰文艺出版社
JIANGSU PHOENIX LITERATURE AND ART PUBLISHING

目　录

创作的冲动

大概没有多少人了解阿尔伯特·福特斯特夫人撰写《阿喀琉斯雕塑》的经过。但人人都说，它是我们这个时代伟大的小说之一。既然如此，想必所有专攻文学的学生都会对该书的创作过程感兴趣。如果诚如批评家所言，这将是一本传世之作，那么下面的叙述不仅可以用来消磨时光，还可以发挥更大的作用，在日后史学家编撰的当代文学史中充当一处有趣的注脚。

没有人会忘记《阿喀琉斯雕塑》出版时的盛况。接连数月，印刷机和装订工都忙着印制新书，不同的版本相继问世。即便如此，英美的出版商也很难完成书店的订单。这本书迅速被译成欧洲各个国家的语言，近来还有消息称日语版和乌尔都语版不久就会面市了。该书还曾在大西洋沿岸国家的杂志中连载过。据传，阿尔伯特·福特斯特夫人的经纪人从编辑那里谈来的稿费不是一笔小数目。《阿喀琉斯雕塑》还被改编成剧本，在纽约一连演了三个月。若是这部戏被搬上伦敦的舞台，毫无疑问也会大获成功。电影的版权也以高价出售。虽然关于阿尔伯特·福特斯特夫人靠这本书赚的钱（在文坛）众说纷纭，但毫无疑问，这笔钱足以让她安度余生。

公众和评论家都对这本书赞不绝口，这种情况并不常见。阿尔伯特·福特斯特夫人做到了别人都办不到的事，比其他人都更使人满意。尽管评论家没有吝惜对她的溢美之词（实际上，阿尔伯特·福特斯特夫人对此已经习以为常了），但奇怪的是，公众对她的作品却并不感冒。她的作品每次出版都会被印制成设计精美的小册子，封面用白麻布面精心包装，报纸常用一个专栏的版面来赞美她的作品。在历史悠久的俱乐部中，还能在陈旧的图书室里看到早年的评论周刊，上面推荐阿尔伯特·福特斯特夫人新书的文章足有一页纸那么长。博览群书的人都拜读过阿尔伯特·福特斯特夫人的作品，而且看了都说好，但是这类人往往不需要自己掏腰包买书，所以阿尔伯特·福特斯特夫人的作品全都销量不佳。一位才华横溢的作家，想象力惊人，笔触细腻，凡夫俗子却不当回事，说出来实在叫人难堪。在美国更是没人听说过阿尔伯特·福特斯特夫人的大名。尽管卡尔·凡·韦奇滕先生曾专门写过文章痛斥公众愚钝，但大众却不为所动。阿尔伯特·福特斯特夫人的经纪人非常欣赏她的才华，他曾勒索一位美国出版商，如果不买下阿尔伯特·福特斯特夫人的两部作品，他就拒绝让对方买走对方想买的书的版权（无非是一些不入流的小说）。这样一来，阿尔伯特·福特斯特夫人的作品很快就出版了。媒体对其作品给出的评价非常高，并表明在美国，最聪明的头脑是欣赏她的才情的。但谈到第三本书时，美国出版商（以出版商粗俗的方式）告诉经纪人，他宁愿用闲钱去买合成的杜松子酒。

《阿喀琉斯雕塑》问世后，阿尔伯特·福特斯特夫人曾经的作品又重见天日（卡尔·凡·韦奇滕先生另写了一篇文章，坚定地表示自己曾在十五年前就提醒广大读者关注这位杰出的作家，字里行间透露出惋惜之情），因为推广力度比较大，知识分子终于注意到了她的作品。我不必再做赘述，况且有卡尔·凡·韦奇滕先生发表的两篇“珠玉”在前，我不便再自讨没趣。阿尔伯特·福特斯特夫人早年便走上了文学道路，十八岁时出版了第一部作品（《一卷挽歌》）。从那时起，每两三年便会有一部散文或者诗歌作品面世。因为她的文学追求非同一般，无论是诗歌还是散文，绝不会粗制滥造。动笔创作《阿喀琉斯雕塑》时，她已经五十七岁了，不难推测，她的作品数量已经相当多了。她创作了六卷诗集，均以拉丁文命名，比如《菲利斯塔斯[1]》《平静的海》和《钢铁般的意志》，都是题材严肃的作品，因为她的缪斯女神不愿轻歌曼舞。阿尔伯特·福特斯特夫人仍然对《挽歌》情有独钟，十四行诗也占据了她大部分精力，但她最主要的贡献是重振了《颂歌》的辉煌，这种体裁并不受当代诗人的待见。可以肯定地说，每一部英国诗歌选集都将收录阿尔伯特·福特斯特夫人撰写的《法利总统颂》。而这部作品之所以出色，不仅因为它的节奏较为明快，韵律也比寻常诗歌高雅，还因为她在这部作品中对法国这片土地的描写既生动又细致，令人神往。在她的作品中，读者可以领略卢瓦尔河谷[2]秀美的风光，和阿尔伯特·福特斯特夫人一同追

1 古罗马文化中的女神。

2 卢瓦尔河谷是位于法国中部、卢瓦尔河中游的平原流域。

忆杜·贝莱[1]，一睹沙特尔圣母大教堂[2]的宝石窗户以及沐浴在阳光中的普罗旺斯的风采。阿尔伯特·福特斯特夫人从未探访过法国腹地，走到最远的地方也不过是布伦，想到这一层，再去思索字里行间的风情，不免叫人赞叹。阿尔伯特·福特斯特夫人结婚后不久，便乘坐一艘从马盖特出发的短程蒸汽船前往布伦。当时，阿尔伯特·福特斯特夫人饱尝晕船的痛苦，精神上也不免受到折磨，因为这个海滨度假胜地的原住民竟然听不懂她那口地道流利的法语。如此一来，阿尔伯特·福特斯特夫人发誓决不再让自己陷入如此尴尬又难堪的境地。自此，阿尔伯特·福特斯特夫人再也没有靠近过像海水这样变幻莫测的自然元素，尽管她创作的《平静的海》中，有几篇温柔又不失庄严的诗作赞颂了海洋。

在《伍德罗·威尔孙[3]颂》中也有一些精彩的段

1　杜·贝莱（1522—1560），法国人，七星诗社重要成员。主要诗集有《罗马怀古》和《悔恨集》。

2　沙特尔圣母大教堂位于法国巴黎西南约七十千米处的沙特尔市。据传圣母马利亚曾在此显灵，并保存了马利亚曾穿着的圣衣，沙特尔因此成为西欧重要的天主教圣母朝圣地之一。该教堂自1979年10月26日被联合国教科文组织世界遗产委员会第三届会议列入世界文化遗产。

3　伍德罗·威尔孙（1856—1924），美国第二十八任总统。

落，遗憾的是，虽然这个人物可歌可赞，但作者对他的看法发生了变化，决定不再重印这本书。不过我必须承认，阿尔伯特·福特斯特夫人最优秀的作品都是散文。她曾创作过几卷构思精巧的短篇散文，包括《苏塞克斯[1]的秋天》《维多利亚女王》《死亡》《诺福克[2]的春天》《乔治王时代的建筑》《佳吉列夫先生和但丁》。她还写了一些关于十七世纪耶稣会建筑和从文学层面剖析百年战争的作品，这些作品反映出作者学识渊博，才思敏捷。也正是她的散文让她收获了一群忠实的崇拜者，尽管崇拜者“在精不在多”（诚如她自己所说）。凭借她在措辞上罕见的天赋，她成了本世纪最了不起的英文大师。阿尔伯特·福特斯特夫人承认，自己的强项在于文风独特，稳重而不失活泼，优雅又不失雄辩。而且唯有在散文中，她才有机会向读者展示那种微妙又精巧的幽默，叫读者不忍释卷。阿尔伯特·福特斯特夫人的幽默不仅停留在思想层面，甚至也不是文字游戏表现出来的幽默，而是更高级的、用标点符号表现出的幽默。阿尔伯特·福特

1　英国城市。
2　美国城市。

斯特夫人偶然间发现了分号的喜剧效果，而且到了她的笔下，分号更是发挥了无穷无尽的魅力。如果你是一个有幽默感的文化人，若是见了阿尔伯特·福特斯特夫人笔下的分号，虽不至于像穿钻入马轭[1]那样笑得合不拢嘴，但也会发出会心的微笑，并且文化程度越高，笑得就越开心。她的朋友们说，与之相比，其他形式的幽默都相形见绌，显得粗浅和浮夸了。不少作家试图模仿她，但都徒劳无功。不管你怎样评价阿尔伯特·福特斯特夫人，你都会承认她把分号的诙谐特质发挥到了极致，在这方面无人能与她媲美。

阿尔伯特·福特斯特夫人住在大理石拱门附近的一套公寓里，这套公寓地段不错而且租金适中。公寓里的客厅宽敞华丽，正对街面，还有一间大卧室是阿尔伯特·福特斯特夫人住的，公寓最里面是间昏暗的餐厅，厨房的隔壁还有一间破旧的小卧室，那是阿尔伯特·福特斯特先生的卧室，公寓的房租也由他来支付。每个礼拜二的下午，阿尔伯特·福特斯特夫人都会在这间漂亮的客厅里接待朋友们。这所公寓装修得十分精简，墙纸

1　古时候一种把头从马颈圈伸出来互做鬼脸的游戏。

是威廉·莫里斯[1]亲自设计的，墙上挂着普通的黑色相框，里面粘贴着主人家收集的美柔汀版画[2]，当时这种画的价格还没有涨起来。屋里摆放的是托马斯·齐彭代尔式家具的作品，那张折叠桌有些像路易十六时代的物件，阿尔伯特·福特斯特夫人就是伏在这张桌子上写作的。每位初次登门的客人都会被告知此事，无人不向它投以崇敬的目光。这间房里的地毯铺得非常厚实，屋内的光线较为昏暗。阿尔伯特·福特斯特夫人通常坐在祖父那张椅背笔直、盖着红缎子的椅子上。摆出这张椅子并非是为了炫耀，只不过因它是房间里唯一一张舒适的椅子，自然就显得与众不同了。一位看不出年岁的女仆负责为客人上茶，主人家从未介绍过她，只知道她性格内敛，肤色过于苍白。不过大家都清楚，这位女仆把斟茶视为无上荣光，因为她的工作可以把女主人从斟茶倒

---

1 威廉·莫里斯（1834—1896），出生于英国沃尔瑟姆斯托，十九世纪英国设计师、诗人、早期社会主义活动家、自学成才的工匠。

2 美柔汀是铜版画的一种制版方法，意为黑色的方法。这种方法不使用酸腐蚀和雕刀镌刻，而是依靠一种特制的摇凿，把版面做成密密的毛点，造成一片黑色，然后再通过刮刀和压刀把这些毛点不同程度地刮平压平，显出不同的明暗层次而制作出图像来。

水的俗务中解救出来，从而全身心地投入谈话中去。必须承认，阿尔伯特·福特斯特夫人的发言非常精彩。她的谈话风格不算活泼，在讲话过程中无法彰显标点符号的魅力，所以看起来夫人在谈话中总是少些幽默感。但她谈及的话题非常广泛，内容也很有趣，并且有教育意义。夫人对社会科学、法学和神学都非常了解。她读过不少书，加之记忆力惊人，讲话时总能引经据典，省去了即兴发挥的麻烦。三十年来，福特斯特夫人与许多名人都多少打过些交道，攒下了不少可分享的逸事。她总能把握分享这些趣事的时机，纵使偶有重复，也是可以理解的。夫人的人格魅力不容小觑，时常吸引各种各样的人物到她这里谈天说地。在她的客厅里，你能同时遇见前首相、报社老板和大国的使臣。我一直认为，这些伟大的人物之所以来到这里，是为了与文人雅士接触，这个圈子的人背景干净，放浪形骸，与之接触不必担心危险。阿尔伯特·福特斯特夫人对政治非常感兴趣，我亲耳听到一位内阁大臣坦率地告诉她，她的思维方式非常男性化。夫人一直反对妇女拥有选举权，但女性终于赢得这项权利时，她又开始考虑进入议会，一度苦恼于该选择支持哪个政党。

“毕竟，”她俏皮地耸了耸稍显厚实的肩膀说，

“我不能组织一个除了我就没有别人的政党吧。”

像许多严肃的爱国主义者一样，政治立场模糊时就不发表自己的政治观点。但最近她明确地把工党看作国家的最大希望，如果给她一个安全的席位，她定会毫不犹豫地站出来，为受压迫的无产阶级伸张正义。

她的客厅总是对外国人开放，只要地位尊贵，无论是斯洛伐克人、意大利人还是法国人都可以进来。美国人也是可以的，哪怕没有什么名气。但她不是个势利小人，你很少在她的客厅里见到公爵之类的人物，除非这位公爵是个庄重自持的人。若是女性贵族，除地位要显赫之外，还要带有可供他人在社交场合讨论的谈资，比如离过婚、写过小说或者伪造过支票，这些都可以使她得到天主教徒阿尔伯特·福特斯特夫人的同情。她不太喜欢羞涩沉默的画家，对音乐家也不感兴趣，哪怕对方愿意表演。话又说回来，有些名气的音乐家通常不愿在这种场合表演，他们的表演会影响其他人的交流。如果人们想听音乐，大可以去听音乐会。对她来说，直通灵魂的音乐更高级。不过她招呼作家时倒是一如既往地热情，尤其是那些有前途但鲜为人知的小众作家。她有一双识人的慧眼，不少知名作家在发迹前都会偶尔来阿尔伯特·福特斯特夫人这里喝茶拜访，他们都得到过阿尔伯特·福特斯特夫人的鼓励和指点。夫人在文坛的地位是不可撼动的，不必艳羡旁人，她也经常听到有人用天才来形容自己。即便那些作家凭借才华出人头地，获得了阿尔伯特·福特斯特夫人未曾得到过的物质上的成功，她也从未妒忌过谁。

阿尔伯特·福特斯特夫人相信后世自有公断，故而从不计较这些琐事。所以她才能创造出近似于十八世纪法国沙龙的私人社交场所，让她野蛮的同胞有体验沙龙的机会，做到这一点实属难得。任谁接到“诚邀您于礼拜二光临寒舍享用点心，静品香茗”的邀请，都会感到荣幸。当你坐在那张齐彭代尔式的椅子上，置身于那个晦暗不明、装修简单的客厅里时，你自然而然会感到自己成了文学史中的一处掠影。美国大使曾对阿尔伯特·福特斯特夫人说过：

“阿尔伯特·福特斯特夫人，同您一起用茶，是我有生以来在精神层面享受到的最丰厚的款待了。”

有时候这种社交的氛围也会叫人喘不过气。阿尔伯特·福特斯特夫人的品位是如此完美，她看中的从不会出错，她的评判永远公正，所以难免偶尔会叫人倍感压力。拿我个人来说，每每踏入那高档的社交场前，我都要喝一两杯鸡尾酒来壮胆。有一次，我差点就永远失去了参加这类活动的资格，那天下午，我问开门的女仆："今天会安排做礼拜吗？"而其实我想说的是："阿尔伯特·福特斯特夫人在家吗？"

当然，这纯粹是无心之失，但不幸的是，那位女仆不停地窃笑，而阿尔伯特·福特斯特夫人忠实的崇拜者之一——艾伦·汉娜薇恰巧在大厅里脱胶套鞋。她把我进客厅前说的话告诉了女主人，我一进门，阿尔伯特·福特斯特夫人便用锐利的目光盯着我。

"你为什么问今天有没有安排礼拜？"她问道。

我解释说刚才是自己失言了，但夫人凌厉的目光盯得我发慌。

"你的意思是说我组织的聚会……"她在找合适的形容词，"……像圣餐礼？"

我不知道她是什么意思，但我不想在这么多聪明人面前表现出自己的无知，于是我想到唯一的办法就是说好话。

"亲爱的女士，您举办的聚会就像您本人一样，美丽而神圣。"

听了我的话，阿尔伯特·福特斯特夫人的身影晃动了一下，就像一个突然走进装满风信子的房间的男人，被扑面而来的香气呛到趔趄。阿尔伯特·福特斯特夫人最后还是心软了。

“如果你想开玩笑的话，”她说，“我宁愿你和我的客人开玩笑，而不是对我的女仆……沃伦小姐会给你倒杯茶的。”

夫人向我挥了挥手，表示放过我，但不代表这件事就这么结束了。在接下来的两三年里，每次她向别人介绍我时，总要补充这么一句：“有什么事尽管找他，他来这儿是赎罪的。每次进门前都要问，‘今天安排做礼拜吗？’，真是太有趣了，不是吗？”

不过阿尔伯特·福特斯特夫人不仅每个礼拜都会举办一次茶话会，每逢礼拜六，她还要举行一次八人午餐会。按照她的说法，八个人不多不少最合适，而她的餐厅也恰好不能再容纳更多的人。如果说有什么事让阿尔伯特·福特斯特夫人引以为傲的话，那绝不是她写过的那些独一无二的英语诗歌，而是饱受欢迎的午餐会。参加午餐会的客人都是经过阿尔伯特·福特斯特夫人精心挑选的，接到邀请既代表着夫人对你的赞赏，也代表着这是你进入神圣集会的敲门砖。午餐会上的谈话自然较之七嘴八舌的茶话会水平更高。餐会结束后，人们只会更加肯定阿尔伯特·福特斯特夫人的能力，对人性的看法也变得更加积极。夫人的餐会只邀请男性，尽管她为自己的女性身份深感自豪，但她时常在其他场合看到，女性更倾向于同邻座交谈，难免有碍群体交流。而她的聚会不仅要放松身体，更要愉悦心灵。不得不说，阿尔伯特·福特斯特夫人的聚会上总能见到异乎寻常的佳肴、上好的葡萄酒和高级的雪茄。对多数接触过文人雅士的人来说，这一点非常难得，因为多数文人精神世界充盈，但物质生活简朴，他们在精神层面投入了太多精力，所以不会留意羊肉烤得不够熟或是土豆已经凉了这种小事。啤酒尚可接受，但葡萄酒竟像解酒汤一样越喝越清醒，咖啡就更不建议尝试了。人们对午餐会上美食的称赞，阿尔伯特·福特斯特夫人欣然接受。

“如果大家肯赏光与我吃饭，”她说，“那我总不能让大家吃得比在家里差，这才算对得起各位。”

但是，她并不接受溢美之词。

“您言过其实了，我可是承担不起。要赞美的话，还是要称赞布尔芬奇太太。”

“布尔芬奇太太是谁？”

“我的厨师。”

“那她真是不可多得。你该不会说，葡萄酒是她准备的吧？”

“酒还可以吗？我对这些事情一无所知，全权交给酒商处理。”

但要是说到雪茄，阿尔伯特·福特斯特夫人就会喜笑颜开。

“说到雪茄，可要好好夸一夸阿尔伯特了。这些雪茄都是他精挑细选的，据说没人比他更了解雪茄了。”

阿尔伯特·福特斯特夫人看着坐在桌子另一头的丈夫，那骄傲又明亮的眼神，仿佛一只纯种母鸡（比如浅黄色的奥平顿鸡）在看自己唯一的孩子。客人们正愁没有机会向男主人表示感谢，眼下终于找到了一个合适的机会，连忙对他这项特殊的才能大加赞扬。

“您过奖了，”男主人回道，“您喜欢就好。”

接下来，他会围绕雪茄发表一小段演讲，谈一谈他看重雪茄哪些方面的品质，同时对雪茄工业商业化而导致产品质量下降的行情表示遗憾。阿尔伯特·福特斯特夫人则在一旁带着得意的微笑听着他说话，显然，她沉浸在丈夫赢得的这场小小的胜利之中。当然，雪茄这一话题不可能无休无止地谈下去，一旦她察觉来宾烦躁的情绪，便会提出一个更笼统或者更有意义的话题。这时，阿尔伯特·福特斯特先生便恢复沉默。不过他已经出过风头了。

和茶话会比起来，阿尔伯特·福特斯特夫人的午餐会略显逊色，因为阿尔伯特·福特斯特先生是个无趣的人。尽管她清楚地意识到这一点，还是认为阿尔伯特·福特斯特先生应该参加午餐会，而且实际上她已经把午餐会安排在礼拜六了（其余的时间阿尔伯特·福特斯特先生都抽不开身），如此便可确保他能够参加。阿尔伯特·福特斯特夫人觉得让丈夫出席这种欢庆宴饮的场合，是为了偿还自己亏欠自尊的债务。绝不会因一时疏忽而向世人承认，她嫁给了一个在精神层面与自己并不相称的男人。也许在夜阑人静时，她才会自问到何处寻觅与自己相称的男人。不过夫人的朋友们才不会默不作声，直截了当地表明像她这样的奇女子被这种丈夫拖累，简直不可思议。朋友们总是互相追问当初阿尔伯特·福特斯特夫人是怎么嫁给他的，最后都会得出绝望的答案（因为夫人的朋友们大部分是独身主义者）——任谁也没有办法预知未来的伴侣。

这并不是说阿尔伯特·福特斯特先生是一个话痨或者咄咄逼人的讨厌鬼，他也不会用冗长的故事或无聊的笑话打扰你，更不会用陈词滥调扫你的兴。他只是单纯的无趣而已，是一个无关紧要的存在。对法国浪漫主义文学如数家珍的知名作家克利福德·博伊尔斯顿曾经说过，走进一间只有阿尔伯特·福特斯特先生一人待着的房间和走进一间空房间没有区别。阿尔伯特·福特斯特夫人的朋友们都认为这句俏皮话说得很到位。天不怕地不怕的著名小说家罗斯·沃特福德曾当着阿尔伯特·福特斯特夫人的面重复过这句话。虽然阿尔伯特·福特斯特夫人假装生气，但还是忍不住露出了微笑。她对待丈夫的态度使朋友们更加尊敬她。她坚持认为，无论他们心里对他有什么想法，都不可以怠慢他。

阿尔伯特·福特斯特夫人的举止本就令人钦佩。如果丈夫逮到机会发表两句见解，她会神情愉悦地听他说完。每当丈夫帮她拿来她想要的书或者递给她一支铅笔以便她记录灵感，她总会道声感谢。她决不允许朋友们对丈夫视若无睹，但夫人到底是通情达理的女性，知道不能对旁人做太多要求，也不可能永远把丈夫带在身边，所以她时常单独外出。但是朋友们知道，她希望大家每年至少邀请阿尔伯特·福特斯特先生吃一次饭。遇到需要夫人发言的场合，阿尔伯特·福特斯特先生一定会陪着她一起出席。如果开讲座，那讲台上也一定会有阿尔伯特·福特斯特先生的席位。

依我看，阿尔伯特·福特斯特先生大概只有中等个头，但或许因为总是把他和他身材壮硕的妻子联系在一起，所以大家都把他当作一个小人物。他身体瘦弱，看起来比实际年龄还要老。这一点倒是和他妻子一样。一头稀疏的白发总是剪得很短，短小的胡髭也是白色的。瘦削的脸上生了不少皱纹，总体来说没有明显的特征。那双曾经可能很有吸引力的蓝眼睛，现在已经失去了神采，眼神里写满了疲惫。他一直都是这样一副打扮：下身是黑白相间的裤子，永远都是同一种图案；上身穿一件黑色的外套，灰色的领带上别着一枚小珍珠别针。阿尔伯特·福特斯特先生几乎没有存在感，当他站在阿尔伯特·福特斯特夫人的客厅里接待受邀参加午餐会的客人时，就仿佛一件安静有礼的家具，让人很难注意到他。阿尔伯特·福特斯特先生向来是个彬彬有礼的人，和客人们握手时经常带着谦和的微笑。

“您好，见到您非常高兴。”如果来的朋友有些社会地位的话，他总是这样寒暄，“一切都还好吧？”

若有初次来访的贵客，阿尔伯特·福特斯特先生会提前走到门口，将他们迎入客厅，说：“我是阿尔伯特·福特斯特夫人的丈夫，请允许我为您引荐。”

接着再把来访者带到夫人背光而立的地方，然后夫人便会热情地招手，走上前去欢迎客人。

妻子在文学领域颇有建树，阿尔伯特·福特斯特先生十分白豪，为支持妻了的发展他甘愿牺牲自我，这一点着实让人敬佩。他总是在妻子需要的时候出现，绝不会贸然行事。这份机敏，如果不是刻意为之，那一定是本性如此。夫人是第一个发现阿尔伯特·福特斯特先生这点长处的人。

“真不知道没有他我该怎么办，”夫人说，“对我来说，他可是无价之宝。我把我写的东西都读给他听，他的反馈对我很有帮助。”

“莫里哀和他厨师的故事。[1]”沃特福德小姐打趣道。

“很好笑吗，亲爱的罗斯？”阿尔伯特·福特斯特夫人反问道，语气略带尖刻。

如果阿尔伯特·福特斯特夫人不赞同某种说法，她便说自己太愚钝，听不出到底是不是在开玩笑，这样说话的人便会收敛些。但这一招对沃特福德小姐可行不通，这位女士漫长的人生中有过不少恋情，但她全部的热情都献给了文字。与其说阿尔伯特·福特斯特夫人认可她，倒不如说是在容忍她。

“好了，好了，”沃特福德小姐回道，“你是知道的，没有你，他只是个无名小卒，更不会认识我们。对

---

1 法国著名剧作家莫里哀五幕喜剧作品《吝啬鬼》中，主人公是出了名的吝啬鬼，平时经常压榨仆人和厨师。

他来说，能接触到这个时代所有最聪明的头脑和最杰出的人物，已经是他的福气了。”

“没有蜂巢的蜜蜂也许会灭亡，但蜜蜂仍有它存在的意义。”

尽管夫人的朋友们精通艺术和文学，但却对自然历史知之甚少，所以没人能对这个“蜜蜂论”发表意见。她继续说道：

“他从不干涉我。他很清楚什么时候我不想被打扰。事实上，每当我在想很多事的时候，我发现如果他出现在房里，那对我来说是一种安慰而不是妨碍。”

“就像一只波斯猫。”沃特福德小姐说。

“那也是一只训练有素、教养良好、彬彬有礼的波斯猫。”阿尔伯特·福特斯特夫人严肃的反驳让沃特福德小姐一时语塞。可关于丈夫的话题，阿尔伯特·福特斯特夫人并没有打算结束。

“我们都是知识分子，”她说，“容易活在自己的世界里，比起实际的存在，我们更关心抽象的概念。有时我认为，我们以一种过于超然的方式，从一个过于平静的高度来审视人世间的纷纷扰扰。难道没人担心这会让我们变得无情吗？我永远都感激阿尔伯特，是他让我能够接触到平民百姓。”

虽然她的朋友们不否认这句话和她的许多俏皮话一样生动而又富有内涵，但也正是因为这句话，有一段时间，她的社交圈将阿尔伯特·福特斯特先生称为“平民百姓”。不过这种玩笑讲一讲就过去了，并没有流行多久。后来，阿尔伯特·福特斯特先生又被称为“集邮家”。这个称呼是由克利福德·博伊尔斯顿发明的，他一向鬼点子多。有一天，他正和阿尔伯特·福特斯特先生聊天，为了不冷场，他绞尽脑汁地想出了这个问题，近乎绝望地问阿尔伯特·福特斯特先生：“你集邮吗？”

“不，”阿尔伯特·福特斯特先生温和地回答道，“我不集邮。”

但是克利福德·博伊尔斯顿一问出这个问题，就觉得阿尔伯特·福特斯特先生很有可能集邮。他曾写过一本关于波德莱尔[1]妻子姑母的书，这本书吸引了所有对法国文学感兴趣的人的注意，并且世人皆知他对法国精神的研究深入，这也让他学习到不少法国人的机敏。他没有理会阿尔伯特·福特斯特先生的否认，但一有机会他便会告诉夫人的朋友们，说自己终于发现了阿尔伯特·福特斯特先

1 波德莱尔（1821—1867），十九世纪法国最著名的现代派诗人，象征派诗歌的先驱，代表作有《恶之花》。

生的秘密：他集邮。之后，每次见到阿尔伯特·福特斯特先生他都会问：“说说吧，阿尔伯特·福特斯特先生，邮票收集得怎么样？”或者“自从上次见面后，你有买新的邮票吗？”

阿尔伯特·福特斯特先生再三否认也无济于事，这个新鲜的设定如果不充分利用起来就太可惜了。阿尔伯特·福特斯特夫人的朋友们坚持认为他收集邮票，与之交谈的时候通常向他打听最近集邮的进展。即便是夫人自己，开心的时候也会把丈夫称为集邮家。这个称呼真的很适合阿尔伯特·福特斯特先生。有时，朋友们就当着他的面这样谈论他，而他总是毫无怨言地回以微笑，甚至后来不再声明这是个误会。

阿尔伯特·福特斯特夫人自然熟悉圈子里的社交现象，根本不会安排尊贵的客人坐在阿尔伯特·福特斯特先生身边，以防搞砸午餐会。她会谨慎地挑选对象，让那些年长的、关系更亲密的朋友坐在阿尔伯特·福特斯特先生身旁。当这两名指定的“受害者”到达现场后，她会对他们说：

“我知道你不会介意坐在阿尔伯特旁边，对吗？”

他们只能说与有荣焉，但如果脸上的沮丧太过明显，阿尔伯特·福特斯特夫人会开玩笑地拍拍他们的手说：

“下次坐在我旁边吧。阿尔伯特比较认生，不过你知道怎么和他相处。”

这些朋友确实知道：无视他就可以了。对他们来说，阿尔伯特·福特斯特先生坐的那把椅子和一把空椅子没区别。阿尔伯特·福特斯特夫人的收入肯定无法为客人们提供春季鲑鱼和反季的芦笋，所以这些人享用的美食都是阿尔伯特·福特斯特先生出钱买来的，但没有任何迹象表明他因为这些人对自己的忽略而感到气愤。他只是静静地坐在一旁，如果开口说话，也不过是交代女仆事情。如果有新来的客人，他就会盯着对方看，好在他的眼神如稚子般纯真，不然对方一定会觉得尴尬。他似乎在问自己，这个奇怪的家伙是谁。不过就算他得出结论，也从来不会表达出来。餐桌上的讨论越来越热闹时，他的目光便会在发言人之间流转，但从他那张布满皱纹的瘦脸上，你仍旧看不出他对桌子上各种奇思妙想的看法。

克利福德·博伊尔斯顿说，这些思维的交锋和智慧的碰撞对阿尔伯特·福特斯特先生来说，就像水流过鸭子的脊背，他已经不再费心去理解谈话内容，只是装出一副正在聆听的样子。但是博学多识的评论家哈里·奥克兰说，其实阿尔伯特·福特斯特先生把所有的话都听进去了，只是他觉得这一切太不可思议了，那颗资质鲁钝的脑袋拼命地想弄清楚听到的那些妙语。当然，进城后，他一定会夸耀自己结交过不少杰出的人物，或许在那个社交圈里他倒成了识文断字的文化人，变成了理想权威的话，或许大家都期待听一听他的见解。哈里·奥克兰是阿尔伯特·福特斯特夫人忠实的崇拜者之一，他曾写过一篇精妙绝伦的文章赏析阿尔伯特·福特斯特夫人的文风。他生来一副好面孔，甚至可以算得上精致，看上去就像使用生发剂过量的圣塞巴斯蒂安人。他非常年轻，还不到三十岁，但先后在戏剧、小说、音乐和绘画领域做过评论人。但是现在的他有些厌倦艺术，宣称未来要把自己的评论天赋献给体育行业。

我应当说明一点，阿尔伯特·福特斯特先生在城里工作。夫人的朋友们认为她毅力惊人，竟能包容丈夫财力有限，这真是太不幸了。他们认为，如果阿尔伯特·福特斯特先生是商业大鳄，掌握着各国的经济命脉，或者能够把载满稀有香料的大商船送到黎凡特的港口（这些港口的名字给许多诗人提供了丰富又稀有的韵律），那说不定他们二人之间还有浪漫可言。但是阿尔伯特只是一个醋栗商人，他只能让阿尔伯特·福特斯特夫人过上优越甚至是富裕的生活。因为工作六点钟才下班，所以回去参加阿尔伯特·福特斯特夫人的周二沙龙时，最重要的客人早已离开，客厅里仅剩三四个和阿尔伯特·福特斯特夫人关系较为亲密的朋友，敞开心扉，漫谈那些已经离开的客人。听到阿尔伯特·福特斯特先生转动钥匙的声音时，大家就知道时候不早了。不用多时，阿尔伯特·福特斯特先生就会犹豫着打开门，一脸和善地瞧一瞧屋内的情景。而阿尔伯特·福特斯特夫人则会笑容灿烂地向他打招呼。

“快进来，阿尔伯特，快进来。我想，这里的每一位你都认识吧。”

阿尔伯特进了门，和他妻子的朋友们握了握手。

“刚从城里回来吗？”她关切地问道，尽管她知道他不可能从其他地方回来，“想要喝杯茶吗？”

“不了，谢谢你，亲爱的。我在办公室里喝过茶了。”

阿尔伯特·福特斯特夫人笑得更灿烂了，在场的其他人都认为二人伉俪情深。

“可我知道，你喜欢再来第二杯的。我亲自给你倒吧。”

只见她走到茶几前，全然忘记这茶是一个半小时前煮好的，现在已经凉了。她为丈夫倒了一杯茶，放好牛奶和糖。阿尔伯特·福特斯特先生一边说着谢谢一边接过杯子，顺从地搅拌了一下，但是当夫人继续刚才因他的出现而被打断的话题时，福特斯特先生就把还没有喝过的茶放在了一旁。他的到来标志着沙龙该结束了，余下的客人一个接一个地离开了。但有一次，因为聊得兴起且涉及的问题特别重要，所以阿尔伯特·福特斯特夫人执意要大家留下。

“这件事必须谈清楚，”她换了一种语气说道，“毕竟对这件事，阿尔伯特可能有话要说。让我们听听他的意见。”

那个时候，女性流行剪短发，大家刚好在讨论阿尔伯特·福特斯特夫人是否应该剪头发。夫人是一位仪态威严的女性，骨架又生得大，骨骼也很结实，若不是体格又高又壮，你甚至会觉得她身材偏胖。她看上去有几分英气，五官长得比多数人的大一些，使得她看起来除了带有文化人的气质外，还略显威猛。不过，阿尔伯特·福特斯特夫人生来就具备几分男性魅力。她皮肤黝黑，你可能会认为她的血管里流淌着黎凡特的血液：她承认身上流淌着吉卜赛人的血液，这样便可以解释自己创作的诗歌中偶尔流露出的狂野和无法无天的激情。她黑色的大眼睛十分明亮，鼻子有些像威灵顿公爵[1]，只是肉多了些。她方正的下巴体现出她坚强的意志。她有一张大嘴，嘴唇红润，这并非是化妆品的缘故，因为阿尔伯特·福特斯特夫人从来没有屈尊使用过任何化妆产品。她灰白的头发很浓密，全都堆积在头顶上，让她看起来更加威仪。从外表上看，她是个令人望而却步的女人，甚至可以说是让人畏惧的女人。

她总是穿得非常得体，衣料一看就不是便宜货，但是色调略显暗淡，活脱脱一副文人模样。但其实她一直在暗地里（说到底也是普通人，难免受到虚荣心的影响）关注着时尚，阿尔伯特·福特斯特夫人礼服的剪裁都很时髦。我猜，她想把头发剪短已经有一段时间了，大概是比起自己主动去剪，更想让朋友劝说自己去做。

“你必须，你必须要去剪。”哈里·奥克兰说这话的语气像个急促的小男孩儿，“一定会美极了。”

克利福德·博伊尔斯顿现在正在写一本关于曼特农

1　阿瑟·韦尔斯利（1769—1852），第一代威灵顿公爵。他是拿破仑战争时期的英国陆军将领，第二十一位英国首相，英国出将入相第一人，也是十九世纪最具影响力的军事、政治领导人物。

夫人[1]的书，他怀疑这种尝试存在风险。

“我认为……”他边说边用细麻布手帕擦拭眼镜，“我认为，一个人一旦选择了一种风格，就应该坚持下去。比如，没了假发的路易十四就不是路易十四了。”

“我还在犹豫，”阿尔伯特·福特斯特夫人说，“毕竟，我们要与时俱进。我是活在这个时代的人，我不希望落后。正如威廉·梅斯特所说，美国，就在此时此地。”说着，她兴奋地转向阿尔伯特，“那我的先生，我的丈夫，你怎么看呢，阿尔伯特？剪还是不剪，这是个问题。”

“恐怕我的意见不是很重要，亲爱的。”他柔声答道。

“对我来说最重要的就是你的意见了。”阿尔伯特·福特斯特夫人讨好似的回答。

她知道，在朋友们眼中，自己对丈夫好得没话说。

“你必须告诉我，”她接着说，“我就要听你说，我想没人比你更了解我，阿尔伯特。短发适合我吗？”

“可能适合吧，”阿尔伯特·福特斯特先生答道，

1 法国国王路易十四的第二个妻子。

“我唯一担心的是，你有着雕塑一般的身材，轮廓清晰的短发可能让人联想到——嗯，这么说吧，燃烧的萨福[1]所钟爱和歌颂的希腊。”

一时间，屋内众人陷入尴尬的沉默。罗斯·沃特福德忍住不让自己笑出声来，其他人则保持缄默。阿尔伯特·福特斯特夫人维持着僵硬的微笑。福特斯特先生失言了。

“我一直认为拜伦是非常平庸的诗人。”最后是阿尔伯特·福特斯特夫人先开了口。

聚会结束了。阿尔伯特·福特斯特夫人没有去剪头发，此后再没人提及这个话题。

在阿尔伯特·福特斯特夫人的另一场礼拜二沙龙快结束的时候，发生了一件对她的文学生涯影响巨大的事情。

这是她最成功的聚会。工党的领袖也在场，而阿尔伯特·福特斯特夫人就差没有直白地告诉对方自己准备进入工党。时机已经成熟，如果要从政，就必须尽快做出决定。克利福德·博伊尔斯顿带来了一位法兰西学院的院

---

1 萨福（约前630—前560），古希腊著名女同性恋情诗人，一生写过不少情诗、婚歌、颂神诗等。

士，虽然阿尔伯特·福特斯特夫人知道这个人对英语一窍不通，但对方赞美自己的文风华丽又清新，阿尔伯特·福特斯特夫人欣然接受。美国大使也在场，还有一位年轻的俄罗斯王子，多亏他有正宗的罗曼诺夫血统，不然别人一定以为这位王子是个舞男。还有一位公爵夫人最近和公爵离婚了，嫁给了一位骑师，她表现得非常亲切；她的草莓叶子虽然枯黄，但无疑为聚会增添了不少色彩。这场聚会集结了不少文坛巨匠。但是最后除了克利福德·博伊尔斯顿、哈里·奥克兰、罗斯·沃特福德、奥斯卡·查尔斯和西蒙斯，其他人都走了。奥斯卡·查尔斯是个矮小的男人，年纪轻轻却长了一张干瘪又狡黠的猴脸。他戴着金丝眼镜，在政府机关工作，业余时间用来创作文学。他为《六便士周刊》写小文章，字里行间满是对世界的蔑视。阿尔伯特·福特斯特夫人很欣赏他的才华，他也总是对夫人的风格表示出最强烈的钦佩（其实就是他称阿尔伯特·福特斯特夫人为“分号女王”的），不过受他鄙夷的人不在少数，这让夫人多少有些惧怕他。西蒙斯是夫人的经纪人，一个圆脸的男人，戴着一副度数极高的眼镜，以至于显得眼睛很奇怪，让人联想到水族馆里奇特的甲壳类动物的眼睛。他定期参加阿尔伯特·福特斯特夫人的聚会，一方面是因为他敬佩夫人天资过人，另一方面是因为在阿尔伯特·福特斯特夫人的客厅里他会常能见到潜在的客户。

西蒙斯一直以来为阿尔伯特·福特斯特夫人鞍前马后，却只拿微不足道的薪酬，故而阿尔伯特·福特斯特夫人乐意帮助他发财。阿尔伯特·福特斯特夫人热情地把他介绍给所有出售文学作品的来宾。她一想起他就是在她的客厅里，圣斯维森夫人那本臭名昭著但利润丰厚的回忆录第一次受到人们的关注，她就非常得意。

众人以阿尔伯特·福特斯特夫人为中心围坐成一个圈，大家相谈甚欢，但也必须承认，他们这种对在场各位宾客评头论足的做法多少有些恶毒。脸色苍白的沃伦小姐已经在茶桌旁服务了两个小时，眼下她正在房间里安静地走来走去，拾起各处留下的茶杯。她似乎有其他的工作，但总能抽出时间给阿尔伯特·福特斯特夫人倒茶。晚上她还负责把阿尔伯特·福特斯特夫人的手稿打出来。夫人从不付钱给她，她认为自己为这个可怜的人做的事情够多了。其实阿尔伯特·福特斯特夫人这么想也没有错，她的确送过沃伦小姐免费的电影票，或者经常送给她一些自己不再需要的衣服。

夫人用低沉且饱满的声音滔滔不绝地发着言，其他人则全神贯注地听着。夫人的状态很好，从她嘴里说出的话甚至可以不做改动地写成文章。突然，走廊里传来一阵响声，似乎有什么重东西掉了下来，接着传来了争吵的声音。

阿尔伯特·福特斯特夫人停止了发言，尊贵的眉毛微微皱了一下。

“我本以为他们早就知道，我的公寓里不允许出现这样的骚乱。沃伦小姐，麻烦你去摇一下铃，问问这到底是怎么一回事。”

沃伦小姐摇了铃，不久女仆便出现了。为了不打扰到阿尔伯特·福特斯特夫人讲话，沃伦小姐走到门口低声地同女仆说话。然而夫人还是有些不耐烦地开口问道：“说吧，卡特，出什么事了？是房子倒了，还是红色革命终于爆发了？”

“抱歉，阿尔伯特·福特斯特夫人，是新厨师的行李箱，”女仆回答说，“看门人搬箱子的时候把箱子砸到了地上，厨师非常生气。”

“你说的新厨师是什么意思？”

“阿尔伯特·福特斯特夫人，布尔芬奇太太今天下午走了。”女仆说。

阿尔伯特·福特斯特夫人盯着她。

“这我倒是头回听说。布尔芬奇太太提前说过吗？福特斯特先生一回家就告诉他我想和他谈谈。”

“好的，夫人。”

女仆走了出去，沃伦小姐慢慢地走回茶桌旁。她机械地倒了几杯茶，虽然并没有人想喝。

“真是场灾难！”沃特福德小姐喊道。

“你必须把她找回来。”克利福德·博伊尔斯顿说，“那个女人可是个宝贝，她厨艺精湛而且每天都在精进。”

但就在这时，女仆又走了进来，手里端着银托盘，上面放着一封信，递给了她的女主人。

“这是什么？”阿尔伯特·福特斯特夫人问道。

“夫人，福特斯特先生说，您要找他的时候，就把这封信给您。”女仆说。

“那福特斯特先生在哪里？”

“夫人，先生他走了。”女仆的这个回答似乎叫她自己都有些诧异。

“走了？好吧，你可以出去了。”

女仆离开了客厅，夫人脸上写满了困惑，她打开了那封信。罗斯·沃特福德告诉我，她第一个念头就是，阿尔伯特·福特斯特先生害怕妻子为布尔芬奇太太的离去而发火，就跳进了泰晤士河。夫人读了这封信，脸上掠过一丝惊愕。

“荒唐！”她高声叫道，“太荒唐了！简直太荒唐了！”

“发生什么事了，夫人？”

夫人用脚扒拉着地毯，就像一匹倔强躁动的骏马，只见她双臂交叉，做出一种难以形容的姿势（就是偶尔会在一个准备大闹一场的泼妇身上看到的那种姿势），然后瞪着那些好奇又一脸茫然的朋友。

“阿尔伯特和厨师私奔了。”

大家惊愕地倒吸了一口气。接着，可怕的事情发生了。站在茶几后面的沃伦小姐像突然被呛住似的。要知道，她从不开口说话，也从来没有人和她说过话。虽然三年来这些人每个礼拜都会见到她，但如果真在大街上遇上了，谁也认不出她。只听沃伦小姐突然不可控制地爆发出一连串的笑声。大家都惊呆了，不约而同地转过身来看向她，就像巴兰听到自己的毛驴讲话一样[1]。她的笑声尖利刺耳，一时间，一种难以名状的恐惧充斥着整个客厅，仿佛某种自然现象突变，就好似桌椅突然开

1　出自《圣经·民数记》第二十二章。巴兰的驴子在西方语言中的意思是：平常沉默驯服，现在突然开口抗议的人。

始在地板上跳着滑稽的舞蹈一样叫人惶恐。沃伦小姐试图控制笑声，但是她越是试着控制自己，笑声就越发尖利，直到她抓起一块手帕塞进嘴里，急匆匆离开房间。门砰的一声关上了。

“疯了。”克利福德·博伊尔斯顿说。

“可不就是疯了。”哈里·奥克兰说。

但是阿尔伯特·福特斯特夫人什么也没说。

那封信掉到了她的脚边，西蒙斯，也就是她的经纪人，捡起信要递给她。夫人并没有接过来。

“读出来，”她说，“大声地读出来。”

西蒙斯先生把眼镜架在额头上，把信凑到眼前看，读了起来：

亲爱的：

布尔芬奇太太需要改变一下，她决定离开；因为我不想在没有她的情况下继续留在这里，所以我也要走了。我已经受够了和文学打交道，我也厌倦了艺术。

布尔芬奇太太不在乎是否可以结婚，但如果你愿意和我离婚，她就愿意嫁给我。我希望新厨师能让你满意。推荐信上对她的评价都不错。我把我和布尔芬奇太太的住址告诉你，这么做可能会替你省去不少麻烦。我们住在伦敦东南坎宁顿大街411号。

阿尔伯特上

西蒙斯先生把眼镜戴回鼻梁上。众人沉默不语，尽管他们头脑聪明，且擅长在任何场合中找到话题，但他们现在连一句话都憋不出来。阿尔伯特·福特斯特夫人不是那种你可以向她表示同情的女人，大家也都很害怕说错话而被他人嘲笑。最后，克利福德·博伊尔斯顿勇敢地打破了僵局。

“我们都不知道该说什么了。”他说。

又是一阵沉默，然后罗斯·沃特福德开口了。

“布尔芬奇太太长什么样？”她问道。

“我如何知道？”阿尔伯特·福特斯特夫人略带恼怒地回答道，“我从没正眼瞧过她。雇佣仆人都是阿尔伯特的事，当时她就进来让我看看气质是否令人满意。”

“但她每天早上做家务的时候，你一定见过她。”

“家务也是归阿尔伯特管的。这是他自己的意愿，也是为了能让我专注地工作。人这一生，精力总是有限的。”

“那午餐会也是阿尔伯特安排的吗？”克利福德·博伊尔斯顿问道。

“当然。都是他擅长的。”

克利福德·博伊尔斯顿微微挑起眉毛。他可真是个傻瓜，竟然从来没有想过阿尔伯特·福特斯特夫人那些美味佳肴是出自她先生之手！同理，美味的夏布利葡萄酒也是因为福特斯特先生才能温度适宜，既让舌头感受到沁人心脾的凉意，又不会冷到失去酒的芳香和味道。

“他一定非常了解美食和美酒。”夫人回答说，好像克利福德在责备她一样，“我早就告诉过你们，你们总是嘲笑他，我说过我欠他很多，但你们又不相信。”

没有人接话，屋内再一次陷入沉重且令人窒息的沉默。突然，西蒙斯先生扔出了一枚重磅炸弹。

“你必须把他带回来。”

如果不是阿尔伯特·福特斯特夫人正靠着壁炉，她肯定会吓得后退两步。

“你说什么？”她喊道，“有生之年我再也不会见他了。挽回他？不可能。即使他跪下来求我也不可能了。”

“我没说挽回他，我说的是把他带回来。”

这句话接得不是时候，并没有引起夫人的注意。

“为了他，能做的我都做了。我问你，没有了我，他算什么？是我，给了他在最缥缈的梦里也难以企望的地位。”

大家都承认，即便夫人处在盛怒之中，遣词造句也不失华丽，但似乎西蒙斯先生没有理会。

“你要靠什么生活下去呢？”

夫人瞥了他一眼，眼神中毫无和蔼可亲之意。

“上帝会看着办的。”她冷冷地回答。

“我认为这不太可能。”他回答说。

夫人耸了耸肩，脸上写满了愤怒。但是西蒙斯先生坐在椅子上，寻了个舒服的姿势，点燃了一支香烟。“要知道没有人比我更欣赏你的艺术了。”他说。

“是没人比‘我’。”克利福德·博伊尔斯顿纠正道。

“也许是比不了你。”西蒙斯先生接着说，语气一如既往的温和，“大家都承认，如今的文坛里，无论和哪一位比较，你都无须惶恐。无论是散文还是诗歌，你绝对是一流的。还有你的写作风格，也是为大众所熟知的。”

“托马斯·布朗[1]的富丽堂皇，红衣主教纽曼的流畅，”克利福德·博伊尔斯顿说道，“加之约翰·德莱顿[2]的俏皮和乔纳森·斯威夫特[3]的精准。”

证明阿尔伯特·福特斯特夫人听到这句恭维的唯一迹象，就是她那悲伤的嘴角展露了片刻的微笑。

“你还很有幽默感。”

“世界上还有谁能把这么丰富的机智、讽刺和幽默的观察及评论装进一个小小的分号里呢？”沃特福德小姐大声说道。

“但事实是，你的书卖得并不好。”西蒙斯先生冷静地说道，“我负责你的作品有二十年了，我坦率地告诉你，只靠我的佣金我是发不了财的，但我一直还在做，是因为我喜欢为了优秀的作品做一点儿力所能及的事。我一直都相信你，我也希望迟早我们会让公众接受

1　托马斯·布朗（1605—1682），英国医生，作家。

2　约翰·德莱顿（1631—1700），英国诗人、剧作家、文学批评家。他一生为贵族写作，为君王和复辟王朝歌功颂德，被封为“桂冠诗人”。

3　乔纳森·斯威夫特（1667—1745），英国作家、政论家、讽刺文学大师，以《格列佛游记》和《一只桶的故事》等作品闻名于世，他曾被高尔基称为“世界文学创造者之一”。

你，但如果你认为自己可以通过写作来谋生，我必须告诉你，大错特错。”

“我来到这个世界的时候已经太晚了。”阿尔伯特·福特斯特夫人说，“我应该生活在十八世纪，富有的赞助人为着一篇题词就会奖励我一百几尼[1]。”

“你估测他的醋栗生意收益是多少？”

阿尔伯特·福特斯特夫人轻轻叹了口气。

“少得可怜。阿尔伯特总是告诉我他一年大约赚一千二百英镑。”

“那他一定擅长理财。但你不能指望他这点收入能为你花销太多。相信我的话，你只有一件事可以做，那就是把他找回来。”

“我宁肯住到阁楼里。你认为，他这样羞辱我，我还要委曲求全、卑躬屈膝吗？你要我同我的厨师争夺他的爱吗？别忘了，对像我这样的女人来说，有一样东西比安逸的生活更有价值，那就是尊严。”

“我正要说这个呢。”西蒙斯先生冷冷地说。

他瞥了在场的其他人，那双奇怪的、歪斜的眼睛看上去比以往任何时候都更像鱼的眼睛。

1　英格兰旧时金币名。

“我毫不怀疑，”他接着说，“你在文坛上的地位是非常杰出的，几乎是独一无二的。你代表着某种与众不同的东西。你绝不会为了不义之财出卖自己的才华，而且你高举着纯粹艺术的旗帜。你也考虑进入议会。我本人对政治不太在意，但不可否认，这将是一个很好的宣传。如果你真的加入议会，我敢说，凭借这个优势，我们就可以为你在美国安排一次巡回演讲。我理解，你有你的抱负，哪怕是那些连一个你写的字也没读过的人也会尊敬你。但是依你的地位，有一件事你承担不起，那就是沦为笑话。”

阿尔伯特·福特斯特夫人的身子明显地晃动了一下。

“你这话到底是什么意思？”

“我对布尔芬奇太太一无所知，就我所知，她是一个非常受人尊敬的女人，但事实是，一个男人带着他的厨师私奔，他的太太将沦为笑柄。如果对方是一名舞蹈演员或者贵妇，我敢说不会对你造成任何伤害，问题是对方只是一名厨师，这就足够让你憋闷。一个礼拜之内，你会成为全伦敦都谈论的笑话，如果说有什么东西会终结作家或政治家的事业的话，那就是嘲笑。所以你必须把你的丈夫找回来，而且你必须尽快把他找回来。”

阿尔伯特·福特斯特夫人的脸上泛起了红晕，但一时间她没有作答。她的耳畔又突然响起沃伦小姐粗鄙且不可理喻的笑声。

“我们都是你的朋友，你可以相信我们是为你好的。”

阿尔伯特·福特斯特夫人望向朋友们，似乎罗斯·沃特福德的眼中已经有了一丝恶毒的光芒，奥斯卡·查尔斯干瘪的脸上露出恍惚的神情。她多希望刚才自己没有在情急之下泄露这个秘密。然而，西蒙斯先生了解文学圈，并将目光放在了众人身上。

“毕竟，你是他们的中心和领袖。你的丈夫不仅离开了你，也离开了他们。这对他们来说也不是什么好事。其实，阿尔伯特让你们看起来更像一群愚蠢的傻瓜。”

“所有人，”克利福德·博伊尔斯顿说道，“所有人都在一条船上。”

“他说得对，阿尔伯特·福特斯特夫人。集邮家必须得回来。”

“连你也是，布鲁图。[1]”西蒙斯先生不懂拉丁文，

---

1 原文为拉丁语，被后世普遍认为是凯撒临死前所说的最后一句话，并被广泛用于西方文学作品中关于背叛的概括描写。

即便他听得懂，也不会被阿尔伯特·福特斯特夫人的惊呼所感动。他清了清嗓子。

“好在我们还有地址，我的建议是，夫人明天应该去见他，并请求他重新考虑他的决定。我不知道一个女人在这种场合应该说些什么，但凭借绝佳的口才和丰富的想象力，夫人一定知道该怎么说，而且她必须说出来。如果福特斯特先生提出条件，无论是什么条件，夫人都必须接受。必须想尽一切办法，把他带回来。”

罗斯·沃特福德轻描淡写地说：“如果事情顺利，明天晚上就能把他带回来。”

“你愿意这样做吗，夫人？”

至少有两分钟的时间，福特斯特夫人背对着众人，转身盯着空荡荡的壁炉。接着，她挺起身子，转回身面对大家，说：

“这么做为了我的艺术，而不是为了我。我不会让山野匹夫下流的笑声玷污我所崇尚的真善美。”

“太好了。”西蒙斯先生一边说，一边站了起来，“明天回家时，我顺路来瞧一瞧你，希望能看见你和福特斯特先生和好如初的画面。”

语毕，西蒙斯先生告辞了，其他人也不想独自面对焦躁不安的阿尔伯特·福特斯特夫人，于是同他一起离开了。

第二天临近傍晚时分，身着黑色丝绸和头戴天鹅绒帽的阿尔伯特·福特斯特夫人从公寓出发，准备从大理石拱门搭乘巴士前往维多利亚车站。西蒙斯先生已经在电话里向她解释过如何迅速又省钱地到达坎宁顿大街。她不是大利拉[1]，看起来也不像。在维多利亚车站，阿尔伯特·福特斯特夫人乘坐沿沃克斯霍尔桥大街行驶的有轨电车，穿过河后，她发现自己所处的地方不同于自己习惯的那个地方，伦敦的这一角更加喧闹、肮脏、繁忙，但此刻她忧心忡忡，无暇顾及眼前纷乱的景象。有轨电车驶向坎宁顿大街，她松了一口气，让售票员把她放在与目的地隔着几扇门的地方。当电车离去，发出隆隆的轰鸣声，剩她一人留在繁忙的街道上时，阿尔伯特·福特斯特夫人感到莫名其妙的失落，就像东方故事中被精灵扔在陌生城市里的旅行者。她在街上慢慢地踱着步，时不时地左顾右盼，尽管愤怒和窘迫快要冲破她那丰满的胸腔，但她还是不禁想到眼前的街景可以当作一篇优美散文的素材。这些小房子给人一种怀旧的感

1 《圣经·士师记》中参孙的情妇。她将参孙出卖给非利士人，在参孙睡觉时剪掉了他的头发，使参孙丧失了神力。

觉，彼时这里和乡下差不多，阿尔伯特·福特斯特夫人暗自记下，回去后一定要查一查坎宁顿大街在文学史上有没有记载。411号房挤在一排破旧的房子中间，离街道有一段距离。房前是一小片破草地，一条人工铺就的小路延伸到门廊的木质栏杆，这门廊急需粉刷一下。这副破败的景象，加之蔓延在房前稀疏且发育不良的藤蔓，让这栋房子的乡村气息显得虚假，这种气息在车水马龙的喧嚣声中显得更加怪异，甚至是凶险。这栋房子叫人猜不透，似乎里面住着放浪形骸的女人，但晚年过得冷冷清清。

一个十五岁左右的姑娘打开了前门，她有着一双修长的双腿，顶着一头蓬乱的头发。

“请问，布尔芬奇太太住在这里吗？”

“你按错门铃了。二楼。”小姑娘指着楼梯尖声喊道，“布尔芬奇太太，有人找！布尔芬奇太太！”

阿尔伯特·福特斯特夫人走上了昏暗的楼梯，楼梯上铺着破烂的地毯。夫人走得很慢，她不想把自己弄得上气不接下气。上到二楼时，一扇门开了，她认出了自己曾经的厨师。

“下午好，布尔芬奇。”阿尔伯特·福特斯特夫人端庄地说，“我希望见一下你的男主人。”

布尔芬奇太太犹豫了片刻，随后便把门敞开。

“请进，阿尔伯特·福特斯特夫人。”她转过头，“阿尔伯特，夫人来了，她要见你。”

阿尔伯特·福特斯特夫人快步走过去，看到了火炉旁的阿尔伯特。他正坐在一张破旧的皮椅上，脚上穿着拖鞋，上身穿着衬衫。他一边看晚报，一边抽雪茄。福特斯特夫人进来后，他站起身。布尔芬奇太太跟着来访者走进了房间，然后关上了门。

“你好吗，亲爱的？”阿尔伯特高兴地说，“但愿你一切都好。”

“你最好穿上外套，阿尔伯特。”布尔芬奇太太说，“你叫夫人看到你这副鬼样，她会怎么想？真是拿你没办法。”

说着，她拿起挂在挂钩上的大衣，帮他穿上。她把福特斯特先生的背心拉了下来，不让背心压倒他的衣领，一看便知，她非常熟悉男性的服装特点。

“我收到你的信了，阿尔伯特。”福特斯特夫人说。

“我也是这么想的，不然你也不会知道这里，对吧？”

“要坐一下吗，夫人？”布尔芬奇太太一边说，一边灵巧地掸去椅子上的灰尘，把它推到福特斯特夫人跟前。

福特斯特夫人欠了欠身，坐了下来。

“我更希望单独和你谈，阿尔伯特。”她说。

阿尔伯特·福特斯特先生的眼睛闪过一丝亮光。

“既然你要说的话和我与布尔芬奇太太有关，我想她最好还是在场。”

“如你所愿。”

布尔芬奇太太拉了把椅子坐下。夫人只见过在印花裙外系一条大围裙的她，却从未见过她这副打扮。现在的她穿着一件白色丝绸的开襟上衣，下身穿了一条黑色的裙子，脚上搭配着银色搭扣漆皮高跟鞋。她四五十岁，一头红发，面色红润。她长得并不漂亮，但看起来很善良，身材丰满。她让福特斯特夫人想起了从前荷兰画家作品中身材臃肿的女佣。

“好吧，亲爱的，你要对我说什么呢？”阿尔伯特问道。

阿尔伯特·福特斯特夫人的脸上露出最灿烂、最和蔼的微笑。她那双大大的黑眼睛闪烁着宽容和蔼的光芒。

“你当然也清楚，这件事太荒谬了，阿尔伯特。我想你一定是疯了。”

“是吗，亲爱的？真想不到你会这么说。”

“我不是生你的气，只是觉得好笑，但笑话终究是笑话，不能太过分了。我是来带你回家的。”

“我的信写得还不够清楚吗？”

“很清楚。我什么都不问，也不去责怪谁。我们就把这看作是一个小插曲，以后就过去了。”

“可我再也不会同你一起生活了，亲爱的。”阿尔伯特的语气非常友善。

“你不是认真的吧？”

“我很认真。”

“你爱这个女人吗？”

阿尔伯特·福特斯特夫人的脸上仍然挂着和善的笑容，笑容中又透露着迫切和金属般的质地。她打定主意要从容不迫地处理这件事。依照她的价值观来解读眼前的场景，可以用滑稽来形容。阿尔伯特先生望向布尔芬奇太太，干瘪的脸上露出了笑容。

“我们相处得很好，不是吗，我的姑娘？”

“还不错。”布尔芬奇太太说。

阿尔伯特·福特斯特夫人挑了挑眉毛。结婚这么久，她却从未听过他喊自己“我的姑娘”，不过她也不会希望丈夫这样称呼自己。

“如果布尔芬奇太太还尊重你的话，她一定知道你们两个是不可能的。你曾经的生活衣食无忧，你曾经跻身名流圈子，她怎么能指望你在这个破烂的屋子里永远幸福地生活下去呢？”

“夫人，这不是破烂的屋子。”布尔芬奇太太说，“这些东西都是我的。你是知道的，我非常独立，喜欢有一个自己的家。所以不管我过得怎样，我总会维系这样一个小窝，让我总有归处。”

“而且这个小窝异常的温暖。”阿尔伯特说。

福特斯特夫人环顾四周。壁炉里有一个灶台，上面烧着一只水壶，壁炉架上放着一只黑色大理石钟，两边放着黑色大理石烛台。屋子里有一张大桌子，上面铺着红色的桌布，还有一个梳妆台和一台缝纫机。墙上挂着照片和装裱好的画，那应该是圣诞节发放的福利。屋子最里面还有一道门，门上挂着红色毛绒门帘。考虑到房子的大小，阿尔伯特·福特斯特夫人（已经抽空研究过这栋房子了）断定那里是唯一的卧室。布尔芬奇太太和阿尔伯特住在这样的屋子里，他们的关系已经很明显了。

“你和我在一起时不快乐吗，阿尔伯特？”现在，福特斯特夫人的语调已经深沉了许多。

“我们已经结婚三十五年了，亲爱的。太长了，时间太长了。你是个好女人，只是不适合我。你是文学家，可我不是。你是艺术家，我也不是。”

“我一直尽量和你分享我所有的兴趣爱好。为你我付出了多少，才不至于让我的成功挡住你的光芒。你得承认，有什么事我从不瞒你。”

“你是一个很优秀的作家，这我不否认。但老实说，我并不喜欢你写的书。”

“请允许我这样说，你不喜欢不过是因为你的品位很差。连最好的评论家都承认我的作品既蕴藏着巨大能量，又散发出无限的魅力。”

“我也不喜欢你的朋友。我告诉你一个秘密吧，亲爱的。在你的聚会上，我经常有一种几乎不可抑制的冲动，就是想把自己脱个精光，看看那些人会有什么反应。”

“什么反应都不会有。”阿尔伯特·福特斯特夫人微微皱着眉头说，“我会直接去把医生请来。”

“再说，就你那身材也没什么好暴露的，阿尔伯特。”布尔芬奇太太补充道。

西蒙斯先生曾向阿尔伯特·福特斯特夫人暗示过，如果需要的话，她必须毫不犹豫地利用女性的魅力，把犯错的丈夫带回到婚姻的殿堂，但她根本不知道该怎么做。如果她现在穿着晚礼服的话，也许事情会容易些。

“三十五年我都没有变过心，难道这份真情一文不值吗？我从来没有看过别的男人，阿尔伯特。我早已习惯和你一起生活了。没有你，我真不知道该怎么办。”

“所以我把所有的菜单都留给新厨师了，夫人。你只要告诉她参加午餐会的人数，就没问题了。”布尔芬奇太太说，“新来的厨师很靠谱，而且她做糕点的手艺是我见过最好的。”

阿尔伯特·福特斯特夫人有点儿沮丧了。布尔芬奇太太这么说无疑是出于好意，所以夫人很难使用动之以情的战略。

“你再多费口舌也不过是浪费时间，亲爱的。”阿尔伯特说，“做了决定我就不会变了。我也不年轻了，我需要有人来照顾我。当然，我会尽量多给你提供一些零用钱，而且柯丽妮想让我退休了。”

“柯丽妮是谁？”阿尔伯特·福特斯特夫人一脸狐疑。

“是我。”布尔芬奇太太说，“我的母亲有一半法国血统。”

“怪不得。”阿尔伯特·福特斯特夫人抿着嘴回答，因为尽管她很欣赏邻国的文学作品，但也知道邻国的道德观还有许多欠缺之处。

“我想说的是，阿尔伯特已经工作了这么多年，也是时候开始享受生活了。我在滨海克拉克顿有点儿房产。那个社区风气不错，空气也很好。在那里，我们可以过得很舒服。靠着海滩和码头，我们俩总是有事可做的。那里的人大多数都很好相处。只要不去干涉别人，就没人会干涉你。”

“今天我已经和我的合伙人讨论了这件事，他们愿意买下我的全部股份。这么做固然会有损失，但一切安排妥当之后，我每年的收入大概有九百英镑。我们加起来有三个人，所以每人每年只有三百英镑。”

“就这点儿钱你叫我怎么活？”阿尔伯特·福特斯特夫人大声地问道，“我这样的身份，生活总要讲究一点儿吧！”

“亲爱的，你还有一支顺畅、多产而且高贵的钢笔。”

阿尔伯特·福特斯特夫人不耐烦地耸了耸肩。

“你明知道，我的书除了给我带来名声之外，什么用都没有。出版商总是说我的书赔钱。事实上，他们出版这些书无非是为了声望和名气。”

就在这时，布尔芬奇太太萌生了一个影响深远的想法。

“你为什么不写一次惊险刺激的侦探故事呢？”她问道。

“说我？”阿尔伯特·福特斯特夫人惊呼道，这是她有生以来第一次不照语法规则讲话。

“这个主意不错啊。”阿尔伯特说道，“这个主意非常不错。”

“我怕是会被那些评论家像千块砖头一样砸死吧。”

“我可不这么认为。给那些文化修养高的人一个媚俗且不至于自降身份的机会，他们都会很感激你的。到时，他们肯定不知道该怎么办了。”

“非常感谢你的安慰。”阿尔伯特·福特斯特夫人若有所思地说。

“亲爱的，批评家会买你的账的。就凭你优美的文笔，他们一定会称之为杰作呢！”

“这个想法太荒谬了。我从未写过这类题材。我才不愿为取悦大众而改变自己呢。”

“为什么不呢？大众都想读优秀的文字，但他们不喜欢无聊。大家都认识你，但不看你的书是因为你让他们觉得无聊。这是事实，亲爱的，你不是个有趣的人。”

“你怎么能这么说呢，阿尔伯特。”福特斯特夫人回答说，但她并没有生气，这话听起来就像有人说赤道天气太凉爽一样，“谁人不知我的幽默感高级又精妙，没人能像我一样从分号中攫取出这么多有益健康的乐趣。”

“如果你创作出一个精彩的悬疑故事，让他们认为自己得到了进步，那你肯定会大赚一笔。”

“我这辈子还从来没读过侦探小说呢。”阿尔伯特·福特斯特夫人说道，“我曾经听说，纽约的一位巴恩斯先生写了一本书，名叫《马车疑案》。但是我从来没有读过。”

“当然，你得知道些诀窍。”布尔芬奇太太说，“首先你要记住，谈情说爱那档子事就别写进侦探小说里了，要写谋杀和猎奇，让人不翻到最后一页绝对猜不到凶手是谁的那种故事。”

“但你还要公平地对待你的读者，亲爱的。”阿尔伯特说，“有的故事让读者怀疑秘书或女主人，结果凶手是只说了句‘马车在门口’的男仆二号，这种故事太让人恼火了。你确实要尽可能多地迷惑你的读者，但千万不要戏耍读者。”

“我喜欢精彩的侦探故事。”布尔芬奇太太说，“如果故事里有一个穿着晚礼服打扮得珠光宝气的女士，冰冷地躺在图书馆的地板上，胸口插着一把匕首，那我知道这肯定是一个好故事。”

“众口难调。”阿尔伯特说，“就我个人而言，我更喜欢看留着大胡子、戴金表链、工作体面、一脸和气的家庭律师惨死在海德公园内。”

“是被人割断喉咙了吗？”布尔芬奇太太急切地问。

“不，是被人从背后捅了一刀。一个名誉清白的中年绅士被害，对读者来说这桩谋杀案有着特别的吸引力。因为一想到我们当中看起来最寻常无奇的人也有不为人知的一面，就让人心情愉悦。”

“我明白你的意思，阿尔伯特。”布尔芬奇太太说，“他知道一个致命的秘密。”

“我们可以给你提供的建议可多了去了，照这样下去是没完的。”阿尔伯特温和地笑着看向夫人，“我读过的侦探小说得有几百本吧。”

“你！”

“这就是我和柯丽妮走到一起的原因。以前我看完书后就会借给她。”

“很多次我都能听到他关掉电灯的声音，黎明的光几乎就要射进窗户，我不禁笑起来，对自己说：‘看，他终于读完了，现在他可以好好睡一觉了。’”

阿尔伯特·福特斯特夫人站了起来，挺直了身子。

“现在我知道我们之间的隔阂是什么了。”她说，她动听的女低音听起来有些颤抖，“三十年来，我置身于英国文学的精粹之中，可你读的却是侦探小说，而且还是几百本！”

“上千本吧。”阿尔伯特笑着打断了她。

“我来这里，本打算带你回家，做好了应允任何合理让步的准备。但现在我不希望再这样下去了。你已经让我明白，你我之间没有任何共同点，从来都没有。我们之间横着一道鸿沟。”

“没错，亲爱的。”阿尔伯特温和地说，“我同意你的决定。但你仔细想想这个侦探故事。”

“我现在就离开。”她喃喃道，“去因尼斯弗里岛。”

“我送你到楼下吧。”布尔芬奇太太说，“你不知道地毯下面哪里有坑，一定要小心一点儿。”

阿尔伯特·福特斯特夫人慎重庄严地走下楼梯。当布尔芬奇太太打开门并问她是否需要一辆出租车时，她摇了摇头。

“我要坐电车。”

“你不必担心我照顾不好福特斯特先生，夫人。”

布尔芬奇太太愉快地说，“他会得到最妥善的照顾。在布尔芬奇先生生病的时候，是我照顾了他三年，直到他离开人世。照顾病患我很在行。福特斯特先生这个年岁，身体已经算康健的了。当然，老了以后他也许会培养一个爱好。我一直认为男人都应该有一个爱好。他以后应该会收集邮票吧。”

听了这话，福特斯特夫人不免有些吃惊。但就在这时出现了一辆有轨电车。就像所有女性（即使是最伟大的女性也一样）会做的那样，冒着生命危险匆匆走到路中间，疯狂地挥手。电车停了下来，她上了车。她不知道该如何面对西蒙斯先生。等她回家的时候，他应该已经在等她了。克利福德·博伊尔斯顿可能也在。大家都会在的，而她不得不告诉朋友们自己彻彻底底地失败了。就在此刻，在那一小群忠实的崇拜者身上，她感受不到一丝一毫友谊的温暖。她想知道时间，于是抬头看看对面坐着的那个人，想看看对方是不是那种可以礼貌问话的绅士。突然，她呆住了，因为坐在那里的正是一位体面的中年绅士，长着络腮胡子，脸上挂着和蔼的表情，手上戴着一条金表链。这就是阿尔伯特口中惨死在海德公园的男人！她不由得断定他是一名家庭律师。这种巧合真是太不可思议了，似乎命运之神在向她招手。

他戴着一顶丝绸帽子，穿着一件黑色上衣，一条黑白相间的裤子。他有些肥胖，身材魁梧，身边放着一个公文包。电车在沃克斯霍尔桥大街上行驶到一半时，那个男子告诉售票员自己要下车，她看见那人走进了一条狭窄的街道。为什么呢？他到底要干什么呢？电车抵达维多利亚车站时，她仍沉浸在遐思之中，直到售票员告诉她到站时，阿尔伯特·福特斯特夫人才反应过来。埃德加·爱伦·坡写过侦探小说。下车后，她乘上了一辆巴士。她坐在车里，继续沉浸在自己的思考里。当车开到海德公园一角时，她突然下定决心要下车。她再也坐不住了。她必须要走一走。她踱着步走进了公园的大门，环顾四周，像是有目的地在找什么，又像心不在焉地漫步。是的，埃德加·爱伦·坡写过悬疑小说。没有人能否认这一点。毕竟是他创立了这一流派，而且每个人都知道他对帕尔纳斯派的影响有多大。抑或是象征派？没关系，就是波德莱尔之类的人。当她经过阿喀琉斯雕塑时，她停下了脚步，扬起眉毛看着雕塑。

最后，她终于回到自己的公寓，打开门，看见门廊里挂着几顶帽子。看来他们都在。她走进了客厅。

“福特斯特夫人终于回来了！”沃特福德小姐不由得高声叫道。

夫人走上前去，脸上洋溢着兴奋的笑容，与朋友们握了握手。西蒙斯先生、克利福德·博伊尔斯顿、哈里·奥克兰和奥斯卡·查尔斯都在场。

“你们这些可怜的家伙，都没人给你们上茶吗？”她兴奋地叫起来，“我不知道现在几点了，但肯定很晚了吧。”

“还顺利吗？”他们说，“顺利吗？”

“亲爱的，有件好事要同你们分享。我有灵感了！凭什么最好的曲调都归魔鬼所有呢？”

“什么意思啊？”

她停顿了一下，为接下来要分享的惊喜造势。接着，她直截了当地说道：

“我要写一部侦探小说！”

大家都张大了嘴巴盯着她看。她举起手来示意大家不要打断自己，但众人原本也没有打算打断她。

“我要把这个侦探故事提升到艺术的高度。故事是我在海德公园散步时突然想到的。这是一桩谋杀案，我要在最后一页再公布答案。我会用无可挑剔的文笔来写，因为最近我突然想到，也许我已经充分利用了分号的可能性，所以这一次我打算开发冒号的妙用。目前还没有人探索过冒号的潜力。幽默和神秘感兼具就是我的目标。我要把这本书命名为《阿喀琉斯雕塑》。”

“多好的名字啊！”西蒙斯先生激动地喊道，他比其他人先恢复了镇静，“就凭这个书名，我就可以把书的连载权卖出去！”

“那阿尔伯特呢？”克利福德·博伊尔斯顿问道。

“阿尔伯特？”夫人重复道，“阿尔伯特？”

夫人看着他，仿佛对他所言一无所知。然后她轻轻地叫了一声，好像终于记起来了。

“阿尔伯特！我记得自己出去是为了办事，可是完全想不起来要办什么事。在海德公园散步的时候突然来了灵感。你们肯定都认为我是个傻瓜。”

“那么你没有看见阿尔伯特？”

“亲爱的，我把他忘得一干二净了。”她笑得很开心，“就让阿尔伯特和他的厨师在一起吧。我现在没那个精力操心阿尔伯特。阿尔伯特属于‘分号时期’。现在的我打算写一部侦探小说。”

“亲爱的，你真是个奇女子，奇女子啊！”哈里·奥克兰赞叹道。

忠　贞

这世上怕是找不出几样比上好的哈瓦那[1]雪茄还要好的物件。年轻时我身无分文，要抽雪茄全靠别人施舍。所以我下定决心，日后有了钱，每天中饭和晚饭后都要来一支雪茄。现在看来，年轻时的愿望也只实现了这一个。后来实现的诸多夙愿中，没有因幻想破灭而变得苦涩的也唯有这一个。我喜欢温和的雪茄，但是口味要浓郁，尺寸不宜过小，绝不要两口就可以吸完的那种，但大到让人厌烦也不好。最好是卷得大小适中，抽起来不费力气，烟叶也卷得紧实，抽的时候不至于弄脏嘴唇。只有这样，雪茄的味道才得以保持到最后。但

1　古巴首都，盛产雪茄。

是，当你抽完最后一口，放下不成形的烟蒂，看着最后一团烟雾变成蓝色的一缕，而后慢慢消散，一想到所有的辛劳、烦忧、苦闷登时烟消云散，一想到经历了多少忧思、坎坷和烦琐的种种，才能偷来这半小时的欢愉来放松身心，如果你感情细腻，不免略觉伤感。为这一支雪茄，多少人在热带的阳光下面挥汗如雨，又有多少船只在四大洋上穿梭。而当你吃完一打牡蛎（配上半瓶干白葡萄酒），这些想法就更加叫人心酸，当你吃完羊排时，这些想法简直就叫人难以忍受了。这些食物都是动物，过去几百万年来，地球供养了一代又一代的生命，可这些生物的归宿竟是一盘碎冰或银质烤架。没有想象力的食客无法理解吃牡蛎是一件极为严肃的事。进化论告诉我们，双壳类动物向来喜欢独处，所以人类对它们向来没什么同情心。它们的冷漠冒犯了热情高涨的人类，它们的孤傲刺痛了人类的虚荣心。可我不懂，怎么会有人看到羊排却没有落泪的想法：人类横插一脚，生生将人类历史与餐盘里的嫩肉联系在一起。

有时候，甚至连人类的命运也值得琢磨一番。瞧瞧生活中平凡无奇的人，有的是银行职员，有的是清洁工，还有合唱队第二排的老姑娘，想想他们漫长的人生经历，想想他们翻越了多少艰难险阻才脱离泥淖，换来当下的生活。一想到需要历经沧桑才能走到这一步，不免让人认为他们的生命必定蕴藏着深意，且命运之神或其他左右人类命运的神明必定在意发生在人类身上的事情。但一旦发生意外，那这根线便会断裂。和这个世界一同诞生的故事便会突然画上终止符，而且看起来毫无意义可言，更像是白痴讲的故事。可一件微不足道的琐事，竟能引发如此重大且具有戏剧性的事件，这难道不奇怪吗？

一件偶然发生的小事，虽不起眼，但后果却难以估量。似乎万事万物没有固定的运行规律，但我们一个细微的举动可能会对没有关联的陌生人产生巨大的影响。如果那一天我没有横穿马路，我要讲的故事便不会发生。生活真的是非常奇妙，要是没有幽默感，大概很难体味其中的乐趣。

春日的早晨，我在邦德街上散步，上午比较清闲，想去苏富比拍卖行转转，看有没有感兴趣的东西。路上遇到堵车，我只好从中穿过，穿到马路对面时，刚巧碰见我在婆罗洲认识的人正从帽匠的店里走出来。

“你好，莫顿。”我说，“什么时候回来的？”

“我已经回来一个礼拜了。”

他是殖民地的长官。当时，州长给了我一封介绍信，我又亲自写了封信，告诉莫顿我打算去他的辖区待上一个礼拜，大概会住在政府运营的招待所。等我到了那里，他竟先上了船，叫我到他家里落脚。我婉言谢绝了他的好意，因为我不知道如何和一个陌生人共处一个礼拜，也不想麻烦对方承担我的伙食费，况且我觉得一个人更自在。可是他不听我的。

“我家有的是房间。”他说，“招待所的条件太差了。我已经半年没和白人讲过话了，再让我一个人待着，我准会憋坏的。”

莫顿用汽艇载我回到他的小木屋，给我倒了一杯酒后，就不知道接下来该如何招待我了。他突然感到一阵为难，原本口齿伶俐的他一时不知该说什么。我尽量让他感觉像身处在自己家里一样（毕竟这里是他的家，这是身为客人最起码的自觉），所以我先开口，问他家里是否有新的唱片。他打开留声机，雷格泰姆的声音让他找回了一点儿自信。

他的小木屋可以俯瞰河面，宽敞的门廊充当起居室。房内的装饰中规中矩，是典型的政府官员住的房间，为应对紧急情况必须随时做好搬家的准备。墙上的装饰品有当地的帽子、动物的角、吹管和长矛。书架上放着侦探小说和旧杂志。屋内还有一架琴键泛黄的竖立式小钢琴。房间并不整洁，但也不至于让人觉得不舒服。

遗憾的是，我记不太清他当时的模样。那个时候，他还很年轻，后来才知道当时他二十八岁，笑起来像个孩子，很是讨人喜爱。我和他愉快地度过了一个礼拜。我们上山、下河，还和住在二十英里外的种植园主共进过午餐，每天晚上我们还会到俱乐部玩一玩。那家俱乐部只有儿茶[1]工厂的经理以及他的助手，不过他们基本不交流。看在莫顿说有朋友来访的分上，他们勉强凑了一桌桥牌。牌桌上的气氛十分紧张。结束后，我们回到家，吃了晚饭，睡觉前还听了一会儿留声机。莫顿没有多少公务，也许有人会认为这让工作时间变得更加难熬，但莫顿精力充沛，工作热情非常高涨。这是他第一次尝试这份工作，而且他可以独立办公，这叫他非常兴奋。唯一让他担心的是，路还没有修完，自己可能会被调走。这条路是他的快乐源泉。毕竟修路是他自己的主意，他费尽口舌劝政府出资修路，还亲自勘察地形地貌、规划路线。一旦出现技术问题，也是他独立解决的。每天早晨去办公室之前，他会先开着老福特车到劳工劳作的施工现场，了解前一天的施工进度。他的心

1 中药名。——编者注

中，只惦记着修路这一件事，连梦里也全是这条路。他估计一年之内就能竣工，他可不想在那之前离开。假如他是画家或雕塑家，对艺术品的创作热情也不会再比这更高涨了。想必正是这种忘我的精神才让我非常欣赏他。我喜欢这种澎湃的热血。我也欣赏他的纯粹。他既不在乎独居生活，也不在乎升职加薪，就连乡愁都不能阻挡他前进的脚步，这种投入给我留下了深刻的印象。我记不清这条路到底有多长，我猜大约有十五到二十英里长吧。我也记不清修路的目的是什么了。但我想莫顿也不关心这些。他的那种激情是艺术家特有的激情，他渴望的胜利是人类战胜自然的胜利。他一直在学习。他要学会与丛林做斗争，因为暴雨会破坏几个礼拜的劳动成果，连地形也会发生改变。他必须召集并安排好劳动力，资金短缺也是一个严峻的问题。不过，他的梦想一直支撑着他。在他看来，这份工作好比史诗中描写的英雄事迹一般，施工过程中的种种劫难就如同北欧故事中的片段。

唯一让他不满的就是白天太短了。身为法官和税务员，莫顿毕竟是辖区人民的父母官（虽然他只有二十八岁），白天总是要待在办公室里的，偶尔还要出差。如果他不在现场监工，工人就几乎不干活。他宁愿在工地待上一整天，二十四小时监督那些不情愿的劳工做工。就在我到达之前不久，发生了一件让莫顿开心的事。他和华人签订了一份合同，让华人负责修建部分公路，但对方提出的要求超出了莫顿的支付能力。双方进行了漫长的拉锯战，最终也未能达成协议，莫顿眼见施工进度一拖再拖，心中不免愤懑，但也无可奈何。某天上午，莫顿像往常一样来到办公室，他听说昨夜一家赌场里发生了暴力事件，其中一个劳工受了重伤，袭击他的人被逮捕了，恰巧那个人就是承包商。他被带上法庭，因为证据确凿，所以莫顿判他服十八个月的苦役。

“这下他可得为我免费修路了。”说这话的时候，莫顿兴奋得双眼放光。

又一天早上，我们还看见那个家伙穿着纱笼囚服在监狱里做劳工，一副气定神闲的样子，显然不把入狱当成一回事。

“我已经跟他说了，等这条路修好了，我会把他剩下的刑期减去。”莫顿说，“他高兴极了。对我来说，这还不容易吗！这下赚大了，对吧？”

离开的时候，我告诉莫顿，等他回英国后要赶紧通知我，他也答应一到英国就给我写信。发出这样的邀请多半是因为一时的冲动，但绝无半点矫饰。但是，当别人接受了邀请，人们又会微微感到懊丧。国内和国外的情况截然不同。出了国，人们通常变得简单、热情、自然，谈吐会多几分幽默，待人接物也体现出更多善意。你渴望在对方回国后，给予亲切的招待以报答曾接受的善意。但这并不容易。那些在自己的环境中风趣幽默的人，到了你的环境中可能表现得非常迟钝。他们变得拘谨且害羞。你把他们介绍给你的朋友，结果你的朋友发现他们非常无聊。他们尽力表现得彬彬有礼，但只有陌生人离开后，才能松一口气，然后轻松地进行对话。我想那些在远方谋生的人应该早就领悟了这一点，因为我发现虽然驻扎在荒郊野岭的人曾多次发出热诚的邀请，但也鲜有说到做到的情况，或者类似情况最后变得尴尬或叫人难为情。可莫顿不同，他还年轻，而且单身。一般来说，妻子才是真正的困难所在。其他女人只消瞥一眼妻子身上单调的着装，便可察觉出其身上难以掩饰的乡土气息，这种冷漠只会让妻子觉得自讨没趣。但是男人可以打桥牌，打网球和跳舞。况且莫顿很有魅力。我毫不怀疑，只要一两天，他就可以适应新生活。

“为什么不告诉我你回来了？”我问他。

“我以为你不想我来叨扰你。”他笑着答道。

“你怎么会这么想！”

我们站在邦德街聊了一会儿，面前的莫顿看起来有些陌生。除了卡其布短裤和网球衫，我从来没有见他穿过其他款式的衣服，当然，从前我们从俱乐部吃完晚饭回来的时候，他还会换上睡衣和纱笼，大概再没有比这样的穿搭更舒适的夜间穿搭了。此刻的他穿着蓝色哔叽西装，显得有些笨拙。白色的衣领衬得他的脸很黑。

“那条路怎么样了？”我问他。

“竣工了。我原本还担心要推迟休假，因为快完工的时候遇到了一点儿麻烦，不过我催促他们抓紧解决。就在我回国的前一天，我开着老福特车到了另一边，然后再开回来，一路都没有停。”

我笑了起来。他神采飞扬的样子很有魅力。

“你在伦敦都干什么了？”

“买了衣服。”

“玩得开心吗？”

“非常开心！就是一个人有点儿寂寞，不过你知道的，我不介意。每晚我都去看演出。我记得，你在沙捞越见过帕尔默夫妇，他们本来打算来伦敦的，我们约好一起看戏，但是帕尔默夫人的母亲病了，他们只得改道去苏格兰。”

他说得倒轻松，可却刺到了我的痛处。这种情况时有发生，简直叫人心碎。来伦敦旅行前，这些人可能筹划了数月，经历了漫长的等待，当他们终于可以踏上驶向伦敦的大船，甚至下船的时候，都激动得不能自已。伦敦，商店、俱乐部、剧院和餐馆；伦敦，他们将在这里度过人生中最美好的时光；伦敦，简直要把他们吞噬掉了。伦敦这座城市，诡异且动荡，虽不至于排斥来访者，但终归是冷漠的，他们就在这里迷失自己。他们没有朋友，即便有几个熟人，大家也会感到话不投机。对他们而言，待在伦敦比待在丛林里还要孤独。如果在剧院偶然遇到在东方相识的朋友（或许会感到无聊，甚至会厌烦），但这也算一种宽慰，还会约着晚上小聚一番，坐在一起谈天说地，聊一聊回国之后的美好生活，其间也会谈起共同的朋友，最后委婉地向对方吐露就算现在离开伦敦回到工作岗位，也不会感到遗憾。其余的时间里，他们也会看望家人，当然了，见到家人还是很高兴的，但是现在和从前没出去的时候相比，情况有所不同。所以现在的他们的确会感到别扭，而且如果追问根本原因，那就是英国人的生活方式简直叫人窒息。重返故乡固然是一大乐事，但问题在于你再也适应不了这里的生活。有时，思绪会飘回坐落在河畔的小木屋和旅居的那片辖区，有时你还会想到偶尔跑到山打根、古晋或者新加坡是多么快乐的回忆。

因为我记得莫顿曾经热切地盼望修完那条路以后就回到故土享清福。毕竟在殖民地，莫顿过着独居的生活，晚饭总是一个人在生意冷清的俱乐部或索霍区的一家餐馆里解决。饭后去看戏的时候也是一个人，既没有人陪他看戏，也无人陪他在幕间休息时小酌一杯。想到这里，孤苦无依的莫顿不免叫人心疼。不过与此同时我也想到，即便我知道他在伦敦，也不能为他做什么。上周太忙了，我根本抽不出时间招待他。就在和他重逢的那天，我已经和朋友约好了一起吃晚饭，然后去看戏，而且第二天我就要出国了。

“你今晚有什么安排吗？”我问他。

“我要去苑廷剧场。票早就卖光了，但我在马路上认识了一位新朋友。他可不是一般人，帮我弄到了一张退票。你知道，一次弄到两张退票不太可能，不过一个人还算好办。”

“和我一起吃晚饭怎么样？我要和几位朋友去干草市场[1]看戏，结束后再去切莱餐馆吃饭。”

“我当然愿意同行。”

1　坐落于伦敦西区的传统剧院。

我们约好十一点在饭店碰头，接着我便和他分开，转身赴约去了。

我担心莫顿会不喜欢晚上要碰面的朋友们，因为大家都是中年人，可当下这个节骨眼，我实在想不出到哪里去找年轻的面孔。我认识的年轻姑娘里，怕是没人想和一个刚从马来亚回来、安静腼腆的年轻人共进晚餐。但我相信，毕晓普夫妇一定不会让他感到无聊，因为对莫顿来说，只要晚上用餐的俱乐部里有水平不错的乐队驻场，还有热舞的美女，那就比十一点回家睡觉要有趣得多。初识查理·毕晓普的时候，我还是个医学生。那时候的他是个瘦小的家伙，留着一头浅棕色的头发，五官长得也比较生硬。不过他有一双漂亮的眼睛，又黑又亮，神采奕奕，只可惜戴了副眼镜。他长了一张圆脸，面色红润，很爱笑。查理·毕晓普对年轻姑娘颇感兴趣。虽貌不出众，也没几个钱，但查理还是交到了不少女朋友，我料定他自有一套追求女生的策略。查理聪明、傲慢、脾气暴躁、说话刻薄，时常与人发生口舌之争。应该说这个人比较难相处，但身边有了他，你绝不会感到无聊。现如今，查理都已经五十五岁了，身材发福，秃顶，只剩金框眼镜后面的那双眼睛依旧明亮、警觉。现在的查理变得固执、自负，不过依旧爱争辩，说话也一如既往地难听。可他终究不是坏人，时常逗得人发笑。认识一个人长达几十年，你早已接纳他的怪癖，就如同接受自己有生理缺陷一样。查理·毕晓普是病理学家，偶尔会给我寄一本他刚出版的书。不过这类读物大多过于专业，配图基本都是细菌的照片，所以我从来都不看。从我有时听到的情况来看，查理对他所处理的问题的看法是站不住脚的。我觉得查理在同行中并不受欢迎，就连查理本人也承认，在他看来，不少同行跟低能的白痴没什么差别。可毕竟他有稳定的工作，年薪六百到八百英镑，至于别人如何看待他，查理完全不放在心上。

我喜欢查理·毕晓普，单纯是因为我们有三十年的交情。我更欣赏他的妻子玛格丽，她人很好。查理告诉我他要结婚的时候，我大吃一惊。当时他已年近四十，从没对哪个女人认真过，我料定他会孤独终老。他虽然沉迷女色，但从不感情用事，也没有一定要追求的对象。在那个理想主义盛行的时代，他对女性的看法并不为大众所接纳。查理清楚自己想要什么，也会直接要求对方给予，但如果得不到，无论爱情还是金钱，他只会潇洒地耸耸肩，转身离去。简而言之，女性对他来说不是圆满人生中的伴侣，而是满足他对情欲的需求。奇怪的是，虽然他身材瘦小，长相平凡，却有不少人愿意满足他。至于精神层面的追求，研究单细胞生物就是他的全部。当他告诉我他要娶一个叫玛格丽·霍布森的年轻女子时，我直白地问他为什么会结婚，他咧嘴一笑。

“有三个原因。第一，不结婚的话，她就不和我上床。第二，她能让我笑得像一条鬣狗。第三，她没有亲人，必须有人照顾她。”

“第一条，拿腔作调。第二条，虚张声势。第三条，还算句实话，看来她把你吃得死死的。”

那副大眼镜后面的眼睛里闪着柔和的光芒。

“还真被你说中了。”

“她把你吃得死死的，你也心甘情愿。”

“明天一起吃午饭吧，顺便见见她。她长得非常好看。”

查理加入了一家同时接受男会员和女会员的俱乐部，我也常去那里，所以午饭就安排在了那家俱乐部。我发现玛格丽是一个非常有魅力的年轻姑娘。那时的她还不到三十岁，是个真正的窈窕淑女。我很开心查理找了个好姑娘，但也有些吃惊，因为查理过去经常被缺乏教养的女性吸引。玛格丽并不漂亮，但长得很清秀，有着一头乌黑的秀发和一双美丽的眼睛，气色很好，看上去也很健康。她随性率真，这种气质非常吸引人。她看起来诚实、单纯、可靠，所以初次见面她就给我留下了好印象。和她交流非常轻松，虽然她说不出漂亮话，却能理解对方的心情。她很有幽默感，谈吐大方，绝不会扭捏。玛格丽会留给人一种精明能干，做事讲究条理的印象。她的气质中夹杂着令人愉悦的恬淡，这表明她性情和顺，消化能力也很强。

他们似乎对彼此非常满意。第一次见到玛格丽时，我问我自己，为什么她要嫁给这个脾气暴躁的小个子男人，他已经秃顶了，而且根本不年轻。但我很快发现，她是真的爱着这个男人。他们时常开玩笑，或者爽朗地大笑起来，偶尔交换一下眼神，那是一种只有对方才能懂的交流方式。这样的感情，让我十分触动。

一个礼拜后，他们登记结婚了。这是一段非常成功的婚姻。一转眼，十六年过去了，想到他们的婚姻生活幸福美满，我也替他们感到高兴。我从未见过比他们更恩爱的夫妻。他们并不富裕，也不奢求珠光宝气的生活。这对夫妻没有什么野心，他们的婚姻就像一次永远不会结束的野餐。他们住在公寓里，我还从没见过那么逼仄的公寓。他们就住在潘敦街上，一间小卧室，一间小起居室，还有一间浴室兼做厨房，这就是公寓的全部。但那里对他们而言谈不上有"家"的感觉，除了早饭在公寓里吃，其余都到餐馆解决。公寓只是一个睡觉的地方，不过那里很舒服，只是若有第三个人过来喝杯威士忌或苏打水，就会显得拥挤不堪。尽管查理比较邋遢，但在打杂女佣的帮助下，玛格丽能把家里整理得干干净净，只是里面没有一样东西带有毕晓普夫妇的私人印记。他们拥有一辆小汽车，每到查理休假的时候，两个人就会开车穿过英吉利海峡，一人背上一个行李袋，想去哪里就去哪里。就算车半路抛锚，他们也不在意，就算天气恶劣，他们也认为那是旅行的乐趣之一，车胎漏气也能让他们想出无数个幽默的段子。若是迷了路，不得不露宿街头，这两位也会认为这是在享受生活而不是在遭罪。

查理依然脾气暴躁，喜欢争吵，但是这样的他从未影响到性格安静的玛格丽。玛格丽的一句话能让查理迅速冷静下来。这么多年，她还是有办法逗查理开心的。玛格丽把丈夫有关细菌研究的专著打印出来，遇到要投稿到科学杂志的文章，玛格丽还会帮忙校对。有一次我问他们有没有吵过架。

"没有。"她说，"没什么可吵的。查理脾气很好，像个天使。"

“不可能。”我反驳道，“他傲慢，好斗，脾气暴。向来如此。”

玛格丽看着查理，咯咯地笑起来。我知道，她以为我在开玩笑。

“听他胡说呢！”查理说，“他就是个无知的傻瓜，自己都不知道自己在说什么。”

这两个人在一起，日子过得很甜蜜。在彼此的陪伴下，两个人都感到无比幸福。双方都尽量避免别离。即使已经结婚多年，但查理仍旧每天在吃午饭的时候，开车到西区的一家饭店陪伴玛格丽。过去，大伙常常笑他们，倒也不算嘲笑，但还是会有些特别的意味，因为他们如果要去乡下度过周末的话，玛格丽一定会提前写信给旅馆女主人，说只有提供双人床，他们才愿意去。两个人同榻而眠这么多年，竟还不愿分开睡，这就有些尴尬了。通常情况下，丈夫和妻子不仅会要求分房睡，如果店家让他们共用一个浴室，他们也会大发雷霆。现在的这些房间，都不是为夫妻设计的，但毕晓普的朋友们明白，如果你的客人是毕晓普，那必须给他们提供带双人床的房间。当然，难免有些人认为这么做不大雅观，而且很不方便，但毕竟这对夫妻能给大家带来欢乐，那忍受他们的偏执也是值得的。查理总是精神饱满，虽然刻薄，但还是很风趣，玛格丽也是个性格随和的顾客。招待这两位并不用费什么力气。他们最喜欢一起到乡下散步。

一个男人结了婚，有了妻子，迟早会和老朋友疏远，这是常态。但这一对不一样，玛格丽反而让查理和他的老朋友更加亲近。玛格丽让查理变得更加宽容，甚至让他成为一个更加讨人喜欢的伙伴。他们给你的印象不是一对已婚夫妇，而是两个同住的中年单身汉，这很有趣。玛格丽是六个男人中唯一的女性，且这些男人粗俗、聒噪、放浪形骸，但她绝不会扫大家的兴，反而让气氛更加融洽。每次回国的时候，我都会看到他们。他们一般在我提到的那家俱乐部用餐，如果刚巧我是一个人出来吃饭的，那我也会加入这一伙人。

那天晚上去看戏之前，我们见了面，吃了点小吃，我告诉他们我已经邀请了莫顿共进晚餐。

“恐怕你会觉得他很无趣。”我说，“但是他是一个非常正派的年轻人，我在婆罗洲旅行时，是他招待了我。”

“怎么不早点说呢？”玛格丽叫道，“那我就可以带个姑娘一起。”

“这是要做什么？”查理说，“不是已经有你了吗？”

“年轻人和我这把年纪的女人跳舞会有什么乐趣？”玛格丽说。

“胡说。这和你的年龄有什么关系。”查理说着转头看向我，“你见过比玛格丽跳舞跳得更好的女人吗？”

其实是见过的，不过玛格丽确实跳得很好，她脚步轻盈，节奏感很强。

“没见过。”我真诚地说道。

我们一行人到达切莱餐厅的时候，莫顿已经在等我们了。他穿着晚礼服，看起来像被晒黑了一样。也许是因为我知道这衣服已经在装有樟脑球的箱子里尘封了四年，才觉得莫顿穿起来有些别扭。他还是穿卡其布短裤更自然。查理·毕晓普是个健谈的人，喜欢听我讲话。可莫顿很害羞。我给了他一杯鸡尾酒，还点了一些香槟。我可以感觉到，他也想跳舞，但我不太确定他是否会想邀请玛格丽一起。我非常清楚，我们和莫顿之间有代沟。

“我想我应该告诉你，毕晓普夫人舞跳得非常棒。”我说。

“是吗？”他涨红了脸，“那能请您和我跳一支舞吗？”

玛格丽站起身，两个人迈入了舞池。那天晚上的玛格丽打扮得并不算时髦，但看起来格外动人。我想她那件朴素的黑色连衣裙不会超过六几尼，但是她看起来像个优雅的淑女。玛格丽有一双美腿，而且当晚她穿的裙子非常短。玛格丽化了点妆，但和俱乐部里的女人相比，她的妆容非常自然。短发很适合她，甚至连一根白头发都没有，而且头发富有光泽，很是吸引眼球。她不漂亮，但很善良。健康的外表不会让人觉得美艳，但她独特的气质叫人觉得美不美丽根本不重要。跳完舞，她回到桌子前时，双眸中焕发着明亮光芒。

“他跳得如何？”她丈夫问道。

“技艺高超。”

“和您跳舞很荣幸。”莫顿说。

查理继续他的演说，他的幽默中带着讽刺，而之所以认为他有趣，是因为他认为自己的言论非常生动。可莫顿对查理谈论的话题一无所知，尽管他努力做出一副全神贯注的样子，但我还是能看出他很亢奋，喧闹的环境、躁动的乐点和醉人的香槟让他无法专注查理的演讲。音乐再次响起时，他的眼睛立刻转向玛格丽。查理察觉到了他的反应，扬起嘴角。

“去和他跳舞吧，玛格丽。看着你运动，对我的身材也有好处。”

他们再一次进入舞池。查理用温柔的目光注视着妻子。

“看来玛格丽很开心。她喜欢跳舞，可我不行，跳一跳就会让我精疲力竭。不过这小伙子还不错。”

我组织的这场小聚会相当成功。和毕晓普夫妇告别后，我和莫顿一起往皮卡迪利圆环广场[1]的方向散步，莫顿真诚地向我道谢。他表示当晚玩得非常开心。最后，我和他道了别。第二天一早我就出国了。

遗憾的是，我并没有为莫顿做什么，而等我回国，他应该已经在回婆罗洲的路上了。有时我也会想到莫顿，但到了秋天，我终于回国的时候，我依然完全忘却了这个小伙子。在伦敦待了大约一个礼拜后，有天晚上我心血来潮去了俱乐部，查理·毕晓普也在。和他一起的三四个人我也认识，我走上前去。自从我回来后，还没有见过他们。其中一个叫比尔·马什的人，他的妻子珍妮特是我的好朋友，她邀请我一起喝一杯。

1　伦敦最有名的圆形广场，兴建于1892年，早期是英国零售商店所在地，现为英国伦敦市中心购物街道的圆心点，有五条主要街道交错于此。

“你从哪儿冒出来的？”查理问道，“最近都没有见到你。”

我立刻察觉出查理喝醉了。我有些惊讶。查理一向喜欢喝酒，酒量不差，而且从不过量。年轻的时候，查理偶尔也会喝多，但不是出于任何特殊理由，只是想显示自己的与众不同。再者，用年少轻狂的时候与现在比，对他来说并不公平。我记得喝醉的查理脾气异常暴躁，争强好胜的特质每到此时就越发凸显出来，说话声音非常大，很容易和人吵架。固执己见的查理把自己的话当作金科玉律，拒绝听取他人的反对意见。朋友们也很为难，一方面是因为他脾气太冲，总会叫人不舒服，另一方面大家也理解查理是因为醉酒才会失态，都尽量去包容他的坏脾气。可他并不讨人喜欢，一把年纪的人，秃顶、肥胖、戴着眼镜，还喝多了，着实叫人生厌。虽说平日里穿着得体，但现在的他满身烟灰，十分狼狈。查理叫来侍者，又点了一杯威士忌。这名侍者已经在这里工作三十年了。

“你面前就有一杯威士忌，先生。”

“管好你自己的事吧。”查理·毕晓普说，“马上给我来一杯双份威士忌，否则我投诉你服务态度不好！”

“好的，先生。”侍者回答道。

查理一口气喝光了杯子里的威士忌，但没有拿稳杯子，以至于洒了些威士忌出来，溅到衣服上。

“好了，查理，老伙计，咱们该走了。”比尔·马什说，然后他转向我，“最近，查理和我们一起住。”

我更惊讶了，总觉得事情有些蹊跷，但隐隐觉得还是不要问比较安全。

“好了，”查理说，“走之前再喝一杯，然后今晚就能过得舒服些。”

依我看，这次的聚会暂时还不会结束，所以我起身告诉大家我要慢慢走回家。

“我说，”我真要走的时候比尔开了口，“明天晚上来和我们吃饭吧？就我、珍妮特和查理三个人。”

“好啊，我很乐意。”我说。

现在已经非常明显了，一定有事发生了。

比尔的家就在摄政公园[1]东侧的别墅区里。为我开门的女仆带我走进比尔的书房，他正在里面等着我。

“上楼之前，我先和你交代一下情况。”和我握手的时候他说道，“你知道玛格丽离开查理的事吗？”

1　伦敦仅次于海德公园的第二大公园，位于伦敦西区。

"不是吧！"

"这件事对他打击太大了。珍妮特觉得不应该把他一个人留在那个可怕的小公寓里，所以我们请他到我们家待一阵。能做的都为他做了。他整日喝得烂醉如泥，已经两个礼拜没合过眼了。"

"她抛弃查理了？"

一时之间，我没法接受这个信息。

"没错。她和一个叫莫顿的家伙好上了。"

"莫顿？那是谁？"

我根本没有想到他就是我在婆罗洲认识的那位朋友。

"该死的。是你把他介绍给大家，你可真是做了件'好'事。我们上楼去吧。我觉得应该搞清楚状况。"他打开门，我们走出书房。这下我完全糊涂了。

"但是问题是……"我说。

"要问就问珍妮特吧。她知道整件事的来龙去脉。我也不清楚。玛格丽太过分了，把查理弄成现在这样。"

他领着我走进客厅。我进去的时候，珍妮特·马什站了起来，走上前来迎接我。查理坐在窗边看晚报，我走到他跟前和他握手，他把报纸放在一边。他没有喝酒，说话的样子和平时一样神气活现，但我注意到他似乎病得很厉害。我们喝了一杯雪利酒，然后下楼去吃晚饭。珍妮特是个充满朝气的女人，她身材高挑，皮肤白皙，相貌出众。她的观察力很敏锐，确保我们的谈话顺利进行。当她要去拿一杯波尔图葡萄酒时，她叮嘱我们在这里最多待十分钟。比尔不善言辞，但此刻正努力地找话题。我还是搞不清楚状况，对事情的进展一无所知，不过很明显的是，马什夫妇尽量避免让查理陷入沉思，因此，我也努力找些查理感兴趣的话题。查理倒是很配合，长篇大论一向是他的最爱，当时有一起引发舆论的谋杀案，查理从病理学家的角度分析起来，但他的演讲一点也不生动，仿佛整个人只剩下空壳。尽管你知道查理为了顾全主人的面子，强迫自己参与讨论，但显然他心不在焉。这时，楼上传来声响，我们立刻知道珍妮特开始不耐烦了。大家都松了一口气。女性总是能缓解这种尴尬的局面。我们三个上了楼，开始玩桥牌。等我要走的时候，查理提出要把我送到马里博恩路。

“查理，已经不早了，早点去睡觉吧。”珍妮特说。

“睡觉前散散步，我会睡得更好。”他回答。

珍妮特担忧地看了他一眼，她总不能禁止一个中年病理学教授出去散散步。她赶紧瞥了丈夫一眼。“一起散散步，对比尔来说也没什么坏处。”

我认为这话说得不大得体。女性时常会展现控制欲。查理闷闷不乐地瞥了她一眼。

“没有必要把比尔也拉出来。”他坚定地说。

“我一点儿也不想去。”比尔笑着说，“我太累了，要去睡觉了。”

我想我们走后，比尔恐怕会和妻子大吵一架。

“他们对我真是太好了。”当我们沿着栏杆走的时候，查理说道，“我都不知道没有他们自己该怎么办。我已经两个礼拜没睡觉了。”

对此我表示遗憾，但没有追问原因。我们一言不发地走了一会儿。我以为他是来跟我谈一谈那件事的，但我想还是等他先开口。我很想告诉他，我也很难过，但又怕说错话。我不想表现得像是要从他那里骗取信任似的，可我又不知道怎么起头，我猜他也不希望我这么做。查理不是一个喜欢拐弯抹角的人。我猜他应该是在斟酌用词。我们走到了拐角处。

“教堂附近可以叫到出租车。”他说，“我再往前走一段路。晚安。”

他朝我点了点头，无精打采地走开了。这让我有些意外，但我也没有办法，只好继续散步去找出租车。第二天早上我洗澡的时候，一通电话把我从浴室中拽了出来。我用毛巾裹住湿漉漉的身体，拿起话筒。是珍妮特打来的。

“你怎么看这件事？”她说，“昨晚查理似乎睡得很晚。我听见他回家的时候都已经三点钟了。”

“他把我送到马里博恩路之后，我们俩就分开了。”我说，“他什么也没跟我说。”

“他没说吗？”

听珍妮特的语气，似乎她本来打算和我长谈一番。我怀疑这电话就放在她床边。

“是这样的，”我赶忙说道，“我正在洗澡。”

“哦？你在浴室里装了电话吗？”她急切地问道，语气中带着几分嫉妒。

“不是的，没有装。”我立刻回答道，语气有些生硬，“现在我身上的水全滴在地毯上，弄得到处都是。”

“这样啊。”我听出来她的语气中有一丝失望，甚至还有一丝恼怒，“那我什么时候能见你呢？十二点钟可以到这儿来吗？”

这个时间点我并不方便，但我不打算和她争论。

“行，再见。”

趁她还没来得及说什么，我赶紧挂了电话。天堂里受到庇佑的人在使用电话时是不会说废话的。

我很喜欢珍妮特这个朋友，我也清楚再没有什么比朋友们的不幸更让她兴奋的事了。她非常渴望帮助他们，也愿意设身处地地为朋友着想。她是能和你共患难的朋友，管闲事是她的一大爱好。不知怎的，朋友出轨最后总是找她倾诉，遇上离婚她一定会参与其中。总之，珍妮特是个好女人。中午，有人领我进了珍妮特的客厅，看到她异常热情地来迎接我，我禁不住暗自发笑。她自然为查理遭遇的灾难感到难过，但她难掩心中的兴奋，她巴不得能有我这么一个全然不知情的新人听她分享这段八卦。珍妮特就像向医生询问女儿初次分娩情况的母亲一样，满心都是期待。珍妮特意识到这件事非常严重，不会草率处理，但她也不会错失从中攫取快乐的机会。

“当时玛格丽告诉我她终于决定离开查理时，没人比我更吃惊了。”她说这话的时候语气十分流畅，看来她至少重复过十几次类似的话，“他们是我见过最恩爱的一对，这段婚姻也很完美，这两个人相处得那么融洽。当然了，比尔和我感情也很好，但偶尔我们也会吵得很凶。有时候我甚至都想杀了他。”

“我不关心你和比尔的事。”我说，“还是聊一聊查理的事吧，不然我白跑一趟了。”

“我只是觉得我必须见你一面，毕竟你是唯一能说明情况的人。”

“老天，别再这么说了。在比尔昨晚告诉我之前，我什么都不知道。”

“那是我的主意。因为我突然意识到，也许你还不知情，怕你见到查理会说错话。”

“你还是从头讲起吧。”我说。

“要说从头讲起，你就是这个‘头’，一切都是因你而起，你介绍了那个年轻人给他们认识，这也就是为什么我亟须见你一面。你对他了如指掌，可我还没见过他。我了解到的也全是玛格丽告诉我的。”

“你什么时候吃午饭？”我问道。

“一点半。”

“我也是，快讲吧。”

听了我这话，珍妮特似乎有了新的想法。

“要不这样吧，要是我不去吃午餐，你可不可以留下来？我们可以在这里吃些小食，家里还有些冷肉，这样我们就不用急了。我约了理发店，不过可以待到三点再离开。”

“不用了，不用了。”我说，“这太麻烦了。我最迟一点二十分就得离开。”

“那我只得快点讲了。在你眼里格里这个人怎么样？”

“格里是谁？”

“格里·莫顿。原名杰拉尔德。”

“我怎么会知道？”

“你曾在他家住过。难道就没有收到过寄给他的信吗？”

“也许有吧，但我没读过人家的信。”我语气不善地回答道。

“别傻了，我的意思是，你总该看过信封上收信人的姓名吧。他是个什么样的人？”

“好吧，有点儿像吉卜林[1]。你知道的，一心扑在工作上，充满干劲，像个帝国的缔造者。”

“我不是那个意思，”珍妮特喊道，看上去有些不耐烦，“我是问，他长什么样？”

“和普通人差不多。当然，如果我再见到他，应该会认出他来的，现在没办法清楚地描绘出他的样貌。他看起来干干净净的。”

1　约瑟夫·鲁德亚德·吉卜林（1865—1936），英国小说家、诗人。主要作品有诗集《营房谣》《七海》，小说集《生命的阻力》和动物故事《丛林之书》等。

“哦，上帝啊。”珍妮特说，“你到底是不是小说家？他的眼睛是什么颜色的？”

“我不知道。”

“你一定知道。和他同住了一个礼拜，你不可能连对方的眼睛是蓝色的还是棕色的都不知道。他是白人还是黑人？”

“都不是。”

“那是高还是矮？”

“中等个头。”

“你故意跟我过不去是不是？”

“没有。他就是个普通人，没有特别吸引人的地方。虽然算不上好看，也不能说难看，看起来像个正人君子。”

“玛格丽说他笑起来很迷人，身材也很不错。”

“确实。”

“那男人简直对玛格丽着了迷。”

“为什么这么说？”我干巴巴地问。

“我看过他的信。”

“你是说玛格丽给你看的？”

“不然呢？”

男性往往难以忍受女性对私人话题过于开放的态

度。可以说她们不知羞耻，就连交流最私密的事情也不会尴尬。保守其实是男性的美德。尽管理论上男性清楚这一点，但每当他们看到口无遮拦的女性，还是不免感到震惊。如果莫顿知道，他的情书不仅被玛格丽看过，还被珍妮特·马什仔细阅读过，真不知他会做何感想。据珍妮特说，莫顿对玛格丽一见钟情。在那场切莱餐厅小型聚会过后的第二天早上，莫顿就和玛格丽通过电话，邀请她到一个可以跳舞的地方和他一起喝茶。珍妮特说起这些故事的时候，我明白这些回忆里多少带有玛格丽的主观感受，所以我并没有全然放在心上。不过让我感兴趣的是，珍妮特竟然支持玛格丽出轨。玛格丽离开查理的时候，是珍妮特先提出接查理到她家里住两三个礼拜的，她不愿让查理一个人待在空荡荡的公寓里无依无靠地过日子，她的确待查理很好。因为查理习惯每天和玛格丽一起吃午饭，所以珍妮特几乎每天午饭的时间都陪在查理身边。珍妮特还带查理去摄政公园散步，周日还让比尔陪他打高尔夫。查理大吐苦水的时候，也是珍妮特陪在一旁，耐心地聆听他的抱怨，然后安抚他脆弱的心灵。她也替他难过。可纵使如此，她还是坚决地站在玛格丽这一边。我不理解她的坚持，于是她猛烈地抨击了我。说起这段婚外情，她就激动不已。打从一开始，她就站在玛格丽这一边。起初笑意盈盈的玛格丽告诉她有一个年轻人向自己表露爱意，玛格丽有些受宠若惊，也怀疑过这份突如其来的爱情，可到了最后，玛格丽彻底陷入愤怒、慌乱的情绪之中，向珍妮特宣布自己再也经受不住这种压力，已经收拾好东西离开了公寓。

“当然，一开始我简直不敢相信自己的耳朵。”她说，“你知道，查理和玛格丽的感情状态，可以用如胶似漆来形容。连外人也会笑他们太过亲密。我从不认为查理是个理想伴侣，他的外表也不帅气。可他对玛格丽那么好，人们没法不喜欢他。有时候连我都羡慕玛格丽。虽然没有钱，日子也过得马马虎虎，但两个人在一起就特别幸福。当然，我从没想过他们俩会走到今天这一步。玛格丽只是想找点乐子，她是这么说的：‘我才没有真把这当成一回事。到了我这个岁数，身边有个年轻人还是挺有意思的。已经很多年没有人送过我花了，我都告诉他不要再寄了，查理会察觉出不对劲的。他在伦敦举目无亲，又喜欢跳舞，他还说我跳起舞来很梦幻。他总是一个人去剧院，真是让人心疼，我们一起看过两三个下午场的演出。当我向他发出约会邀请时，他感激涕零的样子叫人很感动。’‘在我看来，’我告诉玛格丽，‘这个年轻人像只无助的羔羊。’‘是这样的。’她回答道，‘我知道你会理解的。你不会怪我吧？’‘当然不会，亲爱的。’我说，‘你明白我的。这事要发生在我身上，你也会这么做的。’”

玛格丽和莫顿的约会并没有瞒着查理，甚至她的丈夫还会打趣说她有了情郎。不过查理认为莫顿是个有风度、会讲话的年轻人，而且他很欣慰有这么个人能在自己抽不出空的时候陪妻子解闷。查理一点儿也不吃醋。甚至三个人还一起吃过几次饭，还去看了演出。后来，格里·莫顿叫玛格丽晚上一个人前去赴约，玛格丽说这不可能，但莫顿一直纠缠玛格丽，极力劝说玛格丽。玛格丽被逼得没有办法，最后只得向珍妮特求助，让她给查理打个电话，叫他出去吃晚饭，打一场四人桥牌。查理从来不会在没有妻子的陪伴时随便出门，所以珍妮特特别强调比尔是老朋友，出来打个牌很正常。她编了些谎话，让查理不得不答应。第二天，玛格丽和珍妮特见了面。玛格丽说那天晚上太美妙了，他们在梅登黑德镇用过晚饭后去跳了舞，然后开车回了家，度过了一个难忘的夏夜。

“他说他爱我爱到发疯。”玛格丽告诉她。

“他吻你了吗？”珍妮特问道。

“当然了。”玛格丽轻声笑道，“别傻了，珍妮特。他特别可爱，而且性格也很好。不过当然了，他说的甜言蜜语，我也不会全信。”

“亲爱的，你不会要爱上他了吧。”

“我已经爱上他了。”玛格丽说。

“亲爱的，那麻烦不就大了吗？”

“没关系的，不会有结果的。秋天他就要回婆罗洲了。”

“我得承认，你看起来年轻了好几岁。”

“我知道，我也觉得自己年轻了好几岁。”

没过多久，他们就每天都见面了。早上约去公园散步或去画廊。中午再分开，让玛格丽和丈夫一吃午饭。接着，午饭后又会见面，两个人开车去乡下或者河边。玛格丽没有告诉丈夫实情，她自然认为男人不会理解这种事。

“你怎么会没见过莫顿本人呢？”我问珍妮特。

“她不希望我见他。你看，我和玛格丽是同一代人，我明白她的想法。”

“我懂了。”

“当然，能帮的我都帮了。每次她和格里出去，都是拿我当借口。”

我是喜欢刨根问底的人。

“他们发生关系了吗？”我问道。

“没有。玛格丽不是那种女人。”

“你怎么知道？”

“如果有，她会告诉我的。”

“我想也是。”

“当然了，我也问过她。她直截了当地否认了，我相信她说的是实话。他们从来没做过出格的事。”

“那很奇怪啊。”

“可是，玛格丽是一个非常好的女人。”

我耸了耸肩。

“她对查理忠贞不贰，无论如何都不会欺骗他。她不允许自己有事瞒着丈夫。自打她发现自己爱上了格里，她就想马上告诉查理实情。不过我恳求她不要说。我告诉她，这样做没有任何好处，只会让查理更痛苦。毕竟，那个男孩几个月后就要走了，没有必要为了一件不可能有结果的事情搞得鸡犬不宁。”

但正是因为格里不日将远行，才使得这件事愈演愈烈。毕晓普夫妇像往常一样安排出国旅行，打算开车穿过比利时、荷兰和德国北部。查理忙着规划路线和查找旅行指南，向朋友询问推荐的旅馆和路线。他满心欢喜地盼望着假期的到来。玛格丽看丈夫心心念念这次旅行，情绪却越发低落。他们要离开四个礼拜，而九月份格里就要回婆罗洲了。她可不想浪费这仅剩的时间，一想到这场旅行，她就怒不可遏。剩下的时日不多了，她越来越紧张。最后，她发现只剩下一个办法。

“查理，我不想去旅行了。”某天，查理正向她介绍刚听说的一家餐馆，玛格丽突然打断查理，“我希望这次你能找个人和你一起去。”

查理茫然地看着妻子。玛格丽也被自己说的话吓了一跳，嘴唇微微发抖。

“为什么呢？出什么事了吗？”

“没什么。我不想去了，我只想一个人待一会儿。”

“你不舒服吗？”

她看到查理的眼神透露着担忧，她再也承受不住这样的关怀。

“不是，我健康得很。只是，我爱上了别人。”

“你？你爱上了谁？”

“格里。”

查理惊恐万分地看着妻子，简直不敢相信自己的耳朵。可玛格丽没有读懂他的表情。

“你怪我也没有用。我也没想到自己会爱上他，再过几个礼拜他就要走了。我实在不想浪费仅剩的这点时间。”

查理突然大笑起来。

“玛格丽，你怎么这么傻呢？你都能当他妈妈了！”

她脸红了。

“他不比我爱得少。”

“他说过吗？”

“说过不下千遍了。”

“那只能说明他是个大骗子！”

说罢，他咯咯地笑起来。肚子上的肥肉也跟着晃动起来。我想，查理的回应方式有问题。珍妮特似乎认为他应该更温柔体贴，他应当体谅她。我知道，她脑海中浮现的情景应该是，查理僵在那里不知如何开口，然后默默承受这份悲伤，最后无奈放手。女人总是对自我牺牲的美感很敏感。如果他一时冲动，弄坏了一两件家具（还得他自己去换掉），或者狠狠地给玛格丽一个巴掌，珍妮特还可以理解。但嘲笑，她绝不可能原谅。我并没有指出，叫一个五十多岁、又矮又胖的病理学教授突然打老婆是相当困难的。不管怎样，他还是放弃了去荷兰的旅行，一直到八月，毕晓普夫妇都留在伦敦。他们在一起并不快乐。虽然仍旧一起吃午饭，毕竟这是多年来一直保持的习惯，但剩下的时间，玛格丽都是和格里一起度过的。她和他一起度过的时光弥补了她不得不忍受的一切。查理有一种下流而讽刺的幽默，他拿她和格里在一起的事开玩笑。他始终没有认真地对待这件事。他气玛格丽不自量力，但他显然从来没有想过妻子可能对自己不忠。我和珍妮特也谈到这一点。

“他甚至从来没有怀疑过。”她说，“他太了解玛格丽了。”

几个礼拜过去了，格里终于离开了。他从蒂尔伯里港口[1]出发，玛格丽去送他了。回来以后，她哭了整整两天。查理看她这样，越来越气愤，就快要爆发了。

“听着，玛格丽，”他说，“我对你已经够有耐性了，你不能再这么胡来了。这可一点儿也不好笑。”

“你就不能让我一个人静静吗？”她哭喊道，“那个人让我的生活变得美好，可我现在失去他了。”

“别傻了！”他说。

我不知道他还说了什么。但是他直白地告诉妻子自己对格里的看法，而且我猜他说的话并不好听，这可不是明智的做法。所以，他们经历了婚姻中第一个暴力事件。当她知道只要忍耐一个小时或者第二天就能见到

1　英国著名港口。

格里时，她忍受了查理的嘲笑，可是现在她永远失去他了，她再也受不了了。几个礼拜以来她一直克制着自己，现在的她已然把自制力抛到九霄云外去了。也许她也搞不清自己对查理说了什么。总之，一向暴躁的查理动手打了玛格丽。当时，他们俩都吓坏了。他抓起一顶帽子就冲出了公寓。在那段痛苦的日子里，他们也一直睡在同一张床上，但是当他半夜回来时，他发现妻子竟躺在起居室的沙发上。

“你不能睡在那儿。”他说，“别傻了。上床睡觉吧。”

“不去，我要一个人待着。”

那天晚上，他们一直在吵架。从那之后，玛格丽坚持晚上睡在沙发上。但在那个狭小的公寓里，低头不见抬头见，他们根本没法避开对方的视线或避免听到对方的声音。他们曾亲密无间地生活了那么多年，在一起已经变成一种本能。他试图跟她讲道理，他说她蠢得难以置信，无休止地和她争论，试图让她看清自己有多么糊涂。他吵得玛格丽没法睡觉，因为他经常讲到深夜，直到两个人都筋疲力尽才肯罢休。他以为自己可以说服妻子放弃爱情。其间有那么两三天的时间，两人之间毫无交流。后来有一天，他回到家，发现玛格丽哭得很伤心。妻子的眼泪叫他心烦意乱，他告诉她他是多么爱她，他试图让妻子回想起两人从前那段甜蜜的岁月。他也想既往不咎。查理答应再也不提格里。他们可以忘记这场梦魇吗？但一想到和好如初她就感到一阵恶心。她告诉查理自己头痛欲裂，叫他拿一瓶安眠药来。第二天早上他出去的时候，她假装在睡觉，但是他一走，她就收拾东西离开了。她卖掉了娘家留给她的首饰，得到一点儿钱，然后在一家便宜的寄宿公寓订了房间，没有告诉查理她在哪里。

查理回家后发现妻子真的抛弃了他，他彻底崩溃了。玛格丽走后，他变成了行尸走肉。他告诉珍妮特，他无法忍受孤独。他还写信给玛格丽，恳求她回来，并请珍妮特为他们夫妻调解，他甚至愿意答应任何事情，他自卑了。但玛格丽走得很坚决。

“你觉得她还会回去吗？”我问珍妮特。

“她说不会回去了。”

已经快一点半了，因为我还要赶去伦敦的另一边，所以我们不得不提早结束对话。

两三天后，我收到了玛格丽的电话留言，问是否可以和我见一面。她建议到我家来找我。我邀请她来喝下午茶。我尝试对她和气一点儿，毕竟她的事与我无关，但在内心深处，我认为她是一个非常愚笨的女人，所以我的态度还是有些冷淡。她不漂亮，这么多年过去了，她几乎没有改变。她仍然有一双美丽的黑眼睛，不过脸上竟毫无皱纹，真叫人不敢相信。她的穿着很简单，即使她化了妆，我也看不出来。她依旧保持着以往那种自然、亲切的幽默感。

“如果你愿意的话，我想请你帮个忙。”她开门见山地说。

“什么事？”

“查理今天要离开比尔家回公寓去了。我想他刚回去，前几天肯定不好受，如果你能请他吃顿饭什么的，就太好了。”

“我看下时间吧。”

“我听说他喝了很多酒，真叫人难过。我希望你能劝劝他。”

“我知道他最近有些家务事。”我的语气不善。

玛格丽脸红了，痛苦地看了我一眼。她瑟缩了一下，仿佛我打了她似的。

“当然，比起我，你和他认识的时间更长。你站在他那边也很正常。”

“亲爱的，说实话，我和他保持多年的友谊主要是因为你。我一向不喜欢他，但我觉得你人不错。”

她对我微微一笑，笑容甜美。她知道我说的是实话。

“你认为我是一个好妻子吗？”

“完美妻子。”

“他过去总是和别人吵架，很多人都不喜欢他，但我从不觉得他难相处。”

“他非常喜欢你。”

“我知道。我们曾一起度过了一段美好的时光。十六年来我们过得非常幸福。”她停顿了一下，目光落在地板上。“我必须离开他。我和他过不下去了。每天都吵架，那种日子太可怕了。”

“我从来都搞不懂，如果两个人不想继续住在一起，为什么还要勉强？”

“你看，当时那种日子对我们来说太可怕了。从前我们非常亲密，根本没法离开对方，可到了最后，看到他我就心生厌恶。”

“我想你们两个都不容易。”

“变心也不是我的错。我对莫顿的感情和我对查理的爱是完全不同的。我对查理的那份爱里掺杂着母性和保护欲。我比他理性得多。查理很难管教，可我却能管好他。但格里不是这样的。”说着，她的声音变得柔和起来，脸上洋溢着兴奋的神采，“他让我找回了青春。在他面前我又变成了一个少女，我可以依靠他，他让我有了安全感。”

“我觉得，他是个非常好的小伙子。”我慢慢地说，“我想他前途光明，当年遇见他的时候，他还很年轻，还不太能胜任当时的那份工作。不过他现在也只有二十九岁，不是吗？”

她温柔地笑了笑。她很清楚我在暗示什么。

“我从来没有对他隐瞒过我的年龄，但他说不介意。”

我知道她没有撒谎。她不是那种谎报年龄的女人。对莫顿讲实话，会让他感到异常快乐。

“你多大了？”

“四十四。”

“你现在打算怎么办？”

“我已经写信告诉格里，说我已经离开查理了。等我收到他的回信，我就去找他。”

我万万没想到。

“你知道吗？他住在一个非常原始的殖民地。恐怕你去了那里，会发现自己的处境相当尴尬。”

“他曾让我保证过，如果他走了以后，我不能回归从前的生活，就要去找他。”

“你认为这么做合适吗？听信一个陷入热恋的年轻人许下的誓言？”

她的脸上又浮现出那种欣喜若狂的表情。

“合适，如果那个人碰巧是格里的话。”

我的心登时沉了下去。半晌，我没有说话。然后我给她讲了格里·莫顿修路的故事，还加了几分戏剧效果，我自认讲得不赖。

“你为什么告诉我这些？”我说完后，她问道。

“我觉得这个故事很有趣。”

她摇摇头，笑了。

“不对，你是想告诉我他年轻，有活力，对工作很投入，没有太多时间浪费在其他事情上。我不会干涉他的工作。你没有我了解他。他非常浪漫，他把自己看成一个拓荒者。我从他身上感受到了他为一个新国家开疆辟土的兴奋之情。多了不起啊！相较之下，这里的生活显得乏味平庸。当然，我明白在那片土地上生活也会感到孤独。不过，就算是一个中年妇女的陪伴，也好过没有吧！”

“你会和他结婚吗？”我问道。

“我会把自己交给他，但不会勉强他做他不想做的事。”

她说得很简单，那种坦然中还带着感人的成分。她离开的时候，我不再生她的气。我还是认为她这么做非常蠢。如果有人犯蠢我就要生气，那岂不是一辈子都要生闷气。我想，一切都会好起来的。她说格里很浪漫，这是实话，有些浪漫主义者之所以没有向平庸的现实妥协，是因为他们看透了现实的本质。如果把他们口中的天方夜谭当真，那才是真的愚钝。英国人是浪漫的，所以其他国家的人认为他们虚伪。然而他们并非如此，他们诚心诚意地向着神的国度前进，虽然旅途艰辛，但若利用沿途稳赚不赔的投资机会也无可厚非。英国人的灵魂，就像威灵顿的军队一样，吃饱才有力气打胜仗。格里收到玛格丽来信时，想必也会有一刻钟的苦恼吧。我倒不是要同情他，只是好奇他会怎么撇清关系。估计玛格丽会失望的，不过，这对她也没有太大的伤害，回到丈夫身边会是她最后的归宿。我毫不怀疑他们二人在历经沧桑后，会回归平静，然后幸福地度过余生。

但事情并非我想象的这样。在接下来的几天里，我原本没时间和查理·毕晓普吃饭，但我写了封信给他，请他在下周抽出一晚和我一起吃饭。我还建议吃完饭一起去看戏，虽然我仍旧担心查理。我知道他最近有酗酒倾向，而且喝醉后会大吵大闹。我可不希望他在剧院里出丑。我们约好七点在俱乐部吃饭，然后看八点一刻开场的戏。我到了俱乐部，等了许久，他没有来。我给他的公寓打了电话，但没有人接，所以我想他应该已经在路上了。我不喜欢错过戏剧的开头，我焦躁地在大厅里等着，这样等他来了，我们就可以直接上楼了。为了节省时间，我还点好了菜。时钟指向七点半，然后差一刻到八点的时候，我想，再等下去没有意义，于是我到餐厅，一个人吃了晚饭。他始终没有出现。我让餐厅给比尔·马什家打了个电话，侍者告诉我比尔·马什接通了电话。

“你知道查理·毕晓普去哪里了吗？”我说，“我们约好一起吃晚饭，然后再去看戏，但他一直没有来。”

“他今天下午去世了。”

“什么？”

我不由得发出惊呼，由于声音太大，两三个人都抬头看了我一眼。餐厅里坐满了人，侍者们穿梭在其中。电话放在收银台上，一个侍者端来一瓶白葡萄酒，托盘上放着两只长柄玻璃杯，他递给收银员一张小票。一个体形肥胖的侍者把两个男人领到一张桌子前，路过的时候还撞了我一下。

“你在哪里？”比尔问我。

我想他一定听到了我周围的嘈杂声。我告诉他我在餐厅，他问我是否可以吃完晚饭就过去，珍妮特想和我聊一聊。

“我马上就来。”我说。

珍妮特和比尔坐在客厅里。比尔在看报纸，而珍妮特则在玩游戏。女仆把领我进去时，她迅速走上前来，她走起路来像一根松软的弹簧，脚步轻盈快捷，仿佛一只追捕猎物的黑豹。我看得出，她要开始她惯常的那一套了。她朝我伸出一只手，然后把脸转过去，不让我看到她眼中的热泪。她的声音低沉，言语中充满哀恸之情。

“我把玛格丽带到这儿来了，让她在床上休息一会儿。医生给她注射了镇静剂。她已经精疲力竭了。是不是很可怕？”她发出了一种介于喘息和呜咽之间的声音。不知道为什么这些事情总是发生在我身边。

毕晓普夫妇从来没有雇用过仆人，但是每天早上都有一个女佣过来收拾早餐桌以及打扫公寓。她有一把钥匙。那天早上，她像往常一样走进起居室收拾屋子。自从玛格丽离开后，查理的工作时间就不规律了，所以女佣以为他还在睡觉。但女佣也知道查理终归还要上班，所以过了一会儿又去敲门。没人应答，但她好像听到查理呻吟的声音。她轻轻地推开了门，只见查理仰面躺在床上，呼吸急促。当时他还没有醒。女佣叫了他的名字，见查理没有应答且样子可怖，女佣便去敲邻居的门，同一层的另一间公寓里住着一名记者。女佣按门铃的时候，他还在睡觉。开门的时候，他还穿着睡衣。

“对不起，先生，”她说，“你能不能过来看看我的雇主。我想他不大舒服。”

记者穿过楼梯平台走进查理的公寓。床边摆着装佛罗拿[1]的瓶子，但是里面已经空了。

“你最好找个警察来。”他说。

有个警察来了后就打电话叫来了一辆救护车。他们把查理送到了查令十字医院。可查理再也没有恢复意识。玛格丽一直陪在他身边，直到最后。

“警方当然会调查具体情况。”珍妮特说，“但真相显而易见。在过去的三四个礼拜里，他一直睡得很不好，我想他一定是服用了佛罗拿。昨天一定是不小心服用过量了。”

“玛格丽也是这么想的吗？”我问道。

“她伤心过度，根本没法思考。我告诉她了，查

---

1 一种麻醉剂。

理肯定不会自杀。我想说，他不是那种人啊，我说得对吗，比尔？”

“是的，亲爱的。”比尔回答道。

“他有留下什么信吗？”

“没有，什么也没有。奇怪的是，玛格丽今天早上收到了查理写的一封信，也不算信吧，只有一行字。上面写着‘没有你我好孤独，亲爱的’，仅此而已。但这根本不能说明什么，而且她答应在警方询问的时候不会交代这件事。我的意思是，不要引起不必要的误会。人人都知道麻醉剂这东西不好掌握，我自己肯定不会用，这显然是一个意外。对吗，比尔？”

“是的，亲爱的。”比尔回答。

看得出来，珍妮特想要说服自己查理不是自杀的，但她是不是真的相信，鉴于我在女性心理学方面还不够专业，所以无从判断。当然，她可能是对的。一个中年科学家因为中年的妻子离开自己而想不开并不合理。更有可能的情况是，查理因睡眠不足心火难消，再加上喝醉了酒，所以误服大剂量的佛罗拿。这也是验尸官得出的结论。他掌握的消息是已故的查理·毕晓普终日酗酒，逼得妻子离家出走，轻生并不是死者的想法。验尸官对这位寡妇表示同情，同时严肃地阐明了麻醉剂的危险性。

我讨厌葬礼，但珍妮特请求我一定要去查理家。他在医院的几个同事表示也想前来吊唁，但是玛格丽不愿让他们出席，所以参加葬礼的只有珍妮特、比尔、玛格丽和我。我们要先去太平间取灵车，然后再去墓地，他们建议半途中捎上我。我留意着路面的车流，看到车就下楼了，但是比尔先下了车，走到了门口迎接我。

“等一下。”他说，“我有话要对你说。珍妮特要你过会儿回来喝杯茶。她说玛格丽闷闷不乐不是好事，喝完下午茶我们再玩一会儿桥牌。你能来吗？”

“穿成这个样子去打桥牌？”我问道。

我穿着燕尾服和晚礼服长裤，还打了一条黑色领带。

“没关系的。就是让玛格丽解解闷。”

“好吧。”

可最后桥牌没有打成。金发碧眼的珍妮特身着雅致的丧服，她以惊人的演技扮演了一个富有同情心的朋友。她哭了一会儿，然后小心翼翼地擦拭眼睛，以免弄花睫毛膏。玛格丽痛哭流涕时，是珍妮特温柔地挽住好友的胳膊。珍妮特在朋友陷入困难时总是及时出手相助。我们回到比尔·马什家，发现有一封给玛格丽的电报。她拿着电报上了楼。我猜多半是查理朋友发来的慰问信，一听闻消息，就赶紧发来吊唁信。比尔去换衣服，珍妮特和我走进客厅，把桥牌桌搬了出来。她脱下帽子放在钢琴上。

“装样子是没有用的。”她说，“玛格丽肯定非常伤心，但是她现在必须振作起来。但愿打一局桥牌可以帮助她恢复到正常状态。我自然也为可怜的查理感到遗憾，玛格丽的离开肯定对他的打击不小，但我们也不能否认，分开对玛格丽来说是种解脱。今天早上，玛格丽给格里发了电报。”

“写的什么？”

“把查理的情况告诉他。”

就在这时，女仆走进房间。

“夫人，毕晓普夫人请您上楼，她想见您。”

“好的，当然可以。”

她快步走出了房间，只剩下我一个人。没过多久，比尔就来了，我们喝了杯酒。最后，珍妮特回来了。她递给我一封电报。上面写着：

请你等我的来信。

“你觉得这是什么意思？”她问我。

“上面不是写得很清楚吗？”我说。

“你真傻！当然我已经告诉玛格丽这代表不了什

么，但她很担心。这封电报应该是在玛格丽发出查理死讯之前就寄出了。我猜她现在没有打桥牌的兴致。我是说，在她丈夫下葬的当天打桥牌并不妥当。”

“没错。”我说。

“他收到电报会马上回复吧。肯定会回信的，不是吗？现在唯一能做的就是耐心等待他的来信。”

我看不出继续谈下去还有什么意义，所以就先离开了。

几天后，珍妮特打电话给我，说玛格丽收到了莫顿发来的吊唁电报。她给我读了一遍这封电报：

听到这个不幸的消息悲痛万分。向承受巨大苦难的你致以深切的问候。爱你。格里。

“你怎么想？”她问我。

“很得体。”

“当然，他总不能说普天同庆吧？”

“那太不尊重逝者了。”

“可他写了‘爱你’两个字。”

我想象着这两个女人是怎样从各个角度审视这两封电报的，她们一定仔细地阅读了每一个字，解读每一句话的深层含义。我甚至感觉听到了她们没完没了的讨论。

“如果他现在就抛弃玛格丽，那我真不知道她该怎么办。”珍妮特接着说道，“当然了，现在还不能断定他是真正的绅士。”

“一派胡言。”说罢，我赶紧挂断电话。

在接下来的几天里，我在比尔·马什家又吃了几次饭。玛格丽看上去很疲惫。想必她正焦急地等待着路上的那封信。悲伤和恐惧让她日渐憔悴，现在的她看起来很脆弱，而且有了一种我从未在她身上见过的气韵。她异常温柔，感激别人向她展现的每一次善意。在她的笑容中，带着微微的胆怯和迟疑，还有无限的悲悯。无助的她更加楚楚可怜。可惜的是莫顿身在几千英里之外的殖民地。后来的某一天，我接到了珍妮特打来的电话。

“信到了。玛格丽说可以给你看看。你愿意过来看看吗？”

她声音中难掩的紧张已经说明了一切。我到了珍妮特家，她把信拿给我看。我读了信，言语间可以看出莫顿很谨慎，说不定这封信已经修改过很多遍了。他心地非常善良，显然他在极力避免说出任何可能伤害玛格丽的话，但不难看出他内心的恐惧。很明显，莫顿他已经吓得浑身哆嗦了。他认为处理这种情况的最好办法就是开几句玩笑，所以他在信里一直取笑殖民地里的白人。如果玛格丽突然出现，他们会说什么？他肯定会被就地解雇。大家认为东方是个自由的国度，但其实不然，那里简直就是穷乡僻壤。他太爱玛格丽了，绝不能忍受外面那些可怕的女人对她嗤之以鼻。此外，他被派遣到新的驻地，不管去哪里都要花上十天的工夫。她不能住进他的木屋，附近也是没有旅馆的，况且他要在丛林中工作，一待就是好几天。不管怎么说，那都不是女人待的地方。他说玛格丽对自己来说至关重要，但请求玛格丽不要为他操心，他认为回到丈夫身边是玛格丽最好的选择。如果自己导致了玛格丽和查理感情破裂，那他永远不会原谅自己。要写完这样一封信可真是不容易。

“他写这封信的时候不知道查理已经死了。我告诉玛格丽，一切都变了。”

“她同意你的观点吗？”

“我认为现在的她根本不讲道理。你怎么看这封信呢？”

“很明显啊，他不想要她了。”

“可两个月之前他还很想要她啊！”

“空气和环境一改变，就什么都变了。在他看来，离开伦敦更像是一年前的旧事。而他重新找回旧时的朋友和爱好。亲爱的，玛格丽自欺欺人是没有用的，莫顿已经回到原来的轨迹，但那里没有玛格丽的位置。”

“我已经建议她不要理会这封信，直接去找莫顿。”

“我希望她理性一点儿，不要过去自讨没趣。”

“那不然她要怎么办呢？太残忍了。她是世界上最好的女人。她是真的很善良。”

“细细想来也很有趣，是她的善良引起了所有的麻烦。她到底为什么不真的和莫顿出轨呢？就算真的发生什么，查理也不会知道，事情也不会发展成这样。她和莫顿本可以享受一段美好的时光，等莫顿离开时，就让这一段愉快的插曲优雅地结束。享受过快乐的她再回到查理身边，继续做查理的好妻子。”

珍妮特噘起嘴唇，轻蔑地看了我一眼。

“有一种美德叫作忠贞，你明白吗？”

“去他的美德。这种只会造成破坏和苦痛的美德一文不值。如果你愿意，你可以称之为美德。我更愿意称之为懦弱。”

“一想到和查理住在一起时对他不忠，她就感到恶心。有些女人就是这样，你知道的。”

“天哪，她可以在肉体上背叛丈夫，但在精神上保持忠诚。是个女人都能做到这一点，这根本不费力气。”

“你真是个可恶的愤世嫉俗的人。”

“如果在生活事务中直面真相并运用常识就算愤世嫉俗的话，那你可以说我愤世嫉俗。面对现实吧，玛格丽就是个中年妇女，查理五十五岁了，他们结婚也有十六年了。她为一个对她展开炙热求爱攻势的年轻人意乱情迷再正常不过。但这不叫爱，是生理现象。最傻的是她竟然把莫顿说的话当真。那可不是莫顿在说话，是他饥渴难耐的欲望在作祟。他渴望性，如果他只接受白人女性的话，那他已经四年没有和女人亲热了。她竟然想强迫他遵守当时做出的疯狂承诺，甚至还想毁掉他的生活，这简直是妄想。玛格丽让莫顿动心，不过是因为他刚巧遇上了她。而他不过是想要她，因为得不到，就更想要。我敢说，他以为那叫爱情，但相信我，那不过就是生理需求而已。如果他们上过床的话，查理今天还活着。是她那该死的美德引起了所有的麻烦。”

“你别自作聪明了！难道你看不出她没有办法吗？她天生就不是个放荡的女人。”

“依我看，放荡的女人胜过自私的女人，更胜过蠢女人。”

“闭嘴！我叫你来这儿不是听你发表这些禽兽不如的言论！”

“你叫我来这里干什么？”

“格里是你的朋友。是你把他介绍给玛格丽的。现在她变成这样，都是因为他。可你，是问题的根源。你有责任写信给他，告诉他必须正确对待玛格丽。”

“叫我写那种信还不如叫我去死。”我说。

“那你还是走吧。”

我正要离开。

“无论如何，好在查理买了保险。”珍妮特说。

听了这话，我转头看着她。

“就凭你也敢说我是愤世嫉俗？”

我砰的一声关上身后的门，还说了些难听的话，不过这话我就不重复了。但珍妮特还是一个好女人。我时常想到，要是和她结婚，生活应该会很有趣。

带伤疤的男人

我第一次注意到他是因为那道月牙形的伤疤，又宽又红，从太阳穴一直划到下颚。我拿不准这是军刀还是炸弹碎片造成的，但他那次肯定伤得很重。他的脸圆圆胖胖，十分和善，脸上的伤疤便显得有些突兀。他的五官小巧而普通，脸上的神情单纯不做作，这与他肥硕的体型不太相称。他比一般人都要高，看上去孔武有力。除了一件卡其色衬衫，一套破旧的灰色西服，一顶破旧的宽边帽外，我就没看他穿过别的衣服。总之他这人跟干净不沾边。过去，每天一到喝鸡尾酒的时间[1]，他就会走进危地马拉城的皇宫大酒店，悠闲地绕着吧台推销彩

1　喝鸡尾酒的时间一般是下午四点到六点。

票。如果他是以此为生，那他一定很穷，因为我从没见有人买过他的彩票。不过倒是时不时见到有人请他喝一杯，而他也总是欣然接受。他用一种规律一致的步子在桌台之间穿梭，好似一个以前需要常常徒步远行的人。他在每张桌子前都会停留一下，微笑地报出自己售卖的号码，如果没人理他，便带着同样的微笑走到下一桌前。我觉得他其实大部分时候都处于微醺的状态。

有天傍晚，我和一个熟人站在酒吧里，我一只脚踩在吧台的横杆上——危地马拉城皇宫大酒店里的干马天尼味道真不赖——这时，那个带着伤疤的男人走了过来。这大概是我进城以来，他第二十次向我推销彩票了。我摇了摇头，不过我的同伴却亲切地朝他点了点头。

“你好啊，将军[1]，最近过得怎样？”

“还行，就是生意一般，不过也糟不到哪里去了。”

“将军想喝什么？”

“来杯白兰地吧。”

他举杯一饮而尽，将杯子放回吧台，朝我的同伴点点头。

---

1 原文为西班牙语。

“谢谢，再见[1]。”

接着，他转身朝站在我们旁边的那个人推销彩票。

“你这位朋友是什么人啊？”我问，“脸上那道伤疤怪可怕的。”

“多道疤肯定不会好看，不是吗？他是从尼加拉瓜来的流亡者，自然是个暴徒，也是土匪，但他人不坏，我时不时也会给他几个比索。他以前是革命运动的将军，要不是没有弹药了，他肯定早就推翻政府当上作战部部长了，不会像现在这样在危地马拉卖彩票。他们俘虏了他和他的部下，就这样，他被送交军事法庭审判。你也知道，这种事情在那些国家一般都是草草了事，他被判处在第二天黎明执行枪决。我估计他在被捕的时候就知道等待自己的是什么了。他和另外四个囚犯关在一间牢房里，那天晚上他和他们打了一夜的扑克。他们用火柴当筹码，他告诉我那是他有生以来手气最差的一次。他们玩的是的‘双J开局[2]’，这种牌戏不需要用到整副牌，但他就没拿过好牌。玩了一夜，他顶多赢了五六次，每次刚买下一堆筹码就输没了。当士兵在天亮时到

---

1 原文为西班牙语。

2 “双J开局”是牌戏的一种，需要持牌大于一对J才能开局下注。

牢房里押他们去行刑时，他输掉的火柴够普通人用一辈子了。

“他们被带到监狱的天井上，五个人面朝行刑队并排站着。行刑队停在那里，我们这位朋友问行刑队的指挥官这样磨磨蹭蹭是在搞什么鬼。指挥官说领导政府军的将军想参加这次处决，他们正在等那位将军过来。

“‘那我有时间再抽根烟了，’我们的这位朋友说，‘他每次都会迟到。’

“但是这次烟刚刚点着，那位将军——其实就是圣伊格纳西奥，不知道你见过他没——带着他的副官来到了天井。正常程序走完后，圣伊格纳西奥问这些死刑犯在行刑前有什么愿望。其他四个人都摇了摇头，但我们这位朋友说话了。

“‘有，我想和我的妻子道个别。’

“‘可以，’将军说，‘这我没什么好反对的。她现在在哪儿？’

“‘她就在监狱门口等着。’

“‘这样看来甚至五分钟都耽误不了。’

“‘不用五分钟，将军先生。’我们的这位朋友说。

“‘把他带到一边。’

“两名士兵走上前，夹着这位即将被处死的反叛军走到一个指定地点。行刑队的指挥官看到将军点点头，便下达了射击命令。只听见几声刺耳的枪声响起，四人纷纷倒了下去。奇怪的是，他们不是同时而是一个接一个倒下去的，动作如玩具戏院里的牵线木偶一样奇怪。指挥官走上前，用左轮手枪朝一个还没死的囚犯补了两枪。我们的这位朋友抽完了烟，扔掉了烟蒂。

“门口传来了一阵轻微的骚动，一个女人快步走进了天井里，接着那个女人突然把手放在胸前，停了下来。然后她大叫了一声，伸开双臂跑上前来。

“‘天哪！’政府军的将军说。

“她穿着一身黑色的衣服，头上戴着面纱，脸色苍白。她还不过是一个少女，身材苗条，五官小巧端正，大大的眼睛里满是担忧和痛苦。她奔跑时微张着双唇，虽然神情哀恸但依旧那么美丽。她是那么可爱迷人，看到她，那些冷漠的士兵也不禁惊讶地倒吸了一口气。

“这位反叛军向前走了两步迎向她。少女猛地扑进了他的怀里，他用嘶哑的嗓音激动地呼唤了一句：‘我的心肝宝贝儿！’然后吻向了她的唇。与此同时，他从自己破旧的衬衫里抽出一把小刀——不知道他是怎么藏下那把刀的——一刀刺进了她的脖子里。鲜血从血管里喷涌而出，染红了他的衬衫。接着，他猛地抱住她，再次吻了吻她的唇。

“这一切都发生得太快了，许多人都不知道发生了什么事，有些人被吓得大叫，他们一拥而上擒住了他。众人掰开了他的手，副官接住了往下倒的少女。她已经失去知觉了。他们把她放在地上，然后站在她周围哀伤地看着她。这位反叛军清楚自己攻击的部位是哪里，这个部位是无法止住血的。不一会儿，跪在少女身边的副官站了起来。

“‘她死了。’副官轻声说。

“反叛军在胸前画了一个十字。

“‘你为什么要这样做？’政府军的将军问道。

“‘我爱她。’

“周围的人群里隐隐传来一阵叹息声，众人表情古怪地看着这位凶手。政府军的将军默默地看了他好一会儿。

“‘这是个高尚的举动，’政府军的将军最终开口道，‘我不能处死这个男人，用我的车带他到边境去吧。先生，这是一个勇士在向另一个勇士表示敬意。’

“周围听到这话的人都不禁低声表示赞同。副官拍了拍这位反叛军的肩膀。在两名士兵的陪同下，他一言不发地朝等在一旁的汽车走去。”

说到这儿我的同伴便停了下来，我一时也没有说话。我得解释下，我的同伴是危地马拉人，他和我说的是西班牙语。我已经尽可能地将他说的话都翻译成英语了，但我不打算改变他那夸张的措辞。说实话，我觉得这个故事就适合这样去表述。

“那他那道伤疤是怎么来的呢？”我最后还是问了出来。

“哦，那是因为我在开饮料时，瓶子爆了。就一瓶姜汁汽水。”

“我向来不喜欢姜汁汽水。”我说。

梦

一九一七年八月，我为了工作从纽约去彼得格勒，有人告诉我，出于安全考虑，最好途中取道符拉迪沃斯托克。我早晨到达该地，悠闲地过了一天。我记得西伯利亚大铁路的火车是晚上九点发车，便在上车前独自去车站餐馆吃饭。餐馆里人很多，我只好和一个男人共用同一张小餐桌，那人的外貌十分有趣。他是俄国人，个子很高，却胖得出奇，他大腹便便，只好把椅子拉得离桌子远一些。他的手肉嘟嘟的，很小，与他的身材很不相称。他的头发又黑又长，却十分稀疏，精心地向后梳着，遮盖住他光秃的头顶，他的一张大脸面色灰黄，双下巴又肥又大，胡子刮得很干净，脸上的肥肉便暴露在外，难看得很。他的小鼻子在一张胖脸的衬托下，活像是一粒滑稽的小纽扣，他那双闪闪发亮的黑眼睛也很小，嘴巴却很大，红红的嘴唇显得十分油腻。他穿着一身黑西装，倒也整洁利索。西装并不旧，看起来却很破烂，好像自从他得到这身衣服，就从未熨烫刷洗过。

餐馆服务极为差劲，要把服务员叫过来，简直难如登天。很快，我们两个就聊了起来。这个俄国人能讲一口流利的英语。他的口音很重，但并不讨人嫌。他问了许多关于我的事，还问我这次是去哪里，我如实回答了他不少问题，但对有些事我只能有所保留，毕竟我当时的工作需要我小心谨慎。我告诉他我是记者。他问我写没写过小说，我坦言会用业余时间写小说，于是他说起了本世纪后期的俄国小说家。他谈吐不俗，一看就知道接受过良好的教育。

这个时候，我们终于叫服务员为我们端上了卷心菜汤。我刚认识的这位朋友从口袋里拿出一小瓶伏特加酒，邀我一起享用。不知是伏特加起了作用，还是俄国人天生健谈，反正他滔滔不绝地说了起来，讲着讲着，他主动说了很多他自己的事。他好像出生在贵族家庭，职业是律师，思想激进，故而与当局摩擦不断，只能常年待在外国，现在是要回家，因在符拉迪沃斯托克有些事处理，所以要待上几天，但他计划一个礼拜后去莫斯科，如果到时候我也在那里，他希望能和我见个面。

“你结婚了吗？”他问我。

我觉得我结不结婚都不关他的事，但我还是告诉他我已娶妻。他轻轻叹了口气。

“我是个鳏夫。”他说，“我妻子是瑞士人，老家在日内瓦。她是个非常有教养的女人。她能讲流利的英语、德语和意大利语。当然，她的母语是法语。她的俄语也不错，比一般外国人说得都好。她连口音都没有。”

他叫住一个端着满满一托盘菜经过的服务员，问了些什么，我当时听不懂俄语，但估计他是在问下一道菜什么时候上。服务员飞快地说了什么，可语气十分肯定，说完便匆匆走了，我的朋友叹了口气。

“自从革命爆发后，下馆子就得等很久，真是扫兴。”

他点上第二十根烟，我则看看表，不知道在出发前还能不能吃上饭。

“我妻子是个好女人。”他继续说，“她在彼得格勒一家最好的贵族女校教语言。多年来我们一直都很恩爱。可她这个人嫉妒心太重了，而不幸的是，她爱我爱得发狂。”

我强忍着才没有笑出声来。他是我见过的最丑的人。脸色红润、天性快乐的胖子有时也很有魅力，但他不仅胖，还性格阴郁，着实令人反感。

“我并不假装自己对她忠诚。我娶她时她不年轻了，我们结婚也有十年了。她又小又瘦，脸色不好，说话还很刻薄。她是一个占有欲很强的女人，除了她，她不能容忍我觉得别人好。她不仅嫉妒我认识的女人，还嫉妒我的朋友、我的猫和我的书。有一次趁我不在，她把我的一件外套送了人，仅仅因为我偏爱那件衣服。但我是个性情平和的人。我不否认我觉得她很烦人，但我把她的刻薄态度看作是上帝的安排，而且并不打算反抗，就像遇上恶劣的天气或头伤风，我也只能忍着。只要有可能，我就否认她的指责。要是否定不了，我就耸耸肩，再抽支烟。

“她三天两头没事找事，不过并没有对我产生多大影响。我过着自己的日子。有时候，我真想知道她对我是抱着热烈的爱，还是强烈的恨。在我看来，爱与恨只有一线之隔。

“所以，如果不是有一天晚上发生了一件怪事，我们两个说不定就白头到老了。当时，我被妻子一声刺耳的尖叫惊醒。我吓了一大跳，问她出了什么事。她告诉我她做了一个可怕的噩梦，说是梦见我想杀了她。我们住在一所大房子的顶层，楼梯井很宽。她梦见我们刚到自己的楼层，我就一把抓住她，想把她扔过栏杆。摔下六楼，必死无疑。

“她吓坏了。我尽力安慰她。可是第二天早上，还有接下来的两三天，她又提起这件事，我见她这样，不由得哈哈大笑，可我还是看出她一直为这件事而感到困扰。我也不由自主地老想起这事，因为这个梦向我展示了一些我从未怀疑过的东西。她以为我恨她，她以为我会高兴地摆脱她，她当然知道她自己很招人烦，而且在某个时候，她显然想到我有能力杀死她。人的思想是不可预料的，有些我们羞于承认的思想会进入我们的头脑。有时我希望她能找个情人私奔，还有时我希望她能毫无痛苦地突然死去，还我自由，但我从来没有想过我可以主动去摆脱一个无法忍受的负担。

“这个梦给我们两人都留下了不同寻常的印象。我妻子吓坏了，因此少了几分刻薄，多了几分宽容。但是，我每次走上我们公寓的楼梯，都忍不住探出栏杆往下看，心想做到她所梦见的事真的非常容易。栏杆很低，非常危险。只需要飞快一推，就能搞定。我很难不去想这件事。几个月后的一个晚上，我妻子把我叫醒。

我很累，非常恼火。她脸色苍白，浑身发抖。她又做了那个梦。她突然哭起来，问我恨不恨她。我向俄罗斯历史上所有的圣人发誓，我爱她。最后她总算又睡着了。可我却难以入眠，躺在床上睡不着。我仿佛看见她从楼梯井掉了下去，我听见她尖叫着，砰的一声落在石头地面上。我禁不住哆嗦起来。”

俄国人停了下来，额头上冒出了汗珠。他把故事讲得流畅生动，我听得很专心。瓶子里还有些伏特加酒，他把酒倒出来，一口吞了下去。

“你妻子最终是怎么死的？”停了一会儿，我问道。

他拿出一条脏手帕擦了擦前额。

“非常巧的是，一天深夜，有人在楼梯底部发现了她，她的脖子摔断了。”

“是谁发现她的？”

“一个房客，这场灾难刚发生，他就回来了。”

“当时你在哪儿？”

我无法形容他露出的那种阴险狡诈的表情。他的小黑眼睛闪闪发光。

“那天晚上我和一个朋友在一起。出事后一个小时我才回来。”

这时，侍者端来了我们点的肉，俄国人狼吞虎咽地吃了起来，大口大口地把食物塞进嘴里。

我大吃一惊。难道他真的以这种毫不掩饰的态度告诉我，是他杀了他的妻子吗？这个男人肥胖、行动迟缓，看上去可不像杀人犯，我不敢相信他会有这种勇气。也许他只是和我开玩笑？

几分钟后我就该去赶火车了。我和他分手，从此再没见过他。但我一直拿不准他是认真的，还是在说笑。

毛姆

短篇小说全集

[英] 毛姆 著　姚锦清 刘勇军 译

第8册

三个圈经典文库

经典就读三个圈　导读解读样样全

江苏凤凰文艺出版社
JIANGSU PHOENIX LITERATURE AND ART PUBLISHING

目　录

失事残骸

诺曼·格兰奇是个橡胶种植园园主。天还没亮，他就起来了，先给工人点名，再去巡视种植园，确定阀门是否正常工作。他做好了这些事，便回家洗澡、换衣服，现在和妻子相对而坐，享用丰盛的饭菜，这顿饭既是早饭，也是午餐，在婆罗洲，人们称之为早午餐。他边吃边看书。饭厅很暗。破旧的镀银盘，破旧的调味瓶，盘子都是带缺口的，这些都是贫穷的象征，也表示这家人漠然地接受了贫穷。只要摆上几朵花，就可以让桌子增添一些生气，但显然没有人关心这个家是否美观。格兰奇吃完，打了个嗝，灌满烟斗点上火，从桌边站起来，走到游廊上。他一直没有理会妻子，就像她不在场一样。他躺在一张长长的藤椅上继续看书。格兰奇太太伸手拿了一盒香烟，边喝茶边抽烟。她突然向外望去，只见男仆带着两个男人走上台阶，向她丈夫走去。其中一个男人是达雅克人，另一个是华人。

很少有陌生人来，她想不出他们来干什么。她起身走到门口去听。虽然她在婆罗洲住了多年，但除了与仆人们交流所必需的马来语之外，她并不太会讲马来语，所以这会儿，她只听懂了一点儿。从她丈夫的语气中，她听出他有些不高兴。他好像先后问了华人和达雅克人几个问题，看起来他们好像在强迫他做一件他不想做的事，然而，他最后还是皱着眉头从椅子上站了起来，率先带着那几个人走下台阶。她很想知道他去哪里，于是悄悄走到游廊上。他走上了那条通向河边的路。她耸了耸肩，走进自己的房间。不一会儿，她听见丈夫在叫她，吓了一大跳。

“维斯塔。”

她走出房间。

“准备好床铺。码头上有一艘快帆船，船里有个白人病得很重。”

“什么人？”

“我怎么会知道？他们马上就把他抬过来了。”

“家里不能收留外人。”

“闭嘴，照我说的做。”

他说完便走开，又往河边去了。格兰奇太太叫男仆把床单铺在空房间的床上。她站在台阶上等着。过了一会儿，她看见丈夫回来了，在他身后，一群达雅克人用垫子抬着一个男人。她站到一边让他们过去，瞥见一张苍白的脸。

“我该做些什么？”她问丈夫。

“出去，保持安静。”

“你就不能客气点儿吗？”

病人被抬进了房间，两三分钟后，达雅克人和格兰奇都走了出来。

“我去看看他的东西，再叫人把东西搬过来。他的仆人在照顾他，你就别去多管闲事了！”

“他怎么啦？”

“得了疟疾。船夫担心他活不长，不愿收留他。他叫斯凯尔顿。”

“他不会死吧？”

“死就死，死了就把他埋了。”

但斯凯尔顿没有死。第二天早上，他醒来发现自己在一个房间里，躺在一张挂着蚊帐的床上。他想不起自己身在何处。这是一张便宜的铁床，床垫很硬，但坐过那么不舒服的快帆船后，躺在这样的床上真是一种享受。他瞧见屋里只有一个土著木匠打造的粗糙五斗橱和一把木椅。对面是一扇门，门上的百叶窗拉了下来，他猜想门外是游廊。

“小孔。”他说。

百叶窗被拉到一边，他的仆人走了进来。他看到主人没有发烧，脸上绽开了笑容。

“你好多了，老爷。我太高兴了。”

“我到底在哪儿？”

小孔解释了一番。

“行李没丢吧？”斯凯尔顿问。

“没有，都在。”

“这家的老爷叫什么名字？”

“诺曼·格兰奇先生。”

为了证实他所说的，他给斯凯尔顿看了一本写着屋主名字的小书，的确是格兰奇。斯凯尔顿注意到这本书是培根的《随笔集》。在婆罗洲河上游一个种植园园主的房子里，能看到这样的书，真有些不可思议。

“告诉他我很希望见他一面。”

“那位老爷出去了，一会儿回来。”

“我能洗个澡吧？天哪，我要刮胡子。”

他想下床，但他头晕得厉害，不知所措地大叫一声，向后倒在床上。小孔替他刮脸、梳洗，为他换下他生病后一直穿着的短裤和汗衫，换上了纱笼和长袍。梳洗完毕，他躺着不动，觉得很舒服。过了一会儿，小孔进来说屋主人回来了。有人敲门，一个高大且略有些胖的男人走了进来。

“听说你好多了。”他说。

“是的，你人真好，肯收留我。我现在全靠你的照顾，添麻烦了。”

格兰奇的回答有点儿不客气。

“没关系。你知道吗，你病得很重。难怪那些达雅克人想把你赶走。”

“我不想打扰你。要是能在这里租一艘汽艇或快帆船，我今天下午就能离开。”

“这里可没有汽艇出租。你最好多留一段时间。瞧你那身子骨弱的。”

“恐怕要给你们添麻烦了。”

“不会的，你有自己的仆人，他会照顾你的。”

格兰奇刚刚检查完庄园，穿着脏兮兮的短裤，卡其布衬衫的领口扣子没系，头上戴的毡帽很破旧了，他看上去像个衣衫褴褛的海滨流浪汉。他脱下帽子，擦了擦汗涔涔的额头，他留着平头，头发已经花白。他的脸有些红，四方脸肉乎乎的，嘴很大，还留着一撮灰白的胡子，鼻子有些短，面相看来十分好斗，一双小眼睛流露出凶狠的眼神。

“请问你家里有没有什么书可以让我看看？”斯凯尔顿说。

“什么样的书？”

“有意思的就行，无所谓。”

“我自己不太喜欢读小说，不过我会给你拿两三本过来。我妻子有很多小说，都是垃圾，可她只看那些玩意儿，不过可能对你的胃口。”

格兰奇点了点头就走了。他是个不太讨人喜欢的人。他显然很穷，从斯凯尔顿躺的那间屋子以及格兰奇的打扮，都可以看出这一点。他是负责打理种植园的经理人，只能拿到微薄的薪水，所以收留一对主仆可不是什么值得高兴的事，毕竟花费增多了。格兰奇住在这个偏僻的地方，很少见到白人，面对陌生人，他可能很不自在。有些人在跟你熟络之后就会出现叫人难以置信的改变。但他那双冷酷、狡黠的小眼睛却让人不安，你不会一看到他那张红润的脸和魁梧的身躯，就相信他是一个风趣的人，可以很快和他交上朋友。

过了一会儿，男仆送来了一包书。有六七本是他从未听说过的作家写的小说，他一眼就看出那是些三流作品，一定是格兰奇太太的书。他还看到了鲍斯威尔的《塞缪尔·约翰逊传》、博罗的《拉文格罗》和兰姆的《伊利亚随笔集》。这些书混合在一起，有些奇怪。你绝想不到能在一个种植园园主的家里找到这些书。在大多数种植园园主的房子里，只有一两书架的书，大部分还都是侦探小说。斯凯尔顿对人有一种不带偏见的好奇心，现在他想从诺曼·格兰奇送来的书里，从他的表情以及他们交谈的几句话里，看出他大概是个什么样的人，以此自娱自乐。主人那天没有再来看斯凯尔顿，斯凯尔顿不免有些吃惊，看来主人似乎不介意给不速之客提供食宿，却不想与他交朋友。第二天早晨，他觉得好了些，便在小孔的搀扶下下了床，在游廊里的一张长椅上坐了下来。游廊真该粉刷了。这间平房位于一座小山的山顶，离河大约五十码远。在河的对岸，一片片原住民的房子分布在绿林之间，由于河面很宽，距离太远，那些房子看起来都很小。斯凯尔顿的思维有些迟缓，看书看不进去，读了一两页之后，他的思绪就开始飘忽不定，他发现自己很喜欢懒洋洋地望着浑浊的河水缓缓流过。突然，他听到了脚步声。他看见一个矮小的老妇人向他走来，知道来人一定是格兰奇太太，于是便想站起来。

“别动。”她说，“我只是来看看你还需要什么东西。”

她穿了一件蓝色棉布裙，式样虽说简单，却更适合年轻姑娘穿，她这个年纪的女人穿就不太好看了。她的短发乱蓬蓬的，好像起床后甚至懒得用梳子梳一下，而且，她的头发染成了鲜艳的黄色，但染色并不均匀，发根都是白色的。她的皮肤又脏又干，两边颧骨上都抹了一大片胭脂，涂得难看至极，你一刻也不会将其当作自然的肤色，她的嘴唇上还涂了口红。但最奇怪的是，她的头一直在抽搐，就好像她在示意你到内室去。她的头每隔一定的时间就抽搐一下，一分钟大概有三次，她的左手几乎一直在动，并不是说她的手在哆嗦，而是她的手在快速旋转，仿佛她想让你注意她背后的什么东西。斯凯尔顿对她的外表感到震惊，对她的抽搐感到尴尬。

“但愿我没有给你们添太多的麻烦。”他说，“我想我明后天差不多就好了，到那时候我就能走了。”

“你知道的，在这样的地方，我们很少见到外人。有人说说话，也是一种享受。”

“坐一会儿吧，我叫我的仆人给你搬一把椅子来。”

“诺曼不让我打扰你。”

“我两年没和白人说过话了。我一直盼着能和白人好好聊聊。”

她的头剧烈地抽搐着，比平时更快，她的手也做出了如同痉挛一般的奇怪姿势。

“他还要一个小时才会回来，我去找把椅子。”

斯凯尔顿给她讲了自己是什么人，一直在做什么，但他发现她早就向他的仆人打听过了，对他已经十分了解了。

“你肯定很希望回英国吧？”她问。

“是的。”

突然，格兰奇夫人出现了猛烈的抽搐，像是经历了一场“神经风暴”。她的头剧烈地抽动着，她的手猛烈地哆嗦着，她这样子看了叫人不安，只能把目光移开。

“我有十六年没回过英国了。”她说。

“你说真的？哎呀，我还以为你们种植园园主最多五年就能回家一次呢。”

“我们没钱，我们破产了。诺曼把他所有的钱都投进了这个种植园，但多年来一直没有真正收回成本。收入只够我们糊口，不至于挨饿。这对诺曼来说当然无关紧要。他其实不是英国人。”

“他看上去很像英国人。”

“他是在沙捞越[1]出生的，他父亲在政府部门供职。他是土生土长的婆罗洲人。”

她说完便毫无预兆地哭了起来。这个女人不停地抽搐，泪水不停地从她那涂了胭脂的脏脸上往下流，实在惨不忍睹。斯凯尔顿既不知道该说什么，也不知道该做什么，但他做了他能做的最好的事——他一直保持沉默。她擦干了眼泪。

“你一定认为我是个愚蠢的傻瓜。我有时会想，这么多年过去了，我还能哭吗？我想这是我的天性。以前在舞台上，我总是想哭就能哭出来。”

“你上过台吗？”

“是的，那时候我还没嫁人。我就是这样认识诺曼的。我们在新加坡演出，他在那里度假。我想我再也回不了英国了，我得在这里待到死，我余生的每一天都要看着这条可怕的河。我永远也走不了了，没这个可能了。”

“你是怎么去新加坡的？”

“那是在战后不久，我在伦敦找不到任何适合我的

1　今婆罗洲北部砂拉越州的旧称。——编者注

工作。我演戏演了好多年了，我受够只能跑龙套，经纪人告诉我，一个叫维克多·派里斯的人想带剧团去东方演出。他的妻子演主角，但我可以演女二号。他们有六部戏，你知道的，都是喜剧和闹剧。薪水并不高，但是他们会去埃及和印度，马来联邦和中国，还会去澳大利亚。跟着他们可以看世界，于是我就接受了。我们在开罗演出火爆，我认为我们在印度也赚了不少钱，但到了缅甸，我们并不受欢迎，在暹罗[1]更糟，在槟城的演出简直是个灾难，在马来联邦的其他地方也一样。有一天维克多把我们叫到一起，说他破产了，没钱带我们去香港，这次巡演很失败，他很抱歉，还说我们想回家就得靠自己。我们当然说他不能那样对我们。当时，我们吵得不可开交。好吧，长话短说，他说如果我们想要布景和道具，大可以拿走，但就是别找他要钱，他连一分钱都没有了。第二天，我们发现他连招呼都没打，就带着妻子上了一艘法国船，逃之夭夭了。我可以告诉你，我当时太惨了，我从薪水中省下了几镑，此外别无分文。有人说，如果我们真的拿不出路费，政府也会把我们遣送回家，但只能坐统舱，可我受不了那个罪。我们让媒

1 泰国的旧称。

体把我们的困境报道出来，让公众知道，就有人提议我们应该举办一场慈善演出。我们是这样做了，但是没有维克托和他的妻子，我们演得并不算好。付清了所有的费用后，我们的境况并不比以前好多少。我不介意告诉你，我真的是走投无路了。就在那时，诺曼向我求婚了。奇怪的是，我对他一点儿也不了解。他只带我绕着小岛转了一圈，我们在欧洲大酒店喝了两三次茶，还跳过一次舞。男人为你做事，都想着有回报，我还以为他就是想找点乐子，但我经验丰富，我心想，如果他能从我这里揩到油，也算他聪明。但是，当他向我求婚的时候，我太惊讶了，简直不敢相信自己的耳朵。他说他在婆罗洲有自己的种植园，只要有点儿耐心，他就能赚大钱。种植园紧邻一条美丽的大河，四周都是丛林。他说得很浪漫。当时我三十岁，随着时间的推移，找工作变得越来越难，拥有自己的房子是一件很诱人的事。再也不用在经纪人的办公室里借住了，再也不用醒着躺在床上，想着下星期的房租该怎么付。那时候，他长得并不难看，皮肤黝黑，个子高大，精力充沛。没有人能说我随便找个人嫁了，只是为了……”她突然住了口，“他来了。别说你见过我。”

她搬起一直坐着的椅子，快步走进屋里。斯凯尔顿糊涂了。她那怪诞的外貌，痛苦的眼泪，一边抽搐一边讲述着故事，然后，当她听到她丈夫在院子里的声音时，她明显害怕了，急忙逃走了，这一切都让斯凯尔顿摸不着头脑。

几分钟后，诺曼·格兰奇重重地沿游廊走了过来。

“听说你好多了。”他说。

“是的，谢谢。”

“要不要和我们一起吃早午餐，我可以为你安排一个位置。”

“我非常荣幸。”

“好吧，我去洗个澡换个衣服。”

他走开了。不久，一个仆人走了过来，告诉斯凯尔顿，老爷正在等他。斯凯尔顿跟着他进了一间小客厅，客厅里的百叶窗拉了下来，阻挡外面的热气进屋。这个房间很不舒服，家具混杂在一起，拥挤不堪，有的家具是英式的，还有中式的，临时桌上堆满了毫无价值的小物件。屋内既不舒服也不凉爽。格兰奇换上了纱笼和长袍，穿着原住民的服装，显得粗犷而有力。他把斯凯尔顿介绍给他的妻子。她跟他握了握手，好像从来没有见过他似的，并客客气气地说了几句问候语。男仆说饭菜准备好了，他们一起走进餐厅。

“听说你到这个该死的国家已经有一段时间了。”格兰奇说。

“两年了。我是一名人类学家，我想研究那些与文明没有任何接触的部落的风俗习惯。”

斯凯尔顿觉得他应该给主人家讲讲自己都经历了些什么，现在才不得不住在他们家里，接受主人家并不情愿的接待。他的总部在一个村庄，离开那个村庄后，他从陆路走了十天，一直走到河边。在那里，他雇了两艘快帆船去海岸线，他带着行李乘坐一艘，他的仆人小孔带着露营装备乘坐另一艘。长途跋涉穿越乡村异常艰苦，他发现在船上躺在垫子上休息，上面有藤条编织的遮阳篷，真是惬意极了。从离开村子以来，斯凯尔顿一直很健康，当他沿着河顺流而下时，他不禁认为自己很幸运。不过，就在他脑子里闪过这个念头的时候，他突然想到，在这时庆幸自己在这方面的好运气，那是因为他觉得不像往常那么舒服了。前一天晚上，在他留宿的那栋长屋里，他确实被迫喝了很多亚力酒，但他已经习惯了，而他此时头痛，绝不是因为喝了酒。他感觉全身都很难受。他只穿了一条短裤和一件背心，觉得很冷。这很奇怪，毕竟此时骄阳似火，他把手放在快帆船的船舷上，只觉得十分烫手。如果他手边有件外套，他就会把它穿上。他觉得越来越冷，不一会儿，他的牙齿开始打战；他蜷缩在床垫上，浑身发抖，拼命想暖和起来。他不可能猜不出自己得了什么病。

“老天，”他呻吟着说，“是疟疾。”

他叫来了正在掌舵的船长。

“去把小孔喊来。”

船长对第二艘快帆船喊了一声，命令他这艘船上的桨手不再划桨。不一会儿，两只船并排漂浮，小孔到了船上。

“我发烧了，小孔。”斯凯尔顿喘着气说，“把药箱给我拿来，老天，还有毯子，我快冷死了。”

小孔给他吃了很大剂量的奎宁，把能用的东西都盖在了他身上。船再次起航。

斯凯尔顿病得很重，不能在船只靠港过夜的时候被送到岸上，所以他只能住在船上。第二天和第三天，他的病情依然不见好转。有时，有一两个船员会过来看看他，但往往都是船长在他身边待很长时间，盯着他沉思。

“到海边还需要多少天？”斯凯尔顿问仆人。

“还要四五天吧。”他停顿了一会儿，“船长，他不去海岸了，他说他想回家。”

“叫他去死吧。”

“船长说，你病得很重，你会死的。你死了，那他去海岸就会招来麻烦。”

“我死不了。”斯凯尔顿说，“我不会有事的，只是普通的疟疾。”

小孔没有回答。沉默激怒了斯凯尔顿。他很清楚这个人心里有话却不想说。

“有话就说，你这个傻瓜。”他叫道。

斯凯尔顿听了小孔所说的真相，心直往下沉。那天晚上，等他们到达休息处，船长就会要斯凯尔顿付钱，不等天亮，他们就把两艘快帆船开走。船长害怕了，不敢载着一个垂死的人继续航行。斯凯尔顿要是态度坚决一点儿，兴许能镇住船长，但他没有力气那么做，只能寄希望于出更多的钱来说服船长履行协议。那天，小孔和船长争论了很久，但当他们晚上靠港时，船长来到斯凯尔顿面前，生气地告诉他，他不会再往前开了。附近有一所长屋，他可以在那里借宿，直到身体好转。船长开始卸行李。斯凯尔顿拒绝下船。他让小孔把左轮手枪给他，并发誓要射杀任何靠近他的人。

小孔、船员和船长都走到长屋，只留下斯凯尔顿一个人。他躺在那里一个小时又一个小时，烧得身体和嘴都发干了，脑子里还在胡思乱想。然后，有灯光亮起，还传来了人说话的声音。小孔带着船长和另一个斯凯尔顿没见过的男人从附近的长屋走了回来。斯凯尔顿尽力去理解小孔所说的话，好像是往下游几个小时航程的地方住着一个白人，如果他乐意，船长愿意把他送到那里去。

“你最好答应。”小孔道，“也许那个白人有汽艇，那样我们很快就能去海岸了。”

“那是个什么人？”

“种植园园主。”小孔说，“这个人说，他有个橡胶园。”

斯凯尔顿累得不想再争辩了。他只想睡觉，只好接受了妥协。

“跟你们说实话吧。”他最后说，“我根本不记得当时的事了，只记得我昨天早上醒来发现自己成了你们家里的不速之客。”

“你知道，我不怪那些达雅克人。”格兰奇说，“看到你躺在船上，我也以为你活不长了。”

格兰奇太太一言不发地坐在那里听斯凯尔顿讲故事，她的头和手有规律地抽搐着，好像被隐形发条控制了，但是，当她丈夫和她说话，要她拿伍斯特沙司，而这是唯一一次他对她说话，她又开始不受控地猛烈地咳嗽起来，让人不忍去看。她默默地把他要的东西递给了他。斯凯尔顿有一种不舒服的印象，觉得她害怕格兰奇。这很奇怪，毕竟从外表上看，他并不坏。他有见识，很聪明，虽然算不上热情友好，但很明显，只要是能帮上忙，他都乐意效劳。

他们吃完饭，由于天气热，便分头去休息了。

“六点太阳下山时再见，一起喝一杯。”格兰奇说。

斯凯尔顿美美地睡了一觉，洗了个澡，看了一会儿书，然后来到游廊。格兰奇太太走到他跟前。看起来她好像一直在等他。

“他从办公室回来了。不要觉得我不跟你说话很奇怪，如果他认为我喜欢你在这儿，他明天就会把你撵出去。”

她低声说完这些话，就悄悄回屋去了。斯凯尔顿十分吃惊，他真的是以一种奇怪的方式进了一所奇怪的房子。他走到摆满家具的起居室，找到了男主人。这家人一看就很穷，他生怕自己的到来虽然只会带来很少的额外支出，但这家人还是负担不起。他觉得格兰奇是个脾气暴躁又敏感的人，他不清楚格兰奇愿不愿意接受别人的帮助。于是，他决定冒险一问。

“听着。”他对格兰奇说，“看来我还得在你这儿住几天。如果你让我付住宿费，我会舒服得多。”

“没关系，你住在这里，我们不会有什么支出，这房子是抵押权人的，你吃饭也用不了几个钱。”

“那还有酒钱呢，我还抽了你不少烟。”

“这里一年到头也来不了一两个人，也只有政务专员会来，再说，像我这样身无分文的人，怎么样都不重要了。”

“好吧，那我那些野营用具，你想要吗？我反正是用不着了。如果你想要枪的话，我也非常乐意送你一支。”

格兰奇犹豫了，他那双狡猾的小眼睛里闪烁着贪婪的光芒。

“你的一支枪可抵得上食宿费的好多倍。”

“那就这么定了。”

他们边喝着威士忌边聊天，按照东方的习惯，他们用这种酒庆祝日落。他们得知对方都喜欢下象棋，于是玩了一盘。格兰奇太太直到吃晚饭才加入他们。饭菜索然无味：清淡的汤、没有味道的河鱼、硬牛排和焦糖布丁。诺曼·格兰奇和斯凯尔顿喝啤酒，格兰奇太太喝水。她从来没有主动说过一句话。那种不舒服的印象又回来了，斯凯尔顿觉得她怕丈夫怕得要死。有一两次，斯凯尔顿出于礼貌试图和她聊几句，给她讲故事或问她问题，但这么做显然让她十分焦虑，她的头剧烈地扭动着，手不停地哆嗦，斯凯尔顿只得罢手。吃完饭，她站了起来。“不打扰两位了，你们慢慢享用波尔图葡萄酒吧。”她说。

她离开房间时，两位男士都站了起来。在婆罗洲河沿岸一个贫困的家庭里，看到这种只在社交场合才有的借口，实在是荒谬至极，甚至还有点儿阴险。

“我得补充一句，没有波尔图葡萄酒，倒是本尼迪克特甜酒可能还剩下一点儿。”

“不用麻烦了。”

他们谈了一会儿，格兰奇开始打哈欠。他每天早晨在日出之前起床，到了晚上九点钟几乎睁不开眼睛了。

“好吧，我要睡觉了。”他说。

他向斯凯尔顿点了点头，没有更多客套便走开了。斯凯尔顿躺在床上，却睡不着。虽然天气热得让人透不过气来，但他并不是热得睡不着。这所房子，以及住在里面的那两个人，都传递出一种可怕的气息。他不清楚是什么使他产生了这种异样的不安，但他知道，若是现在可以摆脱这种不安，远离了那对夫妇，他必定感激不尽。虽然格兰奇谈了许多关于他自己的事，但是，他此时对他的了解，并不比最初见到他时所了解得多。从表面上看，他只不过是一个倒霉透顶的种植园园主，没有什么特别之处。战争结束后，他立即买了地，种了树，后来到了可以收成的时候，大萧条却来了，从那时起，他们就一直艰难为生。种植园和房子都被抵押了，现在卖橡胶又开始盈利，但他又得拿所有赚的钱去偿还抵押借款。在马来亚这样的事有很多。而格兰奇有一点不同于常人，那就是他是一个没有祖国的人。他出生在婆罗洲，一直和父母住在那里，长大后去英国读书，在十七岁那年又回到了婆罗洲，除了在战争期间去过美索不达米亚，再也没有离开过这里。英格兰对他毫无意义。他在那里既没有亲戚也没有朋友。大多数种植园经理，像公务员一样，都是从英国来的，时不时地回英国休假，希望退休后能在那里定居。但是，英格兰能给诺曼·格兰奇什么呢？

“我生在这里，将来也会死在这里。”他说，“我对英国不熟。我不喜欢他们那边的生活方式，也不明白他们说的话，但我在这里也是个陌生人。对当地人来说，我是白人，尽管我的马来语说得和他们一样好，但我将永远是一个白人。”然后他说起了一件重要的事，

“当然，要是我聪明点，就该娶一个马来女孩儿，生六个混血儿。对我们这些土生土长的人来说，这是唯一的解决办法。”

格兰奇的痛苦并不仅仅源于他穷得叮当响。他对殖民地的任何白人都有意见，认为他们看他在当地出生，就瞧不起他。他脾气暴躁，对所有事都抱着失望的态度，还很自负。他给斯凯尔顿看了他的书，虽然数量不多，但包括了英国文学中最好的作品，这些书他看过很多遍，却好像没有从书中学到仁慈，似乎书中的美好之处并没有打动他，而且，在清楚了解书中的美妙后，他只会自鸣得意。他的外表是那么热情奔放，任谁都会觉得他是英国人，然而，他的内心却完全不同，你不禁怀疑他其实是个非常邪恶的人。

第二天一早，为了享受这个时间的凉爽，斯凯尔顿拿着烟斗和一本书坐在他房间外的游廊上。他仍然很虚弱，但感觉好多了。过了一会儿，格兰奇太太走了过来，手里拿着一本大相册。

“我想给你看看我的老照片和一些我的通告。你千万别以为我一直像现在这样。他去巡视农场了，两三个小时后才回来。”

格兰奇太太穿着前一天穿的蓝色长裙，头发蓬乱，显得异常兴奋。

“回忆我以前的生活，只能靠这些东西。有时候，生活让我忍无可忍，我就看我的相册。”

斯凯尔顿翻看相册，她在他旁边坐了下来。这些通告都是从各家地方报纸上剪下来的，格兰奇太太的艺名显然是维斯塔·布莱斯，但凡有她的地方，都小心地画了线。从照片上可以看出她长得还不错，但并不出众。她演过歌舞喜剧和时事讽刺歌舞剧，还演过滑稽剧和喜剧，从那些照片和通告很容易可以看出，这个姑娘没什么表演天赋，但靠着漂亮的脸蛋和玲珑的身材，还是得到了上台表演的机会，只是她的演艺生涯极为普通，并没有出彩的地方，甚至还有点儿粗俗。格兰奇夫人的头抽搐着，手颤抖着，她看着照片，读着通告，兴趣十足，仿佛她从来没有见过这些照片似的。

“做演员，就得有门路，可惜我没有。”她说，“我有机会一定会成名。只可惜我运气不好，这是毫无疑问的。”

这一切都是肮脏的，还有点儿可悲。

“我敢说你现在这样过得更好。”斯凯尔顿说。

她从他手里夺过相册，砰的一声合上了。她突然发作得很厉害，那样子叫人不忍心看。

“你这话是什么意思？你对我在这里的生活了解多少？我几年前就想自杀了，但我知道他想让我死，我就偏偏不死。活着是我唯一能报复他的办法，我要活下去，我要活得和他一样长。我恨他。我经常想毒死他，但我不敢。我真的不知道该怎么做，如果他死了，那些华人就会没收房子，把我赶出去。那我该去哪里呢？我在这个世界上连一个朋友都没有。”

斯凯尔顿惊呆了。他突然觉得她疯了，不知道该说什么好。她敏锐地看了他一眼。

“你听到我这样说，想必一定感到奇怪。我是认真的，你知道的，每一个字都发自肺腑。他也想杀我，但他不敢。他知道怎么神不知鬼不觉地把我弄死，他知道马来人是如何杀人的。他出生在这里。关于这个国家，他没有什么是不知道的。”

斯凯尔顿强迫自己说话。

“格兰奇太太，我完全是个陌生人。你不认为把不必让我知道的事都告诉我，是相当不明智的吗？你们平时不和别人接触，彼此讨厌也在所难免。既然情况好转了，也许你可以回英国。”

“我不想去英国。我不能让他们看到我现在的样子，太丢人了。你知道我多大了吗？四十六岁，可我看起来像六十岁，我很清楚这一点。这就是我给你看照片的原因，好让你知道我以前不是这样的。老天，我的生命就这么浪费了！他们老说东方有多浪漫，那就让他们去浪漫吧。我宁愿做一个地方剧院的化妆师，我宁愿做清洁工人，也不要现在这个鬼样子。在我来到这里之前，我从来就没体会过孤独，我周围总是有很多人，你不知道年复一年没人说话是个什么滋味。不得不把一切都憋在心里。十六年来，除了你最恨的那个人，你连一个人都见不到，你知道这是什么样的生活吗？你愿意和一个恨你恨到都不愿意多看你一眼的人一起生活十六年吗？”

“得了吧，哪有那么糟？”

“我说的是实话。我为什么骗你？我们以后也不会再见了，你怎么看我又有什么关系？就算你到海滨后把我说的话告诉他们，那又算得了什么？他们会说：‘老天，你不会是说你和那家人住在一起吧？那我就太同情你了。那家的男人是个外国人，那家的女人是个疯婆娘，还老是抽搐个不停，那女人看起来总像想把衣服上的血迹擦掉，那对夫妇还卷入了一桩怪事，只是一直没人真正了解事情的来龙去脉，那件事是很久以前发生的，当时这个国家还很野蛮。’一桩怪事，这么形容一点儿也不错。我巴不得给你讲讲呢。他们在俱乐部里就想听这样的事。你有几天不用花钱买酒喝了。该死的，天哪，我真讨厌这个国家，讨厌那条河，讨厌这房子，讨厌该死的橡胶，讨厌肮脏的原住民。就因为这一切，在我的余生里，都不会有医生照顾我，不会有朋友拉我的手。”

她歇斯底里地哭了起来。格兰奇太太说起话来具有十足的戏剧张力，斯凯尔顿从来没有想到她还能这样。她粗鲁的讽刺和她的痛苦一样，叫人不忍面对。斯凯尔顿还年轻，还不到三十岁，他不知道如何应付这种棘手的局面，但是他不能再用沉默这一招儿。

“我非常抱歉，格兰奇太太。我希望能够帮助你。”

“我不是在请求你的帮助，没有人能帮我。”

斯凯尔顿非常苦恼。从她说的话中，他只能怀疑她参与了一件神秘也许还很可怕的事，可能把这件事告诉他，还不必担心后果，她就能得到她所需要的安慰。

“我无意管闲事，但是，格兰奇太太，如果你认为给我讲讲你刚才说的事就能轻松一些，也就是你所谓的‘一桩怪事’，我保证一定不会告诉第二个人。”

她突然不哭了，专注地看了他很长时间。她犹豫了一下。他觉得她根本无法抵御倾诉的欲望，但她摇摇头，叹了口气。

“说出来没有任何好处，没有人能帮我。”

她站起来，突然走开了。

只有两个男人坐下来吃早午餐。

“我妻子请你原谅她。”格兰奇说，“她头痛得厉害，今天得卧床休息。”

“那真遗憾。”

斯凯尔顿有一种感觉，从格兰奇那锐利的目光里，他看出了怀疑和仇恨。他突然想起，格兰奇可能发现了格兰奇太太和他说过话，甚至还说了些不该说的内容。斯凯尔顿竭力想和他攀谈，可是男主人就是不搭腔。他们在沉默中结束了这顿饭，格兰奇站起来的时候，才打破了这种寂静。

“你今天看上去气色不错，想必你也不乐意在这鬼地方多待。我已经派人过河去安排几艘快帆船送你去海滨。他们明天早上六点到。”

听了这话，斯凯尔顿很肯定自己猜对了，格兰奇知道或猜到他的妻子说了不该说的话，所以想尽快摆脱这个危险的客人。

“你真是太好了！”斯凯尔顿笑着回答，“我的身体没问题了。”

然而，格兰奇的眼里并没有笑意，只有冰冷的敌意。

“我们等会儿可以再下一盘棋。”他说。

“好，你什么时候从办公室回来？”

“我今天没什么公务，不出门。”

斯凯尔顿不知道自己是不是看错了，但他总觉得格兰奇说这番话的语气里夹杂着一股威胁的意味。看来他要确保他的妻子和斯凯尔顿不再单独相处。格兰奇太太没有来吃晚饭。他们喝了咖啡，抽了雪茄。接着，格兰奇把椅子往后推了推，说：

“你明天一大早就得动身，现在也该去睡觉了。你走的时候，我正好去园里巡视，现在跟你说再见吧。”

“我这就去把我的枪都拿出来，你选一支你最喜欢的吧。”

“我叫仆人去拿。”

枪拿来了，格兰奇挑了一支，不过看不出他是否满意这份大礼。

“你也知道这把枪比你用掉的食物、酒和烟更值钱。”他说。

“我只知道你救了我的命，送你一把旧枪，实在算不上什么丰厚的回报。”

“好吧，如果你喜欢这样认为，那也是你自己的事。不过不管怎么样，还是非常感谢你。”

他们握了握手，便各自离开了。

第二天早晨，行李都装上了快帆船，斯凯尔顿问男仆在动身之前是否能向格兰奇太太道别。男仆说他去请示一下。斯凯尔顿等着，过了一会儿，格兰奇太太从她的房间里出来，来到游廊上。她穿着一件粉红色的睡袍，那衣服破旧不堪，皱巴巴的，还很脏，是日本丝绸做的，上面镶着许多廉价的花边。她脸上的粉很厚，脸颊上涂着胭脂，嘴唇上涂着口红。她的头似乎比平常更剧烈地抽搐着，她的手不停地做出奇怪的手势。斯凯尔顿第一次看到她这样的时候，觉得她像是想让别人注意她背后的某个东西，但现在，在她昨天对他说了那些话之后，他又觉得她像是一直在试图把衣服上的什么东西擦掉。而据她自己说，那是血。

“我希望在走之前感谢你对我的照顾。”他说。

“没关系。”

“再见。”

“我送你去码头。”

这段路很近。船夫们还在整理行李。斯凯尔顿望着河对岸原住民的房屋。

“那里像个村子，想必这些人是从那边来的吧。”

“不是，那里只有那几所房子，以前也是个橡胶园，但公司破产了，地就荒废了。”

“你去过那儿吗？”

“我？”格兰奇太太叫道，她的声音变得尖锐起来，头和手突然不由自主地抽搐起来，“没有，我为什么要去那里？”

斯凯尔顿不过是没话找话，他想不出为什么这么一个简单的问题竟使她如此心烦意乱。但是现在一切都准备好了，他和她握了握手。他跨上小船，舒舒服服地坐了下来。船开了，他向格兰奇太太挥了挥手。当船滑入激流时，她发出一声刺耳的尖叫：

“代我向莱斯特广场问好。”

桨手们有力地划船，离那所可怕的房子和那两个不幸而又令人讨厌的人越来越远，斯凯尔顿长长地舒了一口气。他很高兴格兰奇太太没有把她想说的故事告诉他。他不愿听一些罪恶或愚蠢的悲惨故事，那样在回忆当中，他就得永远和他们联系在一起，无法逃脱了。他想忘掉他们，就像忘掉噩梦一样。

但格兰奇太太一直看着那两艘快帆船，直到他们沿着河道转弯，从视线中消失。她慢慢地走向房子，走进她的卧室。百叶窗拉下阻隔外面的热气，屋内光线很暗，她在梳妆台前坐下来，对着镜子盯着自己。梳妆台是诺曼在他们婚后不久为她打造的。当然，做梳妆台的是当地一位木匠，镜子是从新加坡买的，但是按照她的设计做的，尺寸和形状都和她想要的一模一样，有足够的空间放她所有的盥洗用品和化妆品。很多年了，她一直梦寐以求想要这样一个梳妆台，却从来没有拥有过。她仍然记得她第一次见到梳妆台时有多高兴。她伸出双臂搂住丈夫的脖子，吻了他一下。

“诺曼，你对我真好。”她说，“我是一个幸运的小姑娘，能遇到像你这样的男人。”

那个时候，一切都使她高兴。她喜欢河里的鱼，丛林里的动物，喜欢繁茂的森林、羽毛鲜艳的鸟和色彩斑斓的蝴蝶。她着手把房子布置得像是有女人居住的样子，她摆出了自己所有的照片，弄来了花瓶插花，还四处搜罗了许多小摆设放在家里。“这下子就有了家的氛围了。”她说。她并不爱诺曼，但她很喜欢他，而且，她婚后很幸福，从早到晚什么也不做，只是听听留声机，读小说，多么美好啊。想到不必为自己的未来操心，真是太好了。当然有时候会有点儿孤单，但诺曼说她会习惯的，他还答应过一两年带她去英国住上三个月。那时，带他去见自己的朋友并炫耀一番，该多有趣。她觉得吸引他的是舞台的魅力，所以她吹嘘自己很成功，但事实并不是这样。她想让他明白，她放弃自己的事业成为一名种植园园主的妻子，是做出了很大的牺牲的。她声称认识很多明星，但实际上她从未和他们说过话。等到回国的时候，她需要小心处理这件事，但她搞得定，毕竟，可怜的诺曼对舞台一窍不通，就像一个未出世的婴儿。她在舞台上演了十二年，如果连这样一个简单的家伙都糊弄不了，那她只能说自己白白浪费了这么多时间。婚后第一年，一切都很顺利，有一次，她以为自己怀孕了，结果证明不是真的，他们都很失望。然后，她开始感到无聊。在她看来，她似乎永远日复一日地做着同样的事，一想到自己还得重复这样过日子，她就害怕。诺曼说那年他不能离开种植园。他们为此吵了一架。就在那时，他说了一些让她害怕的话。

“我讨厌英国。”他说，“要是依着我，我就是死也不会再去那个该死的国家。”

这种孤独的生活过久了，格兰奇太太养成了自言自语的习惯。她把自己关在房间里，可以听见她一连好几个小时不停地喋喋不休。现在，她用粉扑蘸了粉，再抹在脸上，对着镜子里的自己说话，就像在跟另一个人说话一样。

“他这是在警告我呀。我应该坚持自己回去的，谁知道呢，我到伦敦以后说不定能找到工作。毕竟我也算有经验的演员了。那时候我就可以给他写信说我不回去了。”她想起了斯凯尔顿，“可惜我没有告诉他。”她接着说，“我真想和他说呢。也许他是对的，也许那样我就解脱了。我不知道他听了后会怎么说。”她模仿他的牛津口音，“‘我非常抱歉，格兰奇太太。我希望能够帮助你。’”她咯咯地笑了一声，听起来却像是在抽泣，“我真想把杰克的事给他讲讲。哦，杰克。”

他们结婚两年后才有了一个邻居。橡胶的价格当时水涨船高，新的橡胶种植园纷纷开辟，一家大公司就在河对岸买了一大块地。那家公司很有钱，搞得排场很大，还给派来的经理配了一艘汽艇，所以只要他愿意，随时都可以过河来喝上一杯。这个人叫杰克·卡尔。他和诺曼是完全不同的人。首先，他是个绅士，上过公立学校和大学，大约三十五岁，个子很高，不像诺曼那样健壮，十分瘦小，但他穿晚礼服很好看。他留着一头鬈发，眼里带着笑意。他恰好就是她喜欢的类型，她对他一见钟情。有人可以和你谈谈伦敦和戏剧，自然是一种享受。他是一个快乐而随和的人，他讲的笑话让你一听就懂。过了一两周，她觉得跟他在一起比跟相处了两年的丈夫在一起更自在。诺曼身上总有一些她无法完全弄清的东西。他当然喜欢她，他给她讲了很多关于他自己的事，但她就是有种奇怪的感觉，觉得他有事瞒着她，倒不是他有意这么做，反正就是很难解释清楚，应该说就连他自己也很难说清楚那个怪异的部分。后来，当她更了解杰克时，她向他提起了这件事，杰克说这是因为他出生在这个国家，虽然他的血管里没有一滴当地人的血，但他身上却有一种原住民的气质，所以他并不是真正的白人，他有东方的气质。不管他怎么努力，他永远也成不了地道的英国人。

她在那所空房子里大声地自言自语，厨师和男仆都在他们自己的地方，她的声音飘过木地板，穿透木墙，就如同新酿的酒在酒桶里发酵，发出神秘而非人的声音。她说话的口气就像斯凯尔顿也在场一样，只是她的话语无伦次，就算他在场，也很难听懂她讲的故事。没过多久她就发现杰克·卡尔想得到她，她很兴奋。她从来没有滥交过，但演戏演了这么多年，她也有过一些恋爱经历。要是不找点乐子，那一个月又一个月的巡演非把人逼疯不可。当然，她不会轻易把自己交出去，她可不想自贬身价，但是，她现在的日子这么无聊，要是错过了这个机会，她就是个傻瓜。至于诺曼，那就是眼不见心不烦了。杰克和她都很了解彼此的心思，知道他们迟早会在一起，只是在等一个合适的时机罢了，后来，这个机会来了。但随后又发生了一件他们意想不到的事：他们疯狂地爱上了彼此。如果格兰奇太太真的把这个故事讲给斯凯尔顿听，他可能也会像他们两个一样，觉得这事不可思议。他们是两个非常普通的人，他是一个快乐、善良、平凡的种植园园主，而她是一个只演过小角色的女演员，一点儿也不聪明，甚至不年轻了，除了匀称的身材和漂亮的脸，她毫无可取之处。一开始他们都没想当真，但在没有任何预兆的情况下，他们竟然对彼此产生了一种灾难性的激情，而他们两个都没有能力控制这种如痴如狂的冲动。他们渴望和对方腻在一起，只要分开就很不安，很痛苦。一段时间以来，她都觉得诺曼是个讨厌鬼，但她还是容忍了他，因为他是她的丈夫。现在诺曼成了她和杰克之间的障碍，所以她越看他就越不顺眼。他们俩一起私奔是不可能的，杰克·卡尔除了工资一无所有，他不能放弃一份他求之不得的工作。他们要见一面很不容易，风险非常大。也许克服各种障碍找机会幽会，让他们的爱情越来越热烈了。一年过去了，这段感情像刚开始一样势不可当，那是痛苦与幸福、恐惧与激情并存的一年。然后，她发现自己怀孕了。她丝毫不怀疑孩子的父亲是杰克·卡尔，所以非常高兴。的确，生活很艰难，有时艰难得让她觉得自己根本无法应付，但有了孩子，有了他的孩子，一切困难都显得微不足道了。她准备到古晋去生孩子。就在那时，杰克·卡尔因公要去新加坡几个星期，但是他答应在她离开之前回来，他说他一回来就会派当地人来送信。当他返回的消息终于传来时，她高兴得甚至有些恶心。她从来没有像现在这样迫切地需要他。

“我听说杰克回来了。”吃饭时，她对丈夫说，“我明天早晨去取他答应给我带来的东西。”

“不必了吧。明天傍晚他一定回来，到时候他会亲自送过来的。”

“我等不及了，想马上拿到那些东西。”

“好吧，随你的便吧。”

她情不自禁地谈起了他。有一段时间，诺曼和她似乎无话可说，但那天晚上，她兴致勃勃，像他们结婚头几个月那样，喋喋不休地说个不停。她平时起得很早，六点就起床了。第二天早晨，她到河里洗了个澡。河岸上有一个不大的池子，还有一片小沙滩，在凉爽透明的水中嬉戏是很惬意的。一只翠鸟落在悬在池塘上方的树枝上，它的倒影在水中呈现出明亮的蓝色。这一切都太美好了。她喝了杯茶，然后上了一艘独木舟。一个仆人划船送她过河。他们用了足足半个小时才到河对岸。快到的时候，她扫视了一下岸边。杰克知道她一有机会就会来，所以会注意河边的动静。啊，他来了。她内心的痛苦几乎无法忍受。他走到码头上，扶她下了船。他们手拉手沿着小路走着，一走到送她过河的仆人和她家的窥探目光都看不见的时候，他们停了下来。他伸出双臂搂住她，她欣喜若狂地倒在他的怀抱里。她紧紧地抱住他。他的嘴在寻找她的嘴。在这一吻中，他们分离的痛苦和重逢的幸福全都表露无遗。爱情的奇迹把他们溶化了，使他们忘记了时间和地点。他们不再是人，而是被神之火锻造在一起的两个灵魂。他们的脑海中一片空白，没有一个字从他们的嘴里说出来。突然有一声猛烈的震动，像挨了一击，接着，几乎是同时传来一声震耳欲聋的巨响。她吓坏了，不明白出了什么事。她更紧地抓住杰克，他抓住她的手在哆嗦，她倒抽了一口气，然后她觉得他倒在了自己的身上。

“杰克。”

她试图扶他站起来。他太重了，她根本搀扶不住他，当他摔倒在地上时，她也跟着摔倒了。她大叫一声，感到一股热流，他的血溅了她一身。她尖叫起来。

一只粗糙的手抓住她，把她拖了起来。是诺曼。她心神狂乱，不明白发生了什么事。

“诺曼，你做了什么？”

“我杀了他。”

她呆呆地望着他，她把他推开。

“杰克，杰克。”

“闭嘴。我去找人帮忙，这只是个意外。”

他快步走上小径。她跪倒在地，把杰克的头抱在怀里。

“亲爱的，”她呻吟道，“亲爱的。”

诺曼带着几个劳工回来，把杰克抬到了房子里。那天晚上，她流产了，病得很重，一连几天，她眼看着会一命呜呼。她后来虽然康复了，却患上了神经性抽搐，一直没能痊愈。她以为诺曼会把她送走，但他没有，他必须留她在身边，免得别人怀疑他。原住民议论了一阵，后来政务专员来问了许多问题。但是原住民害怕诺曼，政务专员根本无法从他们那里得到任何信息。把她送过河的那个达雅克男孩不见了。诺曼说他的枪出了问题，杰克在检查枪的时候枪走火了。在这个国家，人一死就会下葬，等到他们想起验尸，即使把人挖出来，也没办法证明诺曼说的是不是真的。政务专员并不满意这个结果。

“在我看来，这个案子太可疑了。”他说，“但现在没有任何证据，我想我只能接受你的说法。”

她愿意付出任何代价来摆脱这种痛苦，但她有神经紧张，再也不能自己谋生。她要么待在家里，要么挨饿，而且，诺曼也只能把她留下，否则只能面对死刑。从那时起，日子就在平淡中流过，未来也将是一口枯井。无尽的岁月将耗尽他们疲惫的生命。

格兰奇太太突然不再说话。她那敏锐的耳朵捕捉到了小路上有脚步声，她知道诺曼查完橡胶园回来了。她的头猛烈地抽动着，她的手不受控地做出那个邪恶的手势，她在凌乱的梳妆台上寻找她那珍贵的口红。她把它涂在嘴唇上，然后，她不知道为什么，反正是在一种奇怪的冲动下，她在鼻子上也涂满了口红，她看起来像极了音乐厅里的红鼻子喜剧演员。她看着镜子里的自己，突然大笑起来。

“让生活见鬼去吧！”她喊道。

异国谷物

跟布兰德夫妇认识很久后，我才知道他们和菲尔迪·拉本斯坦之间的关系。初识菲尔迪那年，他就快五十岁了，当我写下这些文字时，他都七十多岁了。不过菲尔迪变化不大。那头浓密粗糙的鬈发虽然都变成了白色，但他的身形一如以往那般挺拔。可想而知，他年轻时肯定就如大家说的那样英俊潇洒。他那犹太人特有的侧脸依旧那么精致，那双乌黑发亮的眼睛曾让那么多非犹太人怦然心动。菲尔迪个子高挑，皮肤光滑，有一张鹅蛋脸。他还是个衣架子，即使是现在，穿着一身晚礼服的他依旧是那么英俊不凡。他那时会在胸衣上佩戴黑色的大珍珠，手上还戴着镶有蓝宝石的铂金戒指，看起来或许是有些招摇，但你会感觉这种风格的确符合他的性格，要换成其他的反倒不合适了。

“别忘了，我可是个东方人，”他说，“自然具有一定的狂野美。”

我时常在想，菲尔迪·拉本斯坦的一生要是写成传记肯定是个好题材。他不是什么伟人，但在自我设定的范围里，他将生活变成了一件艺术品。如波斯[1]的细密画[2]一样，这件杰作的趣味就在于它虽然小巧但却完美无缺。可遗憾的是原材料不足，与之相关的信件估计都被销毁了，而记得那些事情的人都年事已高，恐怕将不久于人世。菲尔迪的记忆力很好，但他永远也不可能写回忆录，因为他将自己的过去视为私人的快乐之源；而且他为人极其谨慎。除了马克斯·比尔博姆[3]，我想不出还有谁能把这本传记写好。如今世道艰难，也只有马克斯会用一颗温柔怜悯之心来看待这些琐事，从细枝末节

1 伊朗的旧称。

2 一种精细刻画的小型绘画，是波斯艺术的重要门类之一。主要做书籍的插图和封面、扉页徽章，盒子、镜框等物件和宝石、象牙首饰上的装饰图案，画于羊皮、纸或书籍封面的象牙板或木板上。题材多为人物肖像、图案或风景，也有风俗故事。多采用矿物质颜料，甚至用珍珠、蓝宝石磨成粉做颜料。

3 马克斯·比尔博姆（1872—1956），英国散文家、剧评家、漫画家，处理历史素材时总能给人耳目一新的感觉。

中抽取出微妙的伤感力。我很好奇马克斯为什么从没想过将自己敏锐的想象力运用在这个主题上，他们很早之前就认识了，自然比我更了解他。菲尔迪似乎天生就该成为马克斯笔下的人物。而除了奥布里·比尔兹利[1]，我想不出还有谁适合为这本书配插图。那样的话就像是立起了一座三重铜甲[2]的雕像，将生命短暂的昆虫封存在透明琥珀中，让其流传百世。

菲尔迪征服的是社会，而世界就是他的战场。他出生在南非，直到二十岁才来到英国。菲尔迪在股票交易所工作过一段时间，不过在父亲去世后，他继承了一大笔遗产，于是离开职场过上了花花公子的生活。那个时期的英国上流社会还很排外，一个犹太人想打破这道屏障并不容易。但在菲尔迪面前，这道屏障就像耶利哥的城墙[3]一样倒塌了。菲尔迪英俊多金，热爱运动，为人风趣，在可胜街上有一幢房子，房里摆放着最上等的法式家具，配备了一个法国厨

---

1 奥布里·比尔兹利（1872—1898），英国插画师，是新艺术运动大力倡导的曲线黑白装饰插画的大师。

2 来自贺拉斯的诗句，形容最初的航海者，勇敢得好像胸口有橡木和三重铜甲护身。

3 在《圣经》中，耶利哥是西亚死海以北的古城，祭司吹响号角后，耶利哥的城墙便都倒塌了。

师，另外还有一辆四轮马车。真想知道他是如何开始自己的精彩人生的，那肯定很有意思，可惜答案早已遗失在历史的长河里了。第一次见到菲尔迪是在诺福克的一间豪宅里，他那时早已是伦敦最时髦的人物了，而我只是一个初露锋芒的年轻小说家，宅子的女主人喜好文学，于是也邀请了我。参加宴会的都是些地位显赫的名人，这让我心里有些发怵。当时一共有十六位宾客，除我之外都是些内阁成员、贵妇、世袭贵族，他们谈论的人和事我都不熟悉，我感到有些羞怯和无助。他们对我很客气也很冷淡。我意识到自己可能给女主人带来了一定的负担。是菲尔迪拯救了我。他会坐在我身边，陪我四下走动，跟我聊天。发现我是一名作家后，他和我谈起了戏剧和小说。了解到我大部分时候都住在欧洲大陆后，他亲切地聊起了法国、德国和西班牙。他似乎是真心想和我交朋友。他给了我一种很不错的感觉，好像我们远离其他宾客，在进行心灵上的交流，而对比之下，别人谈论的政治局势、某人的离婚丑闻，以及人们越来越不愿意猎杀野鸡的事情，听起来就有些可笑了。但如果说菲尔迪打心底里对周围这些精力充沛的英国贵族有那么一丝藐视，那他也只在我面前露出了一点儿迹象。但现在再回想，我不禁怀疑或许那只是老于世故的他在用一种巧妙的方式恭维我而已。菲尔迪喜欢施展自身的魅力，发现自己的言语能明显取悦到我，我敢说他对此肯定有些得意。当然，除非他是真的对艺术和文学感兴趣，否则也不会这样大费周章地讨好我这个名不见经传的小说家。我感觉我和他在宴会上都有些格格不入，原因在于我只是个作家，他是位犹太人。但我很羡慕他能表现得那么悠然自得，就跟在自己家里一样。大家都叫他菲尔迪。他似乎始终都是一副精力充沛的样子，永远都不缺俏皮话和玩笑话，对答起来也是妙语连珠。那间豪宅里的人喜欢他，是因为他能逗他们笑，从不高谈阔论，惹人生厌。菲尔迪为他们的生活注入了一丝东方的浪漫气息，更妙的是，他们只会觉得自己变得更具有英式特质了。只要有菲尔迪相伴，你永远都不会觉得无聊。有他在，你也不用担心会遇到英国社交场上时而会出现的那种令人不安的沉默。一时的停顿是不可避免的，但菲尔迪·拉本斯坦会马上切换一个所有人都感兴趣的话题。菲尔迪对任何聚会而言都是一个无价之宝。他不仅有说不完的犹太故事，还很会模仿，能将犹太人的口音和姿态学得活灵活现。他会缩着脖子，装出狡猾的样子，声音也变得油腔滑调起来。菲尔迪可以是一位拉比[1]，可以是一个卖旧衣服的商贩，可以是一位精明的旅行推销员，或者是法兰克福的胖老鸨。他在聚会中的表现简直不亚于一场舞台剧。因为他本身就是一位犹太人，而且是他自己坚持要这么做，所以大家都笑得很开怀，但我总隐隐有些不安，这样肆无忌惮地拿自己的种族开玩笑，真的算是幽默吗？后来才发现这就是他最擅长的节目，不管在哪里遇到他，总能听到他最新搜集的犹太故事。

不过我在聚会上听他说过的最精彩的那个故事倒与犹太人无关。当时给我留下了深刻印象，我到现在都还记得那个故事。但是由于这样或那样的原因，我一直没有机会讲给别人听。之所以现在要把它写出来，是因为这个稀奇小故事里出现的人物都是维多利亚时代的社交名流，要是就这么失传了着实太可惜。据菲尔迪所说，他年轻时曾在一所乡间房屋住过一阵子，同为宾客的兰特里夫人那时正处于颜值巅峰时期，名声也是如日

1　犹太教宗教领袖，通常为主持犹太会堂的人、有资格讲授犹太教教义的人或熟悉犹太教律法的人。

中天。曾在埃林顿骑士比武大会中获得“美皇后[1]”称号的萨默塞特公爵夫人正好住在不远处，开车就能到。菲尔迪和公爵夫人略有交情，他想要是能让这两位女士见上一面肯定备受瞩目。在兰特里夫人欣然接受了自己的提议后，菲尔迪立刻又写了封信给公爵夫人，询问可否带这位著名的美人去拜访她。他说，这个时代（即八十年代）最可爱的女士理应向上个时代最可爱的女士献上自己的敬意。“你只管带她过来，”公爵夫人回信道，“可我话说在前头，她肯定会大吃一惊的。”他们乘坐的是一辆双驾马车，兰特里夫人戴着一顶装饰着长缎带的蓝色软帽，帽子紧贴着她的头，突出了她好看的头形，也衬得蓝色的双眼更深邃。开门接待他们的是一位长相丑陋的老太太，她用讽刺的目光仔细打量着这位上门拜访自己的窈窕佳人。他们喝了喝茶，聊了聊天，就乘马车回去了。上车后兰特里夫人始终没吭声，菲尔迪看了一眼，发现她正在默默流眼泪。回到住处后，兰特里夫人直接进了房间，晚上也没下楼吃饭。这是她第一次意识到美貌也会消逝。

1　1839年，埃林顿伯爵十三世出资举办了一场规模宏大的骑士比武大赛。冠军会把胜利献给在场的一位女士，这位女士被称为“爱与美的皇后”。

菲尔迪问了我的地址，回到伦敦后，没过几天他就邀请我参加晚宴。包括我在内一共有五位客人，一个嫁给了英国贵族的美国女子，一位瑞典画家，一名女演员，还有一位著名的评论家。那晚的食物很美味，红酒也不错。餐桌上的对话既轻松又机智。晚宴后，菲尔迪在众人的劝说下弹奏了钢琴。他只弹奏了维也纳华尔兹舞曲，后来我才知道这是菲尔迪的拿手曲目。这种舞曲节奏轻快、曲调优美，给人带来感官上的享受，符合他谨慎而又喜欢卖弄的个性。他演奏时表情自然、欢快，指间带着优雅。这是我第一次和他共进晚宴，此后我常常会在晚宴上碰到他。他每年都会邀请我两三次，随着时间的流逝，我们在别的宴会上遇到的次数越来越频繁。我的社会地位在慢慢提高，而他或许不再像过去那样赫赫有名了。近些年参加宴会时，除了他有时还能看到别的犹太人。当菲尔迪用自己闪亮清澈的双眼静静地看着自己的同胞时，你可以从他的眼睛里发现一丝笑意，似乎是在纳闷世界怎么变成这样了。有些人认为他是个势利小人，可我不这么觉得；这不过因为他早年遇到的都是一些大人物。菲尔迪是真的热爱艺术，和艺术家交往时他永远是最佳状态。在大人物面前，菲尔迪的语气总是带着淡淡的揶揄和戏谑，可他从来不会这样对艺术家，让人不禁怀疑他或许从未完全沦为权势和地位的玩物。菲尔迪的品位向来不错，许多朋友都乐于向他请教这方面的知识。他最早重视拥有旧家具的那批人，从许多祖传大宅的阁楼里抢救出了不少无价之宝，妥善地将它们摆在自己的客厅里。菲尔迪喜欢在拍卖行里溜达，每当遇到某位贵夫人想投资一件艺术品，他总是乐于给出自己的建议。他身家不菲、性格温和，喜欢资助艺术事业，常常想方设法为有天赋的年轻画家创造机会，或是雇佣怀才不遇的小提琴手到有钱人家里演奏。不过菲尔迪也没有让这些有钱人失望，他有着极强的鉴赏力，从来不会看走眼，对那些才华平庸之人虽然他也会以礼相待，但绝对不会出手帮忙。由菲尔迪亲自举办的音乐晚会，哪怕规模很小，但表演者也都是精挑细选出的，绝对是视听盛宴。

菲尔迪一直没结婚。

“我是一个见过世面的人，自认为没有偏见。”他说，“但萝卜青菜各有所爱，我没办法娶一个非犹太人当妻子，就像穿着晚礼服去听歌剧其实也无伤大雅，只是我从来没想过要这么做而已。”

“那你为什么不娶一个犹太人呢？”

“哦，亲爱的，我们犹太女人都太能生了。光是想到这世上又要多一个小艾奇、小雅各布、小丽贝卡、小利亚、小雷切尔，我就受不了。”

（我没有亲耳听到这段对话，是一位活泼大胆的女士将她和菲尔迪的聊天内容告诉了我。）

但菲尔迪在此之前就有过几桩让人津津乐道的风流韵事，过去的浪漫依然让他念念不忘。菲尔迪年轻时风流多情。我遇见过一些老夫人，都说他当年的风采让人无法抗拒，勾起怀旧情绪后，她们还会聊起菲尔迪是如何让那些女子魂牵梦绕的。她们打心里觉得那些爱上菲尔迪的女子都情有可原，我猜是因为他实在太俊美了。那些女子中有的名字我曾在回忆录里见过，有的是上了年纪的贵妇，碰见时能听到她们不停地唠叨自己在伊顿上学的孙子，或是发现她们的桥牌打得乱七八糟，但一想到这些女士年轻时曾为一位英俊的犹太男子神魂颠倒过，就觉得十分有趣。菲尔迪和赫里福德公爵夫人的恋情是他最著名的一段风流韵事，这位公爵夫人是维多利亚时代末期最美丽、最英勇、最潇洒的美人。他们之间的恋情持续了二十年，其间菲尔迪还有其他的恋情，但他和赫里福德夫人的关系最稳定，也是大家公认的一对恋人。最不可思议的是，后来哪怕恋情结束了，他还能将这位上了年纪的情人变成自己忠实的朋友。不久前我还在一场午餐会上遇到过这两位。老太太身材高大、气度不凡，饱经风霜的脸上抹着脂粉。那场午餐会安排在卡尔顿酒店，作为东道主的菲尔迪迟了几分钟才来，然后他给我们点了一杯鸡尾酒，公爵夫人告诉他我们已经喝了一杯了。

“我说你眼睛今天怎么格外明亮。”菲尔迪说。

上了年纪的老太太顿时高兴得红光满面。

我的青春早已结束了，如今人到中年，不知多久之后我就必须称自己是个老头了。我写过书，写过剧，四处游历过，经历过各种各样的事，爱情的火焰燃烧过也熄灭过；但在聚会上遇见菲尔迪这件事却一直没变过。战争爆发后，国家出兵参战，成千上万的士兵死在了战场上，整个世界都发生了变化。菲尔迪不喜欢这场战争，他年岁已大，无法入伍，取了德国名的他如今处境有些尴尬。但他为人谨慎，不会让自己出现在可能遭到羞辱的场合中。老朋友都很有情义，虽然他过的是半隐居生活，但依旧能保持尊严。后来和平降临，他鼓起勇气，让自己尽可能去融入这个已然发生变化的新世界。社会不再有阶级之分，聚会也变得热闹起来，但菲尔迪很快适应了这种新生活。他依然会讲有趣的犹太故事，依然会弹奏迷人的施特劳斯圆舞曲，依然会在拍卖行里溜达，为想要购买艺术品的新权贵提建议。我已经移居国外，但只要回伦敦就能见到菲尔迪，总觉得他如今有点儿说不清道不明的感觉。他没有向岁月屈服，从没听说他哪天生过病，似乎永远都是那么神采奕奕、衣着得体。菲尔迪会关心每个人，而且思维依旧敏捷，人们不是因为看在以前的情分上才邀他共进晚餐，而是觉得他值得。菲尔迪依旧会在自己位于柯曾大街的宅子里举办迷人的小型音乐会。

就是在他邀请我参加音乐会时，我才知道他和布兰德夫妇之间的关系，从而引起了我的回忆，提笔写下了这些故事。当时我们正在希尔大街参加一场盛大的晚宴，在女士都到楼上去后，我和菲尔迪碰巧相邻而坐。他告诉我莉亚·玛卡特下周五晚上会去他家演奏，如果我能到场的话，他会很高兴的。

“实在太抱歉了，”我说，“但我正好要去布兰德家。”

“哪个布兰德？”

“他们住在萨赛克斯郡的蒂尔比。”

“之前都不知道你们互相认识。”

他用怪怪的眼神看了看我，随后又笑了笑，我不知道哪里引人发笑了。

“是啊，我们认识很多年了，在他们家每次都玩得很愉快。”

“阿道弗斯是我外甥。”

“阿道弗斯爵士？”

“听上去像是某个摄政时期的花花公子对吧？但我不会瞒你，他就叫阿道弗斯。”

“我认识的人都喊他弗雷迪。”

“我知道，他的妻子米里亚姆，也只有在别人叫她缪丽尔的时候才会应声。”

“怎么这么巧是你外甥？”

“我的姐姐汉娜·拉本斯坦嫁给了阿尔方斯·布莱克格尔，他去世的时候已经是阿尔弗雷德·布兰德爵士了，没过多久，他们的独子继承了他的爵位，成了阿道弗斯·布兰德爵士。”

“这么说，弗雷迪·布兰德的母亲，那位住在波特兰街的布兰德夫人就是你的姐姐？”

“是的，我姐姐汉娜是家族里年纪最大的人，虽然已经八十岁了，依然样样能干，实在是个了不起的女人。”

“我从没见过她。”

“我想你的朋友布兰德夫妇也很久没见到她了。她的德国口音一直没变。”

将庄园建成这样肯定花了不少钱，好在阿道弗斯爵士不缺钱。庄园还有一个九洞高尔夫球场和不少古树，整个园子被打理得像座花园一样。这座宽广的花园自然也是周边住户的骄傲。布兰德家的豪宅设计的是陡坡式的屋顶和装了直棂的窗户，经英国最有名的建筑师整修过，宅内的装修布置则出自布兰德夫人之手，看起来有品位、有档次，很是符合整幢宅子的风格。

“当然很简单，”她说，“无非就是乡间的一幢宅子而已。”

挂在餐厅里的是一幅画着英国旧时娱乐活动的画作，此外还有一套价格不菲的齐彭代尔[1]桌椅。客厅里挂着雷诺兹[2]和庚斯博罗[3]所作的肖像画，以及老克罗姆[4]和

---

1 托马斯·齐彭代尔（1718—1779），英国家具设计家和制作家，被誉为“欧洲家具之父”。十八世纪，齐彭代尔式家具的风格是设计界的主流，“齐彭代尔家具”也成了最高家具工艺的代名词。

2 乔舒亚·雷诺兹（1723—1792），十八世纪后期英国最著名的肖像画画家，他的很多画作都被收藏于伦敦国家画廊。

3 托马斯·庚斯博罗（1727—1788），英国肖像画画家，英国皇家艺术学院院士，常为英国皇室作画。

4 克罗姆（1768—1821），英国田园风光派画家，毕生都在描绘乡村的原野、丛林和茅舍等景象。因儿子小克罗姆继承了他的艺术风格，他也被称作“老克罗姆”。

威尔逊[1]作的风景画。甚至在我住的那间带有四柱大床的客房里，都挂着一张伯基特·福斯特[2]的水彩画。这幢宅子装修得十分漂亮，待在里面就是一种享受。可说来也怪，它完全没有达到缪丽尔·布兰德想要的效果，这也令她分外苦恼。这幢宅子丝毫没有英式宅院的味道，总感觉每一件被挑选出来的物品都太刻意了。你很难察觉到餐厅里挂着一幅皇家学院风格的肖像画，旁边还挂着某位先辈从大旅行[3]中带回来的卡洛·多尔奇[4]的画作；客厅里也看不到哪位老太太画的水彩画——那虽然会让客厅显得拥挤却能增添几分雅致。房子里也没有难看的维多利亚时代的沙发——英式住宅里往往都会有一个这样的沙发，也从没有人想过要将它搬走。这里也没有一张手工缝纫的椅子——那或许是某个未婚的姑娘在大博览会时期辛苦赶制出来的。房子里只有美，没有情感。

---

1 理查德·威尔逊（1714—1782），英国风景画家，他善于用光，画作色彩丰富，被视为英国风景画的奠基人。

2 伯基特·福斯特（1825—1899），英国插画家、水彩画家。曾被《泰晤士报》称为“我们这个时代最受欢迎的水彩画画家”。

3 从前英国的贵族子女遍游欧洲大陆的教育旅行。

4 卡洛·多尔奇（1616—1686），意大利画家，主要活跃在佛罗伦萨，以技艺精湛的宗教画闻名。

不过这幢宅子住起来是那么舒适，客人在这儿得到了悉心的照料，布兰德夫妇迎接你时又是那么热情！他们为人慷慨和善，似乎也非常好客。对布兰德夫妇而言，最开心的事情莫过于让整个郡的朋友都受到热情款待。所以尽管他们拥有这片地产不过二十年，却深受邻里的喜爱，在这儿站稳了脚跟。如果不是见识到了他们豪华气派的宅院，以及经营得红红火火的产业，你可能会真以为他们家族已经在此繁衍好几个世纪了。

弗雷迪曾就读于伊顿公学和牛津大学，如今刚过五十岁，为人低调不张扬，举止温文尔雅。我猜他肯定很聪明，只是有些矜持内敛而已。弗雷迪非常优雅，但不是那种英式优雅。他比一般人稍微高一点儿，留着山羊胡，长着鹰钩鼻，一双乌黑的眼睛，头发和胡须都已变成了灰白色。你不会把他当成一名犹太人，而会觉得他是一位颇有才干的外交官。弗雷迪是一个有个性的人，可奇怪的是，明明人生已经获得了成功，却总能感觉到他身上有种淡淡的忧愁。他在经济和政治领域都很成功，但即使一直锲而不舍，他也从未在运动领域里取得过耀眼的成绩。虽不善骑马，但多年来弗雷迪一直带着猎犬打猎。后来，他以自己到了中年，以及生意上的压力越来越大为由，成功说服自己放弃了狩猎，我想这对他而言也是种解脱。虽然拥有最棒的射击场，甚至还为其举办了盛大的宴会，可他的枪法却很差。尽管在庄园里建了高尔夫球场，但他的球技却始终很一般。弗雷迪非常清楚这些运动在英国有多重要，所以这方面的失利让他感到格外失望和苦涩，不过乔治弥补了这一遗憾。

乔治是一位“零差点[1]”的高尔夫球手，而且虽然不怎么玩网球，但球技比一般人要好得多。刚刚能拿得动枪，布兰德夫妇就开始教他射击，所以他的枪法也不赖。乔治两岁时，他们就让他坐在了矮种马的背上。看着儿子上马的姿势，弗雷迪知道，如果乔治在打猎时遇到了篱笆，他只会变得兴奋激动，与自己完全不同——多年来，弗雷迪一直坚持追猎狐狸，但骑马跨越篱笆时每每都觉得恶心反胃，因此打猎成了对他的一种折磨。乔治个子高挑，一头漂亮的淡棕色鬈发，再加上一双漂亮的蓝眼睛，简直是最理想的英国青年形象，同时从骨子里就带着一种坦率的魅力。乔治的鼻梁很挺，虽然鼻头有些大，嘴唇也稍显肉感，但他有一口漂亮的牙齿，

1 差点就是高尔夫打球时增加的杆数，差点越小，球技越强，零差点可以用来形容一位高尔夫球手到达了顶尖水平。

皮肤也像象牙一样光滑。弗雷迪把大儿子乔治视为心肝宝贝，但对小儿子哈里就没那么喜欢了。哈里个子不高但身子结实，肩膀宽阔，比一般的同龄人都要更强壮。但一看他那双灵动的黑眼睛、粗硬的黑头发，以及那个大鼻子，你就知道他是什么种族。弗雷迪对哈里很严厉，而且常常没耐心，对乔治却百般迁就。哈里有头脑肯努力，将来会接手家族的生意。但继承人只会是乔治，他会成为一名英国绅士。

乔治主动提议开敞篷车来接我，那车是他父亲送给他的生日礼物。他开得很快，我们比其他客人到得都早。布兰德夫妇坐在草地上，面前摆着茶点，身后是一棵高大的雪松。

“对了。”很快我就说起了正事，“前几天我见到了菲尔迪·拉本斯坦，他想让我带乔治去和他吃顿午饭。”

来的路上我没有跟乔治提起这个邀约，我觉得如果亲戚之间关系冷淡，那最好先跟他父母说一声。

“这个菲尔迪·拉本斯坦是谁啊？”乔治说。

人类的荣耀是何其短暂啊！要是上一辈的人问出这样的问题肯定显得很荒谬。

“算起来他是你的舅公。”我回答道。

我刚一开口，乔治的父亲就瞥了一眼自己的妻子。

“他就是个讨人厌的糟老头。”缪丽尔说。

“乔治出生前我们就断绝了来往，现在没必要让这孩子去修复这层关系。”弗雷迪用坚定的语气说道。

“不管怎样，消息我已经带到了。”我说，感觉自己在这儿有些不受待见了。

“我可不想去见那个老家伙。”乔治说。

就在这时来了别的客人，对话就此打断，过了一会儿，乔治就和他其中一个从牛津来的朋友去打高尔夫球了。

直到第二天，这个话题才重新被提起。那天上午我和弗雷迪打了一场高尔夫球，玩得不是很尽兴，下午又打了几场所谓的“乡间别墅网球赛”，随后和缪丽尔两人坐在露台上。英国的天气大多时候都很糟糕，公平起见，如果这儿碰到个好天气，那么它就是世界上最美丽的地方。那个六月的傍晚就美好得不像样。天空万里无云，空气清新怡人，绵延不绝的绿色原野和树林就在眼前，还能望见远处村庄教堂的红屋顶。在这一天里，哪怕只是活着也足够幸福了。我和缪丽尔有一句没一句地说着话。

“我希望你不会因为我们不让乔治和菲尔迪共进午

餐而觉得反感，”她突然说道，“他就是个可怕的势利小人，不是吗？”

“你是这样认为的吗？他对我向来都不错。”

“我们跟他已经有二十年没说过话了。弗雷迪永远没法原谅他在战争期间的行为。我觉得他那样做一点儿都不爱国，每个人都必须有底线。你也知道，他当时就是不愿意放弃那个可怕的德国名字。弗雷迪当时是议会议员，负责军需，根本无法忍受这种事。我不知道他为什么想见乔治，他压根儿就不在乎这个孩子。”

“他现在年纪大了。乔治和哈里都是他的外甥孙，他的财产总得有人继承吧。”

“我们宁愿不要他的钱。”缪丽尔冷冷地说。

当然，我完全不在乎乔治要不要跟菲尔迪·拉本斯坦共进午餐，我也愿意让这事就此打住。但布兰德夫妇显然又商量了一番，缪丽尔觉得有必要跟我解释清楚。

“你也知道弗雷迪有犹太血统。”她说。

然后她用敏锐的目光看着我。身材高大的缪丽尔有着一头金黄色的头发，因为容易长胖，所以她花了很多时间在控制体重上。她年轻的时候非常漂亮，哪怕是现在也算得上是一位清秀佳人。但那微微往外凸的圆圆的蓝眼睛、有肉感的鼻子，再加上她的脸形和后颈，以及充满活力的模样，这一切都泄露了她是什么种族。就算拥有金黄色的头发，那模样怎么也不像是一位英国女子。她故意说这话意思就是让我把她当成一个非犹太人。我回答得很谨慎：

“现在很多人都有犹太血统。”

“我知道。但是也没必要成天把这事挂在嘴边，不是吗？别忘了，我们可都是地地道道的英国人。无论是外貌还是举止，抑或其他任何方面，都找不出谁能比乔治更有英伦风范。你看，乔治在运动以及诸如此类的事情上表现得如此出色，我觉得他没有必要去认识一个犹太人，就因为他们恰好是远房亲戚吗？”

“现如今在英国难免会和犹太人打交道，不是这样吗？”

“是啊，我知道，在伦敦生活确实会遇到很多犹太人，其中一些人确实都还不错。他们身上都很有艺术气息。我和弗雷迪倒不至于会故意避开他们，我们不会做这样的事情，只是刚好对他们都不怎么了解而已。到这儿以后，确实一个都不认识。”

我不得不赞叹她这番话听上去的确很有说服力，要是有人说她相信自己刚刚说的每一个字，我也不会觉得意外。

“你说菲尔迪可能会把钱留给乔治？这么说吧，我觉得他其实也没多少钱。战争爆发前那笔钱确实算得上可观，在如今可算不了什么。而且，等乔治再大一点儿后，我们打算让他进政坛发展。从一个拉本斯坦先生那儿继承了一笔钱，对于他以后参加竞选可没什么好处。”

“乔治对政治感兴趣吗？”我试着改变话题。

“我希望他会感兴趣。毕竟家里总该有人去参加竞选，在保守党中拥有一席之位是肯定的，总不能指望弗雷迪一直在下议院里操劳下去。”

缪丽尔的口气很大，光听她这样说，还真以为布兰德家祖上二十代都是议员似的。不过这也是她在言语中第一次透露出弗雷迪不满足于目前的政治地位。

“我猜等乔治到了可以参选的年纪，弗雷迪也就进上议院了吧。”

“我们为政党付出的可不少。”缪丽尔说。

缪丽尔是一位天主教徒，常常和你提起她在修道院里读书的事情——“那些修女都那么温柔善良，我一直就说，要是我们有个女儿，肯定也把她送到修道院里去”——但她又希望自己的仆人是英格兰国教会的教徒。到了礼拜日晚上，为了能让仆人去教堂，晚宴变成了随意的晚餐会，鱼肉是冷的，桌上还有冰激凌，侍餐的男仆也从四人变成了两人。用完餐后天还亮着，伴着暮色，我和弗雷迪抽着雪茄，在阳台上来回踱步。我猜缪丽尔已经把她跟我的对话告诉了他，再加上不让乔治见他舅公这件事情或许依然困扰着他，于是弗雷迪也开始谈论这个话题，不过他说话比缪丽尔要更巧妙、更含蓄。他说他近来很担心乔治，儿子不愿参军让他觉得很失落。

“我一直以为他会喜欢那样的生活。”他说。

“他要是穿上近卫团的军服肯定特别精神。”

“那是肯定的，不是吗？”他回答得很坦率，“可我没想到他能抵挡得了这份诱惑。”

乔治在牛津终日游手好闲，不学无术；父亲定期给他一大笔零花钱，他还是欠了一屁股债；如今又被学校停学。弗雷迪虽然语气很刻薄，但能听得出来他依然为自己不可救药的儿子感到无比骄傲，而英国人绝不会用这样的方式爱自己的孩子。在他内心里，乔治这样大出风头反而让他引以为荣。

“你有什么好担心的？”我说，“你又不是真的在乎乔治能不能拿到学位。”

弗雷迪咯咯地笑出了声。

“没错，我想我确实是不在意。我一直觉得进牛津大学最主要是让别人知道你是那里面的学生，我敢说在那群年轻小伙儿的圈子里，乔治绝对不是最放纵的。我担心的是他的未来。他实在太懒了，什么都不愿意做，就知道玩乐。”

“你也知道，他还年轻。”

“可他对政治不感兴趣，虽然擅长体育，但对这方面也算不上热爱。他似乎把大部分时间都用来弹钢琴了。”

“这种娱乐方式又不过分。”

“是不过分，我不是介意这个，但他不能一直游手好闲下去。要知道，总有一天，这一切都会是他的。”弗雷迪挥手的姿势似乎将整个郡都涵盖了进去，不过我也知道他目前还没有这么大的产业，“我担忧的是不知道他能不能承担起这份职责。他妈妈对他期望很高，可我只希望他能成为一名英国绅士。”

弗雷迪瞟了我一眼，好像有话想说，但又生怕说那话会让我觉得可笑。但身为作家有这么一个好处，人们会认为你无足轻重，有些话他们不会在地位相当的人面前说，但往往愿意告诉你，他们觉得这没什么大不了。

“你知道吗，我一直觉得在如今这世上，只有住在自己庄园里的英国绅士，真正过上了希腊式的理想生活，而且这种生活就像艺术品一样美。”

现如今的英国乡绅要不是将一大笔钱都安全地投在美国债券里，又哪能过上所谓的理想生活。一想到这儿我也只能同情地笑了笑。这名犹太金融家能拥有这么浪漫的情怀，确实也有些感人。

“我希望能成为一位优秀的庄园主，我希望他能在国家事务中发挥一己之力，我希望他能全心全意热爱运动。”

“真是傻得可怜，”我心里这么想，嘴上说的却是，“那么，你现在打算怎么安排乔治的未来？”

“我觉得他应该是喜欢外交部，可以建议他去德国学语言。”

“我觉得这主意不错。”

“但不知道为什么，他一门心思想去慕尼黑。”

“那是个好地方。”

第二天我便回伦敦了，刚到家我就打了通电话给菲尔迪。

“很抱歉，乔治周三不能来吃午饭了。”

“那周五呢？”

“周五也来不了，”我觉得也没必要绕圈子，“事实上是他家人不太想让他和你共进午餐。”

电话那头沉默了好一阵儿才开口：

“我明白了，行，你周三那天还是会过来吧？”

“我当然会过去。”我回答道。

就这样，在周三下午一点半的时候，我漫步到了柯曾大街。菲尔迪热情周到地接待了我，殷勤中带着些许做作，这是他不自觉养成的习惯。他没有提布兰德一家。一起坐在客厅时，我不由得感叹这家人都有一双善于发现美的眼睛。以如今的审美来看，这个房间稍显拥挤，摆在玻璃橱窗里的鼻烟盒和法国瓷器虽然不太合我的口味，但无疑都是上等品；那套路易十五时期的家具，配上精美斜针绣绣品，肯定价值不菲。我对墙上挂着的朗克雷、佩特、华托[1]的画作兴趣不大，但也不得不承认这些都是难得的佳作。这样的布置对这位饱经世事的老人而言倒也合适，也符合他那个年代的风格。门突然打开了，仆人宣布乔治到了。看着我惊讶的样子，菲尔迪露出了胜利的微笑。

“很高兴你终究还是来了。”他一边和乔治握手一边说道。

我看到他偷偷扫了一眼他这位第一次见面的外甥

1 朗克雷、佩特和华托都是法国著名画家。

孙。乔治那天的穿着很讲究——黑色的短外套配上条纹裤子，再加上当时最流行的双排扣黑色马甲。只有个子高高瘦瘦、肚子微微凹陷的人才能将这身衣服穿出优雅感。我确定菲尔迪肯定知道乔治请的是哪一位裁缝，去哪家饰品店，也认同乔治的品位。乔治仪表堂堂、身材匀称，加上穿得又这么漂亮，看上去自然格外英俊。我们起身下楼去吃午饭。菲尔迪在这种社交场上自然游刃有余，很快就让乔治放松了下来，不过看得出菲尔迪也在仔细打量这个小伙子。接着，不知道为什么，菲尔迪开始讲那些犹太故事，讲得津津有味，模仿得惟妙惟肖。我看到乔治脸都红了，虽然也在笑，但笑容里充满了尴尬。我不知道是什么引得菲尔迪这么冒失。他就看着乔治，讲了一个又一个犹太故事，就好像永远不会停下来一样。不知道是不是还有某个我不了解的原因，不然菲尔迪为何故意让这个年轻人感到窘迫，并从中获得一种恶意的快感。后来我们回到了楼上，为了缓和气氛，我邀请菲尔迪为我们弹奏钢琴曲。菲尔迪弹奏了三四首华尔兹舞曲，指法一如当年那般轻盈，曲调也恰似当年那般欢快。接着他转身看向乔治。

“会弹钢琴吗？”他问。

“会一点儿。”

“要不要来弹一曲？”

“可是我只会弹古典乐，估计你也没有什么兴趣。”

菲尔迪微微笑了笑，没有坚持。这时我表示自己是时候告辞了，乔治随我一起离开了。

“好一个恶心的犹太老头，”我们刚走到街上，他就说，“我真讨厌他讲的那些故事。”

“那可是他的看家本领，每次都会表演一番。”

“如果你是犹太人，你会这样做吗？”

我耸了耸肩。

“话说你最后怎么还是过来吃午饭了呢？”我问乔治。

他咯咯地笑了笑。这是一个无忧无虑、有幽默感的年轻人，就算被舅公惹得有些恼火了，也很快就摆脱了这种情绪。

“他去见了我奶奶。你应该还没见过我奶奶，是吧？”

“没见过。”

“她现在还把爸爸当成在伊顿上学的小屁孩儿。奶奶说我应该和舅公菲尔迪一起吃顿午饭，我们家奶奶说了算。”

“我明白了。”

在一两周后，乔治去了慕尼黑学德语。我碰巧也出了趟远门，直到第二年春天才回到伦敦。回来后不久，在一次晚宴上，我发现缪丽尔·布兰德就坐在旁边，于是问了问乔治的近况。

“他还在德国。”她说。

“我在报纸上看到，为了庆祝乔治成年，你们打算在蒂尔比举办一场盛大的招待会。”

“就是设宴招待一下佃户，好让他们认识一下乔治。”

缪丽尔不像平时那么充满活力，不过我也没太在意，她一直是个大忙人，可能是累了。我知道她喜欢聊自己的儿子，便继续说：

“乔治在德国应该过得很不错吧？”

她一直没吭声，于是我瞄了她一眼，惊讶地发现她眼里满是泪水。

“只怕乔治是疯了。”她说。

“这话是什么意思？”

“我们这阵子都愁坏了，弗雷迪大发雷霆，甚至提都不愿意提起这件事情。我真不知道接下来该怎么办了。”

第一个出现在我脑海里的念头，自然是乔治跟被送去德国学语言的英国青年一样，他们大多住在寄宿家庭里，爱上了那家的女儿，想娶她为妻。有一种强烈的预感告诉我，布兰德夫妇肯定是要为乔治挑选一个家世相当的妻子。

“怎么了，发生什么事情了？”我问。

“他想当钢琴家。”

“当什么？”

“当一名职业钢琴家。”

“他怎么会有这种想法？”

“天知道。之前一点儿征兆都没有，大家都以为他在忙着准备考试。后来我过去看望他，只想着他应该一切都好。天哪，以前那么光鲜亮丽的一个人，如今可都成什么样子了，我差点儿都哭了。他说他不会去参加考试，一开始就没这个打算。他之所以提出要学外交，就是想让我们把他送到德国，这样他就能学音乐了。”

“他有这方面的天赋吗？”

“这不重要，就算他有帕岱莱夫斯基[1]那样的天

1　帕岱莱夫斯基（1860—1941），波兰著名的钢琴家、作曲家。

赋，我们也不可能让他去全国各地办钢琴演奏会。我是一个有艺术品位的人，弗雷迪也一样，没有人能否认这一点。我们都热爱音乐，也结交了许多艺术家，但乔治以后是干大事的人，不可能去当一名钢琴家。我们一心只想让他进议会，总有一天他会很有钱，到时候没有什么他得不到的东西。”

“这些话你跟他说了吗？”

“当然说了，可他只是一笑了之。我说他的父亲会心碎的，他说父亲还可以依靠哈里。我当然也爱哈里，那孩子是个机灵鬼，但我们都知道他以后是要接手家族生意，就算都是儿子，我也清楚哈里其实不具备乔治拥有的那些优势。你知道乔治是怎么跟我说的吗？他说只要父亲能每周给他五英镑的生活费，他可以把一切都留给哈里，让哈里来当继承人，所有的一切，包括准男爵爵位都让给哈里。这实在太荒唐了。他说既然罗马尼亚的王储连王位都可以放弃，[1]那他自然也可以放弃准男爵的爵位。可他就是不能这么做，他无论如何都会是第三代准男爵。如果弗雷迪被授予了贵族爵位，那在他去世后也只会由乔治来继承。你知道吗，乔治甚至想换掉布

1 罗马尼亚的卡罗尔二世曾两次为情人放弃王位。

兰德这个姓氏，改成一个可怕的德国姓氏。”

我忍不住问了问是哪个德国姓氏。

“好像是布莱克格尔。”她说。

这个名字我有印象，我记得菲尔迪曾跟我说过，汉娜·拉本斯坦嫁给了阿尔方斯·布莱克格尔，那人后来成了阿尔弗雷德·布兰德爵士，也就是第一代准男爵。这件事情太奇怪了。我很好奇在这短短的几个月里，那个有魅力的典型英国式男孩儿身上究竟发生了什么事情。

“回家后我自然将这一切都告诉了弗雷迪，他气坏了，我从没见过他这么生气，骂得唾沫星子横飞。他发电报让乔治立刻回来，但乔治回电报说他要忙工作回不来。”

“他在工作？”

“从早做到晚。这也是最让人生气的地方，他这辈子都没干过什么活儿，弗雷迪以前常常说他生来就是享福的。”

“嗯。”

“接着弗雷迪又发了封电报，说乔治如果不回来，就会停了他的生活费。乔治回了封电报说‘那就停吧’。这句话就像是最后一根稻草。你不知道弗雷迪真生气了会是什么样子。”

我知道弗雷迪继承了一大笔财产，也知道他让这笔财产增长了不少。我能想象得到，在这位蒂尔比乡绅和蔼可亲的外表下，一定藏着一副冷酷无情的企业家面孔。他已经习惯了凡事都按自己的心意来，我相信他一旦被惹毛了，肯定会变得强硬而冷酷。

“在此之前，我们每次都会给乔治一大笔生活费，但你也知道这孩子向来有多挥霍。我们都觉得他坚持不了多久，事实也是如此，不到一个月他就写信给菲尔迪，说要借一百英镑。菲尔迪找到了我的婆婆，你知道，也就是他姐姐，问她这是怎么了。虽然已经有二十年没说过话了，但弗雷迪还是去见了菲尔迪，求他一分钱都不要借给乔治，菲尔迪答应了。我都不知道乔治这段时间是怎么维持生计的。我知道弗雷迪这样做没错，但我就是忍不住会担心。要不是亲口向弗雷迪保证过，我肯定会在信封里偷偷塞几张钞票，以防有什么意外。我的意思，他万一正在饿肚子呢，光是想想就觉得可怕。”

“让他体验一下缺钱的日子也没什么坏处。”

“你知道吗，如今还有一个大麻烦。我们为他的成年礼做了各种准备，几百张请帖都发出去了。可乔治突然说他不回来了，我整个人都乱了。我写了信，发了电报，要不是弗雷迪不许，我早就跑到德国去了。事实上，我已经算是低声下气地在求他了，求他不要让我们陷入那么难堪的境地。我的意思是，出了这样的事情不好跟人解释。这时我婆婆出手了。你还不认识她吧？那可是一位了不起的老太太，你绝对想不到她竟然是弗雷迪的母亲。她原来是德国人，不过家境不错。”

“是吗？”

“说实话我都有点儿怕她。她和弗雷迪商讨了一番，然后亲自写了封信给乔治。信上说，要是乔治能回家过自己的二十一岁生日，她就会为他还掉在慕尼黑欠下的所有债务，而且全家人都会耐心地听他说说自己的想法。乔治同意了，下周就回来，只是不知道具体是哪天。但实话跟你说，我对此并不是很期待。”

她深深地叹了口气。晚宴过后众人上了楼，弗雷迪也和我聊了聊：

“我看到缪丽尔跟你说了乔治的事情。那个该死的臭小子！我对他已经没有耐心了，他竟然想把弹钢琴当职业，简直一点儿绅士风度都没有。”

“你也知道，他还很年轻。”我安慰道。

“他以前生活得太轻松了，是我太惯着他，他要什么就给什么，这回就要让他吃吃苦头。”

布兰德一家在做宣传时向来谨言慎行，我从报纸上了解到，他们按照英国乡绅家庭的习惯，在蒂尔比为乔治举办了一场二十一岁的生日宴会。在那场宴会上，贵族们参加舞会，佃户们则在草坪上的帐篷里边吃点心边跳舞。乐队是专门从伦敦请来的，耗资不菲。画报上的照片是乔治被家人簇拥在中间，手上展示的是佃户们送给他的银质茶具。他们原本打算请画师为乔治画一幅肖像画，但因为乔治人不在国内，巧妇也难为无米之炊，于是就将礼物替换成了茶具。我在八卦记者写的专栏上看到，乔治的父亲送了他一匹猎狐马，母亲送了一台可以自动更换唱片的留声机，奶奶布兰德夫人送的是一套《大英百科全书》，舅公菲尔迪·拉本斯坦送的是佩莱格里诺·达·蒙德纳画的《圣母与圣子》。不难发现这些礼物都很笨重，也没法轻易兑换成现金。既然菲尔迪也出现在那场宴会上，我可以断定乔治这次的怪异行为，促进了父亲和舅公的和解。我猜得没错，菲尔迪一点儿也不想让自己的外甥孙成为一名职业钢琴家。只要一有迹象表明家族荣誉可能要受到损害，整个家族都团结起来，形成了一个对抗乔治的阵线。因为我当时不在现场，只能通过零零碎碎的消息来推断生日宴会结束后发生了什么事情。菲尔迪告诉了我一些事情，缪丽尔也说了一些事情，后来又听乔治描述了那天的情况。布兰德夫妇一味地沉浸在自己的想象里：等乔治回到家，重新成为万众瞩目的焦点，周围都是荣耀和光辉，他也就再次亲身体会到能继承这样一份产业到底意味着什么，到时他自然就会让步了。于是他们开始用爱感化乔治，处处迎合他的心意，对他说的话视若珍宝。他们觉得只要对乔治关怀备至，那么按照乔治善良的性格，他就狠不下心来伤害他们。他们似乎都认定了乔治不想再回到德国，言谈间都在筹划他的未来。乔治的话不多，心情似乎也不错。他在家也没有碰过钢琴，事情看上去进展不错。这个近来冲突不断的家庭终于又恢复了平静。接下来有一天在吃午饭时，聊起了下周全家人都受邀去参加的那场花园派对，这时乔治愉快地说道：

“不要把我算进去，我就不去了。”

“乔治，为什么不去呢？”他母亲问道。

“我必须回去工作了。我周一出发去慕尼黑。”

气氛顿时安静得可怕。每个人都想找点儿话说，但又怕说错话，众人最终也没有打破这个沉默的局面，午餐在一片寂静中结束了。随后乔治去了花园，其他人包括布兰德老夫人、菲尔迪、缪丽尔和阿道弗斯爵士，则回到了早餐室，他们要开一个家庭会议。缪丽尔哭了，弗雷迪气得暴跳如雷。不一会儿他们听到有人在客厅弹奏肖邦的夜曲，那人自然是乔治。这就好像既然已经宣布了自己的决定，他就可以通过自己热爱的乐器来获得慰藉、平静和力量。弗雷迪猛地站了起来。

“把那个噪声给我停下来，”他大吼道，“我是不可能让他在我房子里弹钢琴的。”

缪丽尔摇铃唤来一位仆人，让他去传一句话。

“告诉布兰德先生，老夫人头疼得厉害，可以的话请他不要弹钢琴了。”

最后他们让老于世故的菲尔迪去和乔治聊一聊，只要乔治愿意放弃成为钢琴家的想法，菲尔迪就有权做出某些承诺。如果乔治不愿意从事外交工作，弗雷迪也不会强迫他，但只要他肯竞选议员，家里会负担所有的竞选费用，还会在伦敦给他安排一套公寓，然后每年提供五千英镑的生活费。不得不说这提议确实很慷慨。不知道菲尔迪是怎么跟那位年轻人说的，估计是在描述拥有这样一笔收入的年轻人在伦敦可以过什么样的日子，我相信菲尔迪肯定将那一切描述得十分诱人，但最后还是徒劳无功。乔治只要求他们不要打扰他，每周给他五英镑，让他可以继续自己的学业。他一点儿都不在意日后能够到达什么样的地位，他不想打猎，不想射击，不想成为国会议员和百万富翁，不想成为准男爵，也不想当一名贵族。菲尔迪碰了一鼻子灰，一时恼怒不已。

晚餐后，众人又陷入了激烈的争论。弗雷迪是个急性子，习惯了他人的顺从，这次他向乔治展示了自己说话毫不客气的那一面。我猜他当时举止肯定非常粗暴，试图对他的粗暴加以阻止的女士也被他凶得不敢吭声。这或许是弗雷迪生平第一次忤逆他的母亲。乔治没有妥协，一直沉着脸不说话。他已经下定了决心，父亲喜不喜欢都不重要。弗雷迪当时很专横，不许乔治回德国。乔治则回答说他已经二十一岁了，凡事可以由自己做主，愿意去哪儿就去哪儿。弗雷迪发誓一分钱也不会给他。

“没问题，钱我可以自己挣。”

“就凭你！你这辈子干过什么活儿？你打算怎么挣钱？”

“把旧衣服卖了。”乔治咧嘴一笑。

所有人都倒吸了一口气，被吓了一跳的缪丽尔甚至说出了一句蠢话：

“就像个犹太人那样？”

“怎么了，难道我不是个犹太人吗？难道你和爸爸都不是犹太人吗？我们都是犹太人，每一个都是，这一点所有人都知道，就算假装不是犹太人又有什么用呢？”

这时一件可怕的事情发生了：弗雷迪突然大哭起来。他那时的表现恐怕一点儿也不符合自己身份——他是阿道弗斯·布兰德爵士，是一位准男爵，是一名国会议员。他一直渴望能成为一名优秀的英国传统绅士，可这时的他只是情绪激动的阿道弗斯·布莱克格尔，他爱自己的儿子，正在哭泣的他已经顾不上任何颜面了，因为他寄予在儿子身上的所有厚望都落空了，一生的理想也就此破灭了。弗雷迪一边号啕大哭一边扯着胡子捶胸顿足。然后他们都哭了起来，布兰德老夫人哭了，缪丽尔哭了，菲尔迪抽噎着擦去脸上的泪水，就连乔治也在哭。这样的场面实在叫人难过，但按我们粗犷的盎格鲁-撒克逊人的脾气来说，这恐怕也有些荒唐可笑了。他们就自顾自地哭着，谁也没有安慰谁，最后众人就这样散了。

但局面并没有因此改变，乔治依然固执己见，父亲不肯再跟儿子说话。家里又发生了几次不愉快的争吵。缪丽尔想引起乔治的同情心，但他对她的哀求充耳不闻，他似乎压根儿不在意母亲会不会因此而心碎，也不在意父亲是不是为此感到痛苦。菲尔迪想以一位运动家的身份和自己多年的生活阅历来打动他，可乔治却表现得很无礼，甚至都算得上是人身攻击。布兰德老夫人用低沉粗哑的德国口音和他讲道理，但他根本不听劝告。不过这位老夫人最后还是找到了解决的办法。她表示要是乔治在钢琴上没有天赋，那把这些已经捧到他面前的美好事物再丢弃掉就说不过去了。这番话得到了乔治的认同，不过他自然是觉得自己有钢琴天赋，但是不能光听他说。何况当一个二流钢琴家也没什么意思，他必须是一名钢琴天才，这样才站得住脚，这也是唯一能说服大家的理由。如果他真的是钢琴天才，家里人就没有权利阻挠他了。

“你不能期望我现在就能把天赋展现出来，”乔治说，“得让我先练几年。”

“你确定做好心理准备了吗？”

“这是我这辈子唯一的愿望，我会拼命练习的。我只希望你们能给我一次机会。”

这就是老太太的提议。他父亲执意什么都不给他，但家里人显然不会让这孩子去挨饿。乔治之前提过每周给他五英镑，行，这笔钱就由她来出。乔治可以回德国再学两年钢琴，但两年之后他必须回来，他们会找一个专业且公正的人来评判他的琴技，如果那个人表示乔治有实力成为一流的钢琴家，那么家里人从此不会再阻拦他，还会为他创造有利条件，帮助他，鼓励他。但话说回来，如果那个人觉得乔治的天赋不足以让他获得最终的成功，他必须遵守承诺，彻底放弃成为职业钢琴家的念头，并努力去实现父亲的期望。乔治简直都不敢相信自己的耳朵。

“你说的是真的吗，奶奶？”

“当然。”

“可父亲会同意吗？”

“他会同意的。”老夫人回答道。

乔治一把抱住自己的奶奶，激动地亲了亲老夫人两侧的脸颊。

“您真好！”他喊道。

“啊，可你能保证做到吗？”

他以自己的名誉郑重向老夫人承诺，会严格遵守这项约定。两天后乔治就会回德国。虽然父亲不情愿，但还是答应了让乔治离开——事实上他也拦不住，不过他最终也不愿和儿子和解，乔治走的时候他没有去送别。

在我看来，他无论如何也不该让自己这么痛苦。请容许我再说句老生常谈的话：明明人们在这个可怕而冷酷的世界中居住的时间是那么短暂，却还在想方设法给自己找不痛快，真让人难以理解。

乔治也有一个要求，在他练习的这两年里，家里人都不能过去探望他。所以在乔治即将回国的前几个月，当缪丽尔听说我要去维也纳办点事情，会经过慕尼黑时，她顺理成章地提出了让我去看看乔治的请求，她迫不及待想知道乔治的第一手信息。缪丽尔给了我乔治的地址，然后我又提前写了信给乔治，告诉他我要在慕尼黑待一天，请他一起共进午餐。我到达酒店后才发现乔治的回信早就寄到了，信上说他一整天都要工作，没时间共进午餐，但如果我愿意六点左右到他工作室去的话，他会带我进去看一看，如果我晚上有时间的话，两人也可以一起聚一聚。六点刚过我就去了他给我的地址，他住在一个大公寓楼的二楼，刚走到门口我就听到了钢琴声。我按了门铃，琴声停了，乔治过来开了门。我几乎都认不出他来：他现在变得特别胖，头发也留得很长，浓密的鬈发就那样凌乱地盘在一起，而且肯定有三四天没刮胡子了。乔治穿着一件网球衫、一条脏兮兮的阔腿裤和一双拖鞋。他看上去也不是很干净，指甲周围都是黑黢黢的。上一次见他时他还是一个穿着整洁、身材苗条的文雅青年，穿着一身漂亮的衣裳，这样的变化实在太惊人了。我忍不住想，要是菲尔迪见到他如今的样子该有多震惊呢。工作室很宽敞也很空荡，墙上挂着三四幅没有装裱的立体主义油画，此外还摆着几把破旧的扶手椅和一架大钢琴。房里的书、旧报纸、艺术杂志扔得到处都是，整个房间又脏又乱，还散发着一种发霉的啤酒和香烟的味道。

“你一个人住在这儿？”我问。

“是啊，请了一个女的每周过来打扫两次，不过我都是自己做早饭和中饭。”

“你会做饭？”

“我中午就吃些面包和奶酪，晚上会去小酒馆喝一杯。”

发现他其实很乐意见到我，这让我也觉得很愉悦。他看上去精神很好，心情也不错。他关心地问了问家人的近况，随后我们又聊到了许多事情。他一周上两次课，其他的时间都是自己练习。他告诉我他每天要工作十个小时。

“这可算得上是个大改变。”

他笑了笑。

“爸爸说我天生就是个没有耐性的人，我其实不是懒，只是觉得没必要在不感兴趣的事情上浪费精力。”

我问他钢琴练得怎么样了，他似乎对自己的进步很满意，我就请他为我弹一曲。

“这会儿可不行，我已经弹了一天了，累得不行。我们先出去吃个饭，等会儿回来再给你弹一曲。我一般都是去同一家餐馆，那儿有几个我认识的学生，相处起来挺有意思的。”

随即我们就出门了，他穿上了鞋袜和一件很旧的高尔夫外套。我们一起走在宽阔而寂静的街道上。那是一个凉爽的夜晚，他的脚步也非常轻快，环顾四周后他高兴地叹了口气。

“我爱慕尼黑，”他说，“世界上只有这座城市连空气都散发着艺术气息。说到底，艺术才是唯一重要的事情，不是吗？一想到要回家我就觉得反感。”

“恐怕你还是照样要回去。”

“我知道，我会回去的，但现在还没到回去的日子，到时候再说也不迟。”

“恕我直言，回去前不妨先去剪下头发，你现在的艺术气息太强了，反而没有说服力。”

“你们英国人就是太俗气了。”他说。

他带着我进了巷子里的一家餐馆，餐馆挺大，虽然时间还早，但已经坐满了客人，里面的布置有着浓重的德国中世纪时期的风格。继续往里走，有一张铺着红布的桌子，是乔治和他朋友预订的。我们到的时候，那儿已经坐了三五个年轻人了。其中一个是学习东方语言的波兰人，一个是哲学专业的学生，一个是位画家（我猜乔治那几幅立体派画作的作者就是他），还有一个是瑞典人，另外还有位年轻人名叫汉斯·莱廷，他自我介绍时两脚脚跟咔嗒一声合并在一起，像立正敬礼一样，称自己是诗人汉斯·莱廷。这群年轻人最大也不过二十二岁，我在这儿显得有些格格不入。我发现他们都会用"du[1]"称呼乔治，而乔治的德语也特别流利。我是很久没说过德语了，确实有些生疏，他们聊得很热闹，我的话却不多，不过倒是听得很开心。他们吃得很少，但是喝了很多啤酒。他们聊艺术、聊女人，一个个都很有革命精神，快乐而诚挚。他们看不起的都是些你曾听说过的人，唯一能让他们都认同的一点是：在这个混乱不堪的世界里，只有庸俗之人才有希望获得成功。在讨论技术要点时，气氛格外热烈，他们互相反驳，甚至会大声叫嚷，说些下流话。他们都玩得特别开心。

大概十一点的时候，我和乔治又回到了他的工作

1 "du"在德语中是"你"的意思，是比较亲近的人之间用的词。

室。在慕尼黑这座城市，人们玩乐的方式都很含蓄，除了玛丽恩广场那一带，其他的街道都已经变得空旷安静下来。进屋后乔治脱下了外套，说：

“现在我可以为你弹钢琴了。”

我坐在其中一个破旧的扶手椅上，屁股下硌着一个断了的弹簧，不过我还是尽量让自己坐得舒服些。乔治弹奏的是肖邦的曲子，我对音乐知之甚少，这也是为什么我会觉得这个故事写起来很困难。去“女王大厅[1]”参加音乐会时，每次到了幕间休息读节目单时，我就像是在听天书一样。我对和声和复调一窍不通。有一次我到慕尼黑参加“瓦格纳节”，当时有一场精彩的歌剧表演——《特里斯坦与伊索尔德》[2]，里面的音符我一个都没听进去，我永远也忘不了我有多羞愧。开头的几个音乐小节就让我想起了自己正在写的故事，笔下的那几个人物顿时像是活了过来，我能听到他们之间的对话，也能感受到他们的快乐和痛苦；时光荏苒，我经历了各种各样的事情，春天给我带来了喜悦，冬日里我又冷又饿，故事里的我爱过也恨过，最后也走向了生命的

1　伦敦著名的音乐厅，建于1893年，在1941年被德军炸毁。

2　讲述的是康沃尔郡骑士特里斯坦与爱尔兰公主伊索尔德之间的爱情故事。

终点。中间有好几次幕间休息，我应该是去了花园转了转，可能还吃了面包夹熏猪肉[1]，喝了啤酒，不过这些我都没印象了。我只记得在最后一幕的帷幕落下来的时候，我一下子就惊醒了。刚刚那段时光确实很美好，可跑了这么远，花了这么多钱，却没有用心观赏节目，我不禁觉得自己太蠢了。

乔治弹奏的大部分曲子我都知道，都是音乐会上熟悉的曲目。乔治弹钢琴时兴致很高，随后又弹了贝多芬的《热情奏鸣曲》。在遥远的青年时代，我弹钢琴时（琴技很差）也弹过这首曲子，直到现在我都记得里面的每一个音符。当然这首曲子也很经典，是个了不起的作品，这是不容置疑的事实，不过那一夜我完全没有感到这首曲子的魅力。就像《失乐园》[2]一样，虽然文藻华丽，却死板无趣。乔治弹奏这首曲子时情绪特别高昂，满头都是汗。但听上去总感觉有什么不对劲，一开始我怎么也想不明白是哪里有问题，后来发现他的两只手不

1　原文为德语。

2　英国政治家、学者约翰·弥尔顿创作的史诗。《失乐园》讲述诗中叛逆之神撒旦，因为反抗上帝的权威被打入地狱，却毫不屈服，为复仇寻至伊甸园。亚当与夏娃受被撒旦附身的蛇的引诱，偷吃了上帝明令禁吃的知识树上的果子。最终，撒旦及其同伙遭谴全变成了蛇，亚当与夏娃被逐出了伊甸园。

太同步，高音和低音之间有极其轻微的间隔。需要再说一遍的是，我在音乐上就是个外行。让我困惑的这一点可能只是因为乔治今晚喝了太多啤酒，甚至也可能只是我的臆想。我将自己能想到的赞美之词都告诉了乔治。

“当然，我也知道自己还需要勤加练习，我现在只是个初学者，不过我知道我能做到的，我有这种直觉。再给我十年，我一定能成为一名钢琴家。”

他有些累了，于是起身离开了钢琴。当时已是过了午夜，我打算告辞离开，可他不肯让我走，反而又开了几瓶啤酒，点上了烟斗。他想继续聊聊天。

“你在这儿过得开心吗？”我问他。

“非常开心，”他正色道，“我希望能永远留在这儿，我这辈子都没这么高兴过。就好比今晚，难道不是玩得很痛快吗？”

“的确很有趣，但一个人不可能一直过学生般的生活。你的这些朋友终究会变老、会离开。”

“但还会有其他人过来，这里一直都会有学生，或者是像学生的人。”

“话是没错，但是你也会变老，有什么比一个过大学生活的中年男人更可悲呢？一大把年纪了非要跑到年轻人里面装青春，还自欺欺人地觉得他们会像接纳同龄人一样接纳自己，这样的人也太可笑了，不能做这种事。”

“只有在这儿我才觉得自由自在。我那可怜的父亲只想让我成为一名英国绅士，一想到这儿我就起鸡皮疙瘩。我不擅长运动，对打猎、射击和打板球也是一点儿兴趣都没有，只是做做样子而已。”

“可你装得很自然。”

“直到来到慕尼黑，我才知道那些都不是真的。我喜欢伊顿，在牛津的日子也过得丰富多彩，尽管如此我依然知道自己不属于那里。可我演得还算不错，因为我的血液里就有演戏的天赋，但我总感觉心里空空的。虽然格罗夫纳广场[1]上的房子拥有永久产权，父亲又为蒂尔比的房子花了十八万英镑；不知道你能不能明白我的意思，我总感觉这些房子只是装修好了给我们住一段时间，真正的房主说不定哪天就回来了，到时候我们都得卷铺盖走人。”

我听得很认真，暗自思索这番话有多少是他当时隐约感受到的，又有多少是他在新环境中受到启发所想象出来的。

---

1 位于伦敦西部，在二战之前是英国最时髦的区域之一。

“我以前很讨厌听菲尔迪舅公讲那些犹太故事，觉得那样做真的很过分。现在我明白了，那是一个疏导情绪的好办法。我的天哪，当一个社交名人可真不容易！我父亲要轻松一些，他也就是在蒂尔比要扮演一个英国绅士，回到城里又能做回自己了；倒不用担心他。我已经卸了妆，脱了戏服，终于也能做真正的自己了。可算是松了一口气！你知道吗，我不喜欢英国人，跟你们在一起的时候我整个人都是浑浑噩噩的。你们既无趣又古板，从来不肯放松自己。你们没有什么自由可言，没有那种灵魂的自由，你们都太紧张了，生怕自己做错什么。”

“别忘了你也是个英国人，乔治。”我咕哝了一句。他笑了起来。

“我？我可不是英国人。我血管里没有一滴英国人的血液，你也知道我是一个犹太人，而且是一个德裔犹太人。我不想当英国人，只想当一个犹太人。我的朋友也都是犹太人，你都不知道我跟他们在一起时有多自在，我可以做真正的自己。在家的时候，大家都想尽办法避开犹太人这个话题。妈妈以为自己有头金发就可以若无其事地假装自己是个非犹太人，算了吧！你知道吗，每次去慕尼黑的犹太人区里闲逛，光是看着他们都特别有意思。我去过一次法兰克福，那里有许多犹太人，我四下走走转转，看着那些长着鹰钩鼻的脏老头，看着那些戴着假发的胖女人，我能感受到自己对他们有一种深深的同情，只觉得自己也属于那里，很想上前亲吻他们。他们看着我的时候，我很好奇他们有没有看出来我也是他们的同胞。我真希望自己会意第绪语；我想跟他们交朋友，去他们家吃符合犹太教教规的食物，还有许多诸如此类的事情。我还想过去犹太教堂，但又怕会做错事被赶出来。我喜欢贫民区的味道，也喜欢那种生命的感觉，灰暗又神秘，肮脏又浪漫。这种渴望我是永远都忘不掉了，那才是真实存在的，其他的一切都是虚妄。”

“你父亲会为此伤心透了的。”我说。

“我和他总有一个人要伤心，他为什么就是不肯放我走呢？哈里不是还在吗？他愿意在蒂尔比当乡绅，也愿意成为一名英国绅士，这不用怀疑。你知道吗，妈妈一心想让我娶一个基督徒，这也可以让哈里去实现，他会愿意接受那些老牌的英国家庭。毕竟我要求的真的不多，一周给我五英镑。那些头衔、庄园、庚斯博罗的画作，以及其他所有的那些小玩意儿，可以都留给他们。”

“可事实上你以自己的名誉发过誓，两年一到还是要回去。”

“我会回去的，”他的语气有些忧伤，“莉亚·玛卡特已经答应了会来听我弹琴。”

“如果她说你不行，你会怎么办？”

“一枪打死我自己。”他笑嘻嘻地说道。

“说什么胡话。”我也笑嘻嘻地回应道。

“你在英国会有家的感觉吗？”

“没有。”我说，“不过我在其他地方也没有家的感觉。”

然而，他对我的事其实没什么兴趣。

“光是想到要回去我就厌烦。既然都知道了生活能给予我什么，那我无论如何都不会去当一个英国乡绅了。我的天，那实在太无趣了。”

“钱是个好东西，而且我听说，当个英国贵族也是件挺不错的事情。”

“钱对我而言没有意义，我想要的东西用钱买不了，而且我正好也不是一个势利的人。”

夜越来越深，我第二天还得早起。我觉得也没必要把乔治说的话太当真。年轻人忽然与画家和诗人结交，很可能会迷上这种荒谬的言论。艺术是瓶烈酒，酒量好才不容易醉。神圣的火焰只有在试图用常识来平息怒火的人那里烧得最旺。归根结底，乔治现在还不到二十三岁。时间会让他慢慢懂事的。反正该说的也说了，该做的也做了，他的未来也用不着我来操心。我跟他道了别，走路回酒店。冷漠的夜空中闪耀着繁星点点。第二天一早我就离开了慕尼黑。

后来回到伦敦，不管是乔治和我聊天的内容，还是乔治那时的模样，我都没有跟缪丽尔说。我只是向她保证乔治现在一切都好，很开心，工作也很努力，过着高尚而朴素的生活。又过了六个月，乔治回家了。缪丽尔邀请我去蒂尔比过周末。菲尔迪会接莉亚·玛卡特来听乔治弹琴，他特别希望我也能在场。我接受了邀请，缪丽尔在车站接我。

“你觉得乔治状态怎么样？”我问。

“他现在很胖，但看上去精神很好。我觉得他这次是愿意回家了，在他父亲面前态度也很温和。”

“这是个值得高兴的消息。”

“天哪，真希望莉亚·玛卡特会觉得他琴艺不怎么样，那样我们都可以松一口气了。”

“那恐怕乔治会非常失望。”

“生活中充满了失望。”缪丽尔回答得很干脆，

“每个人都得学会面对它们。”

我被她逗笑了。当时我们坐在一辆劳斯莱斯里，车厢里还有一名司机和一个男仆。缪丽尔戴着一条价值五万英镑左右的珍珠项链。我想起来，英王在自己的生日宴会给三个人授予了贵族头衔，但其中并不包括阿道弗斯·布兰德爵士。

莉亚·玛卡特只能待一会儿，那天晚上她会在布莱顿演出，周日早上乘车来蒂尔比吃顿中饭，然后当天就要赶回伦敦，她周一在曼彻斯特还有场音乐会。因此乔治会在周日下午弹琴给她听。

“他练得很刻苦，”他母亲说，“所以才没跟我一起过来接你。”

车子从庄园的大门拐进去，然后顺着一条气派的林荫道一直往前开。这条林荫道直通房子，两旁栽满了榆树。我发现这里不像是要举行派对。

这是我第一次见到布兰德老夫人。我之前就一直想见见她，想象中的画面或许稍显夸张：一位独自住在波特兰大街的豪宅的犹太老夫人，以专横的方式管理着整个家族，事无巨细。她本人也没有让我失望，仪态威严，身材高大，但并不胖。光看长相就知道她是希伯来人，嘴唇边的汗毛很重，戴着一顶闪耀着怪异金属光泽的棕色假发。她穿着华贵的黑色锦缎衣服，胸前有一排镶着钻石的大五角星，脖子上戴着一根钻石项链，布满皱纹的双手上也戴了几个钻石戒指。她的声音有些刺耳，带着浓重的德国口音。当他们向她介绍我时，她一直用那双闪亮的眼睛看着我。她很快就对我下了结论，根据我的观察，她对我做出了负面的判断，而她甚至都没有试着隐瞒这一点。

“你跟我弟弟菲尔迪认识很多年了，是吗？”她每次说的R这个字母，都是喉咙里传出来的舌音，“菲尔迪向来都是跟上层人士打交道。阿道弗斯爵士去哪儿了？他知不知道客人已经到了？你去把乔治喊过来吧，如果他到现在还不熟悉曲子，明天也不用弹了。”

缪丽尔解释说，弗雷迪要先和秘书打完这一轮高尔夫球，而她之前就告诉过乔治我已经到了。布兰德老夫人似乎并不是很满意缪丽尔的回答，于是再次转过来和我说话：

“我儿媳说你去过意大利？”

“是的，我刚从那儿回来。”

“那是个美丽的国家，国王最近怎么样？”

我说我不知道。

“我认识他的时候他还是个孩子，他那时身子不是很强壮。我和他的母亲玛格丽塔王后是好朋友。他们都觉得他永远不会结婚，他爱上了黑山公主，奥斯塔公爵夫人知道后可是气坏了。”

她似乎属于某个早已逝去的年代，但依旧思维敏捷，我想任何事情都逃不过她雪亮的眼睛。弗雷迪很快就进来了，穿着一身漂亮的高尔夫球服。这个胡子都发白了的男人向来有些专横，但在老太太面前却表现得恭恭敬敬，这一幕不仅有趣也有些感人。他像小孩子一样称呼母亲为妈咪。接着乔治也进来了，他还是跟上一次一样胖，不过他还是听了我的建议，将头发剪了；他脸上的稚气正在渐渐褪去，但依然是一个身强力壮的年轻人。看乔治吃点心吃得那么高兴你也会很欢喜，他吃了很多三明治和大块的蛋糕。他依然跟年少时一样有着好胃口。他父亲带着温柔的微笑看着他，只要看一眼乔治，就一点儿也不会惊讶他们怎么都这么挂念他。乔治身上带着一种聪明劲儿，一种亲和力和热情，是那么讨人喜欢。而他的言谈举止又是那么自然大方、那么坦诚真挚，人们不自觉就会对他产生好感。我不知道是不是因为祖母暗示过，还是出于他本身的善良，总之他很明显是想尽办法在讨好自己的父亲；从他父亲那温柔的眼神，那副全神贯注听儿子讲话的模样，那快乐、骄傲和幸福的表情中，你可以感受到父子关系疏离的这两年给他带来了多大的痛苦，他实在太爱乔治了。

上午我们打了场高尔夫球赛，是场三球赛，缪丽尔因为要去参加弥撒，所以不在。下午一点，菲尔迪坐着莉亚·玛卡特的汽车到了。随后大家一起坐下来用午餐。我自然也听说过莉亚·玛卡特的大名，她是公认的欧洲最优秀的女钢琴家。莉亚·玛卡特和弗雷迪是多年的老朋友，在其演奏生涯的初期，弗雷迪的关注和慷慨给了她很大的帮助。这回也是菲尔迪请她过来评判乔治有没有钢琴天赋。曾经有段时间，我一有机会就会去听她弹钢琴，她的表演毫不做作，就跟鸟儿天生会歌唱一样驾轻就熟。从轻盈的指间流淌而出的清脆音符是那么自然，你甚至会觉得那些复杂的节奏都是她即兴创作出来的。过去常常听人说她的技艺已经达到了炉火纯青的地步了。她的演奏给我带来了许多愉悦，但我也拿不准其中有多少是因为音乐，有多少是因为弹琴的这个人。要是没见过那时候的她，你绝对想象不到世界上竟会有如此灵秀的女子。更让人惊讶的是，这样一位娇小的女子在演奏时又能爆发出那般强大的力量。她身材瘦小，皮肤白皙，眼睛特别大，有着一头飘逸的黑发。最令人心动的是，她一坐到钢琴前就会露出孩子般的惆怅。她在演奏时简直美得不像是凡人，紧闭的双唇上挂着一抹浅浅的微笑，仿佛是忆起了另一个世界的事。但她现在已经四十出头了，不再像之前那般轻盈柔美。她身材变胖了，脸也变宽了，以前那种迷人的空灵感也消失不见了，取而代之的是一连串的成功带来的威严感。莉亚·玛卡特既干练又务实，甚至还有些咄咄逼人。她身上的活力让人觉得有束聚光灯打在她头上，就如同圣人笼罩着一圈圣洁的光环。她其实对他人的事情没多大兴趣，但因为性情随和，懂得人情世故，愿意为此投入精力和时间。她主导了餐桌上的谈话，不过也没有霸占其他人的表达机会。乔治基本上没说话，莉亚·玛卡特时而会快速看他一眼，但没有要把他拉进谈话里的意思。当时在场的只有我是一个非犹太人，除了老夫人之外，所有人都能讲一口流利的英语，但我总感觉他们的发音跟英国人还是有所区别，他们发出来的元音比我们的要更圆润，声音也更响亮一些，每个词不是从唇间落下，而是喷涌而出。我觉得如果我当时是在另一个房间里，或许只能听得出语调，听不清他们具体在说什么，准会以为他们是用外语交流。想到这儿我微微觉得有些不安。

莉亚·玛卡特希望六点左右能出发回伦敦，所以乔治的表演被安排在下午四点。不管试奏的结果如何，她一离开，我就成了这里唯一一个没有血缘关系的外人，肯定会有些碍事。于是我假装第二天一早在城里还有安排，希望莉亚·玛卡特可以带我一程。

快到四点时，我们纷纷踱步走进客厅里。布兰德老夫人和菲尔迪坐在沙发上；我和弗雷迪，还有缪丽尔都坐在扶手椅上；莉亚·玛卡特则下意识地坐在一张詹姆斯国王时期的高背椅上，看上去有点儿王座的味道。她有着橄榄色的皮肤，穿着黄色的长裙，双眼明亮有神，看上去非常漂亮。她的妆化得很浓，嘴唇都涂成了艳红色。

乔治看上去一点儿也不紧张。我随他父母一起进来的时候，他已经坐在了钢琴前。他静静地看着我们落座，甚至还对我露出了一抹浅浅的微笑。见我们都安顿好后，他便开始了演奏。他弹奏的是肖邦的圆舞曲，而这两首我都很熟悉，一首是波罗奈兹舞曲，一首是练习曲。乔治满怀激情地弹奏着这两首曲子。只可惜我不是很了解音乐，没法儿准确地描述他的演奏。他演奏间带着一种力量，带着一种蓬勃的朝气，但我觉得他丢掉了肖邦那种独特的魅力和温柔的感觉，也丢失了不安的忧郁、若有若无的欢喜和一种淡淡的浪漫感——它总是让我不自觉想起某个维多利亚早期的纪念品。我再次体会到了一种模糊到几乎察觉不出的感觉，就是乔治的双手没有完全同步。我看了看菲尔迪，注意到他用略带惊讶的表情看了一眼自己的姐姐。缪丽尔原本一直目不转睛地看着坐在钢琴前的乔治，但她很快就垂下了目光，剩余的时间也都看着地板。弗雷迪一直目光坚定地看着他儿子，可要是我没看错的话，他现在脸色惨白，神情中有种掩饰不住的沮丧。这个家族的血液就流淌着音乐，他们这辈子听的都是世界上最好的钢琴家的演奏，凭直觉就能准确判断一个人的琴艺。莉亚·玛卡特是唯一一个不露声色的人。她听得很认真，像壁龛上的雕像一样一动不动。

乔治终于弹完了，随后他转身面对着莉亚·玛卡特坐着。他没有说话。

“你希望我能告诉你什么？”她问道。

他们互相看着对方的眼睛。

“我希望你能告诉我，我以后有没有机会成为一流的钢琴家。”

“永远都没有那一天。”

客厅里顿时一片死寂。弗雷迪低头看着脚边的地毯，缪丽尔伸手握住了他的手。乔治依然定定地看着莉亚·玛卡特。

“菲尔迪把原委都告诉了我，”她终于说道，“但不要觉得我是受了他们的影响。这一切都算不了什么。”她挥了挥手臂，表示“这一切”里面包括这间富丽堂皇的客厅、客厅里的精美物件，以及我们所有的人。“如果我觉得你确实有成为艺术家的潜质，我会毫不犹豫地劝你为了艺术放弃一切。艺术才是唯一重要的事情。在艺术面前，财富、地位、权力都一文不值。”她神情真挚地看了我们一眼，眼神里没有一丝傲慢，“艺术家才是唯一有价值的人，是我们让这个世界变得有意义，其他人都只是我们的素材而已。”

被归纳在“其他人”这一类里让我多少有些不悦，但眼下还有更重要的事情。

“当然，看得出你很用心在练习，不要觉得那些都白费了，只要会弹钢琴就能给你带来快乐。在欣赏伟大钢琴演奏时，普通人也无法体会到你从中得到的乐趣。看看你的手，那不是钢琴家的手。”

我不由自主地瞄了一眼他的手，之前没有注意到，乔治的手掌胖乎乎的，手指又短又粗，简直让我大吃一惊。

“你的听力也有一点点问题。我觉得你最多也只能成为一个合格的业余琴手。在艺术上，业余和专业之间的差别是无法逾越的。”

乔治没有回应。如果不是看到了他惨白的脸色，大家都还以为他没有在听这番让他梦想破碎的话。接下来的沉默依旧是那么可怕。莉亚·玛卡特的眼睛突然满是泪水。

“但也不要只听我一个人的意见，”她说，“毕竟我也有可能出错。再去问问别人吧。你们也知道帕岱莱夫斯基的琴艺有多好，他为人也慷慨，我会写封信给他，你可以再在他面前弹一次钢琴。我相信他会愿意的。”

乔治露出了一丝微笑。他的修养很好，不管自己心情如何，也不会去为难别人。

“我觉得没这个必要，我愿意接受您的裁定。说实话，我在慕尼黑的老师基本上也是这么说的。”

他起身离开钢琴，点燃了一支烟。气氛稍微缓和了一些，其他人也敢动一动身子了。莉亚·玛卡特对他微微一笑。

“要我为你弹一曲吗？”她说。

“当然，请。”

她起身走到钢琴旁，将手上的戒指都摘了下来。她弹奏的是巴赫的曲子，虽然不知道这些乐曲的名字，但也能感受到法式德国小宫廷里的死板仪式，感受得到普通市民节俭克制的舒适感、村庄草地上的舞蹈、一棵棵像圣诞树一样的树木，感受得到落在宽广的德国乡野上的阳光和温柔的安逸感。我像是闻到了温暖的泥土气息，意识到了某种强大的力量似乎正深深地扎根在大地母亲的怀里，体会到了某种超越时空的永恒力量。她的琴声很美，带着一种轻柔的光辉，能让你想到夏日黄昏的那轮圆月。我还留心观察了一下其他人，发现他们都在忘我地享受这场演奏。他们都听得很入迷，我真希望自己能和他们一样全身心地沉浸在音乐里。莉亚·玛卡特弹完了，她的嘴角上还挂着一抹微笑，接着她戴好戒指。乔治轻笑了一声。

“这下我也可以彻底死心了。”他说。

仆人端来了下午茶，用完茶点后，我和莉亚·玛卡特就跟大家道了别，上了车。开车去伦敦的路上她一直在说话，即使聊得不是那么妙趣横生，她也兴致高昂。她说到自己早年在曼彻斯特的经历，和刚入行时的艰难。这是一个很有意思的人。她甚至完全没有提起乔治，这对她而言就是一件无关紧要的小事，过去了便忘记了。

接下来发生在蒂尔比的事情我们知道得不多。在我和莉亚·玛卡特离开后，乔治来到了阳台上，不一会儿他父亲也走了过来。弗雷迪是这一天的赢家，可他并不是很开心。弗雷迪比一般的女性还要敏感，能够清楚地感受到乔治的痛苦，这让他心都碎了。那时候的他比以往任何时候都更爱自己的儿子。见到父亲过来，乔治微微地笑了笑。弗雷迪的声音都变了。他突然体会到了一种强烈的情感，甚至为此让出了自己的胜利果实。

“听着，小伙子，”他说道，“我实在不忍心见到你这么失望。要不你再去慕尼黑待一年，到时候再看？”

乔治摇摇头。

“不了，去了也没用，你们已经给过我机会了，就到此为止吧。”

“试着想开些。”

“你看，我唯一的梦想就是成为钢琴家。可现在一点儿希望都没有了，想想真是太蠢了。”

乔治努力表现得勇敢些，可笑得却很无力。

“你想不想环游世界？可以找一个你牛津的好哥们儿陪你一起去，费用我包了。你这段时间刻苦练习了那么久。”

“谢谢你，爸爸，这事以后再说吧，我现在就想去散散步。”

“我陪你一起？”

“我想一个人待一会儿。”

接着乔治做了一件奇怪的事情：他伸手搂住父亲的脖子，亲了一下父亲的嘴唇。他露出一个古怪而又有些感动的笑容，便走开了。弗雷迪回到客厅，他的母亲、菲尔迪、缪丽尔还坐在那儿。

“弗雷迪，你也该考虑这孩子的终身大事了。”老夫人说，“他二十三岁了，成了家就不会为这些烦心了，等他结了婚，有了孩子，很快就会像其他人一样安定下来。”

“妈妈，谁适合当他的妻子呢？”阿道弗斯爵士笑着问道。

“这不难，上次弗瑞林豪森夫人带着她的女儿维奥莱特来看望我。那个姑娘人就很不错，她还会有自己的财产。听弗瑞林豪森夫人的意思，如果维奥莉特找的是个好人家，她和她先生雅各布爵士会准备一笔丰厚的嫁妆。”

缪丽尔满脸通红。

“我不喜欢弗瑞林豪森夫人。乔治现在还小，不着急结婚。只要他喜欢，他想和谁结婚都可以。”

布兰德老夫人冷淡地看了一眼自己的儿媳。

“你就是太笨了，米里亚姆。”她喊的是“米里亚姆”，缪丽尔很早之前就不用这个名字了，“只要我还在，就不会让你做蠢事。”

她知道儿媳说这话是什么意思，缪丽尔就是想让乔治娶一个非犹太人，但她也知道，只要自己还活着，不管是弗雷迪还是缪丽尔都不敢提这件事。

但乔治没有去散步，大概是因为狩猎的季节要到了，他突然想去放枪的房间看一看。母亲在他二十一岁生日时送了一把枪给他，去了德国后他就再没用过这把枪，他开始擦拭这把枪。仆人们突然被枪声吓了一跳，赶到枪房后，发现乔治倒在地板上，心脏中了一枪。很显然，乔治在把玩枪支时意外走火射中了自己。我们常常能在报纸上看到这样的意外。

客居他乡

我生性爱四处游历，不为观赏壮观的古迹——看多了会生厌；也不为寻觅美景——走多了会疲惫。我云游四海，只为拜访一些人士。我会避开伟人，不会穿过马路只为瞻仰一眼国王或总统。至于一些作者和画家，能看看他们的作品我就满足了。但我曾走了一百里格[1]去拜访一位传教士，只因听人讲了一段他的奇闻逸事；我也曾在一家简陋的旅馆住了半个月，只为进一步了解某个台球记分员。其实我想说，我遇到任何一类人，都不会感到意外，但有一群人除外。这群人便是某些上了年纪的英国妇人，一般来说，她们的钱都够花，常常独自生

1 旧时长度单位，一里格约等于4.8千米。

活在最令人意想不到的地方。你若听说某人住在意大利某个小镇外的一座山丘上的别墅里，且是这附近唯一一位英国女人，你不会感到意外。当有人指着安达鲁西亚一座偏僻的庄园[1]给你看，你几乎已经在等他告诉你有一位英国妇人在那儿住了很多年。但当你听说在中国某个城里，唯一的白人并不是传教士，而是一位英国妇人，并且谁也不知道她为什么会住在那里，你可能更会觉得意外。你也完全不知道为什么另一位英国妇人居然住在南海的一个小岛上，还有一位竟然住在爪哇腹地某个大村庄外的平房里。她们过着独居生活，没有朋友，也不欢迎陌生人到访。即使她们可能有数月都没有见过自己的族人了，在路上遇见你，她们也不会驻足，而是继续赶路，就像没看见你一样。而且，假如你想着毕竟自己也是英国人，还是主动拜访一下她们为好，她们会拒绝接待你。但是，如果她们愿意接待你，就会用银茶壶给你倒杯茶，用古老的伍斯特盘子给你盛几个苏格兰烤饼。她们会客气地与你交谈，就像在肯特郡某个牧师的住宅里招待你一样，但当你起身告辞时，她们却不会表现出想继续和你来往的强烈愿望。人们总想知道，是什

1 原文为意大利语。

么奇怪的本能驱使她们背井离乡，同亲朋好友分离，在异国他乡定居。她们追求的是浪漫，还是自由？

但在所有我见过或是仅仅听说过的（我之前已经说过，她们不易接近）英国妇人中，我印象最深刻的是一位住在小亚细亚的老太太。经过一段无聊的旅程，我到达一个小镇，打算从那里攀登一座名山。我被带到山脚一家杂乱的旅馆，我到的时候夜已经深了，我在旅客登记簿上签了名，就上楼到房间里去了。天很冷，换衣服时我浑身发抖。不一会儿，有人敲门，导游走了进来。

“尼科利尼太太[1]问候您。”他说。

他递给我一个热水瓶，我又惊又喜，感激地用双手接了过来。

“尼科利尼太太是谁？”我问他。

“这家旅馆的老板。”他回答说。

我请导游代我向她道谢，他就出去了。在小亚细亚一家由一位老妇人经营的小旅馆里，我万万没有想到会提供漂亮的热水瓶。没有什么比这更让我喜欢的了（要不是大家都对战争厌恶至极，我倒是愿意给大家讲讲佛兰德斯被轰炸的时候，六个大男人是如何冒着生命

---

1 原文为意大利语。

危险前往一座城堡，只为取回一个热水瓶）。第二天早上，为了当面感谢她，我便询问是否可以见见尼科利尼太太。过了一会儿，她便进来了。她个子不高，还有点儿发福，却很端庄。她系着一条黑色围裙，上面镶着花边，头戴一顶黑色蕾丝小帽。她双手交叉站在那儿。她的外表让我惊讶不已，因为她看上去像极了英国豪宅的管家。

“先生，是您要见我吗？”她问。

她是英国人。才开口说了一句话，我便听出了伦敦口音的痕迹。

“我想谢谢你给我热水瓶。”我有些困惑地说。

“先生，我从访客登记簿上看到您是英国人，我每次都会给英国绅士送热水瓶的。”

“我敢保证，这可是莫大的惊喜。”

“我在已故的奥姆斯柯克勋爵家干了很多年的活，他外出时总会带上热水瓶。请问您还有别的事吗，先生？”

“暂时没有了，谢谢你。”

她礼貌地点点头便走了。我想知道，像她这样有趣的英国老太太是怎么当上小亚细亚一家旅馆的主人的。想结识她并非易事，因为就像她自己说的，她清楚自己的身份，所以一直跟我保持着距离。毕竟她曾在英国贵族家里干过活，该有的分寸还是很懂的。但是我也很执着，最终还是说服她请我到她的小客厅去喝杯茶。我了解到她曾是某位奥姆斯柯克夫人的侍女，尼科利尼先生[1]（提及自己已故的丈夫时她只会用这个称呼）是主家的厨师。尼科利尼先生长得非常英俊。多年来，他们之间一直有一种“默契”，两人分别攒了些钱就结婚，婚后便不再干服侍的活儿了，四处寻找旅馆，想自己经营。他们是在广告上看到这家旅馆的，因为尼科利尼先生说他想去世界的其他的地方见识见识，于是他们便买下了这家旅馆。那是差不多三十年前的事了，尼科利尼先生已经离世十五年了。他的遗孀一次都没有回去过英国。我问她是不是从不想家。

“我也不是说一点儿都不想回去看看，虽然我想那里已经和我离开的时候大不一样了吧，但我的家人不喜欢我嫁给外国人，从那以后我们就再无来往。当然了，这里有很多东西和家里的不一样，但慢慢习惯后反而会感到惊奇。在这里，我能见到各种人和事。要让我和他们一样，在伦敦那样的地方过单调乏味的生活，我兴许

1　原文为意大利语。

还不乐意呢。”

我笑了，因为她说的话和她的举止实在不相符，她可是个恪守礼仪的人。在这个荒芜、几近原始的国家生活了三十年，她竟丝毫未被影响，这也太不可思议了。虽然我一点儿土耳其语都不会，她说得也很流利，但我确信，她的大部分土耳其语都不准确，还带着伦敦口音。我想，虽然经历了这些起起落落，她依旧是那个一丝不苟、一本正经的英国女仆，知道自己的身份，没有什么事情能惊着她。她把一切都视作理所当然。她把每个非英国人都称为外国人，认为他们都是愚蠢的人，因此必须体谅他们。她在管理员工方面也很专制——她难道不清楚，大户人家的上等仆人是怎么用权威使唤下等仆人的吗？——旅馆的角角落落既干净又整洁。

我称赞旅馆很干净，她就恭恭敬敬地站在那里，双手交叉，和每次跟我说话时一样。“我只是尽力而为。当然了，我们不能指望外国人和我们想法一样，但勋爵大人以前常跟我说，我们要怎么做呢，帕克，他跟我说，我们这辈子要做的就是要物尽其用！”

但最大的惊喜，她还是留到了我离开前的那天晚上。

“我很高兴你能在离开之前见到我那两个儿子。”

“我都不知道你有孩子。”

“他们出差了，刚回来。看到他们，你会大吃一惊的。可以说他们是我亲手训练出来的，以后我不在人世了，他们中的一个会继续经营这家旅馆。”

不一会儿，两个皮肤黝黑、身材魁梧的年轻人走了进来。她的双眼散发出喜悦的光芒。他们拥抱她、亲吻她，发出清脆的声响。

“他们两个不会说英语，先生，倒是能听懂一点点；当然了，他们的土耳其语说得和当地人一样，还会说希腊语和意大利语。”我和他们一一握手，然后尼科利尼太太对他们说了些话，他们就走了。

“夫人，两个小伙子都生得很英俊。”我说，“你一定很为他们自豪吧。”

“那是自然，先生，他们两个都是好孩子。从出生到现在，他们从来没有给我惹过一点儿麻烦，他们和尼科利尼先生长得几乎一模一样。”

“我得说，没人会想到他们的母亲是个英国人。”

“我其实不是他们的生母，先生。我刚才就是让他们去和她问声好的。”

我很肯定自己的脸上露出了迷惑的表情。

“他俩是尼科利尼先生和一个以前在旅馆干活的希腊女孩生的，我没有孩子，便领养了他们。”

我一时不知道说什么好。

“我希望您千万不要指责尼科利尼先生。”她说着挺直了身子，“我不希望您觉得他做错了，先生。”她又把双手交叉在一起，用一种自豪、满足的口吻，拘谨地补充了最后这句话：

“尼科利尼先生是个精力非常旺盛的男人。”

大　班

他比任何人都清楚，自己算得上个人物。他是中国最大的英国公司某个不大不小的分公司的头儿。一步步走到这个位置，他靠的是过人的本事。回望三十年前初来中国的那个毛头文员，他露出一丝浅笑。他那个寒酸的老家位于巴尔内斯郊区一长排红色房子的中间，那个郊区一心想和上流社会沾点儿边，却脏得要命。每每想起那间房子，再看看眼前这幢宏伟的石砌大楼，有着宽阔的阳台、敞亮的房间，马上就要成为公司的办公室兼住所，他就满意地笑出声来。眼下他已今非昔比。他想起曾经从学校（圣保罗学校）回家吃的傍晚茶，一起吃饭的有他的父母和两个姐妹，茶点只有一份冷肉、几片面包和黄油，还有奶香十足的茶，大家按需自取。接着他又想到了他现在吃晚餐的情形：他总是一身正装，而且，不论是独自进餐还是同他人一起，他总要求三个侍从伺候在侧。一等侍从很清楚他的喜好，他从来无须操心家务琐事。他的晚餐基本是一个模式，晚礼服、餐前开胃菜、主菜、烤肉、甜品，所以即便是临时请客吃饭，他也可以应付自如。他喜欢这种用餐方式，不明白独自用餐凭什么就得降低标准。

他确实算得上功成名就了。因此，他现在不愿回家乡了，已经有十年没回过英国了；即便是休假，他也会去日本或者温哥华，他确定在这些地方可以遇到中国沿海地区的老友。他在老家一个人都不认识。姐妹们都嫁给了门当户对的人，她们的丈夫是职员，儿子也是。他的那些亲戚和他没什么共同之处，和他们在一起他觉得没什么乐趣。每个圣诞节他都寄礼物给他们，一块上等丝绸、一些精致的刺绣或者一盒茶叶，聊以表达自己对亲人的关爱。他不是个吝啬的人，只要母亲在世一天，他就会一直给她生活费。但他打算等到退休也不回英国，回去的人他倒是见过不少，他心里清楚他们多半过得并不如意。他打算在上海马场附近买一栋房子：玩玩桥牌、打打高尔夫、养几匹小马，安享余生。但现在就开始憧憬退休生活，还为时过早。再过个五六年，希金斯就会回中国，他将负责上海总公司。同时，他也很满意现在的工作地点，在这里可以省下钱，在上海是万万不可能的；而且在这儿他也过得很愉快。这个地方还有一个优势是上海没有的：他是全社区最具威望的人，他的话很管用。即便是领事也不敢和他唱反调。曾有个领事和他起了争执，结果让步的人居然不是他。想起这件事，大班就恶狠狠地把下巴扬得老高。

但他还是笑了，因为他心情极好。他刚在汇丰银行参加了一场正式午餐会，这会儿正往回走呢。午餐会很不错。食物非常棒，酒也喝得尽兴。他喝了几杯鸡尾酒和顶级白葡萄酒，还喝了两杯波尔图葡萄酒和上佳的陈年白兰地，他感觉很舒服。离开的时候他做了一件罕见的事，他没上轿。轿夫在他身后几步之遥紧跟着他，随时准备抬他上轿，但他这会儿就想走走路、活动活动，这些日子他都没有好好锻炼。体重太重，骑马不方便，锻炼的机会也就少了。虽然太沉骑不了马，他还是可以养养小马驹。漫步在这温暖舒适的空气中，他不由得想起了春季赛马会。他养了几匹还未参过赛的骏马，每匹他都寄予厚望。他发现办公室有个小伙子是出色的骑师（大班必须确保这个小伙子不会被偷偷带走，上海的老希金斯会给他一大笔钱把他挖走），小伙子应该能赢个两三场比赛。他自诩有城里最好的马厩，想到这，他像鸽子一样骄傲地挺起胸膛。多么美好的一天，活着真好。

途经墓园时他停下了脚步。整洁有序的墓园清楚地反映出这个社区的富裕程度。他每每经过这里，总会心生自豪。身为一个英国人，他由衷地高兴。墓园定址的时候，这里不怎么值钱，后来这座城市越来越富裕，这块地也跟着越来越值钱。之前有人建议把坟墓都移到另一个地方，好把土地腾出来卖掉、盖房子，但社区的人情感上过不去，反对这个建议。想到死者安息在岛上最值钱的地方，大班就感到非常满足。这表明，比起钱，他们还有更关心的事情。让钱都见鬼去吧！一碰到“要紧事”（这是大班最喜欢说的一句话），人们总会记着：钱并不代表一切。

现在他想进去随便走走。他看着那一座座坟墓，都打理得不错，小路上也没有杂草，一派繁荣景象。他一边走一边念墓碑上的名字。这里有三个并排的坟墓，分别是三桅帆船玛丽·巴克斯特的船长、大副和二副，他们都是在1908年的台风中遇难的。他记得很清楚。还有几个立在一起的墓碑，是两个传教士和他们的妻儿，他们都是在战乱中被杀害的。这也太骇人听闻了！并不是说他有多看重传教士，但是怎么能被杀呢？接着他走到一个十字架跟前，上面的名字他认识。爱德华·马洛克可是好小伙，却没能抵挡住酒精的诱惑，生生把自己给喝死了，真是可怜，他才二十五岁——大班知道不少小伙子都落得了这样的下场。另外还有几个更加精致的十字架，上面刻着名字和年龄，二十五岁、二十六岁、二十七岁不等；故事都大同小异：他们来中国之前从没见过那么多钱，都是些开朗的小伙子，都想和其他人喝酒，却败在了酒精的手下，结果全都进了坟墓。想在中国沿海地区斗酒，你得有拿得出手的酒量和健康的身体。当然这些故事都很悲伤，但想到这里埋了不少被他喝倒的年轻人，大班忍不住笑了。也不是所有人的死都没意义，大班公司有一个同事，比他年长，也很聪明，要是那家伙还活着，现在当上大班的就另有其人了。确实，命运总是难以捉摸。啊，这儿埋着可爱的特纳太太。维奥莱特·特纳长得娇小迷人，和大班有过一段风流韵事。她死的时候，他受到的打击不小。他看着墓碑上她的年龄，要是她还活着，也不再是小姑娘了。想到这些死去的人，他感到很是得意。他们都被他打败了。这些人都死了，而他还活着，天哪，这些人都成了他的手下败将。他双眼扫过这些拥挤的坟墓，不由得轻蔑地笑了，忍不住要搓起手来。

“他们可没把我当傻瓜。”他嘟囔道。

他想着这些连话都讲不清楚的死者，一种不带恶意的轻蔑感油然而生。他继续往前走着，突然撞见两个劳工在修建坟墓。他吃了一惊，因为没有听说社区有人死了。

“你们这是在给谁建坟呢？”他大声问道。

两个劳工站在墓穴里，离地面有些距离，都没抬头看他一眼，只管干活，把厚厚的土块铲出来。他来中国也有些日子了，却一点儿汉语都不会说。那时候，人们认为没有必要学习这门语言，所以他是用英语问的这两个人。那两个劳工听不懂，回应了几句汉语，他就骂他们是什么都不懂的蠢货。他知道布鲁姆太太的孩子病了，有可能是这孩子离世了，但要是这样的话，他肯定早就听说了。况且，这墓穴看着也不是给孩子的，明显是一个成年人的，而且是个体形较大的成年人。这也太奇怪了。他真希望没来这儿，便匆忙逃了出来，躲进轿子里。他的好心情一下子全没了，不安地皱起了眉头。一回到办公室，他就喊他的二把手。

“我说，彼得斯，你知道谁死了吗？”

但彼得斯全然不知，大班很是困惑，便派了一个当地职员去墓地询问那两个劳工。他自己则开始签署信件。那个职员回来后，说那两个劳工已经不在那儿了，没有人可以打听。大班隐隐觉得很是不快：这里发生了什么事情，他居然蒙在鼓里，他很不喜欢这种感觉。他的仆人应该知道，什么事情都瞒不过那小子，他便派人把仆人找来，但仆人没听说社区里有谁死了。

“我知道没有人过世。”大班暴躁地说，“可那个坟墓是干吗用的？”

他叫仆人去找墓园管理员，问清楚既然没有死人，为什么要修建坟墓。

“走之前先给我来点威士忌和苏打水吧。”仆人往外走时他说。

他不知道为什么看到这个坟墓让他感到浑身不安，但他试着不想这事了。他喝了威士忌，感觉好多了，就把工作完成了。他上楼翻了几页《笨拙》[1]周刊。几分钟后他就该去俱乐部打了一两盘桥牌，然后吃晚餐。但要是能听听仆人回来怎么说，心情也会好转，他会先等他回来。没过多久，仆人回来了，还带着墓园管理员。

“你让他们挖坟干什么？”他直截了当地问管理员，“又没人去世。”

1　1841年创刊的英国幽默插画杂志。

“没有挖坟。”管理员说。

“你什么意思？下午有两个劳工在挖坟。”

这两个人互相看了一眼。仆人说，他们一起去墓园看过了，并没有新修的坟。

大班欲言又止。

他本想说“该死的，我明明亲眼看见的”，但是他没有说出口，硬生生憋了回去，脸变得通红。那两个人面无表情地望着他，他一时喘不过气来。

“行了，都出去。”他气喘吁吁地说。

但他们刚一离开，他又喊仆人进来。仆人进来后，一副事不关己的样子，大班气坏了，让他去取些威士忌来。他用手帕擦去满脸的汗水，然后颤抖着把酒杯送到唇边。他们爱怎么说就怎么说吧，反正他亲眼看到那个坟墓了。他仍然可以听到劳工把土一铲一铲抛出地面时发出的闷响声。这到底怎么回事？他能感觉到自己的心扑通扑通地跳动着。他莫名感到很不自在，但他总算振作起来了。都是些什么乱七八糟的事。要是真的没有坟墓，那他肯定产生幻觉了。现在他最好去俱乐部，如果能遇上医生，就让他检查检查。

俱乐部里的每个人看上去都和平常没什么两样。他不知道为什么会盼着他们与平时不一样，或许那样能让他安心点。这么多年来，这些人一直都在一起，过着有条不紊的生活，也都有自己的小癖好——其中一个打桥牌时不停地哼小曲，另一个一直用吸管喝啤酒——这些常常惹得大班不快的把戏，此刻反而带给他一种安全感。这正是他需要的，因为他无法摆脱之前看到的那桩怪事。今天他的桥牌打得很烂，搭档对他挑三拣四，他便发起了脾气。大班觉得他们都在用奇怪的眼神看着他，便想知道他们在他身上看到了什么反常的东西。

突然，他再也受不了了，没法继续待在俱乐部了。往外走的时候，他看见医生正在阅览室看《泰晤士报》，但他没有勇气上前跟他讲话。他想亲自看看那座坟墓是否真的在那里。他坐上轿子，命令轿夫去墓地。人总不可能产生两次幻觉吧，可能吗？而且，他打算让监工和他一起进去，如果那儿确实没有新坟，他也就看不到了，但如果有，他将狠狠地把监工揍一顿。结果却没见监工的影子——他出去了，还把钥匙也带走了。大班发现自己进不了墓园，一下子感到筋疲力尽。他回到轿子上，让轿夫抬他回了家。他得在晚饭前先躺上半小时。这会儿，他累坏了。他曾听说人在疲惫的时候就会产生幻觉，准是这个原因。仆人进来帮他更衣准备吃晚餐，他靠着意念才勉强起床。那天晚上他很想不换衣服，最终还是坚持着换了：他自己规定吃晚餐的时候要着正装，而且这二十年来，他一天也没落下，绝不能打破自己制定的规矩。他在晚餐时点了一瓶香槟，这让他感觉舒服一些了。饭后他让仆人拿来最好的白兰地。几杯下肚，他又感觉身心舒畅了不少。让该死的幻觉见鬼去吧！后来他去台球室，练习了几把高难度击球。他的眼力很准，所以他的身体不大可能有什么问题。他一躺下，立刻进入了酣睡状态。

但他突然醒了过来。他梦到了那个敞开的坟墓，以及那两个不慌不忙挖坟的劳工。他很确定自己见过他们。明明亲眼见过，这会儿又说成是幻觉，岂不是太荒谬了。然后，他听到守夜人在打更，刺耳的声音打破了黑夜的寂静，把他吓得魂飞魄散。他被恐惧攫住了。这座城里无数蜿蜒的街道让他害怕，寺庙繁复的屋顶和庙里那些鬼怪都恐怖极了。他讨厌侵入他鼻孔的气味，还有这里的人——形形色色穿着蓝色衣服的劳工、衣衫污秽破烂的乞丐以及穿着黑色长袍的商人和地方官员，一个个都精于世故，脸上挂着笑，却也难以揣摩。他们似乎都在胁迫他。他为什么要来这里？他现在惊慌失措，只想离开这里。再在这里多待一年、一个月都不行。还惦念上海做什么？